LES CHEMINS DE HONGRIE

DU MÊME AUTEUR

chez le même éditeur :

NOËLE AUX QUATRE VENTS

Tome 1

DOMINIQUE SAINT-ALBAN

NOËLE AUX QUATRE VENTS

★★

LES CHEMINS
DE HONGRIE

roman

ROBERT LAFFONT
6, place Saint-Sulpice, 6
PARIS-VIᵉ

Si vous désirez être tenu au courant des publications de l'éditeur de cet ouvrage, il vous suffit d'adresser votre carte de visite aux Editions Robert Laffont, Service « Bulletin », 6, place Saint-Sulpice Paris-VIᵉ. Vous recevrez régulièrement, et sans engagement de votre part, leur bulletin illustré, où, chaque mois, se trouvent présentées toutes les nouveautés — romans français et étrangers, documents et récits d'histoire, récits de voyages, biographies, essais — que vous trouverez chez votre libraire.

PREMIÈRE PARTIE

LE RETOUR A ITHAQUE

CHAPITRE PREMIER

LES PETITS ROIS

Elle se réveille en sursaut.

Tout de suite, elle appelle à mi-voix :

— Ugo !...

Le bateau est arrêté. Elle n'entend plus le bruit des machines, mais un léger clapotis d'eau contre la coque. Elle rejette ses draps, se lève. En posant le pied sur le carrelage, elle ouvre les yeux et se met à rire. C'est Venise. Le bateau est quelque part en Méditerranée, et Yannis Karrassos, qui tient lui-même les commandes, force l'allure à faire éclater les moteurs, pour arriver le plus tôt possible à l'île de Lefkas. Mais depuis hier soir, Noële et Ugo sont à Venise. Dans le palazzo du signor Peretti.

Elle s'approche de la fenêtre, écarte doucement les volets de bois. C'est presque le matin. Elle se glisse sur la petite terrasse. La ville est verte. Avec quelque chose, au ras des canaux, comme une promesse de lumière orange. Il fait froid. C'est déjà l'automne. Mais les rosiers dans leurs pots de terre brune ont encore des reflets de chaleur. Quelque part, il y a des odeurs d'orangers. Sa chambre est située au second étage du palazzo. De l'autre côté du canal, Noële aperçoit un petit cloître entourant un jardin et les hautes fenêtres d'un couvent. Une cloche tinte. Une sœur, en habit noir, traverse rapidement le jardin, disparaît sur la gauche. Noële entend des bruits de basse-cour, des poules qui s'effraient, un chien qui gronde, et une voix très haute et très douce qui semble rire ou chanter. Puis la sœur traverse

de nouveau le jardin, lentement cette fois. Dans les plis de
sa robe qu'elle tient relevée, Noële aperçoit des œufs.
Elle tremble un peu, regagne sa chambre.
« C'est aujourd'hui », pense-t-elle.
Elle s'en veut d'avoir peur.
Elle revient vers son lit, mais elle sait qu'elle ne pourra
pas se rendormir. Il y a eu cette image des Quatre Vents,
dans les plis de la robe noire de la sœur jardinière, et tout
s'est mis à vivre. Non seulement l'odeur de la paille, et les
murs blanchis à la chaux de la laiterie, et le bruit métallique des seaux, et le ronflement des moteurs, et les prairies
tout autour jusqu'aux arbres de l'horizon. Non seulement
le jardin des fiançailles, mais le salon avec la cheminée, les
chambres du premier étage, la cuisine sous l'escalier avec la chaise de madame Marie, et le parfum
de sucre et de vanille des armoires. Mais aussi son père
et sa mère adoptifs. Leur visage. Leur regard. Et derrière
eux, tournant le dos, marchant vite comme s'il courait après
un taxi dans les rues de Tokyo, l'ombre de Jean-François.
« *C'est Ugo que j'aime, c'est Ugo, c'est Ugo...* » Et elle
pleurait, et elle se demandait pourquoi, et pourquoi et pourquoi. Et Jean-François lui caressait les cheveux maladroitement, et disait tout bas : « *Mon amour...* »
Noële sort de sa chambre, descend l'escalier. La chambre
de Ugo est au premier étage. Elle ouvre la porte sans bruit,
s'approche du lit. Il dort. Comme un enfant, la tête renversée, une main levée comme s'il cherchait un appui. Elle
s'étonne qu'il sache dormir aussi profondément. Ses sommeils sont comme des voyages. Il s'enfonce de tout son poids
dans des pays où rien ne peut l'atteindre. Et lorsqu'il en
revient, c'est toujours les mains vides. Sans rêve et sans
image. Le nageur n'a fait que traverser la nuit.
— C'est Ugo que j'aime, dit-elle à voix basse. C'est Ugo...
Elle s'assied contre le mur. Elle préfère le regarder de
loin. Il n'aimerait pas savoir qu'elle l'observe ainsi dans
son sommeil. Il croirait qu'elle cherche à connaître ses
secrets. Et sans doute est-ce pour cela que, lorsqu'il dort,
il reste sur la défensive. De l'enfant, il n'a que l'apparence.
En vérité, il est replié sur lui-même, et personne jamais
ne pourra le surprendre. « Je ne sais même pas qui il
est... » pense-t-elle. Dans quelques heures, ses parents seront

là. Elle leur présentera Ugo. Elle leur dira : « Ma vie, c'est lui. Et mon voyage. Et là où il ira j'irai ». Mais s'ils lui demandent : « Que sais-tu de lui ? » elle répondra : « Son nom. — Et puis ? — Rien d'autre. » Si, pourtant. Mais comment le leur faire comprendre ? Qu'il a été avec elle sur la plage d'Ithaque, et qu'il lui a parlé du chien qui avait reconnu Ulysse. Et encore que sur les rochers rouges de Lefkas, il était comme un jeune fauve, indolent en apparence, mais capable de se ramasser pour bondir. Et aussi que sur l'*Alexandra III* le jour de l'orage, il y avait dans sa voix un grondement plus fort que tous les tonnerres au-dessus d'eux. Et enfin — mais c'est plus difficile encore à expliquer — que lorsqu'il jouait pour elle dans les salles de concert, il y avait des forêts où l'on se cache, et un voyage épuisant jusqu'au mur à franchir, et tout ce qui vous tire en arrière, et qui vous dit de revenir, et qu'elle l'entendait murmurer : « *Voilà le chemin que j'ai fait jusqu'à toi. Voilà le chemin qu'il faut que tu fasses.* »

Ugo se retourne avec un grognement bref. Elle se redresse, comme prise en faute. Elle se sent coupable. Elle n'a pas le droit d'être là. Ce qu'elle a compris depuis qu'elle connaît Ugo, c'est qu'elle ne doit poser aucune question. Ce qu'il garde en lui, s'il faut qu'elle le sache, il le dira le moment venu. L'impatience ne peut que la perdre.

Elle aperçoit un programme du dernier concert, prend un crayon, écrit rapidement sur la couverture : « Ne me cherche pas. Je vais à la recherche de la place Saint-Marc », pose le programme bien en évidence sur le bord du lit, remonte rapidement dans sa chambre. Elle s'habille, vérifie qu'il fait encore froid, met un chandail à col roulé, quitte le palazzo comme on s'évade.

Venise est encore verte. Mais la lumière orange est mieux qu'une promesse. Elle court déjà sur la pierre des quais. De lourdes péniches passent lentement. Les fruits qu'elles transportent sont des raisins noirs et or. Noële va au hasard. Le signor Peretti leur a dit que la place était tout près de son palazzo, et très vite, avec des gestes, il leur a indiqué le chemin. Mais elle s'en souvient mal. Elle traverse un petit pont. Des péniches passent encore, avec des tomates rouges, des aubergines, des salades. Le marché ne doit pas être loin. Il n'y a d'autre bruit que celui des rames, dans l'eau du canal, et le murmure des vagues contre les maisons.

— Comme un navire...

Si elle fermait les yeux, ce serait de nouveau la mer. Un chat traverse le pont derrière elle, semble la suivre. Il est noir avec des yeux roux. Elle attend qu'il la rejoigne. Mais il s'arrête en même temps qu'elle, comme pour garder ses distances. Elle lui sourit. Elle est heureuse. Elle n'en peut plus de s'en défendre. Sa peur existe. Elle est vraie. Il y a ses parents tout près, et toutes les explications à donner dans quelques heures, et Ugo devant eux cherchant à sourire, et si elle tremble c'est que son cœur n'est pas sûr de ce qu'ils diront. Mais son bonheur est plus fort que tout. Il est en elle, comme toutes les lumières. Elle dit tout bas : « *Ugo...* » Et le soleil est là. Sur sa main. Sur le dos du chat qui devient orange et prend feu. Sur le mur de la maison. Sur les barreaux de la petite fenêtre, au premier étage, sur une grande chemise, accrochée à une corde, qui pend, les deux bras étendus comme un acrobate à la renverse.

— *Signorina...*

Il est grand, il la regarde. Il a un chandail à col roulé lui aussi. Bleu marine, en grosse laine. Un chandail de marin. Comme en portait l'équipage de l'*Alexandre III*. Elle n'a pas peur. On lui a dit : Les Italiens, attention aux Italiens... Et la ville dort encore. Ils sont seuls dans la ruelle. Il sourit, mais n'approche pas. Il la regarde simplement. Et le chat les regarde l'un et l'autre, ramassé sur lui-même, comme prêt à bondir. Noële répond au sourire du jeune homme. Tout lui parle de la mer. Elle aime que le premier visage rencontré lui fasse croire qu'elle est encore sur le pont du navire, et que le voyage continue.

— *Piazza San Marco*, dit-elle.

— Ah !

Il baisse plusieurs fois la tête, pour qu'elle sache qu'il a compris. Il se dirige vers le fond de la ruelle en lui faisant signe de le suivre. Elle obéit. Le chat hésite un moment, finit par les accompagner, mais de loin, et la démarche hautaine, comme si c'était aussi son chemin. Le jeune homme

tourne brusquement à gauche, s'enfonce sous une voûte.
De l'autre côté, il y a une grande gerbe de lumière avec
un reflet d'eau. Noële s'engage sous la voûte. Elle retrouve
des odeurs d'orangers. Le jeune homme l'attend de l'autre
côté. Ils sont au bord d'un petit canal. Il montre une
ruelle qui s'enfonce vers la gauche entre de hautes
maisons :

— *San Marco,* dit-il.

Il fait signe que c'est tout droit.

— Merci, dit Noële.

Elle voudrait qu'il l'accompagne jusque-là.

— Café ? propose-t-elle.

Il secoue la tête.

— *Grazie.*

Il y a un appel de sirène, assez loin derrière eux.

— *Arsenale,* dit-il.

Et il part en courant. Noële crie :

— Merci.

Il ne se retourne pas. Elle longe la ruelle, arrive devant
une seconde voûte, plus large, et déjà elle sait qu'elle
est arrivée. Il y a comme un gouffre blanc qui se creuse,
un mouvement des maisons qui s'écartent. Elle perd pied.
La lumière lui saute au visage. Elle s'assied, les genoux
tremblants, sur une marche. Devant elle, la place s'est
mise à danser comme la mer. A l'infini. Si loin, qu'elle
ne distingue rien. Il y a peut-être, au-delà d'une brume
orange, des reflets de cuivre avec des chevaux qui se
cabrent, et des arcades, et la flèche de quelque chose
comme une tour carrée, mais elle n'en sait rien encore.
Elle a mis la main devant ses yeux. Elle rit doucement.
Elle voudrait que Ugo vienne rire avec elle. Elle dit :

— Ugo.

Les pigeons s'éveillent. Il y en a quelques-uns autour
d'elle, qui ne s'essaient pas encore à rouler de la gorge.
Ils font le tour d'eux-mêmes, en s'étirant avec paresse,
les plumes un peu relevées. Une femme vient vers elle,
en noir, puis une autre. Tenant de gros missels. C'est
la fin de la messe. Comme dans toutes les villes, à la
même heure, et ce sont toujours les mêmes femmes qui
en reviennent. Noële regarde autour d'elle. Le chat ne
l'a pas suivie. Elle voudrait comprendre pourquoi elle

ne sait pas s'arrêter de rire. Il n'y a rien de drôle, sinon qu'elle est seule, que c'est le lever du jour, et qu'elle n'est jamais venue à Venise. Sinon qu'il y a partout des bruits de voiles qui claquent, et de haubans, et d'amarres, comme si la ville tout entière était un navire qui s'impatiente.

Elle se relève, fait quelques pas près d'un pigeon qui semble vouloir l'accompagner. C'est une danse sur place. Il y a déjà du soleil, et les ombres sont longues. A midi, tout sera blanc. Alors Nicole et Gilles Vaindrier traverseront les arcades...

— Si longtemps...

Comment Ugo peut-il dormir encore ? Elle a envie de retourner au palazzo Peretti, mais les pigeons l'en empêchent. Ils sont trois à danser avec elle. Lentement, et comme sans en avoir l'air, ils la poussent vers la basilique. Maintenant elle distingue la façade, les trois portes de bronze, le reflet des mosaïques. Elle sait déjà qu'elle va franchir une des portes pour saluer celui qui l'attend. Les pigeons se sont arrêtés. Elle avance encore, se trouve dans la pénombre de la nef. Il fait froid et doux. Il y a des reflets verts le long des colonnes, comme si la mer venait à peine de se retirer laissant derrière elle, entre les dalles, des souvenirs de mousse et d'algues.

Noële reste au fond de l'église, adossée au portail. Elle a fermé les yeux. Elle remue à peine les lèvres. Elle dit :

— Merci.

Très lentement. Comme un secret gardé trop longtemps et dont elle se délivre. Elle a besoin de dire merci. Parce qu'il y avait ce bonheur caché, et qu'elle aurait pu ne jamais se mettre en route. Parce qu'il y avait cette lumière, et elle aurait pu rester aveugle. Parce qu'il y avait ce monde offert, et que, seule, elle n'aurait jamais eu la force de le découvrir. Elle reste un long moment les yeux fermés, écoutant au fond d'elle-même le grondement émerveillé du bonheur. A l'autre bout de la nef, dans une nuit à peine éclairée par une petite flamme rouge, elle sait que l'office se déroule, elle sait que quelqu'un parle pour elle. Elle sait qu'elle a été prise en charge. Elle dit une fois encore :

. — Merci.

Puis elle sort doucement de la basilique. Sur la place, le soleil est une fanfare.

— Où étais-tu ?

Ugo vient vers elle, en courant. Il est tout rouge. Il a mis sa chemise de gondolier. Il la prend dans ses bras, la serre à l'étouffer.

— Tu es folle ou quoi ?

— Folle ?

— Tu t'enfuis pendant que je dors. De quel droit ? Et dans Venise encore ! Tu ne connais pas tous les dangers auxquels tu viens d'échapper.

— Raconte.

— Les corsaires, les pirates, les ponts qui s'effondrent, les marées, les pierres qui glissent, les labyrinthes. Et j'aurais crié ton nom pendant des années, sans que tu m'entendes.

— Tu avais peur de me perdre ?

— Mon amour.

Ils s'embrassent. Ils sont seuls sur la place immense, et les garçons qui commencent à installer les tables du Florian les regardent en fermant à demi les yeux, comme devant une lumière trop forte.

— Viens, dit Ugo.

Ils s'asseyent à une table, l'un contre l'autre, les jambes allongées, le visage levé vers le ciel.

— *Due espressi.*

— *Si, signor.*

Le garçon est encore en bras de chemise, sans tablier. Ils ont l'impression d'être arrivés chez un ami qui les attend depuis toujours.

— J'ai vu un chat, dit Noële.

— Et puis ?

— Un jeune homme. Très beau. Sans doute un marin. C'est lui qui m'a conduite jusqu'ici.

— Il t'a embrassée ?

— Non.

— Il n'a pas essayé ?

— Il n'avait pas le temps. La sirène de l'arsenal sonnait.

— Tu regrettes ?

— Il était beau.

Ugo se lève d'un bond.

— Je vais le chercher. Je connais le directeur de l'arsenal. Il fera ça pour toi.

Noële tend la main. Il se rassied, allonge de nouveau les jambes.

— Tu y penses, toi aussi ? demande-t-elle.

— Oui.

— Tu as peur ?

— Oui.

— C'est pour ça que tu dis n'importe quoi ?

Ils se serrent l'un contre l'autre.

— Ils sont très gentils, tu verras. Ils t'aimeront tout de suite.

— Que feras-tu, s'ils disent non ?

Le garçon revient. Il n'en finit pas de poser sur la table tout ce qu'il a apporté : des tasses, des soucoupes, des verres d'eau dans lesquels trempe une petite cuiller, des pots de crème, des sucriers, une corbeille avec des croissants chauds, et du beurre, et des couteaux, et un grand pot de confiture.

— C'est vrai, dit Noële. J'avais très faim.

— *Grazie*, dit Ugo.

— *Prego*, répond le garçon, en s'éloignant.

Ils mangent, boivent leur café, en demandent une seconde tasse. Le garçon leur en apporte un pot entier. Ils sont seuls. Ils peuvent demander ce qu'ils veulent. Le Florian leur appartient. Noële mord dans le dernier croissant.

— Je voudrais que ce soit déjà fait. Qu'ils soient là et que tout soit dit.

— Tu veux les attendre ici ?

— Il est beaucoup trop tôt. Ils doivent arriver vers 1 heure.

— Pourquoi ne viennent-ils pas directement au palazzo Peretti ?

— C'est papa qui n'a pas voulu.

Ils se lèvent, font quelques pas. Il n'y a plus de pigeons. Ils se sont tous massés devant les portes de Saint-Marc.

— N'aie pas peur, dit Noële.

Elle passe un bras autour de sa taille, appuie son visage contre la chemise rouge.

— Tu m'aimes ?

Il ne répond pas. Il regarde les chevaux de bronze au fronton de Saint-Marc. Ce serait trop simple. La tentation est en lui, depuis toujours, mais maintenant qu'il y a ces deux bras autour de lui, et ce visage, il sait qu'il aura la force de la refuser. De loin en loin, tout s'éveillera de nouveau, mais il laissera les chevaux sauvages chercher seuls le chemin du désert.

— Viens, dit-il doucement.

Il la conduit jusqu'à l'angle droit de la basilique.

— Il faut dire bonjour aux petits rois.

C'est une statue prise dans le mur. Elle représente deux hommes en armes, face à face, et l'un a posé sa main sur l'épaule de l'autre.

— Si tu veux revenir à Venise, salue-les respectueusement. Ce sont eux qui donnent le passage.

Noële tend la main, caresse la statue. Elle voudrait se pencher vers les petits rois, leur parler à l'oreille, les supplier de la prendre en garde, et son bonheur. Ugo entend ce qu'elle ne dit pas.

— Fais leur confiance. Ils t'attendent depuis des siècles.

— Tu es sûre que c'est ici ? demande Gilles Vaindrier.

— Au Florian, oui. Il n'y a qu'un café de ce nom.

Nicole Vaindrier regarde l'heure à sa montre.

— Nous sommes en avance.

Elle voudrait se sentir inquiète, impatiente comme Gilles. Mais elle n'y parvient pas. Elle est assise à la terrasse du Florian, sur la place Saint-Marc, à Venise. Et elle a envie de sourire. Il y a un vide en elle, une attente, quelque chose qui s'est dénoué depuis qu'elle a vu le reflet des premières façades sur le Grand Canal, depuis que le *vaporetto*, avec un faux bruit de bateau à moteur a commencé à danser d'une rive à l'autre, en s'arrêtant, comme les autobus parisiens, à des stations qui avaient des airs de débarcadères. Et chaque fois qu'on y accostait, Nicole avait l'impression d'être partie pour un long voyage, et que d'une escale à l'autre, elle allait faire le tour du monde.

— Voilà, dit-elle doucement. On est à Venise.

Gilles ne répond pas. A quoi bon lui rappeler ce rêve

de toujours, cette promesse qu'ils s'étaient faite, le soir
de leur mariage, pendant l'occupation, au moment le
plus sombre, avec toutes les frontières fermées, et les
villes plongées dans la nuit des black-out ? Venise. Ils
en avaient parlé comme d'une espérance, comme d'une
image de ce que serait la paix. Pas seulement parce que
c'était la ville de l'amour, mais parce qu'elle avait été
bâtie comme un défi aux hordes barbares, comme un
refuge de liberté, comme la seule façon de dire non.
Plus de vingt ans. Et le rêve se réalise enfin. Mais ce
n'est plus le même. Ils sont à Venise comme des parents
surpris, qui viennent retrouver celle qui était leur fille,
et connaître celui qu'elle a décidé d'épouser. Il y a
quatre mois, lorsqu'elle les avait quittés pour ce long
voyage d'été avec Yannis Karrassos, qui était Ugo
Luckas ? Un jeune pianiste qui avait eu un étrange
malaise, et n'avait plus donné de concerts pendant plusieurs semaines. Marie-Hélène avait été lui apprendre à
jouer aux cartes pour le distraire, puis elle avait dîné
avec Jean-François et lui à Seine-Port, et le dîner s'était
très mal terminé, parce que les deux garçons ne pouvaient
pas s'entendre. Depuis, dans la famille, on en parlait avec
un peu d'ironie, comme d'un personnage qui faisait des
caprices, parce que les virtuoses se prennent souvent pour
de grandes vedettes. Quatre mois à peine. Et c'était lui
qu'épousait Noële. Dans quelques jours, à Lefkas. Il avait
fallu, en toute hâte, quitter les Quatre Vents, se retrouver
à Venise. Sinon, ils n'auraient fait sa connaissance que le
jour du mariage.

— Tu as pensé à ce qu'il y a dessous ? demande Nicole.

Gilles sursaute.

— Dessous ?

— L'eau en dessous. C'est extraordinaire cette place
posée sur l'eau.

— Tout Venise est comme ça.

— Sur pilotis, je sais. Qu'on plante des pilotis pour
construire des maisons, c'est déjà surprenant. Mais pour
construire une place, un espace vide, qui ne sert à rien ...

Elle parle pour obliger Gilles à penser à autre chose,
mais il n'écoute pas. Il n'écoute plus. Depuis des semaines.
Depuis que Jean-François est revenu de Tokyo, il est

brusquement devenu silencieux. Comme si c'était lui, le
fiancé trahi. Comme s'il avait pris à son compte tout le
chagrin de Jean-François. Chagrin, c'est un mot trop
faible. Il y avait quelque chose dans son regard qui
faisait penser à un mort. Une fixité. Une absence. Du
café, toute la journée, et toute la nuit. Par litres.
Madame Saulieu tremblait pour son cœur. Il ne dormait
plus. Il marchait, la nuit entière. Maintenant qu'ils habi-
taient au bord de la Loire, il pouvait descendre de l'appartement, faire des kilomètres au bord du fleuve, en fumant
sans arrêt. Parfois même, il prenait sa voiture. Il dispa-
raissait. On ne savait pas où il allait. Chaque matin, en
ouvrant la porte de sa chambre, madame Saulieu se
demandait s'il n'avait pas disparu tout à fait. Gilles
Vaindrier avait été le voir, le lendemain de son retour.
Que s'étaient-ils dit ? Nicole n'avait pas réussi à le savoir.
Mais depuis, il était lui aussi comme un mort, le regard
absent, fermé sur un étonnement qu'il refusait de laisser
voir et que le temps n'apaisait pas.
— La voilà !
Elle s'est levée.
— Cette jeune fille en orange, là-bas. Près du campanile.
Gilles s'est levé à son tour.
— Tu es sûre ?
— Mais enfin, Gilles, tu ne la reconnais déjà plus ?
— Alors ce garçon en chemise rouge, qui est avec
elle...
— Mais oui. C'est Ugo.
Nicole Vaindrier quitte sa table, fait quelques pas, la
main levée.
— Noële !
Noële l'aperçoit, se sépare de Ugo, vient vers elle en
courant. Elles s'embrassent, fermées l'une sur l'autre, en
disant : *Mon chéri*... et : *Maman*..., et en riant, et en repre-
nant leur souffle et en s'embrassant encore. Elles revien-
nent vers Gilles qui attend debout près de sa table. Il
voudrait être sévère, mais Noële se serre contre lui, avec
une si profonde tendresse, qu'il ne résiste pas plus
longtemps.
— Enfin, dit-elle, enfin...
Elle les tient tous les deux par le cou, elle les regarde,

elle n'a plus peur, parce qu'ils ont retrouvé leurs gestes
et leurs sourires d'autrefois. Elle se dit qu'elle était folle.
Qu'elle n'avait pas le droit.

— Vous allez enfin connaître Ugo.

Elle se retourne.

— Ugo ? Mais...

La chemise rouge disparaît, là-bas, entre les arcades.

CHAPITRE II

AU MILIEU DES PIGEONS

Ils ont refusé l'invitation. Le signor Peretti a insisté autant qu'il a pu et Nicole Vaindrier était prête à se laisser convaincre, mais Gilles a dit non. Une petite pension, n'importe laquelle, même sans confort. Mais il refuse de devoir quoi que ce soit à cet inconnu.

— Tu as eu tort.

— Peut-être. Mais c'est ainsi.

Ils ont une chambre étroite, un peu étouffante, qui donne sur un coin de canal. Un petit lavabo fixé au mur, un paravent, et sur le lit un grand rideau de coton blanc au crochet, qui sent la lessive.

— De toute façon, c'est pour deux jours.

— Comment pour deux jours ?

— Tu le sais très bien. Pourquoi prends-tu l'air étonné ? Je ne suis pas ici en vacances. Toi, tu accompagnes Noële à Lefkas, mais moi je rentre. Simon a besoin de moi. Je ne peux pas lui laisser la responsabilité de la laiterie plus de quarante-huit heures.

Il est obligé d'allumer la lampe au-dessus du lavabo pour se raser. Il a du mal à faire mousser son savon à barbe. Comme si tout était contre lui, à Venise, même l'eau pour se laver. Il retient mal un mouvement d'impatience. Et il s'en veut. Parce qu'il sent que Nicole sourit dans son dos. Il la voit dans le miroir. Elle est encore couchée. Elle le regarde, et elle sourit. Ridicule ? Un peu, il le sait. Mais malheureux, très malheureux. Depuis qu'il est enfant, il n'a jamais su faire autrement.

Quand il est malheureux, il saisit le premier prétexte
pour se mettre en colère. N'importe quoi, comme une
défense. Ce matin, c'est le blaireau. Pour un peu, il l'en-
verrait dans le canal.

— Gilles, mon chéri...

Il ne répond pas. Il aiguise sa lame de rasoir. Il a gardé
l'habitude de se servir d'un coupe-choux, comme les
coiffeurs.

— Gilles, tu l'as bien regardé, le visage de notre fille ?
Le bonheur est écrit dessus, en toutes lettres. Alors ? Le
reste ne doit pas compter.

— Le reste ?

Il s'est retourné. Il sait bien qu'il faut que ça éclate,
à un moment ou à un autre. Alors pourquoi attendre ?

— C'est Ugo que tu appelles le reste ? Tu auras beau
m'expliquer n'importe quoi, tu ne m'empêcheras pas de
penser que ce garçon est le premier venu.

— Gilles, voyons...

— Le premier venu, je le répète. Qu'est-ce que c'est que
cette façon de filer sans même nous dire bonjour ? Noële
elle-même en avait les larmes aux yeux. Comme si nous
n'étions pas dignes de lui. On le retrouve le soir, au
palazzo du signor Peretti. Il reste immobile sans desserrer
les dents. Pendant tout le dîner, c'est une sorte d'auto-
mate qui mange dans son coin. Et tu voudrais que je
trouve ça parfait ?

— Il m'a parlé, à moi.

— A toi, peut-être. A moi, rien, pas un mot. Comme si
je n'existais pas. Je sais bien que je ne suis pas le vrai
père de Noële, mais je ne vois pas pourquoi ce *pianiste,*
ce *génie, cette super-vedette* refuse d'être poli avec moi.
Je ne dis pas : aimable. Je dis poli, rien de plus.

Il s'arrête brusquement, parce qu'il voit dans le regard
de Nicole une petite lueur qui se met à danser. Il comprend
qu'il a le visage couvert de savon, et qu'il gesticule en
brandissant son rasoir. Il hausse les épaules. On frappe
à la porte.

C'est la femme de chambre, qui vient chercher le plateau du petit déjeuner. Nicole s'est levée. Elle s'approche
de la fenêtre, regarde les reflets de l'eau sur les persiennes.

Gilles achève de se raser. Il plonge la tête dans le lavabo, s'essuie longuement avec une serviette.

— Tu crois que c'est de la colère, dit-il enfin. Mais c'est plus grave que ça. Beaucoup plus grave.

Elle voudrait qu'on frappe encore à la porte, que ce soit Ugo, et que tout s'éclaire.

— Je sais, dit-elle doucement.

Il y a des cloches lointaines qui se répondent. Puis, tout près, un coup violent et grave. Tous les pigeons s'envolent.

— Regarde, dit Noële.

Sur la tour de l'horloge, les deux géants de bronze lèvent leur marteau. Nicole Vaindrier met une main devant ses yeux pour se protéger du soleil.

— C'est beau, dit-elle.

Elle compte les douze coups, ferme les yeux. Le vol des pigeons au-dessus de leur tête est comme une voilure que gonfle le vent. Une ville de bonheur, des instants l'un après l'autre qui pourraient n'être que du soleil, des sourires sur les visages, des promenades au hasard des palais... Elle regarde sa montre.

— Il faut rentrer, dit-elle.

— On ne déjeune pas avant 1 heure.

— Si ton père arrive au palazzo Peretti avant nous, il sera furieux.

Noële regarde toujours les géants de bronze de nouveau immobiles, en attente du prochain mouvement des mécanismes.

— Si c'était vraiment mon père, il s'opposerait à mon mariage, n'est-ce pas ?

Elle a parlé d'une voix très calme, presque indifférente. Nicole Vaindrier se retourne, comme en sursaut.

— Que dis-tu ?

— Je sais bien que je suis majeure et que je pourrais me passer de son consentement. Mais il s'y opposerait de toutes ses forces.

Elle se retourne à son tour, regarde Nicole.

— Que reproche-t-il à Ugo ?

Nicole secoue la tête. Elle voudrait revenir en arrière,

tout recommencer. L'arrivée à Venise, la rencontre, à cette même table du Florian, la première soirée. Il suffisait de si peu de choses pour que tout se passe bien. Que Ugo ne s'enfuie pas. Qu'il reste auprès de Noële, sans rien dire. Qu'il s'asseye à leur table, qu'il ... Mais non. Elle sait que c'est beaucoup plus grave.

— Il ne s'agit pas de reproches, mon chéri. Ni à Ugo, ni à toi. Ce n'est pas, non plus, de la colère. Ou une certaine déception vis-à-vis de Jean-François qu'il aime beaucoup, tu le sais. Non. C'est une certitude en lui. Quelque chose de très fort.

— Quelle certitude ?

— La certitude que tu te trompes.

Noële se redresse.

— Comment peut-il dire ça ? Comment ?

Sa voix tremble. Elle laisse voir toute cette tristesse qui depuis la veille est comme étouffée.

— Ma certitude à moi est aussi forte que la sienne. Le bonheur, c'est Ugo. Mon bonheur. Ma vie. Il faut me croire, maman. Il faut me croire.

— Calme-toi, mon chéri. Je n'aurais pas dû te dire tout ça. C'est toi qui en as parlé la première.

Noële s'est penchée. Elle a saisi le bras de Nicole Vaindrier. Elle serre de toutes ses forces.

— Toi, maman, tu me crois ou tu penses comme papa ? Dis-moi exactement tout. Tout ce que tu as dans le cœur.

— Dans le cœur ...

Elle sent les deux mains de Noële accrochées à son bras, comme si elle perdait pied. Comme si, dans cette ville où la mer est partout présente, un courant l'emportait à la dérive.

— Je n'ai rien dans le cœur, mon chéri. C'est trop récent. Trop inattendu. Je ne sais qu'une chose : ton visage. Je le regarde. J'interroge tes yeux, ton sourire, tout ce soleil qui était caché en toi, et qui éclate maintenant ... Si tu savais comme tu es belle. Comme tu étais belle, hier, sur cette place Saint-Marc. Ce soleil qui venait vers moi ... Alors, je me dis : un bonheur aussi éclatant ne peut être qu'un vrai bonheur.

— Ça se voit ? Ça se voit vraiment ?

— Le soleil.

Pendant quelques secondes, Noële ferme les yeux. Puis elle se penche doucement, embrasse la main de Nicole Vaindrier.

— Promets-moi que tu l'obligeras à venir.

— Où ?

— A notre mariage. Je croyais qu'il allait rester avec toi, que nous irions tous les quatre à Lefkas. Mais puisqu'il part demain ...

Elle a toujours les yeux fermés.

— S'il ne venait pas ... Je ne veux pas y penser.

Elle ajoute à mi-voix :

— S'il ne veut plus que je sois sa fille...

— Noële !

Nicole s'est levée brusquement.

— C'est fini, tu m'entends ? Fini. On s'arrête. Des mots, des mots. On ne sait plus ce qu'on dit. C'est absurde. Viens.

Elle l'oblige à se lever, appelle le garçon, paie. C'est devenu trop grave. Il faut que quelque chose ait lieu. Gilles ne peut pas quitter Venise avant. Elle l'y obligera au besoin. Elle prend le bras de Noële. Elles s'en vont, serrées l'une contre l'autre.

— C'est dommage, dit Noële.

— Quoi, mon chéri ?

— J'aurais voulu qu'on se fasse prendre en photo tous les quatre, au milieu des pigeons. C'est conventionnel, je sais, mais ça m'aurait fait plaisir.

Nicole sourit.

— On le fera. Je te promets.

Gilles Vaindrier ne comprend pas qu'on puisse pénétrer ainsi dans le palazzo Peretti, sans que personne n'y prenne garde. La porte est grande ouverte. Il n'y a ni sonnette, ni marteau de cuivre. Où aller ? Dans la pénombre de l'entrée, il reconnaît les larges dalles de marbre, l'escalier qui conduit au premier étage. Il y a une chaise au pied de l'escalier. Peut-être faut-il s'y asseoir et attendre. Il entend bien le piano, derrière la porte fermée sur la droite. Mais il ne veut pas pousser cette porte. Il ne veut

pas déranger le travail de Ugo. Le dérangerait-il vraiment ?
S'il entrait dans le salon de musique, s'il venait s'accouder
au piano, Ugo ne s'en apercevrait sûrement pas. Il conti-
nuerait de jouer. Dans une parfaite indifférence à tout
ce qui n'est pas lui. Gilles écoute un moment. Joue-t-il si
bien ? Il aimerait avoir une opinion. Etre capable de
porter un jugement. C'est peut-être ce qui le déconcerte
le plus. L'impossibilité d'entrer dans cet univers étranger.
Il est devant une frontière. De l'autre côté, il y a autre
chose, qu'il ne connaît pas. Noële a franchi la frontière.
Elle voudrait qu'il vienne la rejoindre. Mais elle ne fait
rien pour l'aider. Et il attend près du poste de douane,
les mains vides, sans passeport.

Il regarde sa montre. Midi dix. Pourquoi ne vient-on
pas au-devant de lui ? Le signor Peretti a peut-être oublié
qu'il les avait invités à déjeuner. Ce serait tout à fait
son genre. Beau parleur, la voix perchée, les mains en
mouvement, l'œil cherchant toujours l'attention des
femmes, comme s'il voulait les hypnotiser, mais pour les
heures et les dates...

Gilles, agacé, finit par se décider. D'un mouvement
brusque, il ouvre la porte du salon de musique. Ugo
tourne la tête, s'arrête de jouer, se lève.

— Pardonnez-moi, dit Gilles. Ma femme et Noële ne
sont pas là ?

— Pas encore, monsieur.

— Nous devions nous retrouver ici. J'ai été faire réserver ma place d'avion pour demain. Je suis en avance.

Ils sont debout l'un en face de l'autre

— Je vous en prie, continuez.

— Non, monsieur.

— Pourquoi ?

Ugo ferme sans bruit le couvercle du clavier. Il a la
même chemise que la veille, rouge, avec les manches
relevées jusqu'au coude.

— Le signor Peretti ? interroge Gilles.

— Il avait rendez-vous avec un organisateur de concert
américain. Il n'est pas encore revenu.

— Bon.

— Avez-vous soif, monsieur ? Voulez-vous que je sonne
pour qu'on vous apporte quelque chose ?

— Merci, non. Quand ces dames
Il s'en veut aussitôt d'avoir dit là.
en France, dans les provinces. Un ga dames. Comme
doit sûrement sourire de cette expression. Comme Ugo
de concert, on parle un autre langage. Et les salles
sourie. Peu importe. Qu'il pense ce qu'il veut. qu'il
pêchera pas que depuis vingt et un ans, c'est ce lang m-
là qu'a appris Noële, un langage simple, sans histoires.
Un langage conventionnel peut-être, mais clair, facile
à comprendre. Ces dames. Parfaitement. Et cette situation,
n'est-ce pas la convention même ? Tous les deux seuls,
dans le palazzo, l'un en face de l'autre. Autant en
prendre conscience et ne pas hésiter à aller jusqu'au
bout.

— Luckas, c'est quoi ? interroge Gilles Vaindrier.

— Comme nationalité ?

— Oui.

— Hon rois, monsieur.

— De père et de mère ?

— Depuis trois générations, oui, monsieur.

— Vous avez quel âge ?

— Vingt-deux ans.

— Et ça fait deux ans que vous avez quitté votre
pays ?

— Deux ans, oui, monsieur.

Il y a un silence, puis Gilles Vaindrier hausse les épaules.

— C'est facile de sourire.

— Je ne souris pas, monsieur.

— Vous croyez que je ne m'en aperçois pas ? Vous
trouvez mes questions idiotes. Vous avez raison. Elles
sont idiotes. Mais je préfère ça. Parce que si je vous
disais vraiment ce que j'ai à vous dire...

— Dites.

— Pas ici.

— Pourquoi, monsieur ?

— Parce que je ne suis pas chez moi. Je suis invité
à déjeuner par le signor Peretti. Et je ne veux pas faire
de scandale. Mais vous ne perdrez rien pour attendre.
Venez aux Quatre Vents, et là, vous m'entendrez.

— Je suis à votre disposition, monsieur.

Ugo, pour la première fois, fait un geste. Il déroule les

‾mise, boutonne soigneusement les poi‾
manches de ‾ qu'il se prépare à partir, à suivre Gilles
gnets. On ‾qu'aux Quatre Vents, pour que tout soit
Vaindriettendre. Lorsqu'il a terminé, il attend, de
dit s‾ immobile.

‾nouOn est très bien élevé en Hongrie, dit Gilles avec
‾e sorte de grognement. « Oui, monsieur. Non, monsieur.
‾ votre disposition, monsieur... » Bravo.

— Si ma mère vous entendait, elle serait très fière de
vos compliments, monsieur.

— Et votre attitude sur la place Saint-Marc, hier,
croyez-vous qu'elle l'approuverait ?

— Mon attitude ?

— Cette fuite. Ce refus de venir jusqu'à nous, comme
si nous étions des pestiférés, madame Vaindrier et moi.

Il ne voulait pas en parler, mais c'est venu sans qu'il
puisse s'en défendre. Et maintenant, il ne voit pas comment il pourrait s'arrêter.

— Que vous nous jugiez indignes de vous, c'est votre
droit. Nous ne sommes pas des Karrassos, c'est exact.
Nous ne vivons pas sur des yachts, sur des îles ou dans
des palais. Madame Vaindrier et moi, nous sommes descendus dans une petite pension pas chère. Ça vous gêne ?
Pas moi.

— Mais, monsieur ...

— Laissez-moi aller jusqu'au bout maintenant...

Il s'est animé. Il fait quelques pas vers Ugo. Ils sont
tout près l'un de l'autre. Ils se regardent. Et pour la
première fois. Gilles Vaindrier a le sentiment qu'ils sont
moins étrangers qu'il ne le croyait, que quelque chose
comme un pont fragile peut leur permettre de se rejoindre.
La frontière n'est pas encore ouverte, mais en forçant
un peu ...

— Vous avez le droit de nous juger inférieurs, je le
répète, mais vous pourriez au moins vous souvenir de
l'éducation qu'on vous a donnée. Voilà ce que je pense.
Et je reste volontairement sur le terrain de la politesse,
sinon je serais obligé de me dire que vous avez fui parce
que vous vous sentiez coupable, parce que vous avez mal
agi envers Noële, parce que vous n'êtes pas très fier de
vous. Et ça nous entraînerait beaucoup trop loin.

— Vous me connaissez mal, monsieur.

— Je ne vous connais pas du tout. J'ai entendu parler de vous, ça oui. Et de toutes les façons.

— Par Marie-Hélène ?

— Et par Jean-François.

Il tourne le dos, s'approche de la fenêtre, regarde le quai. Il y a du soleil, et personne ne passe. Comme si la ville était déserte. Il dit, à mi-voix :

— Noële vous l'a peut-être expliqué. Je m'entends très bien avec Jean-François. Je l'aime beaucoup. Cette affection...

Il s'oblige à continuer.

— ...je la lui garderai, quoi qu'il arrive.

Ugo attend. Il regarde cet homme qui lui faisait si peur. Il est soulagé. Tout n'est pas encore clair, mais le silence est enfin rompu. Le vrai père, ce n'est pas Yannis. Yannis, il le connaît trop, il le tutoie, il ne parvient pas à le prendre au sérieux. Yannis dit toujours oui. Devant Noële, il est comme un enfant émerveillé, qui croit aux miracles. Tandis que cet homme-là... Ugo se souvient. La maison au bord du lac Balaton. Un homme de dos à la fenêtre. Une voiture noire qui s'arrête devant le portail. C'était un jour d'été. Avec du soleil. Comme aujourd'hui. Et les eaux du lac se reflétaient sur les vitres, comme les canaux de Venise. Onze ans déjà. Jamais plus depuis ce jour-là, depuis que les hommes avaient obligé son père à monter dans leur voiture, il n'avait entendu une voix semblable à la sienne. Une voix qui dit ce qu'elle a à dire. Sans détours. Comme celle de monsieur Vaindrier.

— Attendez-vous ma réponse maintenant, monsieur, ou préférez-vous que je vous laisse seul ?

Gilles Vaindrier cherche machinalement sa pipe dans la poche de sa veste.

— Je voudrais surtout m'en aller, dit-il, rentrer chez moi. Je ne suis pas bien ici. Et Noële ? Que fait Noële ?

Il traverse rapidement le salon, ouvre la porte :

— Noële !... Nicole !...

Il attend un moment. Personne ne répond.

— Que font-elles ?

Il est revenu au milieu du salon. Il ferme les yeux,
secoue la tête.

— Monsieur...

— Plus tard.

— Pour hier, monsieur...

— J'ai dit : plus tard.

Mais Ugo continue. Il ne sait pas s'il retrouvera cette
impression aussi forte de parler à son père, revenu parmi
les vivants, du fond de la nuit où on l'a enfermé.

— J'ai quitté mon pays et ma famille, il y a deux ans.
Je voudrais que vous compreniez. Ce n'est pas tout à fait
la même chose que Noële. Mais...

Il cherche ses mots. Il cherche surtout à ce que sa
voix ne le trahisse pas. Il s'oblige à parler lentement.

— Si je marchais avec Noële dans une rue, et si j'aper-
cevais en face de moi ma mère, que je n'ai pas vue depuis
deux ans, je crois, monsieur, je suis même sûr, qu'elle
préférerait que j'aille d'abord la rejoindre seul.

Gilles Vaindrier a relevé la tête. Il écoute attentivement.

— C'est en pensant à ça, que j'ai « fui », comme vous
dites.

Il attend quelques secondes, puis s'éloigne sans bruit,
sort du salon. Gilles Vaindrier l'entend monter l'escalier.
Il reste seul, au milieu de la pièce, devant le piano fermé.

Noële est entre Gilles et Ugo. Nicole donne à manger
à un pigeon. Ugo en a un sur l'épaule.

— Souriez, dit le photographe.

Tout le monde obéit. Même Gilles. Les pigeons ont
l'habitude. Ils regardent l'objectif avec sérieux. Ils attendent que la photographie soit prise, puis s'envolent lourdement et se laissent presque tomber sur le sol. Le soir
n'est pas loin. Il y a des nuages pourpres au-dessus du
campanile. Toutes les tables du Florian sont occupées.
C'est comme si l'été n'en finissait pas.

— Le dernier verre, propose Gilles.

Ils cherchent une table, finissent par en découvrir une,
dans l'ombre, sous les arcades. Ils s'installent sans un mot.
Ils ont des gestes lents, comme si l'approche de la nuit
les endormait déjà.

— Il commence à faire frais, dit Nicole.

— Tu aurais dû mettre un chandail.

Gilles fait des signes. Mais personne ne vient les servir. Ugo se lève.

— Que voulez-vous boire ?

— Du café glacé pour tout le monde.

Ugo s'éloigne à la recherche du garçon.

— Papa, tu devrais t'acheter une chemise rouge. Ça t'irait très bien. Et maman serait fière de toi. Tu aurais l'air d'un jeune amoureux.

— Ne plaisante pas sur mon âge. C'est facile.

Noële lui prend la main.

— Je ne plaisante pas. Au contraire. Si tu savais comme je t'aime.

Elle ferme les yeux. Elle sourit. Elle pense que dans un instant, le photographe lui apportera l'image de leurs quatre visages au milieu des pigeons.

CHAPITRE III

CETTE OMBRE A LA SURFACE DE LA MER

— Et voilà toutes les terrasses...

Nicole Vaindrier se penche, éblouie. Le soleil bondit sur les rochers rouges. La mer, tout autour, est comme un miroir. Des jardins étagés monte une odeur d'herbes et de fruits. C'est pourtant l'automne. Octobre, et les prairies des Quatre Vents sont déjà rousses. Mais ici, comme prisonnier de cette île de légende, l'été se réveille chaque matin au commandant de Yannis Karrassos.

— C'est moi qui fais lever le soleil !

Il rit en levant la main vers le ciel.

— J'ai dit aux orages : dormez jusqu'au mariage de ma fille ! Restez dans vos cavernes. Après, vous aurez tout le temps de noyer les jardins.

Il rit encore, et Nicole est prête à le croire. Depuis qu'elle est à Lefkas, elle vit dans l'émerveillement. Ce que lui avait raconté Noële n'est qu'un aspect de la vérité. Elle sait que rien ne se raconte. Elle-même de retour chez elle, s'il fallait qu'elle explique, elle n'y parviendrait pas. C'est en dehors de ce qui se voit. C'est une légèreté de l'air, une façon de marcher pieds nus sur les dalles, un tremblement du regard, comme si l'ombre elle-même se fermait sur des brumes, et des escaliers qui jouent entre les maisons, pour que les équilibres à chaque instant soient réinventés.

— Regardez..., dit Yannis en lui prenant le bras.

Il montre un point noir, très loin, au large.

— Une autre île ?

— Mon cadeau de mariage. Pour Noële et Ugo. Une île déserte. Je l'ai achetée il y a quelques jours. Ils s'y enfermeront chaque fois qu'ils voudront se défendre contre nous.

Il rit encore. Chaque mot qu'il prononce le fait rire. Il semble qu'il y ait ce rire en lui depuis tant d'années qu'il ne sache plus le maîtriser. Et l'île de Lefkas tout entière est comme lui. Elle éclate de toutes ses terrasses, de tous ses rochers, de tous ses jardins.

— C'est un morceau de caillou, avec un petit bâtiment, vaguement militaire, tout en ruine. Je n'ai pas eu le temps de le faire remettre en état. Ils y camperont, les premiers jours. Je leur donne aussi un bateau, pour qu'ils puissent revenir lorsque la solitude sera trop difficile à supporter.

Il regarde Nicole Vaindrier.

— Vous n'avez pas l'air de trouver que c'est une bonne idée.

— Je pense à mon mariage. Bien sûr, ce n'était pas la même chose. C'était l'occupation. Mais nous avons fait le contraire, mon mari et moi. Au lieu de nous isoler, nous sommes redescendus à Grenoble. Comme par défi. Pour vivre notre bonheur au milieu des Allemands. Pour prouver que nous étions plus forts qu'eux.

Elle met la main devant ses yeux, regarde l'île lointaine.

— L'île déserte, à cette époque-là, c'était plutôt une fuite. Presque une lâcheté.

Dans la maison, il y a des cris, des portes qui battent, une voix qui appelle :

— Yannis ! Où es-tu, Yannis ?

C'est Delpina Karrassos.

— Pardonnez-moi, dit-il à Nicole Vaindrier.

Il rejoint sa sœur. Dans la chambre, il y a deux grands cartons, posés sur le lit.

— Les couronnes, dit Delpina.

— Faut-il que je les regarde aujourd'hui ?

— Oui.

Elle a déjà commencé à défaire les rubans. La petite servante est restée sur le pas de la porte.

— Non, dit Delpina. Monsieur et moi seulement.

La petite servante s'éloigne avec un soupir. Depuis une semaine, la maison a perdu la tête. Toutes les portes sont ouvertes, et des inconnus vont et viennent avec des caisses, des paquets, des papiers à signer, des visages de contrebandiers. Chaque fois qu'on soulève un couvercle, on n'ose pas en croire ses yeux.

Les mains de Delpina tremblent un peu.

— Vas-tu les trouver assez belles ?

— Laquelle préfères-tu ?

— Elles sont pareilles.

— Pourquoi ?

— Parce que Noële et Ugo portent en eux les mêmes promesses.

Elle a ouvert le premier carton, écarté les étoffes de soie qui protègent l'écrin.

— La reconnais-tu ? demande-t-elle à mi-voix.

Yannis Karrassos s'agenouille brusquement sur le bord du lit, approche son visage de la couronne comme si l'éclat de l'or le rendait aveugle. Il tend une main, hésite.

— Ariana...

Il voudrait que son rire soit en lui comme une défense. Mais il ne sait pas lutter contre cette force qui le fait basculer vers les eaux du passé.

— J'avais passé des jours et des jours chez l'orfèvre, dit-il. Souvent je prenais les outils moi-même. Il y a toutes les plantes de Lefkas. Celles qui donnent la santé, celles qui endorment, celles qui cicatrisent, celles qui apportent le bonheur. Même celle qui rend aveugle, car l'amour, par moments, a le devoir de l'être. Les voici toutes ensemble, de nouveau, comme au jour de mon mariage.

Il se redresse, regarde sa sœur avec étonnement.

— Comment as-tu fait pour t'en souvenir ?

— Je l'avais gardée. Sans que tu le saches.

Elle interroge :

— Tu es heureux ?

Ils se sourient. La chambre est dans la pénombre. Mais ils connaissent bien leur visage, et les signes qu'y a tracés le temps. Autour des yeux, autour des lèvres, pendant vingt années d'attente silencieuse. Ils découvrent soudain qu'un sourire les efface.

— La robe aussi sera la même, dit Delpina.

— La robe ?

— Je n'ai pas eu besoin de la faire reprendre. Alexandra
y entre juste. Elle a le corps exact de sa mère.

Elle ajoute avec une sorte de surprise :

— Le temps remonte.

Il y a un bruit de pas, derrière la porte, une voix qui
appelle :

— Mademoiselle !

C'est la petite servante. On apporte les bougies. Le
marchand en a de toutes sortes, avec des couleurs
différentes.

— Il faut les prendre toutes.

— C'est qu'il y en a beaucoup, mademoiselle.

— J'ai dit toutes. Je veux que la maison soit comme
un incendie.

Elle quitte la chambre en courant, suivie de la servante. Yannis Karrassos a refermé les écrins, rangé les
couronnes. Il rejoint Nicole Vaindrier sur la terrasse.
On dirait qu'elle n'a pas bougé. Elle est toujours debout,
face à la mer, le regard fixé sur cette île au loin. Elle
voudrait ne pas penser, ne pas se souvenir. Il y a ce
mariage dans trois jours, et il faut qu'elle en soit heureuse.
Parce que le bonheur est écrit dans les yeux de sa
fille. Elle le sait. Elle l'a su dès le premier instant,
dès qu'elles se sont reconnues sur la place Saint-Marc. Peu
importe que les fêtes aient lieu dans un pays dont elle
ignore tout, sinon qu'il y fait encore beau en octobre. Ce
seront de belles fêtes, avec tout ce qu'il faut d'éclat, de
musique et de cérémonial. Le plus beau mariage, sans doute,
auquel elle assistera. Sans aucun visage connu, sans un ami
pour marquer son plaisir. Mais encore une fois, peu
importe. Elle regarde cette ombre à peine visible à la
surface de la mer, et déjà elle ne sait plus où est la
vérité. Rgarde-t-elle où il faut ? Avec ce soleil ... Il suffit
de se dire : c'est l'île, et d'y croire. Peut-être suffit-il
aussi de se dire : c'est Noële. C'est bien Noële. Et d'y
croire. De toutes ses forces. Même si quelque chose dans
la voix, dans le sourire, dans le visage, lui donne parfois,
et sans qu'on s'y attende, l'air d'être perdue entre deux
mondes, à la recherche de cette île, où elle pourra enfin
se *défendre*. C'st bien le mot qu'a employé monsieur Karrassos : *se défendre contre nous...*

— Ils y sont allés aujourd'hui, dit Yannis. Pour voir.
Nicole Vaindrier se retourne. Elle veut ne plus penser
à l'île déserte.

— Je suis honteuse, dit-elle.

— Pourquoi ?

— Je suis venue à Lefkas en avance pour aider votre
sœur à préparer le mariage. Et je ne fais rien.

Yannis Karrassos secoue la tête.

— Moi non plus, je ne fais rien. Ce mariage ne nous
concerne ni l'un ni l'autre. Il nous suffira, vendredi, de
ne pas oublier d'aller à l'église.

— Sérieusement ...

Yannis la prend par le bras, l'entraîne vers le bois
de pins derrière la maison.

— Ma sœur ne veut pas qu'on l'aide. Ce mariage est
son affaire. Elle y pense depuis vingt ans. Comment vous
expliquer sans vous faire de la peine ?

— De la peine ?

Ils marchent lentement. Il y a des lézards endormis
sur les pierres chaudes, comme en été, et des glaïeuls
sauvages le long des murs.

— Pendant vingt ans cette île a été en deuil. Nous y
vivions, ma sœur et moi, sans jamais voir le jour, comme
des prisonniers. Il y avait un homme qui allait et venait
dans le monde, qui faisait des affaires, qui gagnait de
l'argent. Cet homme avait l'air d'être moi. Mais, j'étais
ici, dans le noir, derrière ces portes fermées.

Ils sont arrivés à la lisière du bois. L'ombre soudain
est fraîche et Nicole Vaindrier la reçoit sur l'épaule
comme une main familière.

— Et puis Noële est revenue. C'était Pâques. Elle ne
ne vous l'a pas raconté ? Pour la première fois, il y a eu
des musiciens dans la maison, qui jouaient les airs de
la Résurrection. Noële a dansé. J'ai dansé avec elle. Et
les portes de la prison se sont ouvertes.

Il reste un long moment silencieux, immobile entre
les arbres. Très loin, un oiseau chante, à petites notes
paresseuses.

— Rien, dans tout cela, ne peut me faire de la peine,
dit enfin Nicole.

Yannis Karrassos fait quelques pas. Un chemin s'est amorcé, qui semble conduire au cœur du petit bois.

— Ceci, peut-être. Les fêtes, pendant vingt ans, c'est à vous qu'elles appartenaient. Tout ce que Noële a vu de lumières, de bougies, de cadeaux, depuis qu'elle est enfant... Alors, son mariage, la fête de son mariage, elle nous revient de droit.

Il se retourne brusquement, tend vers Nicole une main impérieuse. Son visage s'est fermé. Sa voix se fait presque dure.

— Donnez-la-nous.

« C'est déjà l'île », pense Nicole. Cette longue étendue de mer qu'elle ne peut pas franchir... Une ombre passe dans son regard, et Yannis Karrassos s'en veut d'avoir été trop loin. Il sourit de nouveau.

— Venez.

Ils suivent en silence le chemin qui s'enfonce entre les arbres. Partout, au tremblement de la lumière, on devine que la mer est proche. Yannis s'arrête enfin.

— Voilà, dit-il.

Quelque chose se dresse entre les pins, et Nicole d'abord ne comprend pas ce que c'est. Elle fait un pas. On dirait une maison, mais bâillonnée par les arbres, étouffée, cernée de toutes parts. Les branches ont crevé les fenêtres et le toit, enfoncé les murs, avec une fureur inexplicable.

— Pendant que sa mère la portait, dit doucement Yannis Karrassos, je lui faisais construire une maison.

Il s'est approché, en écartant les branches.

— Il y avait tout : un vrai lit pour dormir, des fauteuils, des étagères pour mettre des livres, un vrai fourneau pour la cuisine.

Il a un petit rire bref, et la colère le prend soudain. Il frappe du poing contre les murs délabrés.

— Je voulais être le maître de sa vie. De toute sa vie. Avant même qu'elle ne soit née. J'avais tout décidé, d'un seul coup. Il y avait cette maison, et le bois tout autour que j'avais acheté, et un bateau, et une voiture, et un chien, et des chevaux et des fusils.

Il revient vers Nicole.

— J'étais fou, n'est-ce pas ? C'est ce que vous pensez.

Bien plus fou encore que vous ne l'imaginez. Je voulais
lui acheter des amis d'enfance, des enfants de son âge,
qui seraient venus vivre dans l'île avec elle, et des pro-
fesseurs, les meilleurs de Grèce, et même...
    Il hésite. Sa colère est tombée. Il parle les yeux fixés
au loin :
    — Oui... Même un fiancé. Ne souriez pas. Comme les
rois d'autrefois qui se promettaient leurs enfants avant
leur naissance. Je voulais qu'elle ait tout de moi. Tout.
Même l'homme qui lui aurait enseigné le bonheur. Voilà
jusqu'où m'emportait ma folie. Et voilà mon châtiment :
une maison éventrée. D'année en année, je l'ai vue se
lézarder et mon espérance avec elle. Mais aujourd'hui,
ma fille est là. Je regarde son corps, ses yeux, son visage,
ce sang que je lui ai donné. Et cette maison ne m'est plus
rien...
    L'oiseau s'est tu. Le petit bois est silencieux. Seul le
vent fait bouger parfois les arbres, mais de haut, comme
s'il hésitait.
    Comment avez-vous fait ? demande Nicole Vaindrier.
Vingt ans. Je ne sais pas si j'aurais eu cette patience.
    — Je ne savais pas que je pouvais l'avoir.
    Il voudrait tout raconter, mais ce n'est pas le temps.
Et puis, tout s'oublie depuis que les bateaux entrent dans
le port de Lefkas, avec des caisses remplies de cadeaux
de mariage, depuis que les marchands de bougies frappent à sa porte, et que tous les agneaux de l'île sont déjà
égorgés pour la fête.
    — L'espérance, dit-il, c'est ce qu'il y a de plus naturel
aux hommes.
    Ils s'en vont vers le port.
    — Et vous ? demande-t-il. Aviez-vous cessé de craindre
qu'on vous l'enlève ?
    — Jamais complètement. Mais il m'arrivait, les der-
niers temps, de ne plus y penser parfois pendant plusieurs
semaines, d'oublier qu'elle n'était pas ma fille.
    — Quand vous avez appris que la vérité était décou-
verte, à cette seconde précise, qu'avez-vous pensé ?
    — Je ne sais pas.
    De nouveau, ils se sont arrêtés, face à face, et l'ombre
des branches joue sur leurs visages.

— Rien, dit-elle. Rien dans ma pensée. Mais quelque chose s'est produit en moi. Quelque chose comme un mouvement. Comme si, pendant une brève seconde, tout se fermait. Je ne voyais plus, je ne respirais plus, je n'entendais plus. Mon corps était une pierre. Très froide. Une brève seconde. Et puis j'ai recommencé à vivre. Mais c'était une autre vie.

Ils repartent lentement, comme si le poids de ces phrases était lourd à porter. Soudain dans le soleil, c'est la vie qui les accueille. Le petit port est comme une place de marché. Il y a des bateaux qui entrent, d'autres qui sortent, avec des voiles de toutes les couleurs, des marins qui transportent des caisses mystérieuses, tout un trafic, avec des cris et des appels, et sur le quai les chariots vont et viennent, et des hommes marchent pliés en deux, le dos chargé de grands sacs. Il y a même un petit âne, au bout de la jetée, qui attend peut-être un navire, et qui se regarde dans l'eau avec étonnement. Nicole s'est assise sur une marche d'escalier. Yannis Karrassos a des ordres à donner. Il appelle chacun par son nom, dit bonjour, saute sur le pont des bateaux, compte les caisses. Son rire l'accompagne partout. Nicole s'étonne. Elle a toujours vécu enfermée dans ses terres. Avec des arbres, des champs, des routes. A Venise déjà, elle avait découvert le mouvement des navires. Et à Nantes, l'année passée pendant cette heure qu'elle avait voulu vivre comme un rêve, avant de découvrir, dans l'appartement des Mesnard que Noële s'appelait Alexandra. Pourquoi, à chaque détour de leur vie commune, retrouvent-elles le mouvement de la mer ?

— Ils ne sont pas encore rentrés, dit Yannis Karrassos en la rejoignant. Le petit bateau bleu n'est pas là. Ils ne reviendront que ce soir.

Quelqu'un appelle, du haut des terrasses.

— Pardonnez-moi. Ce doit être encore des caisses à ouvrir.

Il remonte vers la maison. Nicole Vaindrier le regarde partir. De dos, c'est un jeune homme, mince, souple, rapide, et si fort cependant, tellement sûr de lui. Elle se souvient de ce vent de chimère qui les a saisis aux cheveux, l'un après l'autre, après son court passage aux

Quatre Vents. Tous les élèves de Denis qui se sont mis
à rêver et à apprendre le grec, Gilles qui a tourné sans
le dire autour d'un champ où construire une laiterie nouvelle, elle-même qui s'est soudain passionnée pour le
dossier d'une maison des Jeunes. Tout de suite après le
mariage, elle se replongera dans ce dossier. Il le faut.
Elle ira jusqu'au bout, jusqu'à ce que, des papiers contenus
dans le dossier, naisse une vraie maison, avec de vrais
murs et les voix de toutes celles et de tous ceux qui
auraient pu être les amis de Noële.

Elle se lève. Elle voudrait que Gilles soit là. Par
moments elle regrette d'être venue la première. Elle
aurait dû rester avec lui, et n'arriver que la veille du
mariage. Parce qu'il y a d'étranges mouvements de
navire, et que cette maison posée sur des rochers danse
insensiblement.

— Demain, dit-elle à mi-voix.

Demain, ils seront à Athènes, à l'aéroport. Demain Gilles
descendra de l'avion de Paris, demain, elle n'aura plus
le temps de chercher à la surface de la mer l'ombre à
peine visible d'une île déserte.

CHAPITRE IV

J'ACCEPTE. OUI

— Non, Ugo !

Il est devant la porte, vêtu de blanc, le visage et les mains brûlés de soleil, avec des chaussures noires, comme les sabots d'un cheval. Il est comme un cheval. Il piaffe, il frappe contre la porte. Il veut entrer. Et la voix de Delpina, de l'autre côté, répète :

— Non, Ugo !

Comme si le bois parlait, et la pierre des murs. Seulement cette voix. Au centre du silence. Depuis le matin, c'est le silence. Dans la maison, personne ne bouge. Derrière la porte de chaque chambre, et jusqu'à celles des serviteurs, il n'y a pas un bruit. Chacun est prêt depuis l'aube. Chacun attend, immobile. Dans les cuisines, dans les jardins, sur les terrasses. Et sur le port. Les bateaux ont replié leurs voiles. Ils se retiennent de danser au bout de leurs chaînes. La vie est suspendue, et les quais déserts. Les maisons du village ont fermé leurs volets. Il n'y a que la mer, dont la voix jamais ne s'enroue, la mer sur les rochers, la mer contre la digue, avec sa respiration fidèle. Et Ugo, devant la porte de Noële, qui frappe de plus en plus fort.

— Non, Ugo !

— Au moins lui parler.

— Non, Ugo !

— Juste un mot. A travers le bois.

Quelqu'un le saisit par le bras. C'est Yannis Karrassos,

habillé de blanc, lui aussi. Il arrache Ugo à cette porte
fermée, l'entraîne de force.

— Tu t'en vas, Ugo. Tu te rends à l'église. Et tu attends.
Entre les époux c'est l'absolu silence.

Ugo se débat. Mais Yannis est le plus fort.

— C'est la loi, Ugo.

— Je ne suis pas de ce pays. Noële non plus. Nous
n'avons rien à faire de vos lois.

Il n'accepte pas d'être ainsi contraint. Mais Yannis
l'a déjà poussé hors de la maison. Ils sont debout sur la
terrasse, dressés l'un contre l'autre.

— Ugo...

Il parle à voix basse, mais dans chaque mot prononcé
il y a comme un grondement de colère.

— Ils sont tous là, Ugo. Tous ceux d'avant moi. Tous
les parents, et les parents des parents. Ceux qui dorment
dans la terre de Grèce, et les autres, qui se sont endormis
au hasard de leur route. Obéis-leur, Ugo. Respecte-les.
Que cette journée soit à leur espérance.

— Je n'ai pas de famille. Ma seule famille, c'est Noële.
Aujourd'hui et toujours.

— Alors, obéis à Noële. Elle accepte la tradition Karrassos.

Il le pousse doucement par l'épaule, avec une brusque
tendresse :

— Va.

Ugo s'éloigne. Yannis Karrassos pense : « Mon fils... »
Il reste un long moment immobile, découvre le silence
avec étonnement. Il en a comme un éblouissement. « Je
l'avais dit par jeu, pense-t-il. J'arrêterai le soleil et le
temps. » Et c'est devenu vrai. La terre ne tourne plus.
Le soleil est posé sur l'horizon. Il attend, pour reprendre
sa course, que la cloche de l'église le lui permette. Parce
que le vrai soleil est encore enfermé dans la chambre
de la mariée : cette robe de lumière, qu'Ariana portait
un matin d'autrefois, et qui brillait si haut que chacun,
ébloui, détournait le regard.

Yannis rentre dans la maison, s'arrête devant la porte
de la chambre. Elle s'ouvre sans bruit.

— Entre, dit Delpina.

Il ne voit plus rien que cette flamme trop blanche,

dressée au centre de la pièce, dans un éclatement de
soie, de perles et de fils d'argent.
— Alexandra, murmure-t-il.
Elle sourit. Elle parle à voix basse, elle aussi :
— Pour la première fois ce matin.
Il secoue la tête. Il tremble.
— Je devrais dire : Ariana... Comme tu lui ressembles !
— C'est la robe.
— Pas seulement la robe. Ton visage, ton regard, ton
sourire. Ta mère aujourd'hui vivante, en toi, par toi,
pour le même bonheur.
Il cache son visage dans ses mains. Il voudrait ne plus
respirer, et que le temps remonte, et qu'il ait de nouveau
l'impatience de Ugo devant la porte de celle qui va devenir
sa femme. Au loin, très lentement, une cloche s'éveille.
Elle bat comme le cœur étouffé de Yannis.
— Il faut partir, dit Delpina.
— Attendez.
Yannis Karrassos quitte rapidement la chambre, tra-
verse la maison, frappe à la porte des Vaindrier.
— Monsieur Vaindrier...
La porte s'ouvre. Gilles est sur le seuil. En noir, avec
un col qui le serre un peu.
— C'est vous qui allez conduire Noële à l'église, mon-
sieur Vaindrier.
— Moi ?
Gilles Vaindrier comprend mal. Depuis le matin, il
attend dans cette chambre sans savoir ce qu'il faut faire.
Personne ne lui a rien dit. Il est arrivé la veille, en avion.
Il a retrouvé Noële et Nicole à l'aéroport. Il a posé quelques
questions. Mais ni l'une ni l'autre n'avaient l'air d'être
au courant. « C'est l'affaire de la tante Delpina », ont-
elles répondu. Et brusquement, on vient lui dire que c'est
à lui d'occuper la place du père. Yannis l'entraîne.
— Cette jeune fille, dit-il, je l'ai déjà vue. Elle est déjà
entrée dans l'église, avec cette même robe. Il y a bien
longtemps. Aujourd'hui, c'est votre tour.
Il le fait entrer de force dans la chambre de Noële,
puis s'éloigne, rejoint Delpina, toute en blanc elle aussi,
avec une ombrelle pour se protéger du soleil.
— Papa ...

Gilles regarde sa fille et ne la reconnaît pas. Il se dit qu'il s'est trompé de chambre, de maison, de pays, qu'il n'a pas le droit d'être là.

— Aide-moi à quitter cette chambre, papa.

Elle tend vers lui ses deux mains nues.

— Un seul pas.

— Tu n'as pas la force ?

— Avec toi, j'aurai la force.

Il lui prend les mains, l'attire doucement à lui, et Noële à l'impression de s'arracher à elle-même. Elle fait un pas, elle pousse une sorte de soupir, et tire de tout son corps pour entraîner le poids de la robe, de la longue traîne, de l'immense voile. C'est au front que la pression est la plus forte. Elle est pliée en arrière, retenue, et Gilles Vaindrier, au tremblement de ses mains, mesure son effort.

— C'est lourd, dit-elle.

— Je vais appeler des servantes. Elles t'aideront à porter la traîne.

— C'est le passé surtout. Brusquement tous les souvenirs.

Elle s'accroche au bras de Gilles Vaindrier. Il l'entraîne en la soutenant. Ils sortent de la chambre. Il y a un long couloir, et la terrasse est au bout. Il a l'impression qu'elle n'arrivera pas jusque-là.

— Où est maman ? demande-t-elle.

— A l'église.

— Pourquoi n'a-t-elle pas attendu ?

— Elle a pensé qu'il fallait te laisser avec ta famille.

— Je n'ai qu'une famille.

Ils avancent lentement. Partout, autour de chaque porte, il y a les guirlandes de feuillages tressées, piquées de bougies de toutes les couleurs.

— Je vous aime, dit Noële.

C'est une odeur d'eucalyptus et de laurier, avec, venant des cuisines, un parfum de sucre et de miel. Ils atteignent enfin la terrasse.

Alors, d'un seul coup, toutes les cloches éclatent et rebondissent du ciel à la mer, comme si le soleil lui-même était un plateau de bronze. Noële lève une main devant ses yeux. Elle est éblouie.

— Il y a encore tout ce chemin à faire, dit Gilles en
montrant l'église.

— Je le ferai.

Sans bruit, comme des ombres, quatre jeunes filles
l'entourent. Elles ont des robes brodées, des bas blancs
avec des souliers noirs, et, sur leurs cheveux sombres, un
carré de soie blanche. Elles se baissent, saisissent la
traîne et la portent à hauteur de la hanche, pour que
l'étoffe précieuse ne touche pas la terre du chemin. Noële
maintenant semble pressée d'arriver. Elle marche vite.
Gilles, étourdi par le vacarme et la lumière, et cette chaleur qui est encore celle de l'été, se dit qu'il aurait dû
s'habiller de blanc, comme les autres.

— Il n'y a personne sur le port, dit-il. Les rues sont
désertes.

— Ils sont tous dans l'église. Personne ne doit voir la
mariée.

Ils sont arrivés sur la place, devant l'église. Alors
Yannis Karrassos, qui marche derrière avec Delpina, crie
soudain :

— Ecoutez tous !

Noële s'arrête. Derrière les volets fermés, on dirait que
des visages apparaissent, la voix de Yannis est comme
une flamme plus haute que le soleil.

— Alexandra !

Il est debout au centre de la place. Il tourne la tête
pour que tout le village entende. Sa voix est si forte qu'elle
domine le vacarme des cloches.

— Ecoutez tous. C'est ma fille. Elle est revenue. Alexandra. Elle est comme le soleil. Eclatante. La lumière de
midi.

Delpina s'est approchée de lui. Elle lui pose une main
sur le bras. Mais il se dégage.

— Je ne dirai plus rien. Jamais plus rien. Laissez-moi
encore un instant. Que toute l'île entende et comprenne.
C'est ma fille Alexandra, et elle est vivante. Je voulais
que son nom bondisse d'une façade à l'autre, et que les
cloches de l'église le répètent avec moi !

Il crie une fois encore, avec une sorte de violence
désespérée :

— Alexandra !

Pendant quelques secondes, il ferme les yeux, écoutant l'écho de sa voix qui court entre les maisons, saute de toit en toit, et va se perdre sur la mer. Puis, il regarde sa fille, immobile devant le porche de l'église, tournée vers lui, attendant.

— Maintenant, tu peux entrer, Alexandra.

Elle incline la tête, en une sorte de révérence, avec un respect étonné.

— Merci, père.

Soutenue par Gilles Vaindrier, elle pénètre dans l'église.

Il y a les palmes autour de l'autel, comme une haute porte. Il y a l'encens, la fumée des cierges, et toutes les lampes dans les verres de couleur, avec des flammes qui dansent. Il y a l'or des icônes, et l'or des chasubles, et l'or des candélabres. Il y a la voix du pope Alexis, et ses cheveux tressés en natte sur la nuque. Il y a l'odeur du basilic, l'herbe qui a poussé sur le tombeau du Christ, et qui sert à bénir les fidèles. Il y a Ugo, près d'elle, Ugo qui ne bouge pas, qui ne respire pas, qui la regarde. Jamais il ne tourne la tête vers l'autel. Il semble ne pas entendre, ne pas voir. Il a le regard posé sur elle. C'est comme s'il ne comprenait pas. Il y a tous les hommes du village aux premiers rangs, les femmes derrière, les mains croisées sur des robes trop lourdes d'avoir été empesées. Il y a Delpina près de Nicole, toutes les deux attentives, pour la première fois ensemble, qui se parlent à voix basse, dans le déroulement des litanies.

— Jamais je ne pensais à vous, dit Nicole. Je pensais à sa mère. Seulement à sa mère.

— Moi, je pensais à vous. A vos mains.

— Je l'ai tenue, c'est vrai. Je l'ai portée, serrée contre moi. Et puis elle a marché.

— Vous lui donniez la main.

Elles parlent sans se regarder, serrées l'une contre l'autre, le regard posé sur cette lumière au loin, devant l'autel, qui est leur soleil à toutes les deux.

— Vous l'aimez plus que moi, dit Nicole.

— Plus sauvagement, oui. J'ai trop faim d'elle, et trop soif. Une soif, une faim qui me brûlent. Alors, je la tiens à distance. Je me défends.

Le pope Alexis se tourne vers les mariés, et le silence se fait.

— Ugo, serviteur de Dieu, acceptes-tu pour épouse Noële, la servante de Dieu ?

Ugo détache son regard de Noële. Il fait un mouvement de tout son corps, comme quelqu'un qui dormait et qu'on éveille en sursaut. Il a envie de rire. Il ne comprend pas pourquoi on lui pose une telle question puisque son amour est sur son visage.

— J'accepte. Oui.

Le pope Alexis hoche la tête.

— Noële, servante de Dieu, acceptes-tu pour époux Ugo, le serviteur de Dieu ?

Elle répond comme Ugo, et il y a le même rire dans sa voix :

— J'accepte. Oui.

Alors, le pope Alexis lève les mains.

— Pour Noële et pour Ugo, mariés l'un à l'autre, pour leur amour et pour leur salut, nous implorons le Seigneur.

Toutes les voix répondent : *Kyrie eleison...*, les hommes les femmes, l'église tout entière, et les apôtres peints sur les icônes, et les morts, dressés dans leurs tombeaux. Noële se penche vers Ugo. Elle découvre alors cette lumière au-dessus d'eux : les couronnes de feuillages ciselées par l'orfèvre, que deux jeunes filles tiennent suspendues, comme deux oiseaux de feu.

— Seulement la mort, dit-elle.

Le poids de la robe s'allège soudain. Ce qu'elle emportait dans les plis de l'étoffe, et qui la rendait si lourde, les images, les souvenirs, les regrets, les remords, tout s'efface. Il n'y a plus que l'amour de Ugo.

Dans le salon des Quatre Vents, aux volets fermés, madame Marie a froid. Elle est assise dans un fauteuil, face à la cheminée. Dans le fauteuil voisin, il y a Denis. Il est venu frapper à la porte, tout à l'heure. Madame Marie lui a ouvert. Il a dit qu'il n'avait pas la force de rester seul, ce jour-là, dans l'école d'Ouches. Elle l'a fait entrer. Ils attendent, sans rien dire, que la nuit les délivre.

CHAPITRE V

L'ILE DESERTE

Le jour ou la nuit ?

— Ugo !

C'était un couvent, une caserne, une cabane pour les moutons. Elle ne sait pas. C'est en ciment, avec des plaques grises, par endroits. Une gare. Quelque chose comme une salle d'attente. Ou un phare. Pour les navires. Un phare au ras de l'eau. Une balise. Elle ne veut pas savoir. C'est son amour. La mer, les rochers, une herbe rase, le vent comme un compagnon fidèle. Et son amour. Chaque fois qu'elle prononce son nom.

— Ugo !

Il est parti. Il a pris le bateau. Il est au loin, au large, aux frontières. Elle ouvre les yeux. Il est là, ses lèvres contre ses lèvres, et il dit, à mi-voix :

— Tu as faim ?

Elle secoue la tête, elle se renverse sur le dos.

— C'est Capetown.

Il est allongé contre elle, une couverture roulée autour de ses jambes. Elle ne sait pas s'il dormait. Elle ne sait pas si c'est le jour ou la nuit. Il n'y a pas d'heure, pas de soleil, mais simplement le sommeil qui les prend lorsqu'ils en ont envie, et les conduit vers des réveils qui sont comme une journée toujours la même qui recommence.

— Tu te souviens de Capetown ? demande-t-elle.

— Non.

— Non ?

— Je n'ai jamais été à Capetown.

— Jamais ?

— Non.

— Alors c'était un autre.

Elle se serre contre lui. Elle a froid. Elle se dit qu'il faut allumer du feu.

— Il était beau, si tu savais. Un garçon qui me faisait la cour. Si beau que, tout de suite, j'ai eu envie qu'il m'embrasse.

— Il t'a embrassée ?

— Oui.

— Et puis ?

— Nous avons volé une voiture. Dans un parking. Une grande Cadillac.

— Et puis ?

— Nous avons roulé tout droit, la nuit, au bord de la mer.

Il caresse doucement son visage. Il ferme les yeux. Il y a en lui le bruit de la mer, et les vagues, et la longue plage sous la lune, avec le soleil qui restait prisonnier du sable, malgré la nuit, et quand on s'y allongeait, c'était encore l'été.

— Et ce garçon très beau, dans la voiture, il t'embrassait encore ?

— Oui.

— J'aurais voulu être à sa place.

— Moi aussi, Ugo, j'aurais bien préféré que ce soit toi. Ugo...

— Et puis ?

— Et puis, on s'est arrêté, et la terre aussi s'est arrêtée. Et j'ai su qu'il faisait nuit pour la dernière fois. Et tu as posé ta main sur moi, et le premier matin s'est levé sur le monde, mon amour.

Ils s'embrassent, ils se mordent. Le vent se lève. Un volet bat. Ils savent qu'il fait jour.

— J'ai faim, dit Ugo en se redressant d'un bond.

Il enfile un gros chandail, ouvre la porte.

— Le bateau !

Il se retourne vers Noële.

— Le bateau est parti.

Elle secoue la tête. Elle ne sait pas encore reconnaître lorsqu'il joue et lorsqu'il est sérieux.

— Il y a eu du vent cette nuit. Le bateau a rompu son amarre. Je l'avais bien attaché, pourtant.

— Comment va-t-on faire ?

Elle a froid. Elle cherche un chandail.

— On ne peut plus s'en aller ?

— Tu veux t'en aller ?

— Pour aller chercher de l'eau. Et de quoi manger. Pour vivre. Il faut bien.

Il la prend dans ses bras, la serre contre lui.

— Je vivrai de toi. Tu vivras de moi.

— Tu crois ?

— On se mangera lentement, petit morceau par petit morceau. On gardera le cœur pour la fin.

Elle se dégage, sort de la cabane.

— Tu as menti, Ugo.

— Eh oui.

— Le bateau est là.

— Eh oui.

— Pourquoi ?

— Pour voir ta réaction.

— Et alors ?

— Très mauvaise. Tu as tout de suite pensé à boire et à manger.

— C'est le rôle de la femme dans un ménage.

Il pousse un grand cri, comme un chien qui aboie, et l'île tout entière en est étonnée.

— Qu'est-ce que tu as dit ? Un ménage ?

— Mais oui.

Elle rit déjà. Elle ne sait pas ce qu'il va dire, mais elle rit.

— Nous sommes un ménage, toi et moi ?

— Officiel. Légal. Béni par le pope Alexis. Un ménage tout à fait régulier.

— Je croyais qu'on avait inventé quelque chose de neuf. Quelque chose qui n'avait jamais existé avant nous. C'est trop affreux. Je préfère me noyer.

Il court jusqu'à la mer, plonge tout habillé, disparaît dans les vagues.

— Ugo ! Ne fais pas l'idiot, Ugo !

Elle appelle de toutes ses forces. Elle se souvient du

premier jour, sur les rochers rouges, lorsqu'il avait plongé
pour pêcher un oursin. Elle a peur de la même façon.

— Ugo !

Il réapparaît, accroché à la coque du bateau. Il rit.

— Tu es fou, Ugo.

— Mais oui.

— Viens te sécher. Il fait froid. Tu es tout mouillé.

Ils reviennent vers la cabane. Noële allume un feu, avec
du bois mort. Il fume un peu, parce que la cheminée n'a
pas servi depuis longtemps.

— On va jouer aux naufragés, dit Ugo. On va suspendre
nos vêtements à une corde, au-dessus du feu, et on dira
que la tempête nous a jetés sur une île déserte.

Ils étendent une couverture devant la cheminée, s'y
allongent. Ils s'endorment. Ils ne savent pas au bout de
combien de temps ils se réveillent. Ils sont loin l'un de
l'autre, et se regardent comme des étrangers. Ils ne connaissent rien de leur corps. Chaque fois, c'est une découverte.
Ugo avance une main, la pose sur l'épaule de Noële. Elle
tremble. Elle ferme les yeux. Il retire sa main. Il voudrait
que ce soit toujours ainsi, une vie en désordre et qui n'obéit
qu'à eux-mêmes.

— Il faudra y retourner, dit-il doucement.

— Où ?

Elle ouvre les yeux. Cette fois, elle sait qu'il est sérieux.

— A Lefkas. Il n'y a plus d'eau potable. Nous n'avons
pris que trois tonneaux.

— Aujourd'hui ?

— On peut tenir jusqu'à demain.

Il se lève, détache son chandail de la corde, se rhabille.
Elle s'enroule dans la couverture, s'adosse à la cheminée.

— Tu penses aux Quatre Vents parfois ?

Il lui parle sans la regarder, en cherchant ses chaussures.

— Souvent.

— Et tu es triste ?

— J'y pense avec plaisir. Comme toi, lorsque tu penses
à ton pays.

— Moi ?

Il revient vers elle, étonné qu'elle ait déjà cette certitude.

— Comment le sais-tu ?

— Je le sais. Je t'ai vu dormir. La peur s'est détachée
de toi. Un jour, sans que tu y prennes garde, tu me
parleras de ta sœur Maria, de tes frères, de ta mère.

Il s'agenouille lentement, le visage tourné vers le feu
qui fume. Il ajoute une branche, regarde la flamme qui
s'élève peu à peu.

— Elle était là cette nuit, dit-il doucement.

— Qui ?

Il hésite, écoute le gémissement étouffé du bois.

— Ma mère. Contre la porte de la cabane. Elle avait
beaucoup marché. Elle respirait vite. Elle tenait quelque
chose à la main, quelque chose qu'elle cachait sous une
grande écharpe. Elle m'a dit : « C'est ton cadeau de
mariage. Mais j'arrive trop tard. J'ai couru pourtant. »
Alors, elle m'a montré ce qu'elle cachait sous son écharpe.
C'était une boîte. Je l'ai ouverte.

Il garde le silence un moment, puis se penche et du
même mouvement se trouve assis contre Noële.

Dans cette boîte, il y avait des gants.

Il parle à voix basse.

— Des gants de laine rouge, qu'elle m'avait tricotés
elle-même. Mon professeur de piano avait dit qu'il fallait
que je protège mes mains, que je n'aie jamais froid, sinon
je ne pourrais jamais devenir un vrai pianiste. Ces gants,
je les ai portés longtemps. Mais lorsque j'ai franchi le
mur...

Il lève les mains, les regarde.

— ...j'avais les mains nues.

Ils sont allés à Lefkas. Ils ont fait remplir les tonneaux
d'eau douce. Ils ont frappé à la porte de Delpina qui ne
sort plus de sa chambre, maintenant que les fêtes du
mariage sont passées. Ils sont revenus avec le soir. Ils
savent qu'il ne sert à rien de parler d'autre chose, d'essayer
de penser à autre chose. Tôt ou tard il faudra répondre
au signor Peretti.

— J'ai dit non.

— Tu as jusqu'à demain.

Ils ont allumé un grand feu entre les rochers. La nuit

est autour d'eux, comme une main fermée. Ils ne savent
plus où ils sont.

— Demain, comme aujourd'hui, ce sera non.

Ils regardent les hautes flammes, que le vent fait danser.
Il y a l'amour dans leurs yeux. Et l'image de Yannis Karrassos, debout près du bateau, au moment où ils allaient
repartir. Il avait attendu le dernier instant pour parler.
Il savait que Ugo dirait non. Mais il ne pouvait pas
hésiter davantage. Le signor Peretti exigeait une réponse
définitive le lendemain au plus tard. Il aurait souhaité
parler lui-même à Ugo. Il était sûr de le convaincre. Mais
il n'y avait pas de téléphone dans l'île déserte. Il avait
bien fallu accepter que Yannis serve d'intermédiaire.

— C'est à cause de moi que tu dis non, Ugo.

Un concert exceptionnel à New York, dans un mois,
pour les Nations unies, avec la création mondiale d'un
concerto inconnu de Mozart, retrouvé dans les archives
d'un palais viennois. « Il y a dix pianistes meilleurs que
moi », avait répondu Ugo. Mais les organisateurs insis-
taient pour que ce soit lui. Le signor Peretti affirmait que
c'était une chance qu'il n'avait pas le droit de laisser
échapper.

— C'est à cause de moi.

Le feu gronde. De longues gerbes d'étincelles se perdent
entre les rochers.

— Non, dit Ugo.

Il est debout, les mains dans les poches de son pantalon.
Il a un gros chandail de laine rouge, et ses cheveux sont
plus clairs que la flamme.

— Je dis non parce que je n'ai pas le temps d'apprendre
ce concerto. La soirée des Nations unies est fixée au
25 novembre. Même en commençant à travailler demain
matin, et en ne faisant rien d'autre, je n'y arriverai pas.
Il me faut plus d'un mois. Sinon je jouerai mal. Il vaut
mieux refuser plutôt que de jouer mal.

Il s'efforce d'être calme, détendu, de parler un langage
de professionnel. Mais dans sa voix, Noële devine quelque
chose qui ressemble à de l'impatience.

— Tu as jusqu'à demain, répète-t-elle.

Il se tourne vers elle avec brusquerie.

— Ecoute. Tu n'y penses pas. Tu n'en parles pas. C'est fini. Tu entends ? Ça n'a même jamais commencé.

Noële ne répond pas. Au loin, à la surface de la mer, il y a une faible lumière, les fenêtres éclairées de Lefkas. Yannis doit se tenir sur la plus haute terrasse. Peut-être de son côté aperçoit-il le reflet de leur feu de bois. Ces signaux échangés dans la nuit affirment qu'ils se sont de nouveau rejoints.

— Jamais plus, dit Ugo.

Il a honte d'avoir parlé aussi sèchement. Il est venu s'asseoir près d'elle. Il l'a prise dans ses bras.

— Jamais plus nous n'irons là-bas.

— Jamais ?

— Chaque fois qu'on y va, les autres nous sautent dessus. Il faut rester ici sans bouger.

— Et l'eau potable ?

— Nous boirons la mer.

— Nous ne sommes pas des poissons.

— Pas encore. Mais avec un peu de patience... Nous inventerons une race nouvelle, moitié-poisson, et moitié-homme. Nos enfants seront à la fois de terre et de mer. Nous fonderons une race nouvelle. Comme Adam et Eve autrefois.

Ils ne savent plus ce qu'ils disent. Ils ont perdu la mémoire. Ils voudraient entrer dans le feu, et n'être qu'une seule flamme toujours plus vive.

— Ugo !

Elle se réveille en sursaut. Elle est seule.

— Ugo !

Elle se lève d'un bond, sort de la cabane. Le bateau n'est pas là. Elle a peur. Elle cherche à la surface de la mer. Le jour est encore gris. Elle s'adosse à un rocher, cache son visage dans ses mains, dit simplement : « Pourquoi et pourquoi ? ».

Elle n'entend pas le moteur. Elle découvre soudain qu'il est devant elle, agenouillé.

— Où étais-tu ?

Elle a crié. Il lui montre en riant les paniers de langoustes.

— A la pêche.

Elle secoue la tête. Elle a eu trop peur.

— Ce n'est pas vrai, Ugo. Ce n'est pas vrai...

Il lâche les paniers, la prend dans ses bras, la porte jusqu'à la maison. Elle s'accroche à son cou. Il l'allonge sur les couvertures, lui met deux oreillers derrière la tête, caresse doucement son visage.

— Rendors-toi. Comme un enfant que tu es. Rendors-toi.

Elle ferme les yeux, sourit. Elle aime ses mains. Elle aime qu'il dessine ses lèvres d'un doigt, qu'il les invente. qu'il y ait cette bouche inventée par lui pour lui seul, et qu'il joue à l'effacer puis à la faire revivre, au hasard.

— J'étais jaloux, dit-il. Tu dormais. Tu rêvais, et j'étais jaloux. Je ne savais rien de ton rêve. Il bougeait sur ton visage. C'était un rêve heureux et secret.

Il se penche. Il n'y a plus de main qui invente ses lèvres, mais d'autres lèvres, et si elle a envie de mordre, c'est comme dans un fruit. Maintenant, il dit à voix basse :

— J'étais parti pour Lefkas. Toute la nuit j'y ai pensé. J'ai attendu le petit jour, et je suis parti sans bruit. Quand j'ai été en mer, quand j'ai vu notre île s'éloigner, je me suis dit que je n'avais pas le droit de partir sans t'en parler. Alors, j'ai été relever les paniers de langoustes et je suis revenu.

Noële se redresse d'un bond.

— Viens, dit-elle.

Elle est debout. Elle s'habille sans réfléchir, avec n'importe quoi.

— Tu as envie de dire oui à Peretti. C'est ça ?

— J'ai eu tout de suite envie. J'ai dit non, brutalement, pour m'empêcher de dire oui.

— Alors, viens.

Elle cherche un peigne, se coiffe rapidement sans même se regarder dans une glace. Ugo lui saisit le bras.

— Laisse-moi réfléchir encore.

Elle se dégage.

— Tu perds du temps, Ugo. Tu me l'as expliqué hier soir. C'est un gros travail pour toi. Si tu attends encore deux ou trois jours tu n'y arriveras pas.

Il la prend dans ses bras. Il la regarde, et il est grave.

— Noële, mon amour, si j'accepte...

Il comprend qu'elle a déjà compris.

— ...c'est la fin de notre île. Il faudra retourner là-bas.
Pendant un mois, ce seront des heures et des heures de
travail, la porte fermée à clef, sans voir personne. Pas
même toi.

Elle sourit. Elle dit :

— Je le sais.

Elle appuie un bref instant son visage contre la poitrine
de Ugo, en un geste qu'elle aime, comme pour entendre
son cœur.

— Si tu renonces à la musique, tu ne seras plus toi-même.
Et comment t'aimer, mon amour, si tu n'es plus toi-
même ?

Tout se fait très vite. Aussitôt arrivé à Lefkas, Ugo téléphone au signor Peretti. Il lui demande de sauter dans
le premier avion, et de lui apporter la partition. Impossible
de donner une réponse définitive avant d'avoir déchiffré
cette musique inconnue. Le signor Peretti proteste, prétend
qu'il est malade, qu'il ne peut pas quitter Venise, que
c'est à Ugo à faire le voyage, mais il finit par se laisser
convaincre. Il débarque à Athènes le lendemain, au petit
jour, se plaignant des reins, du foie, de la tête, enveloppé
dans une pelisse, comme s'il se rendait à Moscou, serrant
contre lui une petite mallette de cuir noir, fermée à clef,
contenant la précieuse partition. Ugo s'empare de la mallette, demande la clef. Dans la voiture qui les conduit au
palais Karrassos, il tourne avidement les pages, lisant
très vite, comme il aime le faire la première fois, ne
cherchant rien qu'un dessin relevé à la hâte, une figure
entr'aperçue, le relief d'un paysage survolé. Aussitôt arrivé,
il s'enferme dans le salon de musique, se met au piano. Il
en sort à midi, très calme. Il rejoint le signor Peretti,
allongé sur un divan, le visage couvert d'une serviette
humide. Il lui pose la partition sur les genoux et dit simplement :

— Non.

Le signor Peretti sursaute, rejette la serviette humide.
Son visage s'empourpre.

— *Perche ?...*

— C'est trop difficile. Obtenez des organisateurs que le concert soit retardé de quinze jours. Alors je dis : oui. Autrement ce n'est pas possible.

— *Ma...*

Le signor Peretti est sans voix. Il tente de protester, mais Ugo téléphone déjà à Noële, restée à Lefkas. Il lui annonce qu'ils vont se retrouver très vite dans leur île déserte, et qu'il faut qu'elle achète beaucoup de chandails car ils y passeront sûrement l'hiver. Il y a un après-midi interminable, pendant lequel le signor Peretti s'égosille dans les appareils, jette deux ou trois fois le téléphone par terre, claque les portes, fait fondre des cachets d'aspirine dans de grands verres de whisky, injurie en italien les télégraphistes qui, d'heure en heure, lui apportent des messages inutiles, se laisse enfin tomber dans un fauteuil, à 8 heures du soir, les yeux fermés, le souffle court, en murmurant :

— Le 12 décembre. Et si c'est encore non, j'ouvre mon ventre avec le poignard, comme un Japonais.

Ugo hoche la tête.

— Je dis oui.

Ils sont sur la terrasse. Il y a du vent. C'est la nuit, avec toutes les étoiles, comme des anges immobiles.

— Notre île, c'est cette ombre là-bas, plus noire que l'ombre, dit Noële.

Elle attend. Depuis qu'il est revenu d'Athènes, elle sait qu'il a quelque chose à lui dire. Elle n'interroge pas. Elle a passé la journée, assise sur une chaise, devant la porte du salon. Elle a écouté Ugo déchiffrer patiemment la partition inconnue. Elle a su tout de suite que le voyage allait reprendre. C'était comme un secret entre eux, comme dans les salles de concert du monde entier pendant la tournée des longues vacances. Le sentiment que la musique était comme la mer autour du navire, immobile et changeante, et qu'ils s'y laissaient dériver, dans le secret de leur amour. Elle se souvient du premier jour, de Delpina penchée sur le bord de la loge, du chef d'orchestre levant sa baguette, de la porte qui s'est ouverte, de la lumière qui l'a

obligée à fermer les yeux. Elle est restée immobile jusqu'au
soir, attendant ce qu'on appelle dans les prisons : la levée
d'écrou. La porte qui s'ouvre. Le prisonnier qui retrouve
la liberté. Sur le trottoir, il y a les épouses qui attendent.
Maintenant, ils sont sur la terrasse, ils regardent la mer.

— Il ne faut plus penser à l'île, dit Ugo.

— Pourquoi ?

Elle ne s'était pas trompée. Il a attendu le plus longtemps possible. Il parle enfin.

— Parce que tu vas rentrer à Athènes, avec Yannis et
Delpina.

C'est le vent, ou la nuit. Elle a froid soudain. Elle écoute
encore, mais il ne dit plus rien. Il est debout à côté d'elle.
Il la tient par les épaules. Elle sent le poids de son bras.
Brusquement, il l'entraîne vers les escaliers qui conduisent
au petit port.

— Viens, dit-il. Pour la dernière nuit.

Ils descendent en courant jusqu'au bateau. Ils ne pensent pas à prévenir. Ils n'en ont pas le temps. Le bruit
du moteur fera comprendre à Yannis Karrassos qu'ils sont
partis. Ils n'emportent rien. Ils ne savent même pas s'ils
auront faim ou soif. Ils pensent seulement que la distance
est trop grande, que le bateau n'avance pas, que la nuit
est trop sombre, qu'ils vont se perdre. Il y a des vagues,
qui sautent d'un bord à l'autre. Ils débarquent enfin, sans
savoir comment ils sont arrivés jusque-là. Ils ont toute la
mer sur eux, les cheveux, le visage, les vêtements trempés.
Ils s'ébrouent, comme des chiens. Ils se retrouvent devant
la cheminée, allongés sur la couverture, leurs vêtements
suspendus à une corde. La fumée tourne dans la pièce. Ils
sont comme dans un brouillard, aveugles. Leurs mains
se cherchent, se rejoignent, se reconnaissent. Ugo dit tout.
Qu'il part. Qu'il va à Venise. Pour travailler avec Peretti.
Qu'elle ne peut pas l'accompagner. Qu'il ne faut pas chercher à comprendre pourquoi. Que ce sera tout un mois,
un long mois. Mais qu'il ira à New York, une semaine avant
le concert, pour les répétitions d'orchestre, et qu'elle pourra
le rejoindre. Il dit tout, d'une voix qui s'enroue. De
temps en temps, il s'arrête, pour reprendre souffle, pour
s'obliger à aller plus loin. Alors dans le silence, il entend
Noële, qui dit doucement :

— Emmène-moi...

Chaque fois. A chaque silence. D'une petite voix d'enfant.

— Emmène-moi...

Il pose sa main sur ses lèvres, il voudrait l'empêcher de se plaindre. Mais chaque fois qu'il s'arrête de parler, elle dit :

— Emmène-moi.

Il approche son visage. Il ferme les yeux.

— Ne pleure pas, dit-il.

Elle ne pleure pas. Elle secoue la tête. Elle continue à demander doucement, à se plaindre doucement, jusqu'à ce qu'ils abordent enfin à ces rives de l'amour, où ils partagent le même souffle, le même corps, la même voix.

CHAPITRE VI

LES AUTOMNES

Nicole Vaindrier se regarde dans la glace, longuement, droit dans les yeux, en secouant la tête, et elle dit :
— Non.
A haute voix. Pour qu'il n'y ait pas d'équivoque. Le danger qui la guette, elle le connaît très exactement, depuis longtemps. Elle y a pensé, beaucoup pensé. Elle en a fait le tour. Maintenant qu'il est là, il faut l'affronter. La chambre de Noële est vide. Les meubles, les objets y sont encore, à la même place, mais la chambre est vide. La porte ne s'ouvre jamais. Nicole Vaindrier le sait. Elle ne veut pas s'attendrir. Noële n'est pas morte. Elle est partie. Elle s'est mariée au loin, elle a trouvé une autre maison. Un jour, elle demandera peut-être qu'on mette toutes ses affaires dans des caisses, et qu'on les lui envoie en Grèce. Pour le moment, elle n'en a pas parlé. Mais il est possible qu'elle le fasse. C'est normal. Toutes les filles qui se marient font la même chose. Les mères rêvent, bien sûr. Elles ont un petit mouvement de nostalgie en passant devant la porte fermée. Elles ont envie de tirer les rideaux, de faire naître l'obscurité entre les quatre murs, avec l'espoir que les images du passé s'y garderont mieux.
— Non, répète Nicole Vaindrier.
Elle ouvrira les rideaux, les fenêtres. Elle laissera l'air circuler librement. Ce n'est pas une chapelle. Ce n'est pas un sanctuaire. C'est une chambre, comme une autre. D'autres y dormiront : Marie-Hélène, si elle vient, Denis,

s'il a trop froid cet hiver à Ouches. Qui voudra. Depuis qu'elle est revenue de Lefkas, Nicole se surveille. Ce serait si facile. Se laisser aller, se plaindre, au long de journées qui n'en finissent pas.

— Non.

Elle secoue madame Marie qui a décidé de rester assise sur sa chaise, à côté du fourneau, sans bouger, sous prétexte d'un rhumatisme à l'épaule.

— Je vous emmène chez le docteur Berthelin.

— Si madame croit qu'il y pourra quelque chose.

Bien sûr. Ce qui empêche madame Marie de tourner ses sauces, de faire sa vaisselle, ce n'est pas le rhumatisme. C'est l'automne. Les pluies, les cheminées qui tirent mal, les murs humides. C'est l'envie de rester dans son lit, de laisser la maison se débrouiller toute seule avec son silence. Dans les automnes d'autrefois, on mettait les draps aux fenêtres, même s'il pleuvait, on retournait les matelas, on secouait les descentes de lit. On faisait des vrais marchés, avec toutes sortes de provisions, on inventait de vrais menus. Nicole Vaindrier n'a pas faim. Depuis que Gilles est à Paris, elle n'a pas envie de se mettre à table, de faire de vrais repas. Elle emporte un plateau, dans le salon. Un œuf dur, du jambon, une pomme. C'est bien suffisant pour elle toute seule.

— Monsieur va revenir bientôt ? demande madame Marie.

S'il était là, elle retrouverait peut-être un semblant de courage.

— Je ne sais pas, madame Marie.

Un matin, une machine est tombée en panne, Gilles Vaindrier a pris le premier train pour Paris. D'habitude, il fait venir un réparateur de Lyon, et tout s'arrange dans la journée. Mais cette panne-là devait être assez sérieuse, puisqu'il a fallu un ingénieur de Paris. Un homme très gentil, qui est arrivé deux jours plus tard, qui a réparé la machine en quelques heures, et qui est reparti. Gilles a expliqué par téléphone qu'il profitait de son séjour à Paris pour assister à un congrès laitier. Il en avait vaguement entendu parler, sans en retenir la date. C'était justement l'ouverture des séances. Marie-Hélène, chez qui il s'était installé, se déclarait enchantée d'héberger son oncle.

— Il est tellement facile à vivre, avait-elle dit à sa
tante. Je t'envie. Un mari comme lui, on n'en fait pas
deux.

Nicole Vaindrier a très bien compris que le congrès
laitier c'était comme le rhumatisme de madame Marie :
un prétexte pour se défendre contre le vide des Quatre
Vents. Elle est contente que Gilles ait choisi cette forme
de défense. Il aurait pu, lui aussi, céder à la tentation de
s'asseoir sur une chaise et de se plaindre. Nicole n'y aurait
sûrement pas résisté. Seule, en face d'elle-même, elle peut
se regarder dans la glace, secouer la tête, et dire : non.
C'est encore trop tôt pour reprendre le projet de maison
des Jeunes. Dans quelque temps, peut-être, lorsqu'elle
aura retrouvé toute sa force. Pour le moment, elle se lance
dans des travaux moins ambitieux. Elle pense que c'est
l'automne, que les élèves de Denis ont sûrement besoin
de chandails et d'écharpes. Elle ouvre ses armoires, sort
tous ses cartons de laine et de vieux vêtements. Elle en
fait des tas, un peu partout. Il y en a bientôt dans toutes
les pièces. Elle commence des ouvrages, plusieurs à la
fois. Elle va de l'un à l'autre. C'est une illusion. Elle n'en
est pas dupe. Mais ce désordre laisse croire que la maison
est habitée.

— Alors, mon petit oncle, intéressant ton congrès
laitier ?

— Très intéressant.

Marie-Hélène sourit en regardant Gilles Vaindrier. Il
boit son café, les cheveux en broussaille, l'œil à peine
ouvert. Comme il a oublié d'emporter sa robe de chambre,
elle lui a prêté un peignoir de bain rouge vif, dans lequel
il se sent un peu mal à l'aise. Elle est contente qu'il soit
là. Cet homme dans sa maison, c'est comme si elle était
en vacances. Elle le promène, lui fait visiter Paris, le
hisse au premier étage de la tour Eiffel, l'emmène dans
de petits restaurants où le beaujolais est extra, le présente à ses amies. Leur regard étonné l'amuse. Elles ont
l'air de se demander si c'est vraiment le bon oncle de
province dont elle leur a parlé. Il n'est pas si mal que ça,
au fond, en chevalier servant. Un peu gris sur la tempe,

un peu fort du côté de l'estomac, aux antipodes de tous
ces *minets* à la mode, mais reposant, rassurant, avec
cette odeur de bonne terre qui flotte autour de lui, et
fait rêver les femmes encore jeunes lorsqu'elles commencent à se dire que le temps de prendre racine n'est plus
très éloigné. Odile, notamment.

— Amusante, mon amie Odile, non ?

— Très.

Gilles Vaindrier se lève, va chercher une cigarette dans
sa chambre, revient en bâillant.

— A quelle heure ta séance, ce matin ?

— Je ne sais pas. Je crois que je ne vais pas y assister.

— Ah ?

— Ce matin, on parle de problèmes sans intérêt pour
moi. Le Marché commun, les tarifs douaniers. Dans mon
petit secteur, ça ne joue pas. Moi, je suis un artisan, un
bricoleur.

Il fume lentement, avec un petit sourire.

— C'est justement ce que j'expliquais à Odile.

— Elle s'intéresse au Marché commun ?

Gilles sourit toujours.

— Disons qu'elle s'intéresse à ce que je fais.

Marie-Hélène a envie de l'embrasser. Il est attendrissant
comme un jeune homme qui fait sa cour pour la première
fois. Elle débarrasse rapidement la table, emporte tout à
la cuisine.

— Elle fait vraiment des chapeaux, ton amie Odile ?
demande Gilles, resté dans l'autre pièce.

— Pas vraiment des chapeaux. Disons : des coiffures.
Des perruques, des masques. Pour le théâtre, l'opéra, les
ballets. Tu as bien vu son atelier. Il y a des plumes, des
perles, des paillettes un peu partout.

Le téléphone.

— Réponds, mon oncle. C'est sûrement tante Nicole.

Chaque matin vers 9 heures, elle appelle des Quatre
Vents pour avoir des nouvelles et pour en donner. Marie-
Hélène finit sa vaisselle, s'essuie les mains.

— Tu sais ce que m'apprend ta tante ?

Gilles Vaindrier est venu la rejoindre.

— Noële et Ugo sont séparés.

— Qu'est-ce que tu dis ?

— Depuis plus d'une semaine.

Marie-Hélène est bouleversée. Elle refuse d'y croire.
Gilles a un mouvement d'humeur.

— Je ne t'ai pas dit qu'ils divorçaient. Qu'est-ce que
tu vas croire ? Ils sont séparés. Pour un mois. Ugo est à
Venise, chez son imprésario. Il prépare un concert, quelque
chose de très important, je ne sais pas quoi. Noële est
restée à Athènes.

— Seule ?

— Avec les Karrassos.

Il est debout, au milieu de la cuisine, les mains enfon-
cées dans les poches du peignoir de bain rouge. Son
visage s'est fermé. Il a brusquement l'air vieux, et triste.
Il fixe le carrelage. Quelque chose passe dans son regard,
qui est peut-être l'étonnement d'avoir eu raison, si vite.
C'était il y a quelques jours à peine. Il y avait tout
ce soleil, les cloches à toute volée, la robe si lourde. Il
y avait le village entier, les paysannes venues de la
montagne assises en amazone sur des chevaux dont elles
avaient tressé de rubans la crinière. Il y avait les musiques,
les danses jusqu'à la nuit, les petits verres d'anisette sur
les plateaux de cuivre. Il y avait le visage de Noële qui
ne savait pas cacher son bonheur. Et quelques jours
après... Il a presque envie de rire en pensant à leurs
trois solitudes : Noële à Athènes comptant les jours,
Nicole aux Quatre Vents rangeant ses armoires, et lui
à Paris, faisant la cour à une dame qui lui pose des
coiffures sur la tête pour les essayer. Il a beau faire des
efforts, tous les efforts, il ne comprendra jamais. C'est
l'exil. La frontière devant laquelle il est en arrêt. La
même certitude qu'à Venise, en écoutant jouer Ugo.

— Je vais rentrer, dit-il enfin.

— Aujourd'hui ?

— Demain, peut-être. Je ne sais pas. Mais je vais
rentrer.

Il n'a plus envie de bouger. Il voudrait que quelqu'un
le prenne en charge, et lui dise ce qu'il faut faire. Il a
simplement envie d'obéir. Pendant vingt ans, il a vraiment été le chef de la famille, avec une vraie raison de
vivre, de se réveiller chaque matin et de reprendre pied.
Une raison *d'être*. Sa femme, sa fille, leur visage, leurs

mouvements, leurs regards posés sur lui, attendant, espérant, se refermant dans un sourire. Rien d'autre que cela. Chaque jour, à chaque heure du jour. Parce que la vie, pour lui, ce n'était pas de grands trajets, de grands voyages, de grandes aventures. C'était une respiration régulière, patiente, un instant suivi d'un instant, avec le calendrier de toutes les saisons dans l'ordre attendu. Brusquement, il n'y a plus rien. Il a de la peine à respirer.

— Mon petit oncle...

Marie-Hélène voudrait l'aider. Elle se sent maladroite.

— Je sais bien que tu ne veux pas qu'on en parle. Mais tu es vraiment malheureux ?

— Ce n'est pas ça. Non. Pas même ça.

— Alors ?

Comment dire ?

Il montre le peignoir de bain rouge.

— Comme si j'avais perdu tous les vêtements faits pour moi.

— Ne bougez pas tout le temps comme ça.

— C'est que j'étouffe là-dessous.

— Un peu de patience. Je couds la seconde oreille et je vous délivre.

Il grogne. Il sait que c'est le dernier soir. Il espérait que Marie-Hélène l'accompagnerait. Mais elle avait quelque chose d'urgent à faire, pour sa maison de disques. Il s'en veut d'être là, seul avec Odile, qui lui a posé sur la tête une sorte de bonnet d'âne en laine grise et qui tourne autour de lui une aiguille à la main.

— Voulez-vous bien rester tranquille. J'ai rarement vu quelqu'un d'aussi agité que vous.

Elle est habillée d'une chasuble en velours qui lui dégage les bras, et d'un pantalon de pêcheur.

— C'est pour quelle pièce ?

— *Le Songe d'une nuit d'été.*

— Jamais vu.

— Restez encore une semaine. La générale est mardi prochain. Cela ferait plaisir à Marie-Hélène.

Elle parle d'une façon un peu ambiguë, les lèvres serrées, comme si elle avait des épingles dans la bouche. Elle paraît toute petite, avec ses pieds nus. Les autres soirs, elle porte des chaussures à talons.

— Comment me trouvez-vous ? demande-t-elle.

— Comme quoi ?

— Comme fille.

Gilles secoue la tête.

— Jolie.

— Ce n'est pas ce que je vous demande.

Elle a un rire lointain, à peine esquissé. Comme si elle avait peur de le libérer. Tout en elle est retenu, comprimé. Gilles, le bonnet sur la tête, ne voit que les pieds nus, repliés sur eux-mêmes, comme ceux des Chinoises.

— Le physique, continue-t-elle, ça ne compte pas. Comme caractère de fille, je veux dire. Les gens me trouvent bizarre. Et vous ?

— Bizarre ?

— Oui. Compliquée, intellectuelle. Ils disent que je lis les philosophes d'Extrême-Orient. C'est faux. Je laisse croire. Pour mon personnage. Mais c'est faux. Je porte toujours de grosses lunettes, exprès. Et des tas de livres sous le bras. Mais dans le fond...

Elle s'arrête, recule, garde le silence un moment, pousse une sorte de soupir.

— Ça y est. Vous êtes un ange. Je vous enlève mon bonnet d'âne, et on boit un whisky. D'accord ?

Il se relève, passe une main dans ses cheveux. Il voudrait s'échapper.

— Vous n'avez pas envie d'aller quelque part ?

— Mon atelier ne vous plaît pas ?

Elle a posé le bonnet d'âne sur une étagère, cherche des verres dans une sorte de coffre en bois peint qui ressemble à celui dans lequel Noële mettait ses jouets lorsqu'elle était enfant.

— Vous avez peut-être envie de voir des gens, d'entendre de la musique ?

— Moi ? Je ne suis pas mondaine pour deux sous. C'est ce que j'allais vous expliquer.

Elle remplit les verres de whisky, disparaît derrière un rideau, revient avec un petit bac à glace et de l'eau dans une carafe. Gilles est resté debout. Il y a un divan, recouvert d'un châle espagnol, un tabouret sur lequel il était assis, et des malles, comme dans une cabine de navire. La grande verrière s'ouvre sur les toits, et le ciel.

— Il fait froid, dit Odile. J'aurais dû allumer le poêle. C'est un courant d'air, là. Une vitre qui joint mal.

Elle le pousse vers le divan.

— Vous êtes juste dessous. Vous allez attraper la mort.

Elle l'oblige à s'asseoir, s'installe près de lui, les genoux repliés.

— Je ne sais pas pourquoi je reste ici, dit-elle.

Il a envie de dire la même chose. Il boit une gorgée de whisky. Il pense : demain.

— Le loyer est exhorbitant. Et c'est une glacière. La nuit, pour dormir, je suis obligée de mettre un passe-montagne.

Elle le regarde par-dessus son verre, les yeux à moitié fermés. Elle a toujours son petit rire étouffé. Au fond de la gorge. Mais il paraît plus assuré.

— Moi, ce que j'aime, c'est le beurre, la crème, tout à fait comme vous. Faire la cuisine, éplucher des oignons, pleurer. C'est pour ça que je suis contente de vous avoir ici. Je respire. C'est la campagne.

Il boit encore. Il préfère ne pas entendre. Il préfère regarder la verrière, se dire qu'avec un journal ce serait facile de coincer la vitre qui joint mal, et de supprimer le courant d'air.

— Elle est vraiment au milieu des champs votre maison ?

— Oui.

Il suffirait de se mettre debout sur le divan. Pas besoin d'une échelle. Simplement debout sur le divan.

— Et il y a vraiment des vaches ?

— Oui.

Il vide son verre d'un trait, cherche lui-même la bouteille, le remplit de nouveau. Il se dit simplement : demain. Il sait déjà qu'en repensant à cette soirée, il se trouvera un peu ridicule.

Depuis qu'il. est rentré, il grogne. Il s'en prend à tout, et à tout le monde. A l'automne, aux pluies, aux réserves

de bois qu'il n'a pas eu le temps de rentrer, qui se sont
mouillées, qui brûlent mal. A madame Marie, qui exagère
avec son épaule.

— Si vous êtes, vraiment malade, soignez-vous un bon
coup, et qu'on n'en parle plus.

Il la bouscule, il veut la traîner de force chez Berthelin.
Elle résiste. Elle le connaît bien. Quand il gronde ainsi,
quand il aboie, quand il en veut à la terre entière, c'est
qu'il est malheureux. Tout petit, déjà, il faisait la même
chose. Elle reste assise contre son fourneau. Elle le regarde
en secouant la tête. Des tempêtes. Pourquoi pas ? Chacun
sa façon. Mais le chagrin est le même. Il se retourne vers
Simon, le contremaître. Cette fois, c'est une vraie colère.
Parce que Simon lui annonce un jour qu'il est malade,
qu'il arrive à l'âge de la retraite, qu'il a envie d'acheter
un petit cabanon du côté de Draguignan, au soleil, et de
s'y retirer avec son épouse.

— Je ne vous retiens pas, Simon. Partez quand vous
voudrez.

— Au printemps, sans doute.

Nicole Vaindrier essaie de le calmer.

— C'est peut-être une façon de te demander de l'aug-
mentation. Tu t'es toujours bien entendu avec lui. Ne te
braque pas.

Gilles hausse les épaules.

— Qu'il s'en aille, je m'en passerai facilement. Pour
qui faut-il que je travaille maintenant ? Pour toi et moi.
Alors ?

Il a un petit rire agacé.

— Monsieur Karrassos se moquait de ma « petite laiterie ». Il avait bien raison.

Il semble retrouver son calme pendant quelques jours,
mais sous un prétexte, n'importe lequel, sa colère revient.
Pas une vraie colère. Un aboiement. Madame Marie a
raison. Un brusque mouvement d'humeur qui se traduit
par des jappements brefs, rauques, qui ressemblent beaucoup à une plainte. Il n'a rien raconté de son séjour à
Paris, du congrès laitier, de Marie-Hélène. Plus tard
peut-être. Pendant les repas, il parle, parce qu'il faut
bien parler. Avec une voix qui n'est pas la sienne. Et
pendant qu'il parle, son regard est ailleurs. Il dort mal.

La nuit, il s'éveille, il a l'air d'écouter. Nicole écoute,
elle aussi. De l'autre côté de la cloison, dans la chambre
de Noële, personne ne respire.

Un matin, pendant qu'elle fait son lit, elle se dit qu'il
faut que quelqu'un vienne. Autant pour elle que pour
Gilles.

Elle descend à la poste de Roanne, télégraphie à Lisette
Andrieux.

CHAPITRE VII

J'AI CONTINUÉ A MARCHER

Lisette a compris sans rien demander. Elle est arrivée aux Quatre Vents, avec un chapeau de panthère et des bottes de cuir rouge. Elle s'est installée dans la chambre de Noële. Elle a tout ouvert : les fenêtres, les volets, les armoires. Elle a fait beaucoup de bruit, exprès. Pendant le dîner, elle a obligé Nicole Vaindrier à lui raconter le mariage en détails. Elle a parlé de Ugo, des quelques heures qu'il avait passées au Brésil, pendant l'été. Elle a dit toute l'estime qu'elle avait pour lui. Du fond du cœur. Elle est revenue sur la longue lettre écrite à Nicole, et qui avait provoqué le voyage de Jean-François à Tokyo, la rupture définitive entre Noële et lui. Elle a demandé des nouvelles de Jean-François. Gilles Vaindrier s'est senti un peu gêné de ne pas pouvoir en donner.

— Nous ne l'avons pas revu.

— Pourquoi ?

Il ne sait pas expliquer. Il hausse les épaules. Comme s'il y avait une raison à tout. Pourtant, il s'en veut. Il dit bien haut qu'il a gardé une grande affection pour Jean-François, malgré ce qui est arrivé, mais lorsqu'il faut en donner une preuve...

— Il faut que j'aille voir son usine. Il paraît qu'elle marche très bien. Il m'a demandé beaucoup de conseils avant de tout mettre en route. Il ne doit pas comprendre pourquoi je ne viens pas admirer le résultat.

La présence de Lisette va l'obliger à plus de retenue. Chaque fois qu'il se sentira des envies d'aboyer, il fera

un effort. Il est content qu'elle soit là. Qu'il y ait une
autre voix, un autre rire. Content aussi pour Nicole.
Parce qu'il était devenu un étrange compagnon. Incapable
d'un mouvement vers elle. Isolé dans sa solitude. Absent.
Il va pouvoir la confier pour un temps à Lisette.

Dès le premier soir, parce que la lutte a été trop
longue, et que Lisette est là, qu'elle l'a toujours consi-
dérée comme sa sœur, comme son double, Nicole a un
instant de faiblesse. Elle se laisse aller. Elles sont assises
dans le salon, devant la cheminée. Gilles a dit qu'il allait
vérifier la fermeture des compteurs de la laiterie. Il est
parti, parce qu'il avait envie d'être seul et de les laisser
seules. Lisette a sorti une boîte de petits cigares.

— Je peux fumer ces horreurs ?

Nicole Vaindrier regarde autour d'elle.

— Tu sens comme la maison est vide ?

Lisette allume son cigare sans répondre.

— Le jour c'est encore possible. Mais la nuit... C'est
la nuit surtout, lorsque tout est immobile, que je comprends
qu'elle est partie.

Lisette hausse les épaules.

— Tu ferais mieux de dormir.

Nicole se lève brusquement. C'est de la colère. Une
vraie colère. Parce qu'une amie n'a pas le droit d'être
aussi indifférente.

— Comment pourrais-tu comprendre ? Tu n'as pas marié
tes fils. Et même si c'était fait, tu ne t'en apercevrais pas.
Ils comptent si peu. Des muets, des ours, voilà comment
tu en parles. Toujours à la chasse, toujours sur leurs
chevaux. Tu ne sais même pas qu'ils existent. Noële...

Elle s'interrompt. Quelque chose se casse dans sa voix.

— Noële c'était...

Elle se laisse tomber dans son fauteuil, la tête appuyée
au dossier.

— C'était tout.

Elle pleure. Sans bruit. Les lèvres serrées, parce qu'il
y a trop longtemps qu'elle s'en empêche. Puis elle se
calme, se redresse.

— Pardon, dit-elle doucement.

Lisette n'a pas bougé. Le cigare à la main, elle a
regardé Nicole avec une sorte d'étonnement.

— Des muets, c'est vrai, des ours. Mais des fils.
Elle a toujours le même regard un peu fixe.

— Tu te souviens ?

— Quoi ?

— Le pensionnat. La petite Nicole qui faisait marcher
tout le monde. Chef de bande, chef de classe.

— Moi ?

— *Esther*, en quatrième. Tu avais décidé de faire jouer
la pièce pour la distribution des prix. Tu as réussi à
convaincre le professeur. Tu as choisi les acteurs, dessiné
les costumes, établi l'horaire des répétitions, obligé toutes
les filles de la classe a apprendre leur texte. Je me souviens. J'étais dans les chœurs : « *Faibles agneaux livrés
à des loups furieux, nos soupirs sont nos seules armes.* »

Nicole Vaindrier se demande si cette petite fille d'autrefois a vraiment existé.

— Tu avais douze ans, ajoute Lisette.

— C'est terrible, les souvenirs.

— Pourquoi ?

— Parce qu'on ne connaît pas ceux des autres. Nous
avons vécu des années ensemble, toi et moi, et les images
que tu gardes sont différentes des miennes. En t'écoutant,
je me demande brusquement où est la vérité.

Lisette fume toujours son petit cigare.

— Elle est dans une Nicole qui ne pleure pas, qui ne
s'attendrit pas sur elle-même, qui fait face.

Nicole Vaindrier se lève.

— Puisque tu es là, je me sens la force de reprendre
le projet de maison des Jeunes. Je vais te chercher le
dossier. Il n'est pas très épais. Tu auras le temps de
l'étudier ce soir. Nous en parlerons demain toutes les
deux. Tu as un œil neuf. Tu y verras plus clair que
moi.

Le lendemain après-midi, elles vont visiter le bâtiment
des douanes, au bord de la Loire. Il pleut. Lisette a trouvé
le dossier intéressant. Elle comprend mal pourquoi le
Conseil municipal refuse de voter les crédits.

— D'abord, j'ai des ennemis, explique Nicole en conduisant. C'est normal. Quand je défends un dossier, il y a

automatiquement quelques personnes qui sont contre. Mais
ce n'est pas ça qui a joué. C'est le mauvais état du bâtiment, et le fait qu'aucun entrepreneur n'a accepté de se
charger des travaux. J'en ai vu sept. Ils m'ont tous dit
que c'était du « bricolage », que ça ne les intéressait pas.
Les conseils municipaux l'ont appris, ça les a rendus
méfiants.

— Pourquoi ont-ils refusé, tes entrepreneurs ?

— Tu comprendras en voyant le bâtiment.

— Il est en ruines ?

— Il est triste. Et quand on pense à une maison des
Jeunes, on l'imagine mal dans un cadre pareil.

Lisette est rassurée. Parce que Nicole parle de son
projet avec intérêt, parce qu'elle a retrouvé une voix
posée, des gestes précis, parce qu'elle conduit sa voiture
très calmement malgré les pluies qui rendent la route
difficile.

Elles arrivent au bord de la Loire.

— C'est ça, dit Nicole en montrant une grande caserne
de pierre grise.

— Pas très gai, en effet.

Nicole gare la voiture le long du quai.

— Attends-moi là, je vais demander la clef au gardien.

Elle s'éloigne sous la pluie. Lisette sort de la voiture
à son tour, fait quelques pas le long du fleuve. Si les
pluies durent encore, il y aura un sérieux risque de crue.
On voit déjà que les eaux grondent et tournent sur elles-
mêmes. Elle se penche sur le parapet. Des branches cassées,
des morceaux de bois, des débris de caisse, comme après
un orage. L'image de ce que pouvaient devenir les Quatre
Vents, si personne n'aidait à discipliner les courants. Elle
a un bref mouvement d'impatience. Pourquoi elle ? N'aurait-elle pas besoin, de temps en temps ... Elle s'immobilise.
Quelqu'un est là, qui la regarde. Elle le sent. Dans son
dos. Elle se retourne. Une voiture est arrêtée de l'autre
côté du quai. Un homme est au volant. Il se penche par
la portière, lui fait signe. Elle hésite. Il fait signe de
nouveau. Elle s'approche, distingue son visage. Brusquement, il se rejette en arrière, met son moteur en route,
s'en va très vite. Nicole revient avec la clef.

— Tu connais cette voiture ? demande Lisette.

Elle est déjà loin.

— On dirait celle des Saulieu. Mais il y en a beaucoup qui se ressemblent.

Lisette se souvient. Elle sait que ce visage ne lui était pas inconnu. Noële, pendant son séjour au Brésil, lui avait montré des photographies de Jean-François.

— Que c'est noir, dit Nicole qui a ouvert la porte du bâtiment. Attends-moi, je vais donner un peu de lumière.

Elle pousse une porte sur la gauche. C'est un vaste hangar, avec de hautes ouvertures qui donnent sur le fleuve.

— C'était la douane fluviale. Les bateaux venaient jusqu'ici. Il y a une petite jetée, tu vois. On devait entreposer les marchandises en bas. Au premier étage, il y a des bureaux, un dortoir pour les gardiens. Le toit est plat. C'est ce qui m'a plu. On peut facilement l'aménager en terrasse.

Elles montent au premier étage. Il y a de la poussière partout, des odeurs de paille humide. Lisette allume un petit cigare.

— J'aime mieux sentir la fumée du tabac, dit-elle.

Elles font le tour des bureaux. Les murs sont peints en noir jusqu'à mi-hauteur. La plupart des carreaux sont cassés. Lisette voudrait s'intéresser à ce vieux bâtiment, mais il y a le visage de Jean-François qu'elle ne parvient pas à chasser, ce regard tendu vers elle.

— Sortons, dit-elle un peu brusquement. Il fait froid.

— C'est vrai. Il y a aussi un problème de chauffage.

Elles se retrouvent dans le hangar du rez-de-chaussée. Entre les nuages, une légère éclaircie se dessine. Lisette s'approche d'une ouverture.

— Au fond, ce n'est pas très difficile à aménager, dit-elle.

Elles reprennent la voiture, regagnent les Quatre Vents. Madame Marie a donné à Nicole toute une liste de commissions, car elle prétend que ses armoires sont vides, mais Nicole n'y pense plus. C'est à mi-chemin, brusquement, qu'elle donne un coup de frein :

— Mon Dieu, la liste de madame Marie !

— On retourne en ville ?

— Tant pis. J'irai demain.

Elle arrête la voiture sur le bord de la route.

— Ça t'ennuie de conduire ?

— Non. Pourquoi ? Tu es fatiguée ?

— Peut-être, oui.

Elles changent de place. Lisette prend le volant. Elle n'aime pas cette journée. Cette pluie, ces routes, l'odeur de paille du bâtiment, le regard de Jean-François, la voix de Nicole qui recommence à vouloir se plaindre.

— C'est Gilles, dit Nicole doucement.

Elle ne pleure pas, comme la veille. C'est plus grave. Elle avoue enfin. Tout ce qu'elle n'osait pas se dire à elle-même. Maintenant qu'elle parle, maintenant que les mots sont prononcés l'un après l'autre, elle est obligée d'y croire.

— C'est un inconnu. On s'y tromperait : les mêmes gestes, la même voix, les mêmes habitudes. Mais ce n'est pas lui. Depuis Venise. Depuis le jour où nous avons retrouvé Noële. En une seconde. Nous étions sur la place Saint-Marc. J'ai aperçu Noële qui venait vers nous. Il n'a pas voulu la reconnaître. J'ai dit : « La voilà ! » Il a répondu : « Tu es sûre ? » Parce qu'elle était avec Ugo. Au moment où il disait cette phrase j'ai su que c'était quelqu'un d'autre.

Lisette conduit très lentement, en faisant le moins de gestes possible, pour que rien n'empêche Nicole d'aller jusqu'au bout de ce qu'elle a à dire.

— Il est parti l'autre jour. Il est allé à Paris. Sous un prétexte. Il n'avait rien à y faire. Mais il a éprouvé le besoin de s'éloigner. Sans me prévenir. Je suis rentrée un soir. Madame Marie m'a annoncé qu'il avait pris le train. Pas un mot. Rien. Et je me suis aperçue...

Elle hésite. Elle ne sait pas si elle a le droit.

— Je te le dis à toi, à toi seule. Parce que toi et moi, c'est la même chose. Je me suis aperçue qu'il ne me manquait pas. Ce n'est pas à cause de lui que la maison était vide. Son absence à lui, je la remarquais à peine.

Elles sont presque arrivées aux Quatre Vents.

— Attends, dit Nicole.

Lisette arrête la voiture, coupe le contact.

— Marier une fille, tous les parents, un jour ou l'autre, y sont contraints. Ce qui est difficile pour Gilles et moi,

c'est que nous ne sommes pas d'accord sur ce mariage.
Pour la première fois, depuis plus de vingt ans d'existence
commune. Et nous nous opposons sur un plan capital.
Ce mariage de Noële, c'est notre divorce.

Lisette attend un moment, finit par dire :

— Il s'y ajoute encore ceci : Noële n'est pas votre
fille.

— Beaucoup plus notre fille que celle des Karrassos.
Sinon, ce ne serait pas si grave entre Gilles et moi.

Le vent. La pluie. La nuit qui tombe. Des lumières
entre les haies. Une maison dans l'ombre, refermée sur
elle-même, avec une girouette sur le toit qui ne grince
plus que par habitude lorsque le vent change. Brusquement Lisette comprend. D'une maison à l'autre, il n'y a
que la distance de l'amour. C'est en offrant la seconde
à des communautés de jeunes anonymes, que Nicole fera
revivre l'âme de la première.

Il lui faut une semaine pour aboutir. Elle met tout en
œuvre. Nicole Vaindrier est obligée de suivre. Ce sont
des heures de discussions, de consultations, des rendez-
vous chez les notaires, des visites, des contre-visites, de
longs télégrammes avec le Brésil. Lisette a décidé d'acheter
elle-même le vieux bâtiment des douanes, et de l'offrir
à la municipalité lorsque les travaux seront achevés. Son
mari ne sait que faire de son argent. A quoi bon le
laisser dormir dans les banques brésiliennes ? Lisette est
française. Ses deux fils ne savent rien d'un pays qui
est le leur. Elle leur offre ainsi l'occasion de s'implanter.
C'est à leur intention, autant qu'à celle de Nicole, qu'elle
a pris cette décision. Sans doute, Miguel et Carlo n'y
viendront jamais, mais, le soir, sous la véranda, ils
pourront de temps en temps rêver de cette maison au
bord d'un fleuve où viennent nager des garçons de leur
âge. En ville, la nouvelle fait son chemin. On en parle
partout. Lisette ne passe pas inaperçue, avec son chapeau
de panthère et ses bottes rouges. Certains confondent
les familles, affirment que c'est une Karrassos, que c'est
avec l'argent de Noële qu'elle achète le bâtiment. Lorsque

Gilles Vaindrier va voir ses clients, on lui pose des questions. Ce projet finit par l'irriter.

— Expliquez-moi pourquoi ? demande Lisette un soir.

— Parce que c'est trop ambitieux. Nicole n'y arrivera jamais toute seule. Le Conseil municipal ne l'aidera pas. Il faudra qu'elle se débrouille avec les architectes, les entrepreneurs. Elle perdra pied. C'est moi qui aurais tous les ennuis.

— Tout se passera en dehors de vous.

— Facile à dire. Vous allez repartir. Vous reprendrez votre vie bien tranquille, à des milliers de kilomètres d'ici, entre vos cactus. Moi, je reste.

— Nous avons fondé une société secrète, Nicole et moi. S'il y a le moindre ennui, vous n'en saurez rien. Elle me tiendra au courant, directement. Si elle a absolument besoin de moi, je viendrai, entre deux avions. C'est tout simple.

Gilles Vaindrier ne répond pas. Il prend sa pipe sur le bureau, la remplit de tabac, très lentement, va jusqu'à la fenêtre. La nuit est noire. Pas une étoile. Pas même un petit morceau de lune quelque part pour mesurer la hauteur du ciel. Tous les nuages sont encore là. C'est la pluie pour la nuit.

— Combien faut-il de temps pour la construire, votre maison des Jeunes ?

— Un an peut-être. Tout dépend de l'entrepreneur.

C'est bientôt l'heure du dîner. Nicole est dans la cuisine avec madame Marie, qui se plaint toujours de l'épaule, et qu'il faut aider.

— Un an..., dit Gilles.

Il allume sa pipe.

— On devrait bazarder tout ça, une fois pour toutes. La laiterie, la maison. On vieillit. On s'enfonce. A quoi ça servira ? A qui ?

Lisette le regarde. C'est vrai qu'il s'est tassé, qu'il n'a plus les épaules aussi droites. Dans sa vieille veste de laine, qu'il a mise trop souvent et qui n'a plus de forme, il ressemble à son père, le vieux monsieur Vaindrier qui, sur la fin de sa vie, ne s'intéressait plus qu'à sa bibliothèque.

— Personne derrière nous. Alors ? Des années à traire

mes vaches, à bricoler dans ma « petite laiterie ». Et
puis ?

Il revient vers le bureau, prend une lettre déjà ouverte.

— Ecoutez ce que nous écrit Noële.

— « *Je marche beaucoup dans Athènes, avec Delpina.
Elle me fait découvrir une ville que les touristes ne connaissent pas, la ville de son enfance à elle. Elle me parle de
sa famille, de son père surtout. Je découvre que c'est mon
grand-père.* »

Gilles tourne la page, hésite avant de poursuivre.

— « *Il y a des rues entières qui lui appartenaient et qui
gardent son souvenir. J'aurais tant voulu le connaître...* »

Il replie la lettre, la garde un moment à la main.
Lisette n'a pas bougé. C'est comme si elle n'était pas là.
Elle dit simplement : « *Diego...* », plusieurs fois, en elle-
même, parce qu'elle ne savait pas qu'il lui faudrait se
défendre encore contre le passé.

L'acte de vente est enfin signé. Un vendredi. Tout a été
très vite. Le bâtiment des douanes appartenait aux
Domaines. Contrairement à ce que pensait Lisette, l'accord
s'en est trouvé plus facilement conclu. En sortant de chez
le notaire, elle a envie de rire. Elle prend Nicole par le
bras.

— Viens. Il est à nous maintenant.

Elle fait jouer la serrure avec un grand sourire.

— Je suis chez moi. Mes fils aussi.

C'est le début de l'après-midi. Il fait sombre. Mais un
vent plus froid s'est levé, qui s'efforce d'écarter les nuages.
C'est déjà comme une annonce de l'hiver. Lisette ouvre
les portes, les fenêtres, établit un courant d'air.

— Cette odeur ! dit-elle. Avant de faire venir qui que
ce soit pour les travaux, il faut aérer en grand.

Elle a aperçu la voiture. Plusieurs fois déjà, les jours
précédents, elle a reconnu Jean-François, immobile à son
volant, qui la regardait. N'étant jamais seule, elle n'avait
pas pu le rejoindre. Elle sait qu'il ne faut plus attendre.
Elle quitte Roanne dans deux jours.

— Nicole...

— Oui ?

— Pardonne-moi, mais je vais te laisser remonter seule aux Quatre Vents. Je reste encore un moment.

— Tu ne veux pas que je t'attende ?

— C'est inutile. Ne t'inquiète pas pour moi. Je me débrouillerai.

Nicole Vaindrier ne pose aucune question. Peut-être a-t-elle aperçu la voiture, elle aussi. Elle jette un dernier regard sur le bâtiment.

— Il y a beaucoup de travail, dit-elle. Tant mieux.

Elle sort, referme la porte derrière elle. Lisette Andrieux attend. Jean-François ne bouge pas, ne tourne même pas la tête. Elle se décide enfin à aller vers lui.

— C'est à moi que vous voulez parler ?

— Oui.

Jean-François lève les yeux. Elle a l'impression qu'il ne la voit pas, qu'il est devenu aveugle. Il a les paupières très ouvertes, mais son regard est vide, presque blanc.

— Vous savez qui je suis ?

— Oui.

— Comment le savez-vous ?

Sans répondre, il se penche vers l'autre portière, l'ouvre. Lisette comprend, fait le tour de la voiture, monte à côté de lui. Elle pense qu'il va mettre le moteur en route, mais il ne bouge pas. Elle remarque ses mains. Si fortement serrées sur le volant qu'elles tremblent.

— Comment savez-vous qui je suis ? répète-t-elle.

Jean-François répond à mi-voix.

— Je le sais. Peu importe.

Il parle difficilement, il cherche ses mots. Il fait un effort terrible pour que sa voix ne le trahisse pas. Il serre les mains de plus en plus fort.

— Tout ce qui se passe aux Quatre Vents. Je sais tout. Depuis le jour de votre arrivée, je sais que vous êtes là.

Il a fermé les vitres. Elles s'embuent peu à peu. Le quai s'efface, et la Loire, et le bâtiment des douanes. Il n'y a plus rien.

— Vous y étiez ? demande Jean-François.

— Où ?

— Au mariage.

— Non.

Lisette Andrieux a peur. Sur les photographies, c'était

un jeune homme. Vingt-quatre ans. Elle s'en souvient
parfaitement. Devant ce visage tiré, elle ne sait plus.
Tout s'y inscrit, tout s'y découvre : les nuits trop longues,
les insomnies, les idées fixes, les litres de café, le cœur qui
se fatigue. Elle a envie de s'échapper, de se mettre à courir
pour qu'il ne puisse pas la rattraper. Elle sait déjà tout
ce qu'il va dire. Elle voudrait l'en empêcher. Parce que
c'est trop. On lui demande trop.

— J'ai acheté tous les journaux, dit Jean-François.
Même ceux des pays étrangers. Pas une photographie.
Pourquoi n'a-t-elle pas pensé à moi ? Je ne demandais pas
grand-chose. Seulement une image de sa robe.

Il se renverse brusquement en arrière, desserre les mains.
Il a cessé de se défendre. Il ferme les yeux, cherche un
moment sa respiration.

— Parlez-moi d'elle.

Ce n'est pas une prière. C'est un ordre.

— Non, dit Lisette.

— Parlez-moi d'elle.

— Cela ne sert à rien.

Il paraît ne pas avoir entendu. Lisette enlève son gant,
frotte nerveusement le pare-brise pour effacer la buée.
La nuit approche. Les lampadaires sont déjà allumés.

— C'est pour me parler d'elle, que je veux vous voir.
Pour rien d'autre. Et vous allez parler.

Il n'a pas crié, mais il y a tant de violence dans sa voix,
que Lisette obéit.

— Les Vaindrier ont reçu une lettre hier. Noële est
à Athènes. Elle visite la ville avec sa tante. Ugo est à
Venise. Il travaille. Il doit donner un concert à New
York bientôt. C'est ce que vous vouliez savoir ?

— Oui.

Il attend encore. Puis il dit doucement :

— Vous aviez raison. Ça ne sert à rien.

Lisette a remis son gant. Elle sent comme une colère qui
la gagne à son tour.

— Ecoutez, Jean-François...

Il secoue la tête. Il dit :

— Non...

Mais Lisette n'est pas décidée à obéir.

— Ce n'est pas moi qui ai voulu monter dans cette

voiture. Je ne savais même pas qui vous étiez. Vous me
faites des signes depuis une semaine. Maintenant, vous
allez m'écouter. Quand on a mal comme vous, on s'imagine
qu'on est le premier, qu'on est le seul. Ce n'est pas vrai.
Regardez-moi. Ce que vous vivez, je l'ai vécu, il y a
vingt ans. Pour les mêmes raisons que vous.

Jean-François appuie son visage contre le volant, porte
les mains à ses oreilles.

— Vous pouvez vous boucher les oreilles, vous m'entendrez quand même.

Elle parle fort, très vite, parce qu'elle n'accepte pas
qu'il ait si peu de courage, et en même temps, elle voudrait
le plaindre parce qu'elle sait trop à quel point il souffre.

— Je ne me suis pas assise sur le bord du trottoir, en
tenant mon chagrin dans mes bras. J'ai continué à marcher.
Toute seule. Et puis, quelqu'un a croisé ma route. Je l'ai
accepté. Ce que je ne croyais pas possible a eu lieu. C'est
insupportable à entendre, et pourtant c'est vrai : le chagrin
ne dure pas.

— Je ne suis pas un enfant. Je n'ai pas besoin qu'on
me console.

— Je vous parle comme à un homme. C'est à l'âge
d'homme seulement qu'on accepte cette vérité. Aujour-
d'hui c'est encore trop tôt. Vous vous cabrez. Vous vous
cabrerez encore longtemps. Un jour, vous découvrirez que
j'ai raison. Quelle que soit la force de votre chagrin, vous
en guérirez.

Elle ferme les yeux à son tour, s'oblige à se calmer. De
nouveau la buée a recouvert le pare-brise.

— J'aime les chansons, dit-elle avec une sorte de sourire.
J'en écoute beaucoup au Brésil. Il y en a une...

Jean-François a un mouvement d'irritation, mais elle
n'y prend pas garde.

— Une chanson de Brassens. A propos d'une femme qui
l'a rendu malheureux, et dont il s'est consolé, il dit ceci,
qui est beau et vrai : « *Que c'est triste de n'être plus triste
sans vous...* »

Elle attend un moment, ouvre la portière.

— Je voudrais vous voir demain, dit Jean-François qui
se redresse.

— Non.

— Pourquoi ?

— Parce que je pars.

— Attendez encore un jour. Je n'ai que vous. Depuis des semaines, je n'avais parlé à personne.

— Non, Jean-François.

Elle étouffait dans cette voiture fermée. Le vent est là maintenant. Elle le sent sur son visage.

— Vous me demandez des rendez-vous clandestins. Nous nous enfermons dans une voiture, et vous voulez que je vous parle de Noële. L'amour que vous avez pour elle, que vous aurez pour elle encore longtemps, vaut mieux que ça. Faites-lui face au grand jour. Devant tout le monde. Si vous vous cachez, c'est que quelque chose déjà le ronge.

Jean-François la regarde. Ce n'est plus cet œil presque blanc de tout à l'heure. C'est une petite flamme trop vive, comme un défi.

— Vous parlez beaucoup. Avec de grandes phrases, comme un professeur. Vous avez raison. Il vaut mieux que je ne vous voie plus. Adieü.

Il met son moteur en marche. Lisette Andrieux descend de voiture, claque la portière. La voiture démarre brutalement.

— Je vais bien trouver un taxi, pense-t-elle.

Elle fait quelques pas sur le quai. Elle a la tête qui tourne un peu. Avant de partir, il faut rendre la clef du bâtiment au gardien. Elle se souvient qu'elle a laissé toutes les fenêtres ouvertes. Elle hésite, renonce à les fermer. L'air n'y circulera jamais trop.

CHAPITRE VIII

LA LIBRAIRIE FRANÇAISE

Des jours. Noële s'oblige à ne pas les compter. Elle tente de s'y perdre. C'est un jeu, entre Ugo et elle. Comme on brouille les cartes. Lorsqu'ils se téléphonent, ce n'est jamais à la même heure. Pour qu'il n'y ait pas d'habitude, et qu'ils attendent avec une impatience toujours neuve le moment de se rejoindre. Parfois les circuits sont si mauvais qu'ils sont comme aux deux bouts du monde, et qu'il leur faut crier pour s'entendre. Parfois, c'est tellement clair, qu'en se parlant ils avancent la main pour se caresser.

— Ce sera beau ?

— Ce sera beau.

— Ton geôlier est content de toi ?

— S'il était content, je n'aurais plus à travailler.

Elle se souvient de la chambre. Dans le palazzo Peretti, au second étage. Le couvent de l'autre côté du canal.

— As-tu aperçu la sœur jardinière ?

— Il y a des saisons, même à Venise, où les poules ne pondent pas.

— En février, pas en novembre.

Il ne sait pas qu'ils sont en novembre. Il ne veut pas le savoir. Il a tourné les calendriers contre le mur. Il est enfermé dans sa musique, comme un prisonnier. Les murs sont si hauts qu'il ne voit pas le ciel. Il y a seulement sur les murs le reflet des canaux. Il prend un livre.

— Cette nuit, j'ai lu les lettres de Mozart à sa femme. Ecoute.

Elle s'allonge sur son lit, ferme les yeux.

— « *Penses-tu aussi souvent à moi que je pense à toi ? A tous moments je considère ton portrait, et je pleure, moitié de joie, moitié de peine. Porte-toi bien, mon amour. N'aie pas de soucis sur mon compte, car, dans ce voyage toute incommodité m'est épargnée, tout désagrément, sinon ton absence. Mais, pour ceci, comme il ne peut pas en être autrement, on n'y peut rien. Je t'écris ces mots les yeux pleins de larmes... »*

Elle écoute toujours, mais il ne parle plus. Il attend, comme elle. C'est une règle encore de leur jeu. Qu'ils ne sachent pas celui qui raccroche, que le temps passe ainsi, et parfois sans qu'ils l'aient voulu que les deux déclics aient lieu en même temps.

Des jours. Elle marche dans Athènes. Elle ne savait pas qu'il pouvait y faire froid. Elle est obligée de mettre un manteau, des gants. Sa tante Delpina l'accompagne. Elle porte un manchon de fourrure. Elles vont à pied, un peu au hasard. Une voiture parfois les rejoint, lorsqu'elles ont été si loin que les forces leur manquent, ou lorsque approche l'heure de téléphoner à Venise. D'autres jours, elle sort avec Yannis Karrassos. Il l'emmène sur les chantiers. Elle regarde les hautes flammes des lampes à souder. Elle voudrait se perdre dans les forêts de poutrelles, que quelqu'un l'appelle par son nom, et qu'en se retournant elle sache que c'est Ugo. En revenant à Athènes, le soir, elle se plaint :

— C'est trop long, père. Partons tous les deux pour Venise. Nous n'irons pas sonner chez le signor Peretti. Ugo ne saura pas que je suis là. Je me cacherai. Je le verrai de loin. Je me glisserai sous ses fenêtres pour l'entendre travailler.

Yannis Karrassos se penche, donne un ordre bref au chauffeur.

— Nous y serons dans une heure, dit-il.

— A Venise ?

— Le chauffeur prend la route de l'aéroport. Mon avion personnel est toujours prêt à décoller. Tu es heureuse ?

Elle rit, elle secoue la tête, elle ne sait pas si c'est un jeu. Yannis rit avec elle.

— Je marcherai dans Venise avec toi. Nous serons comme deux amoureux. Je te donnerai le bras. Les gens se retourneront sur nous. Ils penseront que le vieux Karrassos a bien de la chance d'avoir une petite amie aussi belle.

Elle se serre contre lui. Elle l'aime. Il la rassure. Il suffit de lui raconter ses rêves, et d'un mot il les rend évidents. Elle reconnaît la route. C'est bien celle de l'aéroport. Elle dit :

— Non, père.

Il faut obéir à Ugo. Yannis Karrassos comprend. Ils font demi-tour. Pendant le trajet de retour, elle dit à mi-voix :

— Ma vie avec Ugo, je le sais maintenant, ce sera comme de longs silences derrière des portes fermées. Et si personne ne les ouvre jamais, je finirai par ne plus savoir mon nom.

Un soir, pendant qu'il est à son bureau, elle entre dans une librairie française. Il y a longtemps qu'elle n'a pas acheté de livres. Elle se dit que les journées seront moins longues. Elle tourne autour des comptoirs. C'est un magasin très neuf, avec des étagères de bois verni, un tapis épais qui assourdit les pas. Une jeune fille s'approche :

— Puis-je vous aider, madame ?

— Je cherche un livre. Je ne sais pas encore lequel.

— Les derniers romans reçus sont sur la table, là-bas.

Elle a envie de s'attarder. Elle aime cette odeur de papier. Ce silence. Juste le bruit des pages tournées, comme une respiration.

— Madame Luckas ?

Noële lève les yeux. Un homme sourit, en face d'elle, par-dessus le livre qu'il tient à hauteur du visage. Un homme jeune, avec des moustaches très noires, et des lunettes.

— Vous êtes la femme de Ugo, n'est-ce pas ? D'après les photographies...

Il y a quelque chose dans sa voix. Noële ne sait pas quoi. Quelque chose de trop retenu. Comme un accent qu'il chercherait à combattre. Ou simplement la crainte d'être entendu de la jeune vendeuse, debout à quelques pas.

— Non, dit Noële.

— Pardonnez-moi, dit l'homme.

Il la regarde toujours par-dessus son livre. Il sourit davantage.

— Vous parlez très bien le français, pourtant. Les journaux ont dit qu'il avait épousé une Française.

Noële remet en place l'ouvrage qu'elle feuilletait.

— Je suis grecque. De père et de mère. Vous faites erreur, monsieur.

Elle sort de la librairie, cherche un taxi. Elle se demande s'il ne faut pas rejoindre Yannis Karrassos à son bureau.

— Je suis content que vous ayez quitté ce magasin.

L'homme l'a suivie. Il est debout sur le trottoir, à côté d'elle.

— J'ai quelque chose à vous dire. Au sujet de Ugo. C'est important.

Il lui tend un papier plié.

— Voici mon nom, mon téléphone. Appelez-moi, très vite. Et surtout n'en parlez à personne. Pour vous, pour moi, pour Ugo. Surtout pour Ugo.

Il salue rapidement.

— J'étais à Budapest le mois dernier.

Il traverse la rue, s'éloigne. Noële déplie le papier. *26.22.16. Janacek.*

— On y va ou on n'y va pas ?

— Comme tu veux.

— On va revoir les mêmes têtes, les mêmes robes, les mêmes visons.

Elles sont dans l'atelier d'Odile, à grignoter du fromage. Marie-Hélène étrenne un pantalon de lamé jaune paille qui la fait ressembler à l'une des Dolly Sisters.

— Il faut quand même être là pour entendre les applaudissements quand on annoncera : « Les coiffures sont d'Odile Veraski.

— On n'annoncera pas ça. J'ai changé de nom.

— Depuis quand ?

— Ce matin. J'en avais assez de faire russe. Veraski, ça date. Il faut porter un nom français maintenant. Je m'appelle : Odile Montbrison.

— Où as-tu trouvé ça ?

— C'est ton oncle. Un soir, ici, il m'a parlé de sa région, des villes et des villages où il allait porter son lait. J'ai retenu Montbrison.

Pendant un moment, elles rêvent ensemble à cet oncle Gilles qui jouait maladroitement avec les plumes des coiffures d'Odile. Quelques jours à peine, et l'une et l'autre s'étaient senties allégées. Un homme. Qui pèse un vrai poids. Dans leur vie de rencontres, elles avaient, de temps en temps, par lassitude, un bref engouement pour des partenaires désinvoltes, avec lesquels il était bon de se montrer en public, dont la main pesait à peine, et qui avaient pour mérite essentiel de les faire rire. C'étaient, dans l'ensemble, des êtres légers. Posés un soir ou deux sur un divan, envolés très vite. Le poids de la solitude, des souvenirs remâchés dans le noir, des sourires échangés de loin, comme par habitude, ils ne savaient pas s'il était lourd à porter. Ils ignoraient même qu'ils le laissaient derrière eux, près d'une brosse à dents oubliée dans la salle de bains. Pour s'inventer un nouvel équilibre, il fallait, à Odile, à Marie-Hélène, plus de forces qu'elles n'en avaient. Malgré les massages, les crèmes, les fonds de teint, l'effort laissait des traces. Autour des yeux, surtout, et des lèvres. Avec Gilles Vaindrier, tout avait basculé. Elles avaient eu l'impression de ne plus rien avoir à faire, d'être à la remorque. Odile en rêvait encore.

— Tout le monde va croire que tu es mariée, dit Marie-Hélène en souriant.

— Moi la première, répond Odile.

Elle se met debout, s'étire. C'est comme une paresse, l'envie de ne rien faire.

— C'est pour ça que j'ai changé de nom. Pour me faire croire qu'un monsieur m'aimait assez pour me donner le sien.

Elle se verse un verre de beaujolais, le boit d'un trait.

— S'il était là, ton cher oncle, on ne serait pas à hésiter, comme deux idiotes. On irait à cette « générale ».

Elle s'immobilise, le verre en main. Elle a l'impression qu'on a sonné. Un petit coup timide. Elle va voir. Personne. Elle revient dans l'atelier. Marie-Hélène est toujours sur le divan, les genoux repliés.

— Moi aussi, dit-elle, de temps en temps, je crois
qu'on sonne à ma porte.

Odile lève les bras au ciel, en poussant un cri de femme
sioux.

— On y va. Je m'habille, et on y va.

Elle a ouvert son armoire, cherche une robe.

— Sinon, dans une heure, on se met à pleurer toutes
les deux dans le même mouchoir. Je mets la verte ?

Marie-Hélène n'a pas entendu.

— Marie-Hélène ! La verte ? ou la violette ?

— C'était au mois d'août. Il n'y a pas si longtemps.
Il m'avait demandé de venir le chercher à l'usine, de
très bonne heure. Sa mère avait voulu venir aussi. Il
allait à Paris, prendre un avion. J'avais peur. Il partait
pour Tokyo. Je trouvais que c'était un long voyage.
Pendant deux jours, j'ai écouté toutes les nouvelles à la
radio, pour savoir si les avions...

Elle s'interrompt, hausse les épaules. Odile la regarde,
étonnée.

— De qui parles-tu ?

— Peu importe.

— Je croyais que j'étais une amie.

— Si je te dis qu'il s'appelle Jean-François, tu seras
bien avancée ?

— C'est ici, dit Yannis Karrassos.

La voiture s'est arrêtée dans une rue étroite, en dehors
de la ville. Il fait sombre. Une lampe éclaire mal quelques
façades aux volets fermés. Noële n'a pas l'air de comprendre.

— Tu verras. Tu seras contente.

Il a un petit sourire dans le regard, comme quelqu'un
qui s'amuse à l'avance du plaisir préparé. Noële lui a
demandé d'organiser une vraie fête, pour oublier qu'elle
n'en peut plus d'attendre. Il a tout de suite su où la
conduire.

— Je ne te dis rien. C'est une surprise.

Ils sont devant une porte de bois plein. Yannis Karrassos lève la main, frappe trois coups espacés.

— Il y a même un signal secret ? demande Noële.

Elle s'est amusée à être belle. Elle a mis une robe du soir, s'est fait un visage de star, avec du rouge et du bleu, a passé plus d'une heure à se coiffer, pensant que son père l'emmènerait dans un grand restaurant d'Athènes, ou dans un club à la mode, et qu'elle aurait tous les regards posés sur elle, car c'était la première fois depuis son mariage, qu'elle se montrait en public avec lui. Elle s'étonne de ce faubourg désert, de cette porte fermée, d'une musique lointaine, qui semble venir d'une autre maison.

— Bonsoir, dit Yannis à mi-voix.

La porte s'est ouverte. Une vieille femme lève les yeux, reconnaît Yannis, fait un signe de tête. Elle a un grand châle noir qui lui entoure le visage, et retombe autour d'elle comme un manteau. Yannis donne la main à Noële.

— Viens.

La musique est devenue plus proche. Il y a des violons, et quelque chose comme une guitare ou une harpe. Mais les instruments jouent en sourdine, avec retenue, presque avec crainte. La vieille femme les précède dans un long couloir, les fait entrer dans une salle au plafond très bas. Il y a des bancs et des tables, des bougies plantées dans des couronnes de feuillage, une cheminée où des galettes cuisent sur la braise.

— Voici votre table, dit la vieille femme.

Noële regarde autour d'elle. Dans la pénombre, elle distingue mal les autres convives. Ils sont peu nombreux, tous en noir, les femmes comme les hommes, et parlent à peine. Les musiciens sont debout près de la cheminée. Trois hommes à cheveux blancs. Les deux premiers jouent du violon, le troisième du cymbalum. Une femme, assise sur un tabouret, semble attendre, les yeux fermés, qu'on vienne la chercher.

— Où sommes-nous ? demande Noële à mi-voix.

— Chez Ugo.

Elle ne comprend pas.

— En Hongrie. C'est ici que les Hongrois d'Athènes se retrouvent. Pour écouter les dernières voix tziganes, les derniers violons, pour retrouver leur enfance, et l'image de leur pays... Ce n'est pas une boîte de nuit pour touristes. Tu

vois, les musiciens n'ont pas de vestes brodées ni de
pantalons bouffants. Ce n'est pas un restaurant non plus.
C'est une maison amie où chaque exilé retrouve sa propre
maison.

— Ugo est venu ici ?

— Une seule fois. Mais il n'a pas pu le supporter.
C'était tout de suite après son arrivée. J'ai voulu t'y
emmener ce soir, pour que tu aies l'impression d'être
reçue chez lui, par ses parents. C'est la fête que tu
souhaitais ?

Noële regarde autour d'elle. Elle est grave. Ce n'est
pas une fête. C'est autre chose. Une cérémonie.

— Vous avez bien fait.

On leur apporte sur un plateau, des assiettes et des
verres. Yannis Karrassos avait raison. Ce n'est pas un
restaurant. Il n'y a pas de cartes, pas de menu. Tout
le monde mange et boit la même chose. Comme un dîner
partagé.

— Ugo enfant, dit Noële doucement. Les chevaux, le
lac Balaton, le chien, sa sœur Maria. Tout ce qu'il m'a
raconté. Ou plutôt tout ce qui lui a échappé par mégarde.
Quelques images, quelques mots. Ce soir, je retrouve tout.

— Il t'en parle ?

— Jamais. Je n'interroge pas. Mais je sais que ses
souvenirs sont moins lourds à porter. Un matin, sur notre
île, il m'a parlé de sa mère.

— Le jour où il t'aura tout avoué, il sera libre enfin.
Et sauvé.

— Sauvé ?

— L'homme qui a peur de regarder son enfance en
face, cet homme-là est en danger.

Un des violonistes pose la main sur l'épaule de la
femme qui est assise. Elle ouvre les yeux, se lève. Elle
est très petite, et toute ronde, avec de grandes boucles
d'oreilles qui brillent dans l'ombre. Elle écoute un moment
la musique. Puis elle commence à chanter. Dans la salle,
personne ne se retourne, personne ne la regarde. Mais
c'est comme si la vie s'arrêtait. Comme si personne ne
respirait plus. Noële écoute elle aussi. Elle ne comprend
pas ce que chante la femme. Elle ne veut pas savoir.
Elle sait seulement que cela vient de très loin, d'au-delà

du cœur, d'un pays qui ne s'approche qu'à voix basse.
La femme chante des forêts peut-être, des chemins, des
genêts. Elle chante en secret. On l'entend à peine. Ce
n'est pas que l'âge lui étouffe la gorge comme un bâillon.
C'est que les chiens sont endormis. C'est que les clairières
s'effacent si on les parcourt à voix haute. C'est que l'image
tremble, n'est plus qu'une fumée, n'est plus qu'une gri-
saille, et qu'il faut la défendre. C'est qu'il ne faut pas
faire peur aux enfants.

— Tu es belle, dit Yannis.

— Moi ?

Noële a honte soudain. Elle voudrait effacer de son
visage les couleurs, les traits de crayon, ce masque que
Ugo n'accepterait pas. Elle voudrait retourner sur son
île, se frotter de mer et de vent, retrouver le corps que
les lèvres de Ugo, que les mains de Ugo apprenaient à
connaître. La femme chante encore. Cette fois, c'est une
route et quelqu'un qui marche, et quelqu'un qui attend,
et la nuit qui s'efface. C'est blanc comme le matin, et
blanc comme une pierre qu'on ramasse, et la jeune fille
la cache dans son tablier comme un trésor.

— Quelqu'un pense comme moi, dit Yannis. Pense que
tu es très belle.

— Qui ?

— Quelqu'un qui est au fond de la salle, et qui ne te
quitte pas des yeux.

— Un homme ?

— Oui. Jeune. Avec des lunettes et des moustaches
très noires.

La femme s'est arrêtée de chanter. Elle s'assied sur le
tabouret, les mains croisées, le buste droit. Les musiciens
brusquement se réveillent. Le premier violon, à travers
de longs arpèges, fait peu à peu naître un rythme de
danse rapide, sur lequel le second, comme mis au défi,
se met à improviser des figures et des volte-face.

— Il vient vers nous, dit Yannis.

— Qui ?

— Cet homme qui te trouve très belle. J'avais oublié
de te dire que, parfois, quelqu'un se met à danser.

Noële prend peur. Elle sait déjà.

— Madame...

Il est devant elle. Il s'incline. Il y a dans son regard le même sourire qu'à la librairie française. De familiarité, de connivence, et en même temps d'étonnement que son ordre n'ait pas été suivi.

— Non, dit Noële.

Presque sèchement. Pour masquer sa peur. D'un mouvement rapide, elle repousse sa chaise.

— Pardonnez-moi, père, mais je ne peux pas.

Elle est debout. Yannis Karrassos la regarde sans comprendre.

— J'étouffe, dit-elle.

Elle répète :

— Pardonnez-moi.

Elle quitte la salle. Yannis la suit. L'homme, immobile, sourit toujours.

Dans la voiture, elle cache sa tête dans ses mains, se met à trembler.

— J'aurais dû te prévenir, dit Yannis Karrassos.

Il est désemparé. Il était si heureux de cette fête. Il ne parvient pas à comprendre la brusque frayeur de Noële. Il l'a prise dans ses bras, la serre contre lui.

— Calme-toi, ma petite fille. Calme-toi. Ce sont des gens d'une même famille. Si l'envie leur prend de danser, ils se lèvent, ils invitent une femme. Même s'ils ne la connaissent pas. Ce n'est pas comme dans une boîte de nuit, où tout le monde est là et n'importe qui. Dans cette maison, tous les hommes sont les frères de Ugo.

Noële se détend. Elle a envie de tout raconter à son père. Mais elle se souvient d'une phrase de l'homme sur le trottoir, avant de traverser : « *N'en parlez à personne. Surtout pour Ugo...* » Comme une menace.

Elle cherche. Il faut qu'elle dise quelque chose.

— J'ai eu l'impression que cet homme... oui, qu'il avait quelque chose à me dire. Qu'il me connaissait, ou Ugo...

Elle regarde dans la rue. La porte de la maison est fermée. L'homme n'a pas cherché à la rejoindre.

— Depuis qu'il a franchi le mur, il y a trois ans, Ugo n'a jamais été inquiété ? Il n'a subi aucune pression pour le faire revenir ?

— Je ne crois pas. Mais c'est difficile de l'affirmer.

Héléna était seule à le savoir. C'est elle qui montait la garde autour de lui. Elle l'a défendu, protégé.

— Peut-être faudrait-il que je fasse la même chose.

— Toi ?

Yannis Karrassos sourit.

— Il ne craint plus rien maintenant. Tu es avec lui. Tu lui as appris à être heureux.

La voiture fait demi-tour, reprend la route d'Athènes.

— Pour que tu sois tout à fait rassurée, demain j'appellerai le ministère de l'Intérieur, et je saurai très vite qui est cet homme.

— Non, dit Noële.

Elle a ouvert la vitre. L'air vif de la nuit lui fait du bien.

— Demain, je n'y penserai plus.

Josselin s'est fait longtemps prier avant de revenir visiter le bâtiment des Douanes. Il avait promis un devis. Finalement il renonce à l'établir, pour des raisons que Nicole Vaindrier a déjà trop entendues : On ne fait pas du neuf avec du vieux, les jeunes méritent qu'on leur construise une vraie maison moderne, le bricolage n'est intéressant à aucun point de vue.

— Et l'appartement Saulieu ?

C'est autre chose. Josselin avait accepté de s'en occuper parce qu'il avait eu le sentiment d'aider monsieur et madame Saulieu à revenir chez eux. Ils étaient exilés à Roanne, dans un appartement qui leur était étranger. A l'usine, ils retrouvaient le souvenir de leurs grands-parents. Ils renouaient avec une tradition. Et pour Jean-François, qui avait un travail énorme depuis que les nouvelles machines fonctionnaient, c'était indispensable d'habiter sur place. Il n'y a qu'à madame Saulieu que ce déménagement n'a pas été très salutaire.

— Pourquoi ? interroge Nicole.

Josselin ne sait pas exactement ce qui se passe, et de toute façon ça ne le regarde pas, mais il a entendu dire que madame Saulieu était malade. Gravement. De quoi ? Personne ne pouvait le dire. Depuis plusieurs semaines. En fait, depuis... Josselin ne termine pas sa phrase. Mais

il regarde Nicole de telle façon qu'elle n'a pas besoin
qu'il achève. Depuis le mariage de Noële.

— Voilà, madame Vaindrier. Il ne faut pas m'en vouloir, mais...

Il répète ce qu'il a déjà dit, que le bâtiment est trop
vieux, que le bricolage... Avant de partir, il prononce
le nom d'un architecte, qui s'est installé à Roanne depuis
peu, et qui accepterait peut-être le travail proposé.
François Gallart. Madame Vaindrier n'en a pas entendu
parler ?

— Non, dit Nicole.

Elle note le nom sur un carnet. Elle dit au revoir à
Josselin. En remontant aux Quatre Vents, elle pense à
madame Saulieu. Déjà, lorsque Lisette avait demandé
des nouvelles de Jean-François elle s'était sentie coupable
de ne pas pouvoir lui en donner. Ce qui s'était passé entre
les deux familles ne devait pas empêcher de rendre service. Au contraire. Si vraiment madame Saulieu est
malade, dans son appartement des bords de la Loire, loin
d'un médecin, loin d'une clinique, loin de tout, et si Jean-
François est débordé de travail, il a besoin d'être aidé.
De lui-même, il ne demandera rien. C'est bien compréhen-
sible. Il faut aller au-devant de lui.

En arrivant à l'usine Saulieu, le lendemain, elle croise
Jean-François, qui monte en voiture. En l'apercevant, il
a un mouvement de surprise. De méfiance aussi.

— Bonjour, Jean-François. Votre mère est chez elle ?

— Oui, madame.

— Il y a longtemps que je voulais venir la voir. Je
peux monter ?

Jean-François secoue la tête.

— Non, madame.

Ils se regardent, dressés l'un en face de l'autre. Nicole
Vaindrier sent quelque chose qui n'est pas l'hostilité. Plutôt de la crainte.

— Pardonnez-moi, dit Jean-François. J'ai un rendez-
vous important à Roanne. Il faut que je parte.

Il est toujours devant Nicole Vaindrier comme pour
lui barrer le passage. Mais son regard demande plus qu'il
n'ordonne.

— Est-il vrai que votre mère soit malade ?

— Personne n'est malade. Personne.

Il ne dit pas : allez-vous-en. Il dit : je vous en prie, tout était supportable, et pourquoi êtes-vous venue ? Nicole Vaindrier voudrait savoir lui répondre. Elle reconnaît à peine ce visage dont toute la jeunesse s'est effacée, qui s'est curieusement déformé, avec de longues marques sur le front, comme des cicatrices.

— Ne m'empêchez pas de monter, Jean-François. Votre mère a peut-être besoin de moi.

Il résiste encore un moment. Puis, c'est si brusque qu'elle a presque un mouvement de recul, il saisit le poignet de Nicole Vaindrier, l'entraîne de force vers la voiture.

— Accompagnez-moi à Roanne. J'en ai pour une heure. Je vous raconterai en route.

Il la fait monter, claque la portière, met le contact, sort de l'usine.

— J'ai pris l'habitude de conduire vite. J'espère que vous n'aurez pas peur.

Tout de suite, en effet, il accélère. Et il se met à parler très haut, pour couvrir le bruit du moteur.

— Depuis un mois si vous saviez... Un vrai miracle. Je n'en reviens pas moi-même. La qualité du papier s'est imposée. Dès la première semaine, le téléphone a commencé à sonner. Depuis, ça n'arrête pas. Le courrier a doublé, triplé. Les représentants viennent me voir. Ça n'a pas l'air vrai, ce que je raconte. Je le répète : une sorte de miracle. Si ça continue, il faudra que j'engage du personnel. Que j'agrandisse mon réseau de vente. Que je m'implante dans la France entière. Je devancerai peut-être les échéances. Je rembourserai les prêts bancaires avant terme. Vous pouvez le dire à monsieur Vaindrier. Il m'a beaucoup aidé au début. Il m'a donné des conseils. Dites-lui que nous avons réussi. Tous les deux. Il ne vient plus jamais me voir. Je comprends ça. Mais je suis sûr qu'il sera content de savoir...

Il freine brusquement, s'arrête sur le bord de ma route.

— J'ai cru que je pourrais tenir jusqu'au bout. Mais ça fait trop longtemps...

Il a rejeté la tête en arrière, fermé les yeux. Il parle

d'une voix sourde.

— Je conduisais trop vite. C'était dangereux.

Nicole Vaindrier attend un moment, puis elle pose sa
main sur le bras de Jean-François.

— Dites-moi la vérité sur votre mère.

Il raconte tout, sans qu'elle soit obligée d'interroger
encore.

— Je ne sais pas ce qu'elle a. Berthelin est évasif. Il
refuse toute explication. Elle est ... Tout à fait comme une
enfant. Assise devant la fenêtre. A regarder la Loire. Des
heures. Immobile. Je ne pouvais pas vous laisser monter
tout à l'heure. Je ne pouvais vous laisser découvrir la
vérité. toute seule.

— Voulez-vous que j'aille voir Berthelin ?

— Je devrais dire non, mais je n'en peux plus.

Il a la même voix sourde, étonnée, presque enfantine.

— Le soir, je la prends dans mes bras. Je la porte
jusqu'à sa chambre. Et je dîne en face de mon père qui
fait des mots croisés. Du matin au soir. Avec des diction-
naires, des crayons, des gommes. Comme s'il s'agissait de
travaux importants.

Ils sont arrêtés devant un petit bois. Deux hommes
passent avec des fusils. Un chien les suit. Loin, de l'autre
côté des arbres, la cloche d'une église bat lentement.

— Vous allez être en retard à votre rendez-vous, Jean-
François.

Il remet le moteur en route. Ses gestes sont plus calmes.

— Essayez de conduire moins vite, dit Nicole.

— Vous voilà enfin ! crie Noële en descendant l'escalier en courant.

Elle se jette dans les bras de Yannis Karrassos, qui est
encore sur le pas de la porte, l'embrasse en riant comme
une enfant.

— Je vous guette depuis plus d'une heure. J'ai cru
que vous n'arriveriez jamais.

Elle se serre contre lui, les yeux fermés. Elle a un visage
de soleil.

— Plus que six jours, père. Plus que six jours. Ugo

m'a téléphoné. Il m'attend à Venise jeudi prochain. Il a travaillé plus vite que prévu.

Depuis combien de temps Yannis ne l'a-t-il pas vue ainsi ? C'est un autre visage. C'est l'été d'un coup qui revient. Il ne s'attriste pas. Il ne se dit pas qu'il sera séparé d'elle dans six jours. Il pense au palazzo Peretti, à ces enfants, que l'amour attache et sépare, et qui dormiront enfin dans le silence de la même nuit.

— Nous allons rester tout un jour à Venise. Ugo fermera son piano à clef. Un jour à nous seuls. Le samedi nous partirons pour New York. Nous y serons le dimanche, les répétitions avec l'orchestre commencent le lundi.

— Tu as dix ans, dit Yannis. Le visage d'une enfant de dix ans.

Noële lui embrasse la main, répète, comme une litanie :

— Ugo, Ugo, Ugo...

Son père a jeté son manteau sur un fauteuil. Il la regarde. Il est heureux.

— C'est la première fois que cela m'arrive, dit-il.

Il voudrait la remercier, parce qu'elle a su avec tant d'évidence lui apprendre ce qu'il ignorait encore.

— Je rentre le soir, comme tous les pères de famille, après avoir travaillé. Et je trouve ma petite fille qui me guette par la fenêtre. C'est la première fois.

Ils se regardent. Ils sont complices. Ils se sourient avec des yeux qui se cherchent.

— Non, père. Je n'ai plus dix ans. C'est mon mari qui m'a téléphoné. Pendant qu'il me parlait, je sentais ses bras autour de moi.

Une femme de chambre s'approche.

— On demande madame au téléphone.

— C'est peut-être Ugo, encore une fois. Il va me dire d'arriver un jour plus tôt.

Elle court vers l'appareil.

— Allô ?

Elle reconnaît la voix tout de suite.

— Pourquoi ? Pourquoi ici ?...

Elle ne lui laisse pas le temps de répondre.

— J'ai déchiré le papier. J'ai oublié votre nom. Votre téléphone. Vous perdez votre temps. Laissez-moi.

Ce que dit le docteur Berthelin est tellement surprenant, que Nicole Vaindrier n'ose pas l'avouer à Jean-François. Madame Saulieu n'a rien. Aucun organe atteint, aucun trouble d'aucune sorte. Cette prostration est voulue, cette immobilité simulée. Pourquoi ? C'est ce qu'il faut découvrir pour la contraindre à y renoncer. Elle a parfaitement compris que le docteur n'était pas dupe, mais elle s'obstine dans sa comédie, avec une sorte d'acharnement. Comme si elle voulait pousser Jean-François à bout.

Nicole finit par se décider. Elle répète à Jean-François ce que Berthelin lui a dit, mot pour mot. Puis elle monte à l'appartement. En entrant, elle est saisie par un courant d'air très vif.

— Ce n'est pas chauffé ici ?

Elle découvre madame Saulieu assise devant ses fenêtres ouvertes.

— Mais vous allez attraper mal. Avec le temps qu'il fait. Vous n'êtes même pas couverte. Il vous faudrait au moins quelque chose sur les jambes.

Elle ferme la première fenêtre.

— Non, dit madame Saulieu d'une voix rauque.

— Assise sans bouger, devant des fenêtres ouvertes, du matin au soir. Ce n'est pas raisonnable.

Elle ferme la seconde, la troisième.

— Voilà. Et je vais dire à Jean-François d'activer la chaudière.

— Ah ! dit madame Saulieu.

Un petit cri plaintif, comme un enfant.

— Je n'entends plus la Loire.

Si le docteur ne l'avait pas prévenue, Nicole Vaindrier se laisserait prendre à ce visage, à ce regard fixe, à ces cheveux dressés comme une crinière. Une vieille robe, des bas noirs, des chaussons. Pendant quelques secondes, elle se dit que Berthelin se trompe. Les mains, posées sur les genoux, sont devenues si maigres qu'elle porte son alliance au pouce pour ne pas la perdre.

Nicole se penche, s'oblige à parler vite, en souriant.

— Puisque vous aimez tant la Loire, venez avec moi. Nous allons faire quelques pas le long de la berge. Cela

vous fera du bien. Mettez un manteau, et venez. Je vous
aiderai à descendre l'escalier.

— Non.

— Vous ne pouvez pas rester dans ce fauteuil toute la
journée. Nous irons jusqu'au châtaignier là-bas. Demain,
je reviendrai, et nous irons jusqu'à la barrière blanche.
Chaque jour un peu plus loin. La semaine prochaine, je
vous emmènerai aux Quatre Vents.

Elle prend le bras de madame Saulieu, veut l'aider à
se lever Mais c'est un corps sans vie, inerte.

— Ayez confiance en moi.

Madame Saulieu lève les yeux. Pendant un long moment,
elles se regardent. Et brusquement Nicole sent que le jeu
a cessé. Elles sont à égalité, parfaitemnt lucides l'une et
l'autre.

— Qui vous envoie ? demande madame Saulieu.

— Personne.

— Vous croyez que je ne sais pas ?

Elle fixe Nicole encore un moment, puis a un petit rire.
Ses yeux se ferment. Elle renverse la tête sur le dossier
du fauteuil.

— Vous faites trop de bruit. Je n'entends pas. Je ne
vois pas. Je dors.

Nicole Vaindrier perd patience. Elle pense à Jean-François dans la voiture, à sa façon de conduire, à son extrême
fatigue. Il faut que quelque chose ait lieu. Sans attendre.
Sinon...

— Vous ne dormez pas. Je le sais. Et vous m'entendez
parfaitement. Vous n'avez pas le droit de jouer ce jeu.
Pour Jean-François. Il ne le supportera pas. Il s'en ira.
Il étouffe ici. A cause de vous. Il s'en ira. C'est ça que
vous voulez ? Répondez-moi. C'est ça ?

Elle attend. Madame Saulieu ne bouge pas. Immobile.
Comme morte. Nicole hésite. Elle ne sait que faire. Elle
finit par hausser les épaules, découragée. Y a-t-il quelque
chose à comprendre ? Elle regarde une fois encore ce
visage trop maigre, ces lèvres serrées. Elle renonce.

Au moment où elle atteint la porte, elle entend la voix
de madame Saulieu.

— Où est Marie-Hélène ?

Elle s'arrête, étonnée.

— A Paris ? Pourquoi ?

Madame Saulieu ne répond pas.

Elle fait ses valises. Il lui reste deux jours. Mais elle
n'a plus la force d'attendre. Depuis que ses armoires sont
ouvertes, elle a l'impression d'être en route. Ugo vient de
lui téléphoner. Il est heureux. Il dit que Venise est un
jardin. Depuis ce matin le soleil est rose, et les murs
des maisons ressemblent à des reposoirs de Fête-Dieu.
Il dit que le signor Peretti est aux anges, parce qu'il est
sûr que ce concert sera le plus beau qu'on ait donné. Il
dit : « C'est pour toi que je jouerai. Ce sera notre récompense. » Elle se demande s'il faut emporter des chandails.
Fait-il froid à New York en automne ? Elle les pose sur
son lit, regarde par la fenêtre. L'homme est toujours là.
Depuis deux heures. Immobile, le visage levé vers le
premier étage. Comme s'il savait qu'elle est en train de
faire ses valises. Elle revient à ses armoires. Elle voudrait
être déjà partie, déjà dans les bras de Ugo, déjà libérée.
Elle se dit qu'il faut alerter Yannis Karrassos. Il y a une
ligne directe entre le palais et son bureau. Il suffit de
faire un geste. Dans cinq minutes, il est là. Et l'homme
disparaîtra. Jusqu'à quand va-t-il attendre ? Qui perdra
patience le premier ? Elle revient à la fenêtre. Il n'a pas
bougé. Adossé à un arbre, les mains dans les poches de
son manteau. Jusqu'à la nuit, jusqu'à demain, jusqu'au
départ. Et dans l'avion, peut-être...

Elle sort rapidement de sa chambre.

— Zina...

La femme de chambre répond aussitôt.

— Zina, il y a un homme dans la rue, qui attend.
Adossé à un arbre. Descendez lui dire que je veux lui
parler.

— Bien madame.

Noële retourne à la fenêtre, regarde. Zina traverse la
rue, dit quelques mots à l'homme. Il la suit sans répondre.
Très vite, il est à la porte de la chambre.

— Entrez, dit Noële.

Zina referme la porte derrière lui. Noële est debout, à contre-jour, devant la fenêtre.

— Vous avez gagné, dit-elle. Je cède. Parlez.

L'homme montre les valises ouvertes.

— Vous allez rejoindre Ugo à Venise ?

— Oui.

— Vous l'accompagnez à New York ?

— Oui.

— Faut-il absolument qu'il donne ce concert ?

Il n'a plus la même voix qu'à la librairie française. Il semble nerveux, irrité. Cette longue attente sur le trottoir, ces jours passés près du téléphone, le refus de Noële de lui répondre, lui ont fait perdre patience.

— Ne peut-il pas, comme il y a quelques mois, avoir mal au poignet, ou à l'épaule, ou tomber malade, ou imaginer je ne sais quel accident ?

Noële ne comprend pas. Elle sait seulement que c'est une menace. Elle fait un grand effort sur elle-même, réussit à ne pas laisser voir qu'elle a peur. Ses mains. Elle ne pense qu'à ses mains. Il ne faut pas qu'elles tremblent.

— On parle trop de Ugo, poursuit l'homme. Tout ce bruit autour de son mariage. Tout ce bruit maintenant autour de son concert. Les bruits passent les frontières. J'étais à Budapest le mois dernier, je vous l'ai dit. Il y a là-bas toute une famille nommée Luckas. C'est difficile pour elle de porter un nom qui fait tant de bruit.

Il se retourne, pose sa main sur la poignée de la porte.

— Réfléchissez à tout ceci. Et quand vous aurez rejoint votre mari, faites-lui comprendre ce qui se passe.

Il semble attendre un mot de Noële, un geste.

— Mes respects.

Il ouvre la porte.

— Pourquoi moi ? demande Noële.

Elle traverse la chambre, rejoint l'homme. Elle sait qu'elle aura la force de résister.

— Pourquoi n'avez-vous pas parlé à monsieur Karrassos, ou à Ugo lui-même ? Vous avez pensé que j'étais prête à croire n'importe quoi. Que j'allais me laisser impressionner. Monsieur Karrassos ne vous aurait pas écouté plus de deux minutes, Ugo non plus. Je ne sais pas le but

que vous poursuivez, mais c'est du chantage. Je n'y céderai
pas.

L'homme fait un geste de la main, très bref, comme pour
dire : « Vous êtes libre... »

— Je ne dirai rien à Ugo. Il donnera son concert.
Le 12 décembre, comme prévu. Adieu, monsieur.

Il salue, sort de la chambre. Noële ferme la porte derrière lui. Maintenant qu'elle est seule, elle appuie son
visage contre le mur, et ne se défend plus.

CHAPITRE IX

LA SCUOLA DI SAN ROCCO

Les couvents. Les palais. Ugo a tenu sa promesse. Il a fermé son piano à clef. Tout un jour, au hasard. Les canaux, les églises. Parfois attachés l'un à l'autre, marchant d'un pas égal. Parfois séparés, se cachant, se cherchant. Parfois, à reculons, l'un en face de l'autre, pour mieux se reconnaître.

— Ton visage.

— Toute plissée. Toute vieille.

— Tes yeux.

— Je dormais sans dormir.

— Ta voix au téléphone. Comme une somnambule. Tu parlais dans ton sommeil.

— Mon amour.

Les musées. Les arcades. Ils ont l'impression de tourner sur eux-mêmes. Tous les ponts se ressemblent. Il y a des jours à combler, des jours de solitude, des jours qu'il fallait vivre, et c'est comme quelqu'un à qui on maintenait de force la tête sous l'eau. Délivré, il cherche à reprendre souffle. Leur vie tout entière est entre leurs lèvres.

— Où étais-tu ?

— Je voulais venir. Tu avais dit non.

— Chaque nuit je te cherchais. Je t'appelais.

— L'île, tu te souviens ?

— Je me disais, elle se cache. Par jeu. Elle va venir.

— Je voulais. Tu n'as pas voulu.

Au centre d'une place. Avec des fontaines. Ils s'embrassent. Ils se sont habillés de la même façon. Un pantalon

bleu marine, un chandail. Ils s'embrassent. On dirait deux
frères, descendus d'un navire, et qui se retrouvent après
des mois de tour du monde. Ils s'arrêtent sur un ponton
du *vaporetto*. Le Grand Canal est gris, avec de courtes
vagues. Depuis le matin, il y a du vent. Noële regarde
Ugo. Elle voudrait lui dire. Elle ne sait pas de quelle
façon.

— Tu as changé.

— Moi ?

— Tu as maigri. Tu es fatigué.

— Mais non.

— Tu as trop travaillé. Il t'aurait fallu plus de temps.
Nuit et jour, j'en suis sûre. Et tu dormais à peine.

— A peine, c'est vrai.

Le *vaporetto* accoste, tangue sur ses amarres comme en
pleine mer. Ils montent. Ils vont s'asseoir à l'avant. Ils
sont seuls. Le vent est autour d'eux.

— Regarde.

Il montre un palais

— Le palais Vendramin. C'est là qu'est mort Wagner.
Tous les musiciens le saluent en passant avec respect.
Aujourd'hui c'est l'immeuble de la radio.

Elle cherche toujours comment lui raconter.

— A New York tu vas travailler toute une semaine
encore ?

— Oui. Avec l'orchestre. Un travail très passionnant,
mais très dur.

— Tu n'y arriveras pas, Ugo. Tu es au bout de tes
forces.

— Mais non.

Elle se décide. Elle ferme les yeux, quelques secondes.
Elle se souvient de l'homme sur le trottoir, devant le
palais Karrassos, adossé à un arbre.

— Il faut t'arrêter, Ugo.

— Je me suis arrêté. J'ai fermé le piano à clef. Jusqu'à
lundi je suis en vacances.

— Il faut renoncer au concert, Ugo.

Il la prend par les épaules, la regarde, éclate de rire.

— Y renoncer ?

Il l'embrasse.

— Mon amour.

Noële veut insister. Elle sent qu'il faut aller plus loin. Mais elle ne sait plus que dire. Ugo la serre contre lui de toutes ses forces, en riant toujours.

— Il faut leur dire aujourd'hui, Ugo. Après ce sera trop tard. Que tu es trop fatigué. Que tu ne peux pas jouer.

Il cesse de rire. Son visage s'étonne.

— Tu es sérieuse ?

— Bien sûr.

— Tu veux vraiment que je renonce au concert ?

— Il le faut.

— Tu es complètement folle.

Il se lève. Le *vaporetto* a ralenti en approchant d'un débarcadère.

— On descend. Viens. C'est notre arrêt.

— Ne descendons pas, Ugo. Retournons au palazzo Peretti.

— On a dit qu'on allait voir les Tintoret.

— Une autre fois.

Il a un mouvement d'impatience. Pourquoi est-elle ainsi, brusquement ? Inquiète, disant des choses qu'elle ne pense pas, avec, dans le regard, cette sorte de frayeur ?

— Rentre si tu veux. Moi, j'y vais. Depuis ce matin, je pense aux Tintoret. Je ne vois pas pourquoi j'y renoncerais. A tout à l'heure.

Il saute du *vaporetto*.

— Ugo !...

Noële le rejoint, s'accroche à lui. Pendant quelques secondes, elle appuie son visage contre lui, immobile, s'obligeant à ne plus penser qu'à cet homme qui est son mari, et son amour, et sa vie tout entière.

— Où est-ce ?

— Viens.

Ils longent la *calle dei Saoneri*, qui est comme un couloir entre deux hauts murs. Noële a l'impression d'être dans une maison secrète, où l'on parle un langage qu'elle ne connaît pas.

— J'ai peur quand tu es en colère contre moi, dit-elle. Tu deviens tout fermé. Et moi, je cogne contre les murs. Je frappe à la porte, je suis seule, dehors. J'ai peur.

Ils s'arrêtent, se font face.

— Je t'aime, dit Ugo.

Il ne se souvenait pas qu'elle était si petite. Pour l'embrasser il faut qu'il se penche. Elle est mince, une taille qui tient dans la main. Il la regarde comme s'il ne l'avait jamais vue. Elle est sortie des pierres de Venise, avec ses longs cheveux, son visage levé vers lui, ses lèvres à peine ouvertes sur un sourire. Il se demande à quelle voix mystérieuse il obéissait, en traversant les profondes forêts de Hongrie, et qui le tenait par la main. Déjà, dans ses rêves d'enfant, lorsqu'il regardait le soir, par la fenêtre de l'appartement ouverte sur le Danube, il lui semblait apercevoir, à la surface du fleuve un visage qui tournait lentement sur lui-même, comme pour lui faire signe. Il savait qu'il n'avait pas encore la force de descendre vers lui, et de le suivre. Il attendait que la nuit soit venue. Peu à peu le fleuve devenait comme un mur noir et lisse. Le visage était prisonnier des pierres. Il s'endormait. La nuit, il entendait sa voix. Elle était étouffée, mais elle prononçait distinctement son nom.

— Je t'aime, dit-il encore.

Il l'entraîne vers la *scuola di San Rocco*. Le gardien les accueille avec un grand sourire, comme s'il les attendait. Ils sont les seuls visiteurs.

— Je ne sais pas regarder les tableaux, dit Noële.

— Ce n'est pas difficile. Il suffit de se mettre devant et d'ouvrir les yeux.

Ils parlent à voix basse, comme dans une église.

— Il y a sûrement une façon de regarder. Il faut que tu m'apprennes. Je ne m'y connais pas plus en peinture qu'en musique.

Ugo sourit.

— Pourtant tu aimes la musique. Comment fais-tu ?

— J'écoute. J'attends que quelque chose en moi réponde.

— Pour la peinture, c'est pareil. Tu regardes et tu attends. Avec tout ce qu'il y a en toi de sympathie.

— De sympathie ?

— Oui. Comme pour un être humain. Je dirais même d'amitié. Quelqu'un que tu vois pour la première fois, tu lui souris en lui tendant la main. Pour un tableau, c'est

la même chose. Regarde-le avec amitié. Tu verras que
très vite, il te tendra la main à son tour.

— J'aurai tout appris de toi, dit-elle.

Ils s'approchent des premiers tableaux. Ils ne disent
rien. Ils regardent. Ugo ne donne pas la main à Noële.
Il la précède, d'un tableau à l'autre, comme un maître
de cérémonie, puis s'écarte de quelques pas, et la laisse
libre de ses réactions. Il sent qu'elle n'est pas à l'aise,
qu'elle regarde mal, que quelque chose l'empêche d'être
tout à fait elle-même. Très vite, elle tourne la tête vers
lui, ne comprend pas pourquoi il se tient ainsi à l'écart.

— Toi, Ugo, tu aimes ?

— Oui, dit-il.

Il s'approche. Il parle toujours à voix basse.

— Ici, tous les tableaux sont du même peintre. Ce n'est
pas sa peinture que je viens retrouver. C'est lui. C'est
un ami. Un vrai.

Il attend un moment.

— Montons au premier étage. Les plus beaux sont là-
haut.

Il y a un escalier. Ils montent lentement. Ils ont l'impression de faire du bruit, comme dans une maison où quelqu'un
dort de l'autre côté de la cloison. Dans la salle du premier
étage il n'y a personne non plus.

— Tu avais des amis, en Hongrie ? demande Noële.

— Oui.

— Que sont-ils devenus ?

— Je ne sais pas.

— Aucun n'a cherché à te joindre ?

— Aucun.

Il a le même regard que sur le *vaporetto*. Etonné, un peu
impatient.

— Pourquoi me parles-tu de la Hongrie ?

— Mon père m'a emmenée à la maison hongroise, dans
le faubourg d'Athènes.

— Toi ?

— Un soir, où je n'en pouvais plus de t'attendre. Tu
me manquais trop. Il m'a emmenée là-bas pour que je
te retrouve. Au début j'étais émue, très émue. Je regardais
la salle, les gens immobiles, les bougies. Je me disais :
je suis chez Ugo. J'écoutais la musique. Il y avait des

galettes qui cuisaient sur la braise avec une odeur d'anis.
Et puis...

Elle s'arrête. Elle sait qu'il faut aller jusqu'au bout.

— Et puis quelqu'un est venu vers moi. Un homme. Il
m'a invitée à danser. Alors j'ai eu peur et je suis partie.

Ugo attend. Il lui semble qu'elle n'a pas tout dit. Il
ne comprend pas pourquoi Yannis Karrassos a conduit
Noële jusqu'à cette maison des faubourgs. Il aurait dû
en parler d'abord à Ugo. Ce qui s'attache à ce pays, à ces
souvenirs, à ces images d'autrefois, n'appartient qu'à lui.

— Qui était cet homme ? demande-t-il.

— Je ne sais pas.

— Yannis le connaissait ?

— Non.

— Alors pourquoi as-tu eu peur ?

Noële ne répond pas. Elle se détourne. Sur les murs,
il y a de très grandes toiles, représentant la vie du Christ.
Elle s'arrête devant la première, toute dorée de paille.
Elle cherche un moment. Son regard fait le tour du
tableau, découvre enfin, cachés par une poutre, dans un
recoin surélevé de la grange, la Vierge et l'enfant. Elle
comprend que quelque chose vient de se nouer entre elle
et ce tableau. Elle a été obligée de faire un mouvement,
de suivre une ligne invisible, d'obéir malgré elle à la
volonté du peintre.

— Celui que je préfère est dans la petite pièce à
gauche, dit Ugo. Viens.

C'est une chapelle carrée. En franchissant la porte,
Noële lève les yeux. Le mur tout entier est comme une
fenêtre ouverte sur le Calvaire.

— La Crucifixion, dit Ugo.

— Pourquoi le préfères-tu aux autres ?

— Je ne sais pas t'expliquer. Peut-être parce qu'il
raconte toute l'histoire en même temps. Regarde, il y a
trois croix. La première est encore couchée sur le sol,
la seconde à moitié dressée, la troisième plantée au centre.
C'est ainsi que je voudrais parfois que soit notre vie.
Donnée tout entière, offerte au regard. En mouvement, et
pourtant déjà vécue.

Il prend Noële par l'épaule, et sans cesser de regarder
le tableau, interroge :

— Il s'est passé quelque chose à Athènes ?

— Non.

— Quelque chose que tu ne veux pas me dire ? Ou qu'on t'a demandé de ne pas me dire ?

— Non.

Il paraît rassuré.

— A quoi penses-tu ?

— A notre île.

Elle se serre contre lui. Elle tremble un peu.

— J'ai hâte d'être seule avec toi, Ugo. Dans notre île. Hâte d'oublier le monde autour de nous.

— Il·n'y a personne ici. Nous sommes seuls.

— Pour un moment. Mais dès que nous serons sortis.

— Ne sortons pas.

Il a parlé doucement, avec une sorte de sourire. Noële sait déjà qu'il est en train d'inventer un jeu.

— Entrons ensemble dans ce tableau. C'est très facile. Il suffit de regarder attentivement, sans bouger, un long moment. Peu à peu, tu sentiras que tu montes vers le mur, que tu pénètres dans la toile, que tu deviens cette femme en jaune, à droite, et moi cet homme en rouge.

— Non, Ugo...

— Tu as peur ?

— Cette femme en jaune tourne le dos à l'homme en rouge. Je ne veux pas. Je veux bien entrer dans le tableau, mais avec toi. Je veux que tu ne me lâches pas la main, que nous entrions ensemble.

— Tu demandes trop, dit-il.

Il se redresse, s'écarte d'elle.

— Dans les peintures, on est toujours seul.

Il fait quelques pas.

— Viens.

— Tu as assez regardé ?

— Oui.

Ils se retrouvent dans Venise, marchant au hasard. Le vent s'est apaisé. Le ciel est clair, avec de longs nuages blancs, très minces, comme des fils tendus. Ils se perdent de nouveau dans les ruelles. Les canaux. Les palais. Il y a des places avec des enfants. Il y a des chats. Il y a des petites *trattoria* où le vin est frais. Ugo a faim. Ils se font servir des *scampi fritti*. Ils ont l'impression qu'ils les ont péchés

eux-mêmes, du pont d'un navire, que cette odeur de mer
et de sel est dans leurs cheveux depuis toujours, depuis
le matin, sur la plage de Lefkas, où il la regardait se sécher
au soleil.

— Tu sais que nous partons demain ? dit-il.

— Oui.

— Tu sais que dimanche nous serons à New York ?

— Oui.

— Si tu me demandais, tout à l'heure, de renoncer au
concert, c'est parce que tu n'aimes pas New York ?

— Non.

— Alors ?

Noële fait signe au garçon, demande une glace avec
toutes sortes de fruits, de crèmes et de parfums. Elle y
plonge sa cuiller avec un soupir émerveillé. Elle ne veut
plus penser à rien. Il y a Ugo, en face d'elle, et la terre
s'est arrêtée.

Ils décident de ne rentrer au palazzo qu'avec le soir. Ils
vont et viennent. Ils ne se lassent pas. Ils sont dans une
maison qui leur appartient tout entière. Personne ne les
regarde. Personne ne les connaît. Ils sont seuls. Avec des
bruits de vagues contre les murs des palais. Avec des
gondoles chargées de fruits. Avec les mâts des navires,
dressés comme de grands arbres, au détour des ruelles,
et ils se disent que la mer s'est retirée pour faire place
aux forêts. Ils rêvent d'ombre, d'oiseaux, de bêtes silencieuses perdues sous les herbes. Ils se tiennent la main. Ils
se regardent. Ils s'appellent simplement par leur nom. Le
soir vient. Ils font un long détour par le port. Ils s'arrêtent
sur les jetées de bois de la *Giudecca*. Il y a de grands
navires, qui tirent déjà sur leurs amarres, la proue tournée
vers l'Orient. De loin en loin un fanal orange brûle sourdement. Un petit grincement de guitare tourne autour d'eux.
Noële est un peu lasse, un peu triste. Elle sait déjà que
parfois, sans se l'avouer, elle regrettera de n'être pas
entrée dans le tableau du Tintoret, de n'être pas devenue
cette femme en jaune, prisonnière d'un temps où les heures
ne comptent pas. Son cœur se serait arrêté. Elle aurait
cessé de craindre que celui dont l'amour est son existence, s'échappe en lui lâchant la main. Il serait devenu

cet homme en rouge. Elle lui aurait tourné le dos, sans inquiétude. Lui aussi aurait été prisonnier. Il aurait à jamais perdu l'envie de venir s'asseoir, à la nuit tombée, dans l'ombre des embarcadères, lorsque la voix de la mer glisse d'un navire à l'autre en les appelant par leur nom.

CHAPITRE X

SOUVIENS-TOI DE MARIA

Elle ne veut pas rester seule dans sa chambre d'hôtel.

— Tu vas t'ennuyer à la répétition, dit Ugo. On s'arrête tout le temps. On recommence dix fois la même mesure. Tu ferais mieux de te promener dans New York.

— Je n'aime pas New York.

Elle l'a traversé très vite, quelques mois plus tôt. Ugo y donnait un concert, après être venu la rejoindre au Brésil, chez Lisette Andrieux. Ils avaient eu envie de rester ensemble le plus longtemps possible, dans cette maison perdue au milieu des pierres, et de n'arriver à New York qu'au dernier moment. Le lendemain du concert, avant de prendre l'avion pour Los Angeles, il lui avait montré, en courant, quelques gratte-ciel, Central Park, la statue de la Liberté. Elle avait senti, sans pouvoir expliquer pourquoi, qu'elle n'aimait pas cette ville. Peut-être simplement, parce qu'elle était trop profondément déchirée entre Jean-François et Ugo, entre son amour d'autrefois et son amour à venir, pour ouvrir les yeux sur un monde si neuf. « Plus tard, se disait-elle, je reviendrai plus tard. » Aujourd'hui, elle ne voulait pas quitter Ugo.

— Je me mettrai dans un coin. Je ne bougerai pas. Tu ne m'entendras même pas respirer.

— Alors dépêche-toi. Je pars dans deux minutes.

— La répétition ne commence que dans une heure.

— Je sais. Mais je veux être là-bas le premier, essayer le piano, étudier l'acoustique de la salle. C'est important.

— Et le signor Peretti ?

— Il nous rejoindra plus tard.

Un taxi les attend devant l'hôtel, et les conduit à l'immeuble des Nations unies. Noële a fermé les yeux. Elle ne regarde pas la ville. Elle ne veut pas. Elle attend que Ugo la lui fasse comprendre. Ce matin, il est dans sa musique, tout entier pris par ce qui l'attend. Lorsque le taxi s'arrête, elle lève les yeux. Elle se sent rassurée. La maison est en verre. Personne ne s'y cache. Personne ne peut y menacer Ugo. Le soleil de décembre se lève avec des reflets orange. D'une vitre à l'autre la flamme saute et se propage comme un incendie. Un huissier les conduit jusqu'à la salle de concert.

— Elle me rappelle Varsovie, dit Ugo en entrant.

Il regarde les murs, les fauteuils, l'estrade où le piano l'attend.

— Mon premier concert public. J'avais quatorze ans. Je ne l'ai pas donné en Hongrie mais en Pologne. C'était une salle comme celle-ci. Toute neuve. En ciment, avec des angles vifs et du métal.

Il avance entre les fauteuils, atteint les marches qui conduisent aux coulisses.

— Tu m'entends bien quand je parle ?

— Oui, répond Noële restée près de la porte.

— Il n'y a pas d'écho ?

— Très peu.

— Déplace-toi. Va jusqu'au fond.

Elle obéit. Elle est heureuse qu'il ait besoin d'elle.

— Tu m'entends toujours ?

— Oui.

— Ma voix n'est pas assourdie par l'avancée du balcon ?

— Un peu.

Il saute sur l'estrade, s'installe au piano. Il a gardé son manteau, son écharpe. Il jette ses gants par terre, commence à jouer.

— Tu m'entends toujours ?

— Oui.

— Même dans les passages pianissimo ?

Il joue. Elle écoute. Elle se souvient de toutes les salles, de tous les concerts. Elle était toujours de l'autre côté des barrières, perdue au milieu du public. Il ne jouait que pour elle, et l'un comme l'autre avaient le sentiment que

les fauteuils étaient vides. Mais jamais encore, ils ne
s'étaient rejoints aussi complètement. Pour la première
fois, il accepte qu'elle connaisse son travail. Il va même
plus loin. Il lui demande d'y participer.

— En ajoutant un peu de pédale, comme ça, ce n'est
pas mieux ?

— Si.

Il joue encore quelques mesures, se lève.

— Peretti n'est pas encore là ?

— Non.

— Que fait-il ?

— Tu veux que je téléphone à l'hôtel ?

Ugo redescend de l'estrade, traverse la salle, vient
s'asseoir près de Noële, lui prend la main, l'embrasse
doucement.

— J'aime que tu sois là. J'aime que tu m'aides.

Il sourit.

— J'aime que nous ne vivions plus deux vies séparées.

Il travaille toute la journée. Noële reste assise dans
l'ombre. De temps en temps, le signor Peretti vient lui
demander si elle n'a pas envie d'un café. Elle dit non.
Elle ne veut pas quitter la salle. Les musiciens de l'orchestre font une pause. Ugo descend de l'estrade, rejoint
Noële. Ils ne se parlent pas. Ils se sourient. Il n'y a que
le signor Peretti qui parle. Il discute devant Ugo certains
détails techniques. Il fait venir le chef d'orchestre. Pendant toute la discussion, qui est très animée, Ugo tient
la main de Noële. Il sait qu'elle est là. Le chef d'orchestre
et le signor Peretti aussi. De temps en temps, ils la
regardent. Non pas pour attendre d'elle un avis, mais
parce qu'elle écoute et qu'ils ne l'ignorent pas. La répétition reprend.

C'est long, c'est difficile. Le soir vient. Ils s'aperçoivent
qu'ils ont faim. Ils entrent dans un drugstore. Dévorent
en hâte un hamburger, se retrouvent à l'hôtel. Leurs yeux
se ferment. Ils s'endorment en s'appelant par leur nom.

Le lendemain, c'est une journée semblable. La même
qui recommence. Il y a de nouveau l'orchestre, la pause,
le signor Peretti, les discussions avec le chef, et la petite

loge où Ugo se repose. Il ferme la porte à clef. Il est
seul avec Noële.

— C'est une maison, dit-il. Elle s'élève peu à peu et
je commence à m'y promener. J'avais lu la partition
d'orchestre. Je savais qu'elle était belle, mais je ne l'avais
pas entendue. C'est comme un architecte qui te dessine
un plan sur le papier, dans tous les détails. Et puis il te
construit la maison. Quand il y a les murs, les portes
et le toit, tu la reconnais, bien sûr, parce qu'elle ressemble
au plan dessiné, mais c'est une vraie maison.

Noële écoute. Elle pense à l'île déserte. Elle se dit qu'il
n'y aura peut-être jamais d'autres maisons, pour Ugo
et pour elle, que ces architectures de musique, dressées
d'un pays à l'autre.

— Hier, continue Ugo, pour le premier jour, j'ai regardé
la maison s'élever, pierre par pierre, pendant que l'orchestre déchiffrait la partition. Aujourd'hui, j'y suis entré.
J'ai commencé à m'y promener, à y chercher mes points
d'appui, mes habitudes. Encore trois jours. Le soir du
concert, il faut que je m'y sente chez moi.

Il est allongé sur un divan, dans le fond de la loge.
Il a enlevé ses chaussures. Il ressemble à un voyageur
sur la banquette d'un compartiment de chemin de fer.
Noële repense à Capetown. Il y avait un divan aussi,
et une porte fermée à clef, et des gens qui tapaient contre
la porte en criant. Ugo souriait, en mettant un doigt sur
ses lèvres. Ils s'étaient enfuis par la fenêtre. Ils avaient
volé une voiture. Ils avaient roulé vers la mer, vers le
sable, vers leur première maison, qui avait la forme de
leurs mains croisées.

— Quelle heure est-il ? demande Ugo.

— Vingt-cinq.

— Encore cinq minutes.

— Tu n'as pas soif ? Tu ne veux pas que j'aille te
chercher quelque chose à boire ?

— Non.

Il tend une main. Elle se penche, l'embrasse.

— Tu as les mains froides.

— Toujours quand j'ai beaucoup joué. Elles connaissent bien leur métier. Elles savent que nous allons reprendre
le travail, alors le sang se retire et elles se reposent.

— Tu en parles comme des êtres vivants.

— Ce sont des êtres vivants. Différents de moi. Qui m'accompagnent toujours, mais qui gardent leur vie propre. Tu souris ?

— Je pense aux gants rouges.

Ugo ferme les yeux. Pendant quelques secondes, il a l'air de dormir. Son visage ne bouge plus.

— C'est vraiment une maison, reprend-il doucement. Il y a la pièce du bas qui est le premier thème. Rien qu'avec les cordes. Et puis un court passage qui ressemble à un petit escalier qui tourne sur lui-même, et tu arrives au second thème avec les bois. C'est une chambre. Et moi, je me mets à tourner dans la chambre, en disant que je t'aime, et que tu es douce, et que tu vas venir, et que je t'embrasserai.

Elle ferme les yeux à son tour. Elle se dit qu'elle voudrait entrer dans la musique. Elle repense au tableau du Tintoret. A la voix de Ugo disant : « *Dans les peintures, on est toujours seul.* »

Elle compte sur ses doigts. Elle se dit que dans cinq jours, ils auront retrouvé leur île. Un petit bâtiment. Pas même une maison. Mais, la porte fermée, ils y seront ensemble.

Quelqu'un frappe.

— Signor Ugo...

— Oui, signor Peretti ?

— Les musiciens sont en place.

Ugo se lève, ouvre la porte.

— Viens, dit-il à Noële.

Elle prend sa main. Le sang y est revenu.

Ugo, cette nuit-là, dort mal. Il se réveille au petit jour. Noële le sent inquiet. Il veut avoir l'air gai, dit n'importe quoi, exprès, pour plaisanter, mais le signor Peretti lui-même voit que quelque chose le tourmente. Sans doute la télévision. Les Nations unies avaient précisé, dès le premier jour que le concert serait relayé par *Barlybird* et retransmis dans le monde entier. Ugo ne pouvait pas l'ignorer. L'heure du concert avait même été fixée à quatre heures de l'après-midi pour que les stations européennes

puissent le diffuser en direct. Tous les journaux en avaient
parlé. Le mariage de Ugo était trop récent pour qu'on
laisse passer une telle occasion d'y revenir. On avait
même laissé entendre que c'était par une attention parti-
culière du secrétaire général des Nations unies lui-même
que les beaux-parents de Ugo pourraient se joindre à lui,
puisqu'il serait neuf heures du soir en France et dix heures
à Athènes. Pourtant, lorsqu'on lui avait présenté la veille,
le réalisateur de l'émission, il avait eu l'air surpris. Il
avait regardé Peretti avec une sorte de tristesse. Comme
si quelque chose, en lui, était atteint.

— Essayez de comprendre, avait dit Peretti en s'asseyant
près de Noële.

Mais elle savait qu'il ne fallait pas poser de question.

A la pause de midi, au lieu de rester dans sa loge, Ugo
décide d'aller déjeuner dans un petit restaurant que lui
a indiqué le premier violon. Tout le monde les a reconnus,
et les regarde. Noële est mal à l'aise. Elle voudrait qu'on
ne sache jamais qui ils sont. Dès que quelqu'un, dans la
rue, se retourne sur eux, elle tremble.

— Parle-moi de toi, dit Ugo.

Elle se débat avec une sorte de blanquette, dont on a
voulu corser la sauce avec des raisins secs.

— Il n'y a rien à dire de moi.

— Mais si. Par exemple : comment trouves-tu cette
blanquette ?

— Difficile.

— Jette-la et commande autre chose. Ça se fait beaucoup en Amérique. Tout ce qu'on n'aime pas, on le jette.

— Tu as envie de me jeter ?

Ugo sourit, ferme à demi les yeux.

— J'ai envie que tu ne sois pas encore là. J'ai envie
d'être au moment où je vais te rencontrer. J'ai envie
que ma vie soit encore en attente de toi. Parce que
quelqu'un qui est mort, et qui voit tout d'un coup la
pierre se lever, et qui sent l'air revenir dans ses poumons,
c'est tellement terrible et beau qu'il voudrait toujours
revenir à cet instant.

Elle ne comprend pas ce qu'il dit. Elle n'aime pas
ce regard lointain, cette façon de ne pas être là, de parler
pour lui-même. Elle se décide.

— C'est la Télévision qui te rend soucieux ?
— Pourquoi ?
— Tu n'es plus le même depuis hier.
— Tu crois ?
Elle sent qu'il ne dira rien. Il faut insister davantage.
— C'est à cause de la Hongrie ?
Ugo ne répond pas. Il fixe quelque chose dans son assiette. Un dessin de fleur bleue, qui ressemble à un œillet.
— Parce que tu sais que l'émission sera retransmise jusque là-bas ? Tu as peur que ta famille la regarde ?
Il fait un signe. Trois garçons se précipitent en même temps. Il demande du café. Beaucoup de café.
— Ugo ...
Il regarde Noële. Il y a tellement de tendresse dans ses yeux qu'elle se met à trembler doucement.
— Je n'ai pas de famille. Pas de mère. Pas de frère. Personne. Il n'y a que toi.
— Moi ?
— Ne ris pas. C'est vrai. Tu es ma mère. J'ai l'air de dire n'importe quoi. Mais depuis que tu m'as rendu la vie, tu es ma mère.

Pendant deux jours, il faut faire garder les portes de la salle, à cause des journalistes et des photographes. Le signor Peretti n'a plus le temps de suivre les répétitions. Il est constamment pris à partie. Il finit par supplier Ugo avec des larmes dans la voix.
— Après le concert. Tout ce qu'ils voudront, après le concert. Expliquez-leur que c'est très difficile, que personne n'a jamais joué ce concerto, que nous n'avons pas une minute de trop pour essayer d'en être dignes.
— *Ma,* tout ça j'ai dit, signor Ugo, j'ai dit, et ils savent.
— S'ils ne comprennent pas, tant pis pour eux.
La veille du concert, la Télévision s'installe. La salle est envahie par une équipe de techniciens, de réalisateurs et d'assistants. Ugo essaie de les ignorer, mais c'est impossible. Ils tournent autour de lui, cherchent le meilleur angle, discutent de la place des caméras. Le chef d'orchestre se plie à leurs exigences. Les musiciens recom-

mencent tout ce qu'on leur demande, avec la plus extrême
amabilité. Il y a des sourires de part et d'autre. Quelques
journalistes en profitent pour pénétrer dans la salle. Ugo
voit les flashes éclater. Il fait signe à Noële de venir le
rejoindre sur la scène. A quoi bon lutter davantage ?
Ils sont plus forts que lui. Il sait seulement qu'il va passer
la nuit à travailler, seul.

— Deux jours, dit-il à voix basse.

— Deux jours, et nous serons sur notre île.

Elle s'est assise près de lui. Ils attendent que les éclai-
rages soient réglés.

— C'est l'hiver. Il fera froid.

— On allumera du feu.

Ils parlent en secret, penchés l'un vers l'autre. Les
photographes, très vite, les entourent. Noële a un geste
pour fuir. Mais Ugo la retient. Il faut qu'elle apprenne
à ne pas avoir peur.

— La mer sera déchaînée. Elle sautera sur les rochers.
La nuit on ne pourra pas dormir.

— On parlera plus fort qu'elle.

— On se dira : je t'aime, et on ne l'entendra plus.

Le signor Peretti s'éponge le front. Il ne comprend pas
pourquoi Ugo est devenu si docile. Il y a une heure encore,
il refusait de recevoir qui que ce soit. Brusquement, il
accepte tout. Les journalistes sont contents. Ils cesseront
d'aboyer au visage d'un pauvre imprésario qui n'est responsable de rien.

— Le bateau rompra ses amarres, s'en ira à la dérive.

— Nous serons isolés pour jamais.

— Dans deux jours.

La répétition reprend. A neuf heures du soir, les techniciens de télévision se déclarent satisfaits. Les musiciens
s'en vont très vite. Ugo se retrouve seul avec Noële.

— Ne reste pas. Je vais travailler tard.

— Je ne veux pas rentrer seule à l'hôtel.

— Tu vas avoir sommeil. Je me sentirai coupable, et
je travaillerai mal.

— Je boirai un litre de café.

Elle obtient la permission de rester jusqu'à minuit. Elle
s'installe au fond de la salle, les genoux repliés, son manteau
sur les jambes. Elle retrouve les quais, les salles d'attente.

Tu es ma mère, lui a-t-il dit la veille. Les mères sont-elles toujours sur les routes ? S'il est venu vers elle, s'il lui a donné son nom, c'est qu'il attendait un coin d'ombre où dormir. Seul, au milieu de cette scène vide, dans la lumière d'un projecteur, il fait le tour de cette chambre dont il lui a parlé, cette chambre qu'il a découverte à travers la musique, et où il a choisi de l'attendre : *en disant que je t'aime, et que tu es douce, et que tu vas venir et que je t'embrasserai...* Mais, le concert terminé, se retrouveront-ils ? Noële se lève, quitte la salle sans bruit, cherche le standard téléphonique, demande la communication avec les Quatre Vents.

— Un quart d'heure d'attente environ, madame.

Elle s'assied sur une chaise, ferme les yeux. Elle a besoin d'entendre la voix de sa mère. Un besoin violent, qui lui serre brusquement la gorge. Elle ne se dit pas qu'avec la différence d'heure, elle va la réveiller en sursaut, que c'est, là-bas, le milieu de la nuit. Elle est comme dans ces après-midi d'hiver où une angine l'obligeait à garder la chambre. Elle avait envie que sa mère soit là. Elle n'osait pas l'appeler trop souvent. Alors, elle se fixait des limites. Elle comptait, tout bas, jusqu'à cent, le plus lentement possible, et c'était comme si sa mère montait déjà l'escalier.

La standardiste lui fait signe :

— A cette heure-ci, c'est plus rapide.

Et, dans l'appareil :

— Ne quittez pas, monsieur. On vous parle des Nations unies.

Noële s'enferme dans une cabine :

— Papa !

Il répond avec sa voix de la nuit, une voix toute alourdie de sommeil. Il se demande ce qui se passe. Noële rit doucement :

— Pardon, je te réveille. Non, non, il n'y a rien. Le concert a lieu demain. Je suis avec Ugo, il répète. Et tout d'un coup, j'ai eu envie de vous entendre.

Elle ne sait pas expliquer mieux. Elle sent que Gilles Vaindrier a du mal à comprendre.

— Tu sais ce que vous devriez faire, maintenant que je vous ai réveillés ? Demander l'heure du prochain avion

pour New York, vous débrouiller pour le prendre, et
assister au concert avec moi. Vous avez largement le
temps.

Gilles Vaindrier répète :

— Tout va bien ? Tu es sûre que tout va bien ?

Il dort à moitié.

— Je te passe ta mère.

Nicole Vaindrier prend l'appareil :

— Allô, mon chéri...

Toutes les distances abolies. Le salon des Quatre Vents,
l'appareil sur le petit bureau, devant la fenêtre. Et les
volets fermés.

— Maman...

Noële voudrait parler, mais elle ne sait plus. Elle a
tout oublié. Tous les mots. Elle est comme aux temps
où il suffisait de se regarder.

— Tu m'entends bien, mon chéri ?

Elle entend. Si parfaitement bien, que c'est inutile de
répondre. Elles sont ensemble. Elles s'écoutent respirer
l'une l'autre, comme aux Quatre Vents, les nuits d'autrefois, puisque leurs lits se touchaient des deux côtés de
la même cloison.

— Comment va Ugo ?

Noële s'éveille. Elle ne pensait plus à Ugo.

— Il travaille.

— Je ne comprends pas ce que me raconte ton père.
Tu veux vraiment que nous prenions l'avion pour New
York ? C'est pour ça que tu téléphones ? Mais c'est impossible, mon chéri. Comment veux-tu ? Je ne demanderais
pas mieux, tu penses. Mais...

Allongés sur le divan, devant la cheminée. Le feu de
bois, les soirs d'automne, et dans la cuisine, les soupirs
de madame Marie. La maison fermée. Les volets, les portes,
les verrous. Le tapis, les jeux de cartes, les réussites de
Marie-Hélène.

— Nous avons appris que le concert était retransmis
par la télévision. Je me suis débrouillée pour me faire
inviter chez les Pion. Si, si, ils ont un appareil excellent,
paraît-il. Madame Marie vient avec moi. Elle n'a jamais
vu Ugo. Elle veut absolument savoir s'il est aussi beau

que je le dis. Ton père ? Je pense, oui. Tu sais, la musique, pour lui...

Noële interroge :

— Tu penses à moi ? Par moments, le soir, tu penses encore un peu à moi ?

— Oh ! mon chéri ...

Tout d'un coup la voix devient lointaine, perdue, toutes les distances rétablies. Il n'y a plus qu'une sorte de soupir brouillé, quelqu'un qui essaie de parler, et qui se défend contre ses larmes.

— Je t'aime.

Noële a crié, brusquement.

— Je t'aime. Je t'embrasse. Je vous embrasse.

Elle raccroche très vite, sort de la cabine, rejoint en courant la salle de concert. Ugo travaille toujours. Il ne s'est même pas aperçu de son absence. Elle s'enfonce de nouveau dans un fauteuil, replie les genoux, met son manteau sur ses jambes. Elle n'a plus peur. A minuit, elle se lève, va jusqu'à l'estrade.

— Tu travailles encore ?

— Oui.

— Alors, je rentre. Il est minuit.

Il sourit sans la voir. Peut-être n'a-t-il pas entendu. Sous ses doigts, quelque chose semble résister. Il se bat, le visage tendu, penché sur le clavier, reprenant la même mesure, inlassablement. Noële quitte la salle, demande au portier de lui appeler un taxi, rentre à l'hôtel.

Sur le trottoir quelqu'un attend.

— Madame Luckas ?

Elle n'a pas besoin de voir son visage.

— Que voulez-vous ?

— Simplement vous faire savoir que j'étais à New York.

Il s'éloigne rapidement.

— Non, non et non ...

Le signor Peretti en perd ses lunettes. Le smoking déboutonné, la cravate de travers, il lutte pied à pied contre les photographes.

— Il dort, je dis. Il est encore à son hôtel.

Ce sont des cris, des refus de croire. Le service d'ordre est insuffisant.

— Une photo. Juste une photo, et on s'en va.

— *Impossibile !*

Depuis deux heures, le combat est engagé. Acharné, féroce, tous les coups permis. Il faudrait une armée. Les soldats. Avec des casques.

— *Peccato ! Madonna !*

Ils sont trente, cinquante. Jamais encore on n'avait vu ça. Les insectes. Les sauterelles. Qui s'abattent d'un coup et dévorent. L'ouragan, le cyclone. Et ce bruit. Des coups sur les murs, des coups sur les portes. La police. Sans la police, il n'en sortira pas vivant. Le signor Peretti a peur. Pour la première fois depuis qu'il fait ce métier. Des triomphes, il en a connus. De toutes sortes. Mais jamais cette passion, cette violence, comme si plus rien au monde ne comptait que cette rencontre de Mozart et de Ugo. Mais, en même temps qu'il a peur, il est heureux. Il ne peut pas s'empêcher de se dire que tout vient de lui. Piétiné par les journalistes, soit, mais il l'a bien cherché.

Ugo dort. Pas à l'hôtel. Dans les sous-sol des Nations unies. On a ouvert pour lui la cellule d'un des gardiens de nuit. Noële est à l'aéroport. Elle attend Yannis Karrassos. Elle sait qu'elle va tout lui dire, parce qu'elle n'en peut plus d'être seule. Elle n'a pas voulu avertir Ugo. Quelques heures avant le concert, ce n'était pas possible. Le signor Peretti non plus. Il se serait affolé. Elle attend son père. L'avion a du retard. Il se pose une heure avant le concert. En embrassant Noële, Yannis Karrassos comprend qu'il se passe quelque chose. Dans la voiture qui les conduit à l'hôtel elle lui raconte tout : la librairie française, la maison hongroise, le téléphone, le bref entretien au palais Karrassos, la rencontre devant l'hôtel, la veille au soir.

— Ma petite fille, mais pourquoi ne m'as-tu pas parlé plus tôt ?

Elle reconnaît qu'elle a eu peur, que l'homme lui avait demandé de garder le silence. *Pour Ugo, surtout pour Ugo.* Comme une menace. Yannis la serre contre lui, parce qu'elle s'est mise à trembler en parlant. Cette angoisse trop longtemps retenue se libère enfin.

— Ce n'est rien, ma petite enfant, ce n'est rien.

— Il est là, père. Il va assister au concert.

— Je crois comprendre ce que c'est. Ne t'inquiète pas. Il n'a aucun pouvoir.

— Vous connaissez cet homme ?

— Peut-être. Ou quelqu'un qui lui ressemble. Pourquoi ne m'as-tu rien dit lorsqu'il est venu t'inviter à danser, et qu'il t'a fait si peur ? Ce soir-là, je t'ai proposé d'avertir le ministère de l'Intérieur. C'était tellement simple.

Noële secoue la tête. Elle dit simplement :

— Ugo, Ugo...

— Ne t'inquiète pas. Ce n'est rien.

Il faut la consoler comme une enfant.

La voiture les dépose devant l'hôtel. Yannis Karrassos monte dans sa chambre, se change rapidement. Vingt minutes plus tard, il arrive aux Nations unies, demande à parler à l'organisateur du concert.

— Sans vouloir vous alarmer, cher monsieur, je crains qu'il n'y ait, dans la salle, quelques admirateurs fanatiques de mon gendre qui cherchent à se faire remarquer. Vous savez. Des individus un peu hystériques, comme ceux qui suivent les Beatles, par exemple.

L'organisateur sourit.

— J'ai tout prévu, monsieur Karrassos. Soyez tout à fait rassuré.

— Pas d'uniformes, je pense ?

— Non. Mais des hommes solides et efficaces. Vous pouvez avoir toute confiance.

Yannis Karrassos rejoint Noële devant la cellule du gardien de nuit.

— C'est arrangé. Ugo dort toujours ?

— Je voulais être sûre avant.

— Tu peux le réveiller.

— Etes-vous bien assise, chère madame ?

— Très bien, merci, répond Nicole Vaindrier.

Les Pion n'ont jamais été à pareille fête. Recevoir chez eux la belle-mère d'une vedette de télévision, c'est une chose qui n'est encore arrivée à personne dans le pays. Ils n'ont pas fini de faire des jaloux. Depuis deux jours, chez les commerçants, c'est le principal sujet de conversation. Il y a même eu des intrigues de dernière minute pour essayer de leur enlever leurs invités. Mais madame Vaindrier est une femme de parole. Lorsqu'elle a promis, elle tient.

— Et vous, madame Marie, vous y voyez bien ?

— Pour y voir, j'y vois. Mais je me demande si je ne suis pas devenue sourde. Je n'entends rien du tout.

— C'est que j'ai coupé le son pour l'instant, dit madame Pion.

Sur l'écran, il y a l'image d'une horloge, qui marque neuf heures moins deux. Isabelle Pion, la fille de la maison, va chercher dans la cuisine un plateau avec des verres à liqueur, une bouteille de crème de cassis, des biscuits.

— Un petit rafraîchissement en attendant ?

— Tout à l'heure, Isabelle, répond Nicole Vaindrier. Pour l'instant, je suis trop émue.

Elle est un peu triste. Jusqu'au dernier moment, elle a cru que Gilles l'accompagnerait. Mais il a inventé un prétexte, toujours le même : une panne de moteur à la laiterie.

— Je vous rejoindrai si j'ai fini de réparer à temps.

Nicole sait qu'il ne viendra pas. Dès qu'il s'agit de Ugo quelque chose en lui se ferme. Ce n'est pas vraiment de l'hostilité. C'est une sorte de méfiance, et de malaise en même temps, comme lorsqu'on se trouve pour la première fois en pays étranger.

— Neuf heures, dit madame Pion.

Elle tourne un bouton. La musique éclate. Des fanfares. Et tout de suite sur l'écran, il y a le grand immeuble de verre des Nations unies.

— Que c'est beau, dit madame Pion, prête à tout admirer.

Elle aurait préféré que le gendre des Vaindrier soit un jeune chanteur, ou un danseur, et que le spectacle ressemble à ce qu'elle connaît. Un orchestre, un pianiste, Mozart, elle n'est pas très sûre d'y prendre plaisir. Sa fille et son mari non plus. Si c'était une opérette, avec des costumes, et beaucoup de décors...

— La voilà ! dit madame Marie.

— Qui ?

— Mais Noële, madame.

— Où ?

Madame Marie se lève, pose un doigt sur l'écran.

— Mais non, crie Isabelle Pion, brusquement surexcitée,
c'est Jacky Kennedy.

Les caméras de télévision parcourent lentement la salle.

— Mon Dieu, mais c'est comble. Au moins trois mille
personnes.

Le commentateur met un nom sur chaque visage. Il
semble que le monde entier soit là, tous ceux dont les
journaux parlent sans cesse. Toutes les femmes en robe
de cérémonie. Du satin, de la soie, des perles, des diadèmes.
Isabelle Pion écarquille les yeux.

— Je ne vois pas Noële, dit madame Marie.

Des généraux, des ambassadeurs, des ministres. Des
japonaises aux lourds chignons, des hindoues drapées de
saris, des noires avec de hautes coiffures. Dans le lointain
on entend l'orchestre qui s'accorde.

— Voilà Ugo, dit Nicole Vaindrier.

La caméra vient d'atteindre l'estrade. Une silhouette
noire sort de l'ombre, marche vers le piano.

— C'est monsieur Ugo.

— Oui, madame Marie.

La salle applaudit. Avec tant de force, que madame
Marie est obligée de se pencher vers Nicole Vaindrier.

— Ça ne lui ressemble pas du tout.

Ugo s'est arrêté devant le piano. Il s'incline. Dans la
salle, des voix qui crient : « *Bravo !* »

— Vous ne l'avez jamais vu, madame Marie.

— J'en ai rêvé souvent. Et généralement mes rêves,
ça me dit la vérité.

Peu à peu, les applaudissements cessent, la lumière
s'éteint dans la salle. Le silence se fait. Ugo s'est assis
devant son piano. Le chef d'orchestre le regarde, lève
sa baguette. La caméra s'approche de Ugo, le cadre en
gros plan. On ne voit plus que son visage. Il a fermé les
yeux. Il semble se replier sur lui-même. Soudain, il tres-
saille. Dans le silence, une voix s'élève. Distinctement.
Une voix haute, qui appelle :

— Ugo, Ugo, souviens-toi de Maria...

Ugo ouvre les yeux, regarde vers la salle. Il y a un bruit confus, plusieurs voix qui parlent en même temps. La caméra bascule, se fixe sur le public, cherche. Les lumières se rallument.

— Que se passe-t-il ? dit Nicole Vaindrier qui se lève.

Elle s'approche de l'écran. Elle ne comprend pas. Elle voit un homme debout, des gens tout autour qui le tiennent, qui le poussent, qui se mettent debout à leur tour, d'autres hommes qui étaient adossés contre les portes, et qui, tous ensemble, se mettent à courir. Le bruit est de plus en plus fort. Le commentateur prend brusquement la parole. Il a l'air stupéfait. Il parle de perturbateur, de police.

— Qu'est-ce qu'on a crié ? demande monsieur Pion.

Il a rejoint Nicole devant l'écran. Madame Pion et sa fille aussi. Elles touchent tous les boutons, comme si quelque chose s'était détraqué dans l'appareil. L'image s'efface, revient, le son disparaît.

— Vous n'avez pas fini toutes les deux ? dit monsieur Pion.

Toute la salle est debout, dos à la caméra. Le commentateur proteste, parce qu'on l'empêche de voir. Il est devenu volubile comme un reporter sportif. Visiblement, il se passionne. Il explique qu'il est obligé de grimper sur sa chaise, mais qu'il continue à ne rien voir du tout. On l'entend parler en anglais à quelqu'un, puis il dit :

— D'après ce que me dit un collègue de la B.B.C., le perturbateur vient de quitter la salle, entraîné par quelques gorilles à la poigne solide. Le calme va certainement revenir très vite, et dans quelques instants nous serons en mesure de vous faire entendre...

Il semble déçu que l'incident ne dure pas davantage. Sur l'écran, on voit les gens reprendre leur place, dans une grande agitation.

— Madame ! crie madame Marie.

— Oui ?

— Noële, là.

C'est comme un éclair. Le visage soudain, qui apparaît. Très blanc. Avec des yeux immenses, qui prennent toute

l'image. Puis une main qui se lève, qui se place devant
la caméra, pour l'aveugler. Lorsque la main s'écarte, il
n'y a plus qu'un dos qui s'éloigne, une porte qui se
ferme.

— Noële...

Nicole Vaindrier se détourne. Ce visage effrayé, ce
regard... Madame Marie s'est trompée. Ce n'est pas sa
fille.

CHAPITRE XI

TU TE CACHES DE MOI

— Où est-on ?
— Quelque part au-dessus de l'Atlantique.
— Quelle heure ?
— Trois heures dix.
Depuis qu'ils ont quitté New York. Immobile, le regard
perdu. Avec des sursauts, de temps en temps, comme
quelqu'un qui a peur de s'endormir.
— On arrive à Paris à six heures ?
— Six heures cinq, si l'avion n'a pas de retard.
— Il n'en a pas ?
— Je vais demander à l'hôtesse.
Elle fait signe à l'hôtesse, qui s'approche.
— Vous pensez que nous arriverons à l'heure à Paris ?
— Certainement, madame, si le vol continue ainsi.
Six heures cinq comme prévu. Peut-être même quelques
minutes avant.
— Merci, mademoiselle.
En quittant les Nations unies. Sans attendre. Tout de
suite à l'aéroport. Yannis Karrassos avait voulu partir
avec eux. Mais il n'y avait que deux places dans l'avion.
Et puis, c'était difficile d'abandonner le signor Peretti.
— On attend combien de temps à Paris ?
— Deux heures. L'avion d'Athènes est à huit heures
trente.
— Ça fait plus de deux heures.
— Avec les formalités de débarquement et de transit,
ça ne sera même pas deux heures. Tu verras.

5

Sans prendre le temps de se changer. Ils ont leur tenue
de soirée sous leur manteau. Sans aucun bagage. Tout est
resté à l'hôtel. Yannis Karrassos a dit qu'il s'en occuperait.

— Et notre île, on y va comment ?

— En bateau. Ne t'inquiète pas.

— Je ne m'inquiète pas.

Des phrases à la suite. Comme une leçon apprise. Sans
tourner la tête vers elle. Immobile. Les autres passagers
dorment. Il n'a pas bougé depuis le départ. Il n'a même
pas détaché sa ceinture. Il donne la main à Noële. Ou
plutôt, il s'accroche à elle. Il serre très fort. Comme s'il
avait peur que l'avion ne tombe.

— A midi dans notre île ?

— Peut-être un peu plus tard.

— Il n'y a pas d'horaire fixe ?

— Avec les bateaux, c'est impossible.

Il a un petit rire, comme pour dire : c'est vrai. De
nouveau, il s'enferme. C'est le silence. Noële pense à sa
main. Elle n'a plus rien. Plus de corps, plus rien. Seulement une main. Elle a enlevé son gant, pour qu'il sente
que sa main est nue. Elle s'oblige à ne pas trembler, à ne
pas faiblir. Il faut qu'elle soit calme, et tranquille, et
rassurante, puisqu'il s'accroche ainsi.

— Tu as les journaux ?

— Pourquoi ?

— Pour voir le temps qu'il fait en Grèce. S'il y a
une tempête, le bateau ne pourra pas partir. Où sont
les journaux ?

— Je demanderai tout à l'heure à l'hôtesse.

— Tu as peur que je les lise ?

Elle sent qu'il s'anime, pour la première fois.

— Oui.

Elle devine une sorte de haussement d'épaules, très
bref.

— « *Le plus grand concert de l'année.* » « *Un événement
mondial...* »

— Ugo...

— Devant combien de téléspectateurs déjà ? Peretti a
dit le chiffre. Cent cinquante millions, non ?

— Ugo...

Il y a un mouvement dans l'appareil. Un léger balan-

cement. Comme s'il tournait. Noële regarde par le hublot.
C'est noir encore. En décembre, le jour est long à se
lever.

— On va retrouver la maison, dit-elle doucement. Avec
toutes les affaires en désordre. La maison, tu te souviens.
Bergerie, caserne, couvent. Le bateau dans la petite crique.
Et les langoustes.

Elle parle sans le regarder, les yeux presque fermés,
parce qu'il y a une trop grande fatigue en elle. Cet effort
qu'elle fait pour que sa main reste vivante et calme. Le
reste, la robe longue, les chaussures de soie rouge, le
collier, la coiffure, ne sont plus que les ornements d'une
morte.

— On se baignera. La mer sera froide. On allumera
un feu. On s'allongera sur la couverture. On y arrivera
vers midi. Il faut déjà que je pense à la cuisine que je
vais te faire.

— On y arrivera plus tard. Beaucoup plus tard. Il
faudra s'arrêter à Lefkas.

— Lefkas ?

— L'eau potable.

Brusquement, il s'endort. En quelques secondes. Noële
sent la main qui s'ouvre. Il bascule. Elle appuie sur l'accoudoir, et le fauteuil se renverse. Un signe à l'hôtesse
pour qu'elle apporte une couverture. Il respire difficilement. Il faudrait détacher le col trop rigide, dénouer
la cravate d'habit. Elle n'ose pas. Il ne faut pas l'éveiller.

— C'est Paris ?

— Oui.

Il a ouvert les yeux. L'avion perd de sa hauteur. Le
ciel est encore sombre, avec une petite lueur fauve au
ras des nuages. Ugo redresse son fauteuil.

— Tu n'as pas dormi ?

— Non.

Il se penche. Elle voudrait qu'il l'embrasse. Simplement.
Et son corps recommencerait à vivre. Mais c'est pour
voir par le hublot.

— On est encore très haut.

Il regarde sa montre.

— L'hôtesse a menti. Nous sommes en retard.

— Six heures deux.

— Le temps de se poser...

Les passagers se réveillent, l'un après l'autre. Les lumières s'allument. Un enfant se met à pleurer. Noële cache son visage dans ses mains. Elle écoute l'enfant. Elle se plaint sourdement avec lui.

— Heureusement qu'il n'y avait que deux places libres dans cet avion, dit Ugo. Je n'aurais pas pu supporter Yannis et le signor Peretti.

L'hôtesse passe entre les fauteuils avec des bonbons.

— Tu sais qu'il pleurait, Peretti.

Avec une sorte d'étonnement. Comme s'il n'y croyait pas. C'était vrai, pourtant. Il pleurait. Il n'avait pas pu quitter la salle de concert. Yannis Karrassos avait été obligé de le prendre sous le bras, de le porter jusqu'à la voiture.

— Comme un enfant.

L'avion se pose. On appelle les passagers en transit. On les dirige vers un bar. On leur sert du café. Ugo en boit deux grandes tasses. Il est brûlant. Il ferme les yeux en buvant.

— A quoi penses-tu ? demande-t-il.

— A notre île.

— Ce n'est pas vrai. Tu penses à cet homme. Pourquoi ne m'en as-tu pas parlé ?

— Je ne pouvais pas. Pas avant le concert.

Noëlle tient sa tasse à deux mains. Elle serre de toutes ses forces. Elle sent la chaleur. La vie revient peu à peu.

— A Venise, quand tu m'as dit qu'il fallait que je renonce à jouer, c'était à cause de lui ?

— Oui.

— Si tu me parlais de la Hongrie, ce jour-là, c'était aussi à cause de lui ?

Elle ne répond pas. Elle baisse la tête.

— Tu vois, dit-il...

Il parle soudain avec une grande lassitude. Son visage est gris, avec une barbe qui a poussé trop vite, et le plastron de sa chemise s'est froissé pendant son sommeil. C'est comme s'il revenait d'une nuit absurde, au petit jour, et qu'il ait trop bu.

— Tu m'aimes. Tu es le seul être au monde en qui j'ai confiance, et tu te caches de moi.

Elle secoue les épaules. Elle ne veut pas relever la tête. Elle ne veut pas qu'il voie qu'elle pleure.

— Pas ici, Ugo, pas ici...

— Je comprends tu sais, je comprends. Ou plutôt, je crois que je comprends. Et puis ...

Ils ne disent plus rien jusqu'à ce qu'on appelle les passagers pour Athènes. Ils se lèvent, sortent du bar, se dirigent vers la salle de départ. Ils ont froid. Noële se rend compte qu'on la regarde. Cette robe longue, ces chaussures. Elle aurait dû chercher une boutique, acheter de quoi s'habiller. Mais qu'importe ? Dans quelques heures, ils seront seuls. Ugo tourne autour des marchands de journaux. Noële l'entraîne.

— Non, dit-elle.

Pour la première fois, il la regarde. Il a envie de prendre ce visage dans ses mains de le caresser doucement jusqu'à ce que tout s'efface. Cette fatigue, cette angoisse, et cette interrogation.

— Tu as raison.

Qu'importe ce qu'on écrit, ce qu'on raconte ? Noële est là, devant lui. *Noële, la servante de Dieu...* Toutes les cloches d'un coup. Il titube. Il entend sa voix, très forte, qui dit : « *J'accepte, oui...* » Il sait. A Lefkas, ils seront délivrés.

Ils ne descendent pas du bateau. Ils demandent à un marin d'aller chercher les tonneaux d'eau douce.

— Il pourrait monter jusqu'à la maison, dit Noële.

— Pourquoi faire ?

— Il y a peut-être du courrier.

— Tu as envie de le lire ?

Elle regarde, la tête levée, vers les rochers rouges, vers le nid d'aigle, vers ce qui, le premier jour, lui avait semblé une place forte imprenable. Une servante apparaît sur le chemin. Elle court. Elle vient dire que mademoiselle Delpina est arrivée d'Athènes depuis une heure, qu'on attend monsieur Karrassos dans la soirée.

— Non, dit Ugo.

— Elle ne dira rien, tu sais. Elle t'embrassera. C'est tout.

— Plus tard. Je reviendrai plus tard. Pour le moment je n'accepte que toi.

Le marin revient. La servante attend, debout contre la jetée. Elle regarde embarquer les tonneaux. Le bateau manœuvre, s'éloigne du quai. La servante est toujours là, immobile. Noële regarde la maison. Sur une terrasse, très loin, elle croit reconnaître Delpina, qui se penche. Ils atteignent l'île très vite. Le bateau à peine amarré, ils courent vers la cabane, s'allongent n'importe où sur le sol, s'endorment, harassés. Ils ont des rêves traversés de sursauts. Le froid les réveille. Ils cherchent les couvertures à tâtons, s'en enveloppent, retombent dans leur sommeil, comme on se noie. Le jour. Le soir. Des ombres. Et la mer qui n'en finit pas d'interroger. Noële se redresse. C'était comme un appel. Une voix aiguë, autour de la cabane. Un oiseau, peut-être. Un goéland, les ailes bleunoir, le bec orange. Elle écoute. Ce n'est pas son nom qu'il criait. C'est le nom de la nuit, qui est venue, différente chaque soir, avec ses mouvements d'étoiles, Noële va jusqu'à la porte. Il n'y a pas de lune. L'oiseau tourne toujours. Sans doute, avait-il pris l'habitude, depuis qu'ils ont quitté l'île, de se réfugier ici. Bientôt, pris de peur, il frappera la porte du bec. Un oiseau. Dormant avec eux. Elle se tourne vers Ugo. Il est à la renverse. Comme échoué. Une épave que la mer a laissée en se retirant. Il devait être ainsi après avoir franchi sa frontière. Le visage dévoré de fatigue. Qui est-il ? Elle ne sait pas. Elle ne sait rien de lui, sinon qu'il est venu la rejoindre un jour sur les rochers rouges, et que c'était trop tard pour lui échapper. Maria. Pourquoi Maria ? Lui ressemble-t-elle ? Le frère et la sœur. Il pensait à elle, le 15 août, à Durban. Il pleurait, lorsqu'elle était sortie du bureau de poste. Il était sur le pont, il disait : « *Treize ans. Quand je suis parti, Maria Luckas.* » Un émigrant. Elle l'avait pensé en le voyant. Sur le pont. Perdu. Seul. Et puis, ce sont des naufrages. Des corps que la mer rejette. Des plages vides, et les oiseaux qui viennent tourner autour en criant. Noële se frotte le visage à deux mains. Elle est ivre. C'est la colère. Elle sent le collier sous ses

doigts, l'arrache, le jette, arrache la robe, les chaussures,
cherche avec impatience le blue-jean, le chandail à col
roulé qu'elle est sûre d'avoir laissés dans une valise. Elle
les trouve, s'habille, va jusqu'au bateau, débarque les
tonneaux l'un après l'autre, les roule vers la cabane. Ils
sont lourds. Elle pousse de petits grondements de colère.
Elle trouve une boîte de conserves, l'ouvre, sans même
savoir ce que c'est, revient dans la cabane, s'assied contre
le mur, commence à manger. La porte est restée entrouverte. L'oiseau est entré. Il ne comprend pas ce qui
se passe. Il s'est blotti, dans un coin de la cheminée.
Il a peur. Noële a fini de manger. C'était du thon. Elle
jette la boîte vide, qui rebondit d'un rocher à l'autre.
Ugo dort toujours, immobile. Elle s'approche sans bruit,
écoute. Il respire, très doucement. Elle s'enroule de nouveau dans sa couverture. L'oiseau a levé une aile, comme
pour se défendre. Il la regarde d'un petit œil noir. Elle
tend la main. Il se blottit davantage contre la cheminée.
Elle sourit. Pour la première fois. Elle croyait qu'elle ne
savait plus. Brusquement, elle se souvient de tout. De
l'homme qui a crié, de la salle qui s'est mise debout, des
hommes du service d'ordre, des caméras de télévision. Et
puis, Ugo. Lorsqu'elle a pu quitter la salle, et le rejoindre,
il était adossé contre le mur des coulisses. Il avait quitté
l'estrade, il était sorti, il ne savait pas où aller. Ses
mains tremblaient. Il l'avait vue venir, il avait fait un
signe de la tête, qui voulait dire : « Pas toi... » Déjà on
le cherchait, le chef d'orchestre, Peretti. On attendait qu'il
dise quelque chose. Il avait fermé les yeux, quelques
secondes. Puis, il était retourné sur l'estrade. Le chef
d'orchestre le tenait par le bras, pour l'aider à avancer.
Il s'était assis devant le piano, il avait fait signe qu'il
allait jouer. Trois fois. Dans le premier mouvement, il
s'était trompé trois fois. Il s'était arrêté. Il avait fallu
chercher la partition pour qu'il reprenne et aille jusqu'au
bout. Les caméras de télévision le cernaient, ne quittaient
pas ses mains. Chaque fois qu'il se trompait, il y avait
ses mains en gros plans, sur les écrans. Dans le couloir,
le signor Peretti pleurait, tourné contre le mur. Tout de
suite après, ils s'étaient enfuis. Dans la voiture de Yannis
Karrassos. A l'aéroport. Le premier avion pour Paris. Il

n'y avait que deux places. Yannis avait dit : « Je reste.
Je raccompagne le signor Peretti à Venise. Je vous retrouverai à Lefkas. » Ils s'étaient séparés. Ugo déjà s'accro-
chait à la main de Noële. Il était lourd. Il fallait qu'elle
le tire de toutes ses forces, vers cette île silencieuse, où
il aurait enfin le droit de se jeter sur le sol, et de dormir
à la renverse.

Elle tombe. Elle s'enfonce. Elle perd pied. Elle est
réveillée par de petits cris. C'est l'oiseau, devant la porte.
Le jour est là. Elle se met à trembler. Ugo est parti.

CHAPITRE XII

VOUS ETES DEUX ENFANTS

C'est vers le soir. Elle entend le bruit d'un moteur. Elle se redresse. Depuis le matin, elle est assise sur les rochers, face à la mer, et elle attend, sans bouger, sans savoir si les heures passent. Elle aperçoit le bateau. Tout de suite elle sait que ce n'est pas Ugo. Elle a reconnu le hors-bord de son père. Dès qu'il est à portée de voix, elle crie :

— Ugo est avec vous ?

Yannis Karrassos fait de grands signes, parce qu'il n'entend pas. Il coupe son moteur, se laisse glisser jusqu'à l'île. Avant qu'il ne débarque, Noële demande :

— Ugo n'est pas à Lefkas ?

— Non.

Il saute à terre, prend Noële dans ses bras, la serre contre lui.

— Pardon de troubler votre solitude. Je sais que c'est interdit. Mais j'avais besoin de te voir. Les Vaindrier téléphonent. Ils veulent avoir de tes nouvelles. Ils ont tout vu à la Télévision. Ils sont inquiets.

— Père...

Noële se défend d'avoir peur.

— Père où est Ugo ?

— Pourquoi ?

— Je dormais. La fatigue, je ne pouvais pas me défendre. Quand je me suis réveillée, Ugo n'était plus là. Le bateau non plus. Je pensais qu'il était allé vous voir. Vous n'avez pas aperçu son bateau ?

— Non.

Yannis Karrassos regarde Noële.

— Il est parti depuis longtemps ?

— Je dormais. Je n'ai rien entendu. Il faisait jour quand je m'en suis aperçu. L'heure, je ne sais pas. Ma montre est arrêtée. Depuis, j'attends.

Elle a un petit sourire.

— Je voudrais bien qu'il revienne.

Yannis Karrassos l'entraîne vers la cabane.

— Il est sans doute à la pêche.

Il n'y croit pas. Il cherche. Il voudrait qu'elle se rassure.

— Tu m'a raconté que sur cette île, il n'y avait que du poisson à manger. Il a dû avoir faim.

Il pénètre dans la cabane avec elle. Le feu est éteint. Il fait froid.

— C'est ici que vous vivez ?

— Oui, père. Vous le savez bien. C'est vous qui nous avez donné cette île.

— J'ai été fou !

Il se révolte brusquement. Contre lui-même. Contre Ugo, contre Noële.

— Complètement fou ! C'est triste, c'est gris. Je n'aurais jamais dû vous donner cette île.

— Pour Ugo et pour moi, c'est le bonheur.

— Le bonheur ?

Il ne comprend pas comment il a pu les laisser seuls. Il ne fallait pas les quitter. Pas une seconde. Il fallait les tenir enfermés, prisonniers. Lui surtout. Lui : Ugo. Qu'il n'ait aucune possibilité de s'enfuir. Maintenant, il a peur. Il se met à crier.

— Le bonheur ? Des rochers, de l'herbe brûlée, la mer, le vent. Un vieux bâtiment en ruines. Des matelas par terre. Des valises à peine défaites. Un campement de bohémiens. Et tu es ma fille !

— Mais, père...

— Je n'accepte pas. Je n'accepte pas qu'Alexandra Karrassos vive comme une mendiante, couverte de chandails et cassant du bois pour son feu. C'est drôle un moment, pendant l'été, parce qu'il fait beau. Mais c'est fini, tu m'entends, c'est fini. Tu vas rentrer à Lefkas immédiatement.

Il faut qu'il aille le plus loin possible dans sa colère,

pour qu'elle ait peur et qu'elle obéisse. Il sait qu'il va
falloir lutter.

— Vous y reviendrez au printemps, dans votre île.
D'ici là, j'aurai fait venir des ouvriers. Dépêche-toi. Nous
partons.

— Non.

Noële est devant la porte, le visage fermé.

— Je suis ton père. Je t'ai laissé faire tout ce que tu
voulais. Maintenant, je donne des ordres.

— Je ne partirai pas sans Ugo.

Face à lui, hostile. Ce visage comme de la cendre. Et
le feu n'y couve plus. Frottée de cendre. Gris, une vieille
femme. Sa fille. Elle était le soleil, la lumière. Ce n'est plus
une colère feinte, pour l'impressionner. C'est une vraie
colère, qui éclate enfin. Et qu'importe s'il lui apprend la
vérité ? Tôt ou tard, il le faudra bien.

— Je vais le faire chercher, ton Ugo. Fais-moi confiance.
Toute la police maritime, en chasse. Dans moins d'une
heure. Que s'imagine-t-il ? Qu'il peut m'échapper ? Je le
connais. Je le connais mieux que personne. C'est un être
de fuite. Il passe son temps à s'évader. C'est en lui. Comme
une maladie. Mais je lui ai donné ma fille. Et il restera là.
Tu m'entends ? Il restera là.

Noële a écouté. Elle regarde son père. Elle voudrait
parler. Ses lèvres tremblent.

— Oh ! père... Pourquoi ?... Pourquoi me l'avoir dit ?

— Parce que je t'aime.

Il la prend dans ses bras, l'emporte jusqu'au bateau.

— Parce que je veux ton bonheur. Rien d'autre que
ton bonheur. Vous êtes deux enfants. Toi comme Ugo.
Vous ne savez rien.

Il la tient serrée contre lui, la dépose sur la banquette,
saute à son tour, met le moteur en route.

— Ugo !...

Noële crie ; et sa voix tourne sur la mer. Le vent
l'emporte.

— Ugo !...

— Tu perds ton temps à l'appeler. Ne te débats pas.
Ne crie pas. Je vais m'en mêler de votre bonheur. Sans
moi, vous n'êtes capables de rien.

Une heure plus tard, toutes les vedettes de la police maritime sont en mer. La nuit est venue. Les projecteurs, fixés à l'avant de chaque embarcation, sont allumés. Les éclairs jaillissent à la surface de l'eau, comme un orage. Yannis Karrassos participe aux recherches, à bord de la vedette du capitaine. De loin en loin, une sirène jette un cri aigu. Noële est enfermée dans la chambre de Delpina. Elle tourne le dos à la fenêtre. Elle ne veut plus rien voir. Rien que cette ombre blanche, penchée vers elle, et qui lui tient la main.

— Dites-moi qu'il va revenir.

— Il va revenir.

— Dites-moi qu'on va le retrouver.

— On va le retrouver.

Tout est sombre. Il n'y a qu'une veilleuse allumée devant l'icône. Une petite flamme rose, qui bouge à peine, comme on respire.

— Vous le croyez vraiment, ou vous le dites pour me rassurer ?

— Je le crois vraiment.

Delpina Karrassos est assise sur un divan très bas. Noële à ses pieds, sur le tapis, enroulée sur elle-même. Elle a gardé son blue-jean, et son chandail à col roulé. Elle a dans ses cheveux l'odeur de la mer.

— Mon père dit que c'est en lui comme une maladie.

— On guérit de ces maladies.

Le sel aussi, et la fumée du feu de bois. L'odeur sauvage de cette île que Delpina ne connaît pas, et qu'elle regarde de loin, les jours de grande lumière. Elle n'a jamais compris ce que Yannis avait cherché en la leur offrant. Tant d'années de solitude, et ces enfants qu'on retrouve enfin, qui ont le visage du bonheur, pourquoi les exiler sur des rochers déserts, alors que la maison trop grande leur offre toutes ses terrasses ?

— C'est un peu de fièvre, dit-elle tout bas. La dernière. Il va revenir. Je le connais bien. En ce moment, je sais ce qu'il mesure. Je le sais exactement. Il mesure la force qui l'attache à toi. Il tire dessus. Il tente de la rompre. Il ne peut pas.

— Je l'aime, dit Noële. Je l'aime...

Elle se redresse. Quelqu'un marche dans la maison.

— Père !

Elle sort de la chambre en courant.

— Vous l'avez retrouvé ?

Yannis Karrassos est las. Il voudrait que Noële n'en sache rien, mais d'heure en heure, son espoir l'abandonne. Ils ont tourné en rond, autour de l'île, décrivant des cercles de plus en plus larges. Les hommes de la police eux-mêmes finissaient par croire qu'ils perdaient leur temps.

— Il est peut-être retourné dans l'île ?

— Des gardes l'attendent.

— S'il ne me voit pas, il va devenir fou. J'aurais dû refuser de vous suivre, l'attendre là-bas.

Il voudrait de nouveau lui donner l'ordre de ne plus rien dire. Mais il n'a plus la force. Il secoue la tête, comme pour en arracher ce poids de désolation.

— Des enfants. Vous êtes des enfants. Ne sachant que crier ou jouer à vous perdre.

Il enlève son ciré, ses bottes.

— Les recherches reprendront au petit jour. Je vais dormir.

Il tourne le dos, s'éloigne. Noële regagne la chambre de Delpina Karrassos, tombe à genoux, cache son visage dans ses mains.

— Qu'on me rende Ugo...

Elle pleure. Elle se replie sur elle-même. Elle est comme un animal couché aux pieds de Delpina.

— Qu'on me rende Ugo. Il le faut. Sans lui je ne pourrai pas. Il le faut.

— Oh ! ma petite fille, dit Delpina.

Elle pose sa main sur les cheveux de Noële, les caresse doucement.

— Pendant vingt ans, j'ai dit : qu'on me rende Alexandra. Il le faut. Sans elle je ne pourrai pas. Et tu es là, tu vois, tu es là. Avec moi.

Il fait encore nuit. Yannis Karrassos a dormi quelques heures. Les vedettes de la police attendent dans le port.

Noële l'entend sortir de la maison. Elle le rejoint en courant.

— Emmenez-moi.

— Non, ma petite fille.

— Je ne pourrai pas rester ici, à attendre. Emmenez-moi.

Il a pitié d'elle, si profondément pitié d'elle.

— Prends un ciré, mets des bottes. Les vedettes de la police ne sont pas couvertes.

Ils partent. Le capitaine a dressé un nouveau plan de recherches. Il montre les cartes à Yannis. Il explique ce qu'il a décidé. Yannis approuve. Le jour est encore loin. Il y a du vent, et dès qu'ils sont au large, les vagues sont autour d'eux. La vedette saute et retombe. Le moteur peine. Yannis tient Noële serrée contre lui. Ils regardent. Ils pensent la même chose, sans le dire. Que c'est trop vaste, trop sombre. Qu'il n'y a qu'un miracle possible. Les yeux fixés sur la mer, jusqu'à ne plus rien voir. Par moment, la vedette semble tourner sur elle-même, prise dans un mouvement de panique. Elle s'en dégage d'un sursaut. Les hommes ont des jumelles. L'eau jaillit, les gifle. Ils essuient les verres, reprennent leur veille. Des heures. Ils finissent par ne plus savoir. Le jour est venu, mais si lentement que c'est déjà comme si le soir était là. Noële entend la voix de Delpina. *Pendant vingt ans j'ai dit : qu'on me rende Alexandra.* Dans le bruit du moteur, comme une litanie. Qui se répète sans fin. *Et tu es là, tu vois, tu es là, avec moi.*

— Tu as froid, dit Yannis.

Il est obligé de crier pour qu'elle entende.

— Nous rentrons à Lefkas.

— Pourquoi ?

— Les hommes ont besoin de repos.

Noële a l'impression que la vedette change de direction. Mais elle ne sait plus où elle est. La mer est devant elle, comme quelqu'un qui joue avec des masques, qui trompe sans cesse, qui se transforme, s'élève et retombe, et finit par se perdre.

— Il sera peut-être à Lefkas, dit Yannis.

— A Lefkas ?

— Retrouvé par une des autres vedettes. Il y en a huit, aujourd'hui, qui participent aux recherches.

Elle sait qu'il n'y croit pas. Elle l'entend à sa voix. Elle aperçoit, au loin, les rochers de l'île. Elle se souvient du premier jour. Lorsque Héléna était venue la chercher à l'aéroport. *Il s'est jeté sur les rochers.* Elle parlait vite en cherchant les clefs de sa voiture. *Il était en hors-bord, je ne sais pas ce qui lui a pris.* Elle revoit Héléna, sa robe orange, ses lunettes noires. *Le bateau éventré.* Il y a un grésillement dans la radio de bord. Yannis rejoint le capitaine. Le moteur de la vedette ralentit brusquement. C'est un moment suspendu, une sorte de silence, avec seulement cette petite voix nasillarde dans le haut-parleur de la radio, Noële ne comprend pas ce qu'elle dit. Elle sait seulement que son attente est terminée.

— On a retrouvé le bateau, crie Yannis Karrassos en venant vers elle.

Le moteur repart, avec un sifflement suraigu. Il est à pleine puissance. La vedette vire de bord, s'éloigne de Lefkas.

— A Ithaque.

Il prend Noële par les épaules, se penche. Il crie. Et ce n'est pas seulement pour couvrir le bruit du moteur.

— Sur une plage. Le bateau est échoué. Mais il n'est pas accidenté. En parfait état de marche. Le capitaine a fait demi-tour. Nous y serons le plus vite possible.

— J'aurais dû vous y conduire tout de suite, dit Noële.

Elle a envie de rire, tellement c'était simple à comprendre.

— Ithaque...

Elle rit. Parce qu'elle a eu trop peur, et trop longtemps.

— Le chien. Le chien d'Ulysse.

Yannis Karrassos se penche davantage.

— Qu'est-ce que tu racontes ?

Elle ne peut pas expliquer. Il ne comprendrait pas. Elle-même que comprend-t-elle ? Il y a seulement cette page d'Ithaque, et Ugo qui attend. Qui doit se demander pourquoi elle n'est pas encore là. Ugo, debout, face à la mer, guettant celle qui a permis la fin de son exil.

DEUXIEME PARTIE

LA RENCONTRE DE LONDRES

CHAPITRE PREMIER

LE SEUL CADEAU QUE JE VOULAIS TE FAIRE

Ugo a posé sur le lit les feuilles de papier rouge, et les découpe avec de grands ciseaux. Assise à une table, près de la fenêtre, Noële fait des étiquettes. Lorsque Ugo a fini un paquet, elle attache l'étiquette avec une ficelle, et le pose contre le mur de la chambre. Il y en a beaucoup. Elle a une liste de noms. Elle les barre un à un.

— Denis... Richard... Les jumeaux Herbillon...

Ce n'est pas elle qui a eu l'idée d'envoyer des cadeaux. Elle n'y pensait pas. Elle avait oublié que c'était bientôt Noël et la fin de l'année. Depuis qu'ils s'étaient rejoints sur la plage d'Ithaque, les jours étaient sans ordre, sans date, avec seulement des instants de repos, très brefs, où toute sa patience l'abandonnait, et elle fermait les yeux. Et puis, deux jours plus tôt, la patronne de l'auberge et sa servante ont relevé les manches de leurs blouses, ont mis un foulard sur leurs cheveux, et sont tombées à genoux, l'une à côté de l'autre, pour cirer les escaliers. La petite fille de la patronne a cessé d'aller à l'école, et s'est mise à découper des étoiles dans du papier doré, et le patron a été regarder son cochon.

— On t'égorge demain, lui a-t-il dit avec un grand rire.

Ugo a levé les yeux. Il a regardé Noële comme s'il la reconnaissait, brusquement.

— Il y a un petit bazar, au village, a-t-il dit. Avec des objets, pas très précieux, mais faits par les gens d'ici.

Tes amis, ta famille, il faut bien que tu leur fasses un petit geste de loin.

Ils ont acheté tout ce qu'ils ont trouvé : des poteries, des corbeilles, des couverts de bois. Ils ont demandé qu'on leur prête une brouette. Ils ont tout rapporté à l'auberge. Et depuis deux jours ils font des paquets.

— Lisette... son mari... ses deux fils : Miguel et Carlo...

Ugo coupe le papier rouge. De temps en temps, il pose ses ciseaux, vient jusqu'à la fenêtre. Le temps est doux. Le soleil colore la mer de rose. Sur les longues plages, le sable est jaune vif. Noële pense : « Maintenant, peut-être... » Il va se retourner, il va poser sa main sur son épaule, il va lui lui dire : « Ecoute... » Elle attend. Sans interroger. Depuis une semaine.

— Tout est blanc, dit Ugo. Tu as vu ? Les hommes ont repeint leurs maisons à la chaux.

Il revient vers le lit, reprend ses ciseaux.

— Monsieur Baxter, sa femme, ses enfants... Madame Mesnard. Je ne veux pas l'oublier.

Elle a envie de dire : « Et ta famille à toi, Ugo ? Ta mère, tes frères, Maria... » Elle a envie d'ajouter Maria, à la fin de sa liste, en grosses lettres. Et d'attendre. Une semaine... Elle a débarqué sur la plage, avec la vedette de la police, il y a une semaine. Elle a perdu l'ordre des jours, mais ce compte-là, elle sait le faire, parce qu'il y a le matin, et c'est le plus difficile. Chaque matin nouveau à ajouter aux autres. Une semaine à ne pas interroger. Noële sait qu'on ne dissipe pas les ombres de la forêt en donnant de grands coups sur le tronc des arbres. Elle attend. L'auberge est paisible, l'hôtesse toute ronde, avec des joues qui remontent jusqu'aux yeux lorsqu'elle sourit. La chambre est longue, avec un plafond bas, et des craquements de bois la nuit, comme dans les maisons anciennes. Ugo revient peu à peu à la vie. Il n'est plus cette épave à la renverse, comme dans la petite cabane de l'île, au retour de New York. Son corps réapprend à parler. L'amour est en eux comme un poignard, à couper le souffle parfois, à ne plus pouvoir respirer. Ils se regardent, se découvrent, se caressent. Les meubles de la chambre ne leur parlent de rien, ni de famille, ni d'ancêtres. Ils n'ont de patrie qu'en eux-mêmes. Leur exil s'achève

chaque fois que leurs mains se joignent. Des mots, ils en
prononcent. Ceux de l'amour, ceux de la vie quotidienne.
Mais, les autres, sont en réserve. Ugo, de loin en loin,
regarde Noële, s'immobilise, semble chercher en lui des
forces qu'il espère, mais renonce, détourne la tête.

— Pour Peretti, cette cruche ou ce saladier en bois ?

Contre le mur de la chambre, tous les amis, tous les
parents, l'un à côté de l'autre, montant la garde.

— Et toi ? dit Ugo.

Il regarde Noële, de loin. Il est debout contre le lit, les
ciseaux à la main.

— Moi ?

— Quel cadeau vais-je te faire ?

Elle sait. Il sait. Comme une promesse. Maria. Sans se
le dire. Comme la promesse que l'exil va finir, qu'il viendra
à bout de ses ombres.

Dans la cuisine de l'auberge, les femmes, qui ont rangé
les chiffons et les brosses nettoient à l'eau bouillante de
grandes jarres de grès pour y mettre le lard et le petit-
salé. La petite fille joue avec les citrons et les oranges
amères qui parfumeront les saucisses et le fromage de
tête.

— Profites-en, crie le patron au cochon qui rôde dans
la cour. Tu n'en as plus pour longtemps.

Il prépare les feux de bois, et les chaudrons.

— On tue le cochon chez toi, pour Noël ? demande
Ugo.

Il a ouvert la fenêtre de la chambre, et se penche. Elle
reste assise à sa table. Elle écrit la dernière étiquette.

— Et chez toi ?

Pour la première fois. Elle a interrogé. Doucement,
comme si c'était une question sans importance. Il y a une
semaine, lorsqu'elle est arrivée sur la plage, elle a demandé
à Yannis Karrassos et aux hommes de la police, de ne
pas l'accompagner. Elle a traversé la plage, en direction
du bois de pins. C'était la même plage que l'été dernier.
Avec les mêmes oiseaux, le même silence. Il faisait seulement plus froid. Elle savait où était Ugo. En sortant du
bois, elle a retrouvé la maison basse, avec le bouquet de
figuiers. Assis contre le mur, comme endormi, elle a
aperçu Ugo. Il s'est levé en la voyant. Il n'est pas venu

vers elle. Il a attendu. Elle avait envie de courir, mais elle savait qu'il ne fallait pas. Elle s'est approchée lentement. Elle lui a tendu la main. Il l'a prise. Ils sont revenus vers la plage. Il marchait difficilement. Il n'avait pas dormi depuis deux jours et deux nuits. Sa main était aussi froide que dans l'avion de New York. Noële s'est occupée de tout. Elle a demandé à Yannis Karrassos de l'aider à trouver une auberge, puis de rentrer à Lefkas, sans poser de questions à Ugo. Elle savait qu'il ne répondrait pas. Pas encore. Elle savait aussi que s'il était venu l'attendre à Ithaque, sur cette terre où les exils s'achèvent, avec le souvenir de tout ce qu'ils s'étaient dit, l'été dernier, lorsqu'ils ne savaient pas encore que l'amour était en eux, s'il avait choisi cette plage, c'est que le temps de tout dire approchait.

Il est toujours à la fenêtre.

— Il doit y avoir de la neige, dit-il.

Noële ne voit pas son visage. Elle lui tourne le dos. Mais elle devine dans sa voix une sorte de sourire.

— Tu n'imagines pas comme il fait froid l'hiver, là-bas. En te parlant, je sens le grattement d'une fourrure contre ma joue. C'est le col de mon manteau, quand je rentrais de l'école.

La nuit vient. Le patron de l'auberge allume ses feux. Les femmes accourent, et la petite fille, et tout le monde se met à parler en même temps.

— La neige, pour toi, c'est un jeu, continue Ugo. Là-bas, c'est lourd. Dans les forêts, les arbres ne respirent plus. Ils sont bâillonnés. Certains ne supportent pas le poids. Ils s'écroulent.

Il y a un hurlement soudain, et l'auberge se met à trembler. C'est le cochon égorgé. L'aubergiste donne des ordres, les femmes rient, la petite fille effrayée va se cacher sous la table de la cuisine. Ugo se redresse, ferme la fenêtre. Contre le mur de la chambre, les paquets rouges attendent. Il se penche, prend doucement Noële par les épaules, l'oblige à se relever. Ils sont face à face. Ils se regardent.

— Si les mots se mettaient à vivre quand on les prononce...

Il pense toujours aux forêts couvertes de neige.

— Je dirai : « Bonjour, mère. Voici Noële qui est ma

femme. » Alors nous serions brusquement transportés
sur les rives du lac Balaton. Ma mère te regarderait en
souriant, sur le seuil de notre maison. Elle sourit... Je ne
peux pas te dire comment elle sourit...

Il regarde les paquets contre le mur. Sa voix est si basse
que Noële s'approche de lui.

— Le cadeau que je voudrais te faire, mon amour, le
seul cadeau que je voudrais te faire, c'est le visage de
ma mère penché vers toi pour t'embrasser.

Ils dorment encore. On frappe à la porte de la chambre.

— Ce doit être le petit déjeuner, dit Noële qui se
réveille en sursaut.

Elle va ouvrir. C'est la servante avec un papier à la
main. Elle n'a pas l'air de savoir ce que c'est. Elle dit
que c'est le facteur qui est venu sur sa bicyclette l'apporter lui-même parce que c'est urgent.

— Ne lis pas, dit Ugo.

Elle tient le télégramme à la main.

— Pourquoi ?

— On était bien.

Elle va jusqu'à la fenêtre, écarte le volet, ouvre le
papier.

— C'est mon père.

Elle lit, reste un temps immobile, sourit avec un peu
d'hésitation.

— Il a quitté Athènes, hier soir avec Delpina. Il a
voulu nous avertir.

— Où sont-ils allés ?

— Aux Quatre Vents.

Elle replie le télégramme, le pose sur la table, regarde
à travers la vitre, les champs, la plage, la ligne grise
de la mer.

— Je pense qu'elle dormira dans ma chambre, dit-elle.

Elle essaie d'imaginer Delpina Karrassos montant l'escalier, entrant dans sa chambre, regardant ces murs qui,
pendant vingt ans, ont abrité la petite fille perdue. Elle
ne voulait pas y penser. Elle voulait qu'il y ait seulement
Ugo. Mais ce télégramme fait que tout existe de nouveau.
Delpina monte l'escalier des Quatre Vents. Yannis entre

dans la cuisine, salue madame Marie. Pour l'un et l'autre, c'était la première fête de Noël où ils avaient le droit de ne plus être seuls. Mais la petite fille retrouvée s'est enfermée dans une auberge d'Ithaque. Alors ils n'ont pas eu la force de supporter la solitude de leur palais d'Athènes. Ils ont pensé à monsieur et madame Vaindrier, qui sont seuls eux aussi, cette année-là. Ils ont décidé de les rejoindre. Ils vont rester assis tous les quatre, dans le salon, à ne rien dire, à penser à elle, à ne pas oser lever les yeux vers la porte d'entrée.

— Tu sais..., dit Ugo.

Il est encore couché. Il la regarde. Il voudrait qu'elle ne soit pas triste.

— J'ai abandonné le bateau sur la plage. Il n'est pas en ordre de marche. Mais il y en a d'autres.

Noële écoute. Chaque mot est en elle.

— C'est très facile d'être à Athènes ce soir, de prendre un avion, d'être là-bas demain.

Elle regarde une dernière fois. Elle voit tout. La fumée que fait le bois en brûlant, parce que Gilles Vaindrier, comme chaque année, a trop attendu pour le rentrer. La nappe bleue à broderies blanches, que Nicole Vaindrier a sortie pour faire honneur aux Karrassos. Le service en porcelaine de Limoges qu'elle a reçu de ses parents, longtemps après son mariage, lorsque la fabrication a repris. Elle ferme les yeux.

— Non, dit-elle.

Ils sont éloignés de toute la longueur de la chambre, séparés mais proches, si proches.

— A cause de moi ? dit-il. A cause de mes parents à moi ? Parce qu'ils seront seuls eux aussi ?

Noële ne répond pas. Entre elle et Ugo, dans la pénombre de la chambre, quelqu'un se tient debout, qui a la taille d'une petite fille, et Noële sait qu'il suffirait de dire : Maria, pour qu'elle tourne vers elle son visage.

— J'ai envie de marcher un peu, dit Yannis Karrassos. Vous savez que j'aime bien votre pays, monsieur Vaindrier.

— Il a neigé toute la nuit, répond Gilles.

— Vous avez sûrement une paire de bottes à me prêter.

C'est après le déjeuner. Ils sont debout dans le salon. Madame Marie vient d'apporter le plateau du café. Nicole Vaindrier et Delpina sont restées dans la salle à manger. Elles parlent à mi-voix, comme dans l'église de Lefkas, le jour du mariage. Il semble qu'elles continuent la même conversation.

— Vous m'accompagnez ?

— Volontiers.

Ils boivent leur café rapidement. Gilles, depuis la veille, cherche derrière le visage de Yannis Karrassos à découvrir celui de Noële. Non qu'ils se ressemblent. Mais dans ce monde qui est le leur, avec toutes ces mers, tous ces navires, il arrive parfois qu'on vienne à quai, qu'on jette l'échelle, qu'on descende à terre. Cette petite fille qu'il avait appris à regarder dormir, qui était devenue la sienne plus profondément que si leurs vies avaient glissé de l'un à l'autre, maintenant qu'elle a commencé ses voyages, qui peut lui en apporter des nouvelles, sinon son vrai père ? La dernière image qu'il a d'elle, parce que les journaux l'ont reproduite, c'est une femme aux joues tirées, au regard fixe, s'échappant d'une loge, aux Nations unies. Gilles Vaindrier a longtemps regardé cette image. Il ne comprend pas. Toutes les questions qu'il se pose, comment pourrait-il en trouver la réponse ? Depuis que Yannis Karrassos est là, il attend. Il le regarde. Il se dit qu'il aimerait savoir ce qu'il sait.

— Elles vous vont ces bottes ?

— Très bien.

Ils partent, droit devant eux. La neige est molle, déjà fondue, par endroits. Le froid hésite. Par moments, la nuit, on croit qu'il s'installe. Mais le vent se lève, une brusque bouffée de chaleur revient avec le matin.

— L'an dernier, il y avait tous les oiseaux, dit Yannis Karrassos.

Il sent tout ce que Gilles n'ose pas dire. Il voudrait pouvoir l'apaiser. C'est à lui surtout qu'il a pensé, en décidant de venir passer ces jours de fêtes aux Quatre Vents, à cet homme qui était un père, et qui ne l'est plus, en une seconde, parce qu'un dossier se complète et fait apparaître la vérité. Pour Nicole Vaindrier la révélation a été moins forte. Elle est restée la mère de

Noële, puisque Ariana Karrassos n'a pas eu la force
d'achever son voyage. Mais pour Gilles...
Ils marchent du même pas, en pataugeant dans les
trous du dégel.

— Je ne comprends pas grand-chose à ce qui se passe
dans le monde, dit Gilles. Ce sont des problèmes trop
compliqués pour moi. Mais je lis quand même les journaux. Il y a dix ans, j'ai suivi, comme tout le monde
les événements de Hongrie. Je sais que beaucoup de
réfugiés ont passé la frontière. J'imagine que certains
sont arrivés jusque chez vous, en Grèce.

— En effet.

Leurs voix sont un peu sourdes, prises dans une sorte
de brouillard qui se lève des champs.

— Je ne sais pas grand-chose de Ugo, reprend Gilles.
Je l'ai vu deux jours à Venise, chez le signor Peretti,
et à Lefkas, le jour de son mariage. Mais vous, monsieur Karrassos, vous le connaissez. Vous l'avez recueilli,
lorsqu'il a quitté son pays. Vous l'avez traité comme
un fils.

Il hésite un moment.

— Tout ce qui s'est passé, que vous savez sans doute,
peut-être aurait-il fallu le dire à Noële, avant son
mariage.

Il s'arrête, regarde Yannis Karrassos.

— Je vous dis ça, parce que moi aussi, j'ai été son
père.

Ils sont devant un petit bois, qui ferme les prairies.
Une barrière coupe un chemin de terre. Sous les arbres,
le froid s'est attardé. La neige est plus dure.

— Monsieur Vaindrier ...

Yannis Karrassos ne sait que dire. Il n'a pas le droit.

— Avez-vous confiance en moi ?

— Oui.

— Si je vous affirme que Ugo n'est pas un réfugié
politique, me croirez-vous ? Ce qui s'est passé à New
York n'a rien à voir avec les événements de Hongrie
dont vous parliez. Absolument rien. Les journaux l'ont
laissé croire, je le sais. Ils y ont fait des allusions trans-
parentes. Envoyer un démenti serait inutile.

— Alors, pourquoi a-t-il quitté son pays ?

Yannis Karrassos secoue la tête lentement. Il pense
à l'auberge d'Ithaque.

— Je n'ai pas le droit de vous le dire, monsieur Vaindrier. Ugo seul...

— Et Noële ?...

— Vous voulez dire : Noële est-elle au courant ?

Dans la chambre basse où ils se sont réfugiés, Ugo
a-t-il eu le courage de parler ?

— Je le souhaite, monsieur Vaindrier. Je le souhaite
de tout mon cœur.

Ils sont l'un en face de l'autre, et malgré tant de
différences, malgré tout ce qui les sépare, lorsqu'ils parlent de Noële, ils découvrent qu'ils sont égaux.

— Pourquoi lui a-t-on crié : souviens-toi de Maria ?

— Pour le blesser au cœur. La famille de Ugo ne supporte pas qu'il soit parti. Sa mère surtout. Elle veut
revoir son fils. Alors, des amis s'emploient à faire
pression sur lui, à le pousser doucement jusqu'aux frontières de son pays. Cette pression s'exerce depuis que
Ugo est chez moi. Elle est irrégulière. Pendant des mois,
il ne se passe rien. Il semble qu'elle se relâche. Brusquement, quelqu'un surgit. Quelqu'un qui ne fait pas de
menace, qui prononce simplement le nom de Maria. Sa
jeune sœur.

Gilles Vaindrier écoute.

— Ce n'est jamais le même homme. Mais ils se ressemblent tous. Celui de New York, sans l'avoir jamais vu,
il m'était familier. C'est une sorte de réseau très bien
organisé. Un réseau du cœur.

Le vent se lève. Une sorte de soupir traverse le bois,
s'éloigne. La neige glisse des arbres avec un bruit étouffé.

— C'est un chantage, dit Gilles Vaindrier.

— Un chantage au sentiment, oui.

Il reste une question à poser. La plus difficile.

— De vous à moi, monsieur Karrassos...

Il a un sourire un peu triste.

— ... disons : de père à père, Ugo finira-t-il par céder
à ce chantage ?

Il n'a pas besoin d'ajouter que c'est à Noële qu'il pense.
Yannis Karrassos le sait. Le visage de leur fille est entre

eux, comme un soleil, avec tout ce bonheur qui incendiait
Lefkas le jour de son mariage.

— S'il n'y avait pas Noële, je pense que Ugo aurait
fini par y céder. Mais il y a Noële. Elle est devenue la
force de Ugo, son salut. Elle devrait gagner.

— Vous ne dites pas : elle gagnera.

Yannis Karrassos écarte les bras. Il a les mains ouvertes,
les mains vides. Sa puissance, brusquement, paraît déri-
soire :

— Je ne suis pas le maître du destin, monsieur Vaindrier.

CHAPITRE II

IL Y AVAIT UN BATEAU

Le ciel a l'éclat d'un miroir. Les étoiles suspendues font penser à la cohorte des anges qui vont réveiller les bergers. L'odeur des citronniers cerne les maisons du village. D'une grève à l'autre, la mer raconte une histoire sans fin. Assis dans la pénombre de la chambre basse, ils attendent l'heure de la messe de minuit. Ils n'ont pas allumé les lampes, tant la nuit est claire.

— Tu m'aimes ? demande Ugo.

D'une voix lointaine, un peu effrayée. Ils sont assis devant la fenêtre, l'un contre l'autre. Ils regardent les lumières qui commencent à danser sur les routes de la nuit. Les lanternes de ceux qui se sont mis en marche, du haut des collines, pour se rendre à l'église. Noële pose ses lèvres sur la main de Ugo. Elle se souvient de toutes les fêtes de son enfance, avec les sapins, les bougies, les guirlandes, et la neige dans le jardin.

— Je t'aime.

Tous ses souvenirs sont là, comme les images d'un temps de bonheur. Elle les regarde avec un sourire émerveillé, le sourire d'une enfant qu'elle a été. Mais elle ne les regrette pas. Ce soir, il y a Ugo, la chaleur de Ugo, le silence de Ugo. Ce soir, il y a, de l'autre côté de la fenêtre, une nuit toute neuve et qu'ils ont inventée.

— Qui a choisi ton prénom ?

— Mes parents adoptifs.

— C'est la lumière, c'est la naissance. Noële, c'est la porte du Paradis enfin redécouverte.

Quelques heures plus tôt, ils ont mis tous les paquets dans la brouette et les ont portés à la poste. Il a fallu très longtemps pour les expédier. L'employée n'en revenait pas. Des objets sans valeur, dont ils avaient fait le symbole de leur affection. Maintenant ils n'ont plus de remords d'être restés à Ithaque.

Dans la salle à manger de l'auberge, la patronne et sa servante préparent le repas qui marquera la fin du jeûne. Elles accrochent partout des guirlandes de papier rouge, des lanternes de couleur. Il y a des bougies, dans des verres, le long des fenêtres. Sur la broche, l'agneau rôtit lentement, parfumé de cannelle et de gingembre. La petite fille qui n'a pas sommeil, mélange, avec une grande cuiller en bois, les herbes sauvages et le fromage blanc.

— Viens, dit Noële qui se lève.

Une cloche a sonné. Une autre lui répond, très loin derrière les collines. Ugo se lève à son tour. Ils s'enveloppent dans des pèlerines de bergers. C'est tout ce qu'ils ont trouvé au bazar. Arrivés l'un et l'autre les mains vides, il leur a bien fallu acheter de quoi s'habiller. Les pèlerines sont chaudes, en laine brune, avec des broderies sur le col qu'ils ont relevé et qui leur entoure le visage. Avant de quitter la chambre, Ugo prend Noële dans ses bras.

— Tu m'aimes ? demande-t-il encore.

Il tremble un peu. Il se penche. Il dit gravement :

— Si tu savais à quel point il faut...

Ils descendent.

— C'est bientôt minuit, crie la servante en les voyant passer.

Elle leur offre des gâteaux aux amandes pour leur donner le courage de faire la route.

— Merci, dit Noële, qui embrasse la jeune fille.

La nuit est froide, le gel s'est installé au bord des chemins.

— Ecoute... dit Ugo.

Ils se sont arrêtés à quelques pas de l'auberge. Sur la route des ombres les dépassent. Il y a autour de chaque visage un petit ruban de buée.

— N'allons pas encore à l'église.

Noële sait. Depuis la veille, elle sait. Ils s'éloignent lentement vers la mer.

— Ecoute, dit-il, je t'ai menti.

Ils marchent sans se regarder. Ils tremblent malgré leurs pèlerines. Ils ont froid, du même froid.

— Ecoute, je voudrais que tu ne pleures pas, que tu ne trembles pas. Que tu sois pareille à ce matin, sur la plage de Capetown, tu te souviens ? Tu dormais dans mes bras. Tu avais confiance. Ecoute. N'aie pas peur de moi. Je t'ai menti, mais n'aie pas peur de moi.

La mer est tout près, derrière les rochers. Elle parle à peine. Elle dit seulement que le temps est égal et que le cœur bat.

— Il faut que tu ne dises rien. Pas un mot. Rien que ceci quand je te le demanderai, chaque fois : tu m'aimes encore ? Alors seulement, oui ou non. Ecoute...

Il cherche ses mots. Il dit des phrases avec peine, et sans savoir s'il aura la force d'aller jusqu'au bout. Sa voix est comme ces petits rubans de buée que le froid fait naître. Mais derrière ce brouillard, toutes les images sont à l'affût. Toutes les images que Noële ne connaît pas encore. Avec les forêts, les bords du lac, le fleuve. Elle sait qu'il va lui ouvrir les portes de sa maison.

— Maria... dit-il.

Comme un appel. Comme si elle était devant lui, et qu'il voulait voir son visage.

— Ma sœur Maria, qui était assise contre le piano, lorsque je jouais, comme toi à Lefkas... Je t'ai dit qu'elle avait treize ans. Je t'ai menti... Maria...

Il est au bord de la plage. Il s'arrête, regarde Noële :

— Tu m'aimes encore ?

— Oui.

La mer et le sable. Très blancs sous la lune.

— Les bateaux. Le premier jour, lorsque tu es arrivée à Lefkas, j'avais pris un bateau. Je tournais autour de l'île. A toute vitesse, comme un fou, et je me suis jeté sur les rochers.

— Exprès ?

Ugo lève une main.

— Non, mon amour, tu ne dis rien. Tu ne poses pas

de question. Seulement si je te demande : tu m'aimes encore ?

Il fait un pas. Il s'éloigne d'elle. Il regarde la mer, qui s'endort, qui semble prise par le gel, qui perd sa voix.

— Exprès, oui. Et chaque fois. Tous les bateaux que nous avons pris, toi et moi. Cet été autour du monde. Le bateau qui nous a conduits vers notre île, qui m'a entraîné vers Ithaque. Tous les bateaux. Chaque fois, je crois qu'ils vont se retourner. Chaque fois j'ai peur. Ecoute...

Il fait un pas encore. Noële est loin de lui. Elle entend à peine. Elle se rapproche. Elle serre sa pèlerine contre elle, à deux mains, parce que le froid est en elle de plus en plus vif.

— Il y avait un bateau sur le lac Balaton.

Ugo regarde la mer. C'est à la mer qu'il parle, à mi-voix. Penché vers elle, comme s'il cherchait à lire à la clarté de la nuit les mots qu'elle ne prononce plus.

— Un petit voilier, très beau, avec une voile rouge et l'autre blanche. C'était en été. Le 12 août. Il y a trois ans. L'orage menaçait. On nous avait dit de ne pas prendre le bateau. Parce que le Balaton, c'est comme la mer. Brusquement, les lames se creusent, il y a des gouffres de douze mètres et les bateaux chavirent.

Il a parlé plus fort, pour que la mer entende. Il attend. Comme si elle devait répondre. Puis, il se retourne, vient vers Noële.

— Je ne pourrai pas. Il faudrait que tu saches sans que je parle.

Il lève les yeux. Le ciel est comme un miroir. Les étoiles sont là, si claires. On dirait que les cloches ne viennent pas du village, mais du ciel.

— Souviens-toi de Maria, dit Ugo.

Il baisse la tête.

— Cet homme a crié, et j'ai eu la mort dans les doigts.

Il écarte sa pèlerine, lève les mains, les regards. Elles sont blanches. Elles sont froides.

— On nous avait dit de ne pas prendre le bateau. Nous l'avons pris quand même. L'orage est arrivé. Le bateau est devenu fou. J'ai tout essayé. Mais la mer était la plus forte. Il a fallu nager, nager longtemps. Maria était

petite. Pas treize ans. Dix ans. Aujourd'hui elle aurait
treize ans. Je l'ai tirée, je l'ai tirée jusqu'à la plage,
mais ...

Il a un cri bref, tout de suite étouffé. Il se baisse, il
pose une main sur le sable. Il murmure, sans regarder
Noële :

— Tu m'aimes encore, mon amour ?

— Oui.

Il est à genoux devant elle. Elle voudrait se mettre à
genoux à son tour, et lui tendre la main. Mais elle sait
qu'il ne faut pas qu'elle bouge.

— Je l'ai tirée par les cheveux. Jusqu'à la plage. Elle
était si lourde. En arrivant ...

Il baisse la tête. Son front touche presque le sable.

— Je n'ai pas eu la force. J'ai perdu connaissance.
Près d'une heure. C'est ainsi que je l'ai tuée. Si j'avais
donné l'alarme tout de suite, on l'aurait sauvée. Mais
une heure. Une heure sans connaissance. Une heure de
ma vie. Et toutes les heures de la sienne ...

Il cache son visage dans le sable. Il pleure. Noële l'entend pleurer. Ce n'est pas comme un enfant. S'il pleurait
comme un enfant, elle irait vers lui pour le consoler. Mais
il pleure comme un homme, sans se plaindre, sans avoir
mal, il pleure sur un enfant mort, cherchant à comprendre
pourquoi il est encore vivant puisque l'enfant est mort.

Après un long temps, il relève la tête. Il s'assied sur
ses talons. Sa pèlerine est autour de lui, comme la pierre
d'un tombeau.

— Ma mère n'a pas accepté. Elle a tenu le corps de
Maria serré contre elle, pendant deux jours pour essayer
de le réchauffer. Elle lui soufflait doucement dans la
bouche. Et puis, il a fallu le lui arracher. Alors elle a
poussé un cri. Un seul. Très long. Et je me suis enfui.
C'est contre moi qu'elle a crié. Parce qu'elle n'acceptait
pas. Pourquoi Maria était-elle morte, puisque j'étais là ?
J'ai compris qu'il fallait que je meure à mon tour. Je
suis allé à Berlin pour donner un concert. J'ai franchi le
mur. Et je suis mort. Pour ma mère. A jamais. Je t'ai
menti. Ici, à Ithaque. Tu te souviens ? Je t'ai dit qu'il
y avait un chien, et qu'en franchissant le mur, je revoyais

son regard et je voulais revenir en arrière. Il n'y avait pas
de chien. Ce regard, c'était celui de ma mère.
Il parle très lentement, comme au bout de son souffle.
— Maintenant, si tu veux parler, tu peux.
Noële comprend qu'il a tout dit. Alors, elle se laisse
tomber à genoux devant lui.
— Mon amour...
Elle pose ses lèvres sur son visage. Il est dur et froid
comme une pierre. Elle sent que la vie n'y est plus. Elle
cherche ses lèvres. Elle souffle doucement, comme la mère
de Maria. Il ne bouge pas. Il est comme un corps desséché.
— Pourquoi as-tu attendu si longtemps pour me parler ?
Elle est en face de lui. Elle essaie de trouver son
regard. Mais il est blanc, fixe.
— Pourquoi ?
Il fait un effort pour bouger les lèvres, pour s'obliger
à répondre.
— Je t'aimais. J'avais peur. J'étais lâche. Je ne voulais
pas te perdre. J'avais peur que tu pousses le même cri
que ma mère. Je t'aimais.
— Mon amour...
Elle voudrait qu'il sache qu'elle n'a pas crié, qu'elle
est encore là, devant lui, qu'elle ne sait rien dire d'autre
que : mon amour. Elle le répète doucement, et c'est
comme si la mer entendait, comme si la voix de la mer,
peu à peu retrouvée, le répétait avec elle.
— J'étais mort, dit Ugo. Quand tu m'as connu, j'étais
mort. Quand je dis : tu es ma mère, tu comprends que
c'est vrai ? Tu m'as donné la vie. Tu as été plus forte
que ma mère. Elle n'a pas pu réchauffer la petite fille.
Et toi...
Il bouge avec peine. Il prend appui sur une main,
cherche à se relever. Elle l'aide. Elle est debout avant
lui, toute sa force offerte. Ils ont enfin pénétré dans la
même maison.
— Tu as la force ?
Ils reprennent le chemin de l'église. Les cloches se
sont tues. Le pope chante l'office en agitant l'encensoir
à grelots. Sa voix haute franchit les murs de la chapelle.
Noële marche vite. Elle voudrait être déjà au milieu des
femmes et prier avec elles, et célébrer avec elles la nais-

sance des jours nouveaux. Elle s'arrête pourtant. Pour
la première fois elle interroge :

— Qui est Janacek ?

Ugo répond. Maintenant tout est simple. Il parle sans
peine.

— J'ai deux frères en Hongrie. Tomas l'aîné et Yan.
Ils sont restés avec ma mère. Ma mère veut que je
revienne. Elle n'accepte plus que je sois mort. Elle n'accepte plus d'avoir perdu deux enfants au lac Balaton.
Alors mes frères, de loin en loin, m'envoient un mes-
sager. Quelqu'un qui surgit brusquement devant moi et
qui dit : « Souviens-toi de Maria. »

Ils pénètrent dans l'église qui est comme une forêt de
cierges. Tout le village est là, chantant avec le pope. L'ico-
nostase flambe de tous ses ors. C'est le cœur de l'hiver.
C'est la nuit la plus noire. Et dans le premier cri de
l'enfant c'est la promesse de la lumière et des moissons.
Maria ... Noële ferme les yeux. Elle voudrait ne pas voir.
Ce que Dieu a voulu. La main posée sur l'épaule de la
petite fille. La voix de l'ange qui l'appelle par son nom.
Elle cache son visage dans ses mains. Elle se met à
trembler. Elle étouffe. Elle se dégage, sort de l'église en
courant.

— Noële ...

Ugo la rejoint.

— Tu vas les suivre, Ugo. C'est ta mère qui t'appelle.
Comment veux-tu ?

Elle court. Elle voudrait lui échapper.

— Non, non, dit Ugo. Tu es là. Tu me retiens.

— Tu vas les suivre, Ugo. C'est ta mère qui t'appelle.
je t'attendrai ...

Elle court toujours. Elle arrive à l'auberge, monte l'escalier, entre dans la chambre, se laisse tomber sur le lit.
Ugo sait, comme elle savait tout à l'heure. Il sait qu'il
ne faut pas bouger. Il reste debout contre la porte. Il
attend. Noële pleure longtemps. Brusquement, elle s'endort. Elle a gardé sa pèlerine. Elle est refermée sur elle-
même. Très vite, elle se réveille.

— Où es-tu ?

— Près de la porte.

— Approche-toi.

Ugo ne répond pas. Il reste immobile.

— J'ai dormi ?

— Pas longtemps.

— Et toi ?

— J'ai veillé sur toi.

Elle fait un mouvement, se retourne. La chambre est presque blanche, tant la clarté de la nuit est intense. C'est lorsqu'il fait le plus froid, que la lumière est la plus vive.

— Tu sais, pendant que je dormais, je crois que je l'ai vue.

Il ne bouge toujours pas.

— C'était dans mon rêve. Elle était devant la porte, comme toi en ce moment. Debout. Et puis j'ai vu des hommes qui entraient. Ils venaient chercher Maria.

Elle s'est assise sur le lit. Elle essuie son visage d'une main.

— C'est à cause de Maria que j'ai pleuré, Ugo. Pas à cause de toi. Tu m'avais dit que tu avais une sœur. Et je l'aimais. Je me disais : c'était une sœur aussi pour moi. Je pensais à elle, souvent. Quand j'ai compris que je ne la connaîtrais jamais...

De nouveau les cloches, toutes ensemble. Joyeuses. Presque frénétiques. Sautant par-dessus les collines cherchant au-delà de la mer à rejoindre toutes celles qui, d'un pays à l'autre, annoncent la même nouvelle.

Noële se lève, vient vers Ugo.

— Non, Ugo, non, tu ne l'as pas tuée.

Il écoute. Il entend déjà ce qu'elle va lui dire.

— Il ne faut pas tu aies peur d'elle, mon amour. Maria vient de me le dire dans mon sommeil. Elle n'a pas peur de toi.

De l'autre côté de la fenêtre, c'est comme si le monde s'ouvrait. Toutes les cloches. Tous les villageois, sortis de l'église et courant sur les chemins gelés, vers leurs maisons, vers leurs tables dressées, vers leurs bougies de couleur.

Devant la porte de l'auberge, un groupe s'arrête. Il y a des rires, des cris, une voix qui appelle.

— Tu m'aimes ? dit Ugo.

Un pas dans l'escalier. Des coups contre la porte. Ugo ouvre. C'est la patronne de l'auberge.

— Christ est né, crie-t-elle. A votre bonheur.

Et elle rit de tout son visage.

CHAPITRE III

LA BARQUE DE SAINT BASILE

C'est un grand album, relié en cuir vert. Nicole Vaindrier y a collé des photographies de Noële, depuis qu'elle est toute petite jusqu'à ses vingt et un ans. Toute une vie en quelques images. Elle l'a offert à Delpina Karrassos. En défaisant le paquet, posé sur son assiette, le soir du 24 décembre, Delpina a eu un geste pour le refermer brusquement, à peine ouvert, comme si quelque chose lui brûlait le regard. Et Yannis Karrassos, le lendemain, a avoué à Gilles Vaindrier :

— Jamais jusqu'ici je n'avais vu pleurer ma sœur Delpina...

Depuis, elle passe ses journées à la cuisine, avec madame Marie. Elles s'asseyent côte à côte. Delpina ouvre l'album, montre du doigt une photographie, et madame Marie raconte.

— Oh ! cette image-là, je ne l'aime pas du tout. Je ne sais pas pourquoi madame l'a collée dans l'album.

— Pourquoi ?

— Parce que c'est juste avant l'accident. La bouteille qui s'est cassée, et moi j'ai cru qu'elle s'était coupée la main, tellement ça saignait. Ah ! mademoiselle, si vous aviez vu... Elle pleurait à peine, notre petite fille. Elle ne savait pas encore qu'elle avait mal. Monsieur l'a prise dans ses bras, l'a portée en courant jusqu'à la voiture, et il est parti comme un fou chez le docteur. Il était sept heures du soir. Quand elle est revenue la pauvre, elle avait toute sa main dans le plâtre.

— Elle s'était vraiment coupé la main ?

— Le pouce, mademoiselle. Vous n'avez jamais vu la cicatrice ? On la remarque encore très bien. Moi, j'étais toute à l'envers. Parce que c'était de ma faute. Elle voulait m'aider à mettre le couvert. Alors, je lui donne la bouteille de vin, comme une sotte que j'étais, en lui disant : « Tiens, ma chérie, porte-la sur la table. » Elle se prend le pied dans le tapis, elle tombe, la bouteille se casse, et...

Madame Marie est tellement émue que Delpina tourne la page.

— Et celle-ci, madame Marie ?

— Ah ! celle-ci, c'est l'année suivante, dans le jardin de madame Maréchal, la tante de Denis. L'année où madame la coiffait avec des nattes...

Yannis Karrassos entre dans la cuisine. Il a son manteau de voyage.

— Je viens vous dire au revoir, madame Marie.

Il ne peut pas rester plus longtemps aux Quatre Vents. Ses affaires, dit-il. En fait, il pense à Noële et à Ugo. Il voudrait se sentir moins loin d'eux. Delpina a décidé de prolonger son séjour. Lorsqu'elle ne regarde pas les photographies, elle visite les environs avec Nicole Vaindrier. Elle aime ce pays sous la neige, si différent de Lefkas, et de Pisticci, la petite ville italienne, où elle avait autrefois une maison. Elle s'est fait conduire jusqu'à Ouches, pour connaître l'école où Noële a fait ses classes. Elle a envie de parler à Denis. Elle l'a à peine vu, l'été dernier, au moment du voyage des enfants. Depuis qu'elle tourne les pages de l'album de photographies, elle le rencontre sans cesse.

— C'est comme si vous étiez son frère.

— Son frère, oui, on le disait.

— Et puis ?

Denis hésite une seconde.

— Les frères grandissent, les sœurs deviennent des jeunes filles.

Delpina va d'une classe à l'autre, regarde sur les murs les cartes de géographie, découvre sur un pupitre les deux initiales gravées : N.V.

— Il n'y a pas d'ambition en vous, Denis ? Avez-vous décidé de rester ici toute votre vie ?

— Je pourrais aller à Paris. Mais c'est une ville sans visage. Ici je connais chaque arbre, chaque ruisseau, comme sur le visage de quelqu'un qu'on aime, on connaît chaque ligne et chaque contour.

— Il y a tant d'amour en vous, Denis ?

— Oui, mademoiselle.

Delpina le regarde gravement.

— C'est bien.

En revenant, le soir, elle se dit que les refuges sont sûrs, qu'à la fin de ses voyages il y aura toujours, pour Noële, un toit et une lampe allumée. Depuis qu'elle est aux Quatre Vents, elle découvre son âge. Il lui semblait que ces vingt ans d'attente avaient été comme une seule journée immobile. Mais d'image en image, elle mesure le temps passé. Sur la porte de la cuisine, madame Marie lui a montré les traits de crayon qui, d'un anniversaire à l'autre, permettaient de voir si Noële avait grandi. Devant chaque trait, il y a une date. Delpina ne se souvient pas de toutes ces années. Pour elle, c'était aussi comme une porte, mais qui ne s'ouvrait jamais.

La maison, ce soir-là, est pleine de paquets rouges. Le facteur les a apportés dans l'après-midi. Il lui a fallu une petite remorque, attachée à sa bicyclette. Madame Marie les a posés l'un à côté de l'autre devant la cheminée, comme si c'était encore la veille de Noël.

— Il y en a même un pour moi !

Elle le regarde, de loin, et elle est contente.

— Vous ne l'avez pas ouvert, madame Marie ?

— J'attendais que tout le monde soit là.

Dehors, c'est l'hiver. Un froid brusque a durci la neige. Les phares d'une voiture tournent dans l'allée des tilleuls.

— Une visite ?

Gilles Vaindrier va voir. La 403 noire roule difficilement sur le verglas, s'arrête devant la grille.

— Bonsoir, Jean-François.

Gilles Vaindrier savait déjà que c'était lui.

— Pardonnez-moi, monsieur Vaindrier. Je voulais venir vous voir, tous ces temps-ci. Mais j'ai été très occupé. Je voulais que vous sachiez pour l'usine...

Jean-François est descendu de voiture. Il se tient debout contre la portière. Il a un manteau sombre.

— Tout marche très, très bien. C'est beaucoup grâce à vous. Je voulais vous tenir au courant.

— Je n'ai rien fait.

— Vous m'avez donné des conseils. Sans vous, je crois que je n'y serais jamais arrivé. Je me suis dit que...

Il parle nerveusement. Il a hésité longtemps avant de venir.

— Elle est tout à fait en ordre, et vous ne l'avez pas encore vue. J'aimerais vous la faire visiter. Demain, peut-être.

— Demain ?

Gilles Vaindrier est embarrassé.

— Je suis très touché, Jean-François. J'aurais bien voulu, mais...

Il a un peu de mal à trouver une raison. Il n'a jamais su mentir. Il finit par se décider à dire ce qui est vrai.

— Mais en ce moment, nous avons des invités aux Quatre Vents.

Jean-François lève les yeux. Il aperçoit de loin les fenêtres éclairées de la maison. Quelqu'un bouge. Quelqu'un qu'il ne sait pas reconnaître.

— Les Karrassos, dit Gilles Vaindrier.

Jean-François regarde toujours cette ombre derrière les rideaux.

— Je comprends, dit-il.

Il ouvre la portière.

— Je reviendrai.

La neige est aussi sur Paris. Pour quelques jours. Très vite, elle se perd dans les ruisseaux. Marie-Hélène patauge avec agacement. Cette semaine de fête est interminable. Il y a des sapins partout, des lumières accrochées aux arbres du boulevard Haussmann, des vitrines animées dans les grands magasins. Elle se heurte sans cesse à des gens qui portent des cadeaux. Elle en a reçu un. Dans un beau papier rouge. Un saladier en bois d'olivier venant d'Ithaque. Du beau bois. Ciré. Poli. Avec une vraie odeur de bois. Elle a été contente de penser que, pendant un moment, le temps de choisir le saladier, de faire le paquet, d'écrire l'adresse, elle a été présente, là-bas, entre Noële et Ugo. Qu'ils ont prononcé son nom, qu'ils ont peut-être parlé d'elle. Lorsqu'on se sent tellement seule, tellement inutile, on finit par se dire qu'on n'existe pas. Brusquement quelqu'un pense à vous. Alors, sans même le savoir, on se met à vivre. N'y a-t-il vraiment qu'à Ithaque ? Personne d'autre ? Les journées sont longues. Le soir, il faut bouger. Sinon, c'est l'insomnie. Elle a reçu une invitation pour un vaudeville, quelque part en banlieue. Elle téléphone à Odile.

— Tu te sens le courage de m'accompagner ?

Elles se retrouvent une heure plus tard.

— On a le temps de croquer un œuf dur et une pomme.

Elles se sont réfugiées dans un café. Le patron, en bras de chemise, écrit sur les glaces, avec de la peinture blanche, le menu du réveillon de fin d'année. *Avec des cotillons.* Il souligne. Il dessine un masque et un serpentin. Il se recule un peu pour juger de l'effet.

— Si on s'en allait ? dit Marie-Hélène.

— Où ?

— En montagne. Toutes les deux. On étouffe à Paris.

Elle regarde Odile, qui s'est coiffée d'une toque de fourrure style « Docteur Jivago ».

— L'an dernier, à cette époque, on était toute une bande à faire du ski. Au Freney d'Oisans. Dans un chalet qui appartenait à des amis de ma cousine Noële.

Elle rêve un peu. Elle a un sourire qui s'attarde sur les images lointaines.

— C'est là que tu veux retourner ? demande Odile.

— Sûrement pas. Mais en janvier on trouvera facilement de la place dans les hôtels. Je m'en occupe.

Elle voudrait être déjà partie. Elle sait que ce sera comme un temps d'oubli, qu'elle n'attendra plus le courrier, qu'elle ne tournera plus autour de son téléphone, qu'elle n'aura plus aucun mal à s'endormir.

— J'avais affaire à la Tuilerie, cet après-midi. En rentrant, je me suis dit : il y a longtemps que je n'ai pas vu Denis. Je suis passé à tout hasard.

— Entre.

Denis a sa blouse grise et un gros chandail. Il regarde

Jean-François avec étonnement. Il était sans nouvelles de lui depuis longtemps.

— Je te dérange ?

— Pas du tout.

Depuis le voyage en Grèce, Jean-François l'avait chargé d'un message et Noële y avait obéi. Elle était revenue pour quelques jours. Denis, pendant ce temps, allait d'une île à l'autre avec ses élèves. Il n'avait jamais très bien su ce qui s'était passé. Noële elle-même s'était contentée d'une lettre très courte pour lui annoncer qu'elle épousait Ugo. Denis n'avait revu personne. Sauf madame Marie, le jour du mariage.

— Allons là-haut. C'est plus confortable que la salle de classe.

Ils montent. Une musique vient du grenier. En arrivant, Denis va arrêter le disque.

— Tu as toujours ton superbe électrophone ?

— Toujours.

Il fait entrer Jean-François dans son bureau.

— Je ne dois pas avoir grand-chose à boire. Un fond de whisky, peut-être.

Il ouvre un placard. Jean-François s'approche de la table. Il y a des papiers en désordre, un stylo encore ouvert.

— Tu corriges des devoirs, même en vacances ?

— Ce sont des papiers que je mets à jour.

— Un livre ?

— Une sorte de journal. Mais je ne sais pas si j'arriverai au bout.

Il sort une bouteille et deux verres. Jean-François tourne dans la pièce, va vers la fenêtre, regarde la neige. Il a fait toute cette route, les mains crispées sur son volant, dérapant parfois d'un bord à l'autre de la route, s'obligeant à continuer. Maintenant qu'il est là, il ne sait plus. Denis a rempli les deux verres, les a posés sur la table. Il enlève ses lunettes, ferme son stylo, met un peu d'ordre dans ses papiers. Il voudrait comprendre. Cet homme, de dos, voûté, est-ce vraiment Jean-François ? Celui qui, un jour d'hiver semblable à celui-ci, était sorti de la vieille maison, dans la forêt, avec Noële, et sur son visage, il y avait l'impatience de l'amour ?

— Denis...

Sa voix aussi a changé. C'est une voix sourde, qui paraît ne plus être sûre d'elle-même, ni des mots qu'elle emploie.

— Il faut que je parte. N'importe où, mais que je parte.

Plus encore que de la fatigue. Un étonnement devant ses propres limites.

— Et si je pars seul...

Denis cherche en lui cette amitié si souvent mise à l'épreuve. Qu'est-elle devenue ? Il aurait fallu ne pas penser à la vieille maison. Il aurait fallu ne pas connaître, lui aussi, les heures trop longues, les heures où l'insomnie elle-même est un refuge. Jean-François tend la main, demande assistance. Denis entend. Rien, en lui, ne répond.

— Tu viens avec moi ?

— Et mon école ? La rentrée des classes est dans cinq jours.

Jean-François se retourne, prend un verre sur la table, le vide d'un trait.

— N'en parlons plus, dit-il.

Il reste immobile, le verre à la main.

— Deux fois, déjà, dit-il. L'autre soir, avec les Vaindrier. Aujourd'hui avec toi. Je ne sais pas ce qui m'arrive. A appeler au secours. A demander de l'aide. On se croit le plus fort. On est fier de soi, et...

Il s'interrompt, enfonce ses mains dans ses poches.

— Je m'en vais.

Avant de descendre l'escalier, il demande :

— Ce disque que tu écoutais tout à l'heure, c'était Ugo ?

— Oui, répond Denis.

On écrit des cartes de vœux. On en reçoit. Les facteurs en ont des sacoches pleines. Dans les bois de la Madeleine, on cherche du gui sur les arbres. On se regarde dans les glaces, en se disant qu'une année nouvelle c'est l'espoir que tout change, jusqu'aux visages. On ouvre les enveloppes. « *Souhaits sincères... Que tous vos vœux se réalisent... Le bonheur d'abord...* » On ferme les yeux. On y croit. Pendant quelques secondes. Tout s'efface. Il n'y a plus qu'un long chemin, très blanc, sur lequel personne

encore n'a marché. Un beau chemin, large et droit, qui
attend. Pas d'arbres, pas de pierres. pas de haies. Chaque
pas les fera naître. Mais le temps n'est pas encore venu
de prendre le départ. On imagine, on rêve. Marie-Hélène
interroge les agences de voyage. Elle lit les prospectus.
Elle a envie de franchir une frontière. L'Italie ou la
Suisse. Pour le plaisir de se sentir à l'étranger. Odile la
laisse choisir. Ce qui compte pour elle c'est le nombre de
pantalons fuseaux qu'elle pourra emporter. Il lui en faut
au moins trois. Elle les taille elle-même. Elles se sont
arrangées pour partir vers le 15 janvier. D'ici là, Marie-
Hélène se dit que ce serait gentil d'aller passer quelques
jours aux Quatre Vents parce que son oncle et sa tante
doivent se sentir très seuls. Mais elle ne s'y décide pas.
Ce long chemin très blanc qui l'attend, elle voudrait qu'il
ne passe pas trop près de l'usine Saulieu. Pour le moment
du moins. Que les premiers pas ne conduisent qu'à des
horizons inconnus, des images nouvelles, des pensées sans
détours.

— Tu as des nouvelles de Marie-Hélène ?

Gilles Vaindrier s'étonne. Non qu'il attende une lettre,
mais il aimerait connaître la raison de ce silence. Il s'est
toujours senti responsable de Marie-Hélène, jouant pour
elle le rôle d'un père beaucoup plus que celui d'un oncle.
Tous les ans c'est aux Quatre Vents qu'elle vient passer
les fêtes. Qu'elle n'y soit pas venue cette année s'explique
par l'absence de Noële et la dispersion de la petite bande.
Mais Gilles voudrait être sûr qu'Odile n'y est pour rien.
Ce séjour à Paris il le considère comme une parenthèse,
un moment fermé sur lui-même, une façon de s'inventer un
visage. Un regard posé sur les plumes, sur des paillettes,
sur quelque chose qui a l'air de briller, qui fait croire que
tout est possible. Un verre accepté, puis un autre... Petit
voyage en forme de haussement d'épaules trop vite achevé,
qui vous fait dire en se retrouvant sur le quai : tu as
voulu jouer les Karrassos... Aussi banal. Parce que la
maison de Lefkas, le jour du mariage, avait trop de
fenêtres ouvertes sur la mer. Parce qu'il y avait le hangar
de l'hélicoptère près du bois de pins. Parce que Noële
a eu trop de peine à quitter la chambre, à s'arracher à son
passé. Chaque fois qu'il pense à cet instant, chaque fois

qu'il entend cette sorte de soupir effrayé, il a mal. La
tête retenue en arrière ; les mains qui tremblaient. C'est
à cette seconde-là que Gilles s'est trouvé seul. Définitivement.

Yannis Karrassos surveille lui-même la revision du
bateau. Le mari de la servante est un bon mécanicien, il
l'a compris tout de suite, mais il préfère que tout soit
parfait. Noële et Ugo ont décidé de quitter Ithaque le
matin du 2 janvier, et de rentrer à Lefkas. Peut-être, de
là, iront-ils à Athènes. Rien n'est encore décidé. Yannis
sait seulement que le bateau doit être en état de marche.
Et il vérifie chaque pièce du moteur. Ugo regarde. Il n'a
jamais rien compris à la mécanique. Il se contente de
tenir les tournevis, de ranger les pièces démontées sur
une grande toile. Le mari de la servante est un homme
jeune, petit et noir, qui rit sans cesse. Il a estimé inutile
de remorquer le bateau jusqu'au port. Le travail n'est pas
tellement important. Ils sont restés sur la plage où Ugo
s'est échoué. Ils travaillent depuis le matin. Le ciel est
clair. Il fait beau. Ils savent qu'il faut aller vite, car
c'est un jour de fête, et déjà, à l'auberge, tout est prêt
pour le réveillon. Le village entier sent la viande rôtie,
la menthe et le thym.

Noële est restée dans sa chambre. De sa fenêtre, elle
aperçoit la plage, les trois hommes au travail. Elle est
contente que son père soit là. Dès qu'elle a su qu'il avait
quitté les Quatre Vents, pour rentrer à Lefkas, elle lui
a télégraphié de venir les rejoindre à Ithaque. Pour qu'il
sache que tout était clair, qu'il y avait de la lumière dans
son regard, sur son visage, et dans le regard de Ugo, sur
le visage de Ugo. Yannis était arrivé la veille. En l'accueil-
lant, sur le port, elle souriait avec tant de confiance, qu'il
lui avait dit doucement :

— *Ef karisto...*

Et il s'était mis à rire. Depuis il n'avait pas cessé. Il
était comme un enfant, s'amusant de tout. Il avait visité
l'auberge, en compagnie de l'aubergiste et de sa femme,
émerveillés d'abriter pour deux soirs cet homme qui

portait avec lui sa légende. On lui avait donné la plus
grande chambre, avec un balcon sur la mer.

— J'aime cette auberge, avait-il dit. Le plâtre des murs,
le bois du plancher.

Il s'était tourné vers Noële.

— Au fond, les palais, ça finit par être dangereux.

— Vous pensez aux Quatre Vents ?

— Oui.

Pendant le dîner, il avait répondu à toutes les questions de Noële. Il avait raconté l'album de cuir vert, les
photographies, la longue suite de souvenirs évoqués par
madame Marie.

— On prétend que les oreilles sifflent lorsque quelqu'un
parle de vous. Comment as-tu pu le supporter ?

Noële sourit.

— J'étais entourée par vous tous. Je le sentais.

— Et le matin de Noël, m'as-tu entendu ?

Il la regarde intensément.

— Je suis sorti des Quatre Vents. J'ai été jusqu'à la
grille. Je me suis tourné vers le sud, en direction de la
Grèce, et de toute ma voix j'ai crié : « Christ est né. A
votre bonheur ! ... »

— Je vous ai entendu, père.

Elle regarde toujours la plage, le bateau, la mer.
L'année va finir. Une autre année va commencer. Au-delà
de la mer, il y a des pays, prêts à l'accueillir, des maisons
ouvertes pour elle. Désormais elle ne s'y sentira plus
étrangère. Elle n'interrogera plus le visage de Ugo. Elle
a envie de sortir de l'auberge, de se mettre à genoux sur
le chemin, d'embrasser le sol d'Ithaque. Le lieu du retour.
La fin de l'exil et du long voyage.

La journée passe. Le bateau est réparé. La nuit venue,
les enfants du village arrivent à l'auberge. Ils ont des
chapeaux de papier, des tambourins. Ils tirent derrière
eux un grand navire de carton. Ils chantent, avec des
voix suraiguës. Quand ils ont fini de chanter, ils font la
quête. Et pendant qu'on jette des pièces sur le pont du
navire, le plus jeune frappe sur son tambourin, en riant
aux éclats.

— C'est la barque de saint Basile, explique Yannis. Il
avait quitté la ville de Césarée. Les courants l'avaient

conduit jusqu'en Crète. En arrivant sur le rivage, il a planté son bâton dans le sable, et le bâton s'est couvert de feuilles.

Ugo regarde Noële. Il lui tient la main. Ils sont debout sur le seuil de l'auberge. Toutes les bougies sont allumées. Les voix des enfants dansent d'un mur à l'autre. Ils comptent l'argent. Ils s'émerveillent d'en avoir tant. Ils crient, pour rien, pour le seul plaisir de crier.

— Que disait leur chanson ? demande Noële.

C'est Ugo, qui traduit, penché vers elle.

— *Que tes greniers regorgent de blé, d'huile et de vin. Que ta femme lève les bras, et soit comme la poutre qui soutient le toit. Que ta fille se marie, et qu'elle mette au monde neuf garçons.*

CHAPITRE IV

JE NE ME DECIDE PAS A DIRE NON

Madame Marie l'a dit à Delpina Karrassos, le jour de son départ.

— Maintenant que je vous ai donné mes souvenirs l'un après l'autre, je vais m'enfoncer dans la terre, comme les marmottes, et m'engourdir. Cet hiver sera long. Quand mademoiselle sera en Grèce et qu'elle pensera à moi, ce sera comme à quelqu'un qui n'a plus rien, et qui se cache pour ne pas sentir le froid.

Elle a ajouté, d'une voix un peu dure, comme si elle se donnait l'ordre à elle-même d'aller jusqu'au bout :

— Ça fait mal à dire, mais maintenant je le dis : Noële est une Karrassos.

Depuis, elle ne bouge plus. Elle reparle de son épaule pour expliquer cette immobilité. Sur sa chaise, assise, contre le fourneau, les mains ouvertes. Attendant le soir. Elle s'anime un moment, lorsqu'il faut préparer les repas. Mais elle le fait très vite sans y penser. Elle n'a plus envie de cuisiner. Elle va même jusqu'à ouvrir des boîtes de conserves. Nicole Vaindrier ne dit rien. A quoi bon des plaintes, des protestations, des discussions inutiles ? C'est elle qui fait le ménage, le matin, et le marché. Pour que ce soit plus simple. Elle préfère garder toutes ses forces pour convaincre monsieur Gallart. Ce qui n'a pas l'air facile. Elle s'est trouvée, le premier jour, devant un homme pressé, à peine aimable, qui l'a reçue entre deux portes, s'excusant à peine d'un téléphone qui ne s'arrêtait pas de sonner. Il a pris quelques notes, pendant que Nicole

Vaindrier lui exposait l'affaire, l'air distrait, feuilletant le dossier qu'elle lui apportait sans s'y référer.

— Donnez-moi quelques jours, madame. Le temps d'étudier ces papiers...

Déjà il la reconduisait vers la porte, et Nicole Vaindrier avait tout de suite compris qu'il avait déjà décidé de refuser. Elle n'a donc pas été étonnée, une semaine plus tard, de lui entendre dire :

— Je ne fais jamais du neuf avec du vieux, madame. Si vous voulez une maison de Jeunes, je peux vous en faire une. Mais je démolis d'abord votre bâtiment des Douanes.

Les mêmes arguments que les autres. Comme s'ils s'étaient donné le mot. Nicole n'a pas pu cacher un certain agacement.

— Vous dites ça sans même l'avoir visitée.

Elle s'est levée, a repris le dossier sur le bureau. L'a-t-il seulement ouvert ? Elle finira par faire le travail elle-même. Elle se sent parfaitement capable d'engager des ouvriers, de les diriger. Au point où elle en est, elle n'accepte plus de renoncer. François Gallart est étonné par cette brusque colère. Il regarde sa montre.

— Avez-vous une heure devant vous ?

— Pourquoi ?

Il sourit. Elle ne savait pas qu'il avait un visage aussi jeune.

— J'ai un chantier dans les environs, à Montagny. Une centrale frigorifique pour produits laitiers. Accompagnez-moi. Vous verrez ce que j'aime faire et comment je travaille.

Elle accepte. Il prévient sa secrétaire, enfile un blouson de cuir, fait monter Nicole dans sa voiture. C'est un cabriolet de sport rouge vif, qui démarre avec un bruit de fanfare. Mais les routes sont tellement verglacées qu'il est obligé de rouler au pas. Il a tout de suite allumé la radio. Pour bien marquer qu'il n'a pas l'intention de faire la conversation. Il dit seulement, au bout d'un moment :

— J'ai heureusement une paire de bottes dans mon coffre. Visiter un chantier, avec vos chaussures à talon, c'est impossible.

Nicole Vaindrier a l'impression que la voiture danse

d'un bord à l'autre. Le ciel est gris, chargé de neige encore.
Elle a les mains crispées sur son dossier.

Ils arrivent. François Gallart ouvre son coffre, tend une
paire de bottes.

— Elles sont beaucoup trop grandes.

Elle les chausse quand même, et le suit, en marchant
lourdement.

— C'est loin d'être terminé, mais on voit déjà le dessin.

C'est une sorte de hangar long et bas, avec de loin en
loin l'amorce d'une tourelle.

— On voit surtout l'emploi des matériaux. C'est ce qui
m'intéresse le plus. Il y en a trois : le ciment, le métal et
le verre. J'en ajouterai un quatrième à titre décoratif :
l'ardoise, pour le revêtement de certaines parois inté-
rieures.

Toutes les ouvertures sont fermées par de grandes bâches,
pour que les ouvriers puissent travailler malgré le froid.
Il faut beaucoup d'imagination pour voir ce que décrit
François Gallart. Mais il parle avec tant de passion,
brusquement, que Nicole Vaindrier finit par comprendre.

— Ce sera sévère, dit-elle.

— Pas du tout. Quand tout sera terminé, la lumière
jouera sur le métal et sur les hautes verrières. Ce sera
chaud et lumineux au contraire.

— Vous m'avez pourtant dit que c'était un entrepôt
frigorifique.

— Justement. J'ai voulu un contraste. A l'extérieur un
miroir pour le soleil. A l'intérieur le froid.

Il est obligé de parler fort pour couvrir les bruits du
chantier. Nicole ne le reconnaît pas. Il n'a plus rien de
l'homme indifférent et un peu méprisant du premier jour.
Sorti de son bureau trop bien rangé, de ses classeurs,
de ses téléphones, il s'anime, parle avec de grands gestes.
Comme quelqu'un qui se trouve enfin chez lui.

— J'ai quelques ordres à donner. Vous m'accompagnez ?

— Je préfère vous attendre.

Elle revient vers la voiture à grandes enjambées mala-
droites. Elle enlève les bottes, les remet dans le coffre,
s'assied sur le siège avant, referme la portière. La radio
est restée allumée. Elle pense à Lisette qui aime tant les

chansons. Celle qu'on diffuse est en anglais. Elle comprend
quelques mots : « *All you need is love...* »

Lorsque François Gallart revient, elle dit, un peu
rapidement :

— Vous avez bien fait de me montrer ce chantier. Je
me trompais tout à fait.

Il a l'air étonné.

— Vous n'aimez pas cette architecture ?

— C'est beaucoup trop ambitieux. Mon projet est tout
simple. Quelques aménagements dans un vieux bâtiment.
Ce n'est absolument pas pour vous.

Il la regarde. Il sourit. Avec le froid son visage s'est
coloré. Il tend la main.

— Donnez-moi le dossier.

— Pourquoi ?

— Je vais être franc. Je ne l'avais pas étudié. Maintenant j'ai envie de me faire une idée.

Nicole Vaindrier hésite. Mais il a toujours la main
tendue. Elle lui donne le dossier.

Il lui téléphone aux Quatre Vents, deux jours plus
tard.

— J'ai étudié le dossier. Je voudrais visiter le bâtiment.
Est-ce possible dans l'après-midi ?

Ils s'y retrouvent à trois heures. François Gallart fait
très vite le tour, la tête levée, comme quelqu'un qui
cherche. Il finit par écarter les bras.

— J'aurais bien voulu avoir le coup de foudre, mais...

Il regarde encore, le front plissé. Il semble attendre que
quelque chose se passe.

— J'agis toujours par impulsion. Brusquement une chose
me plaît. Je dis oui. Mais là...

— N'en parlons plus, dit Nicole.

Elle cherche à ne pas laisser voir sa déception.

— Je vais chercher quelqu'un d'autre.

— Vous ne trouverez pas.

Il est devant elle, avec sa canadienne épaisse, ses grosses
chaussures, comme s'il partait pour les sports d'hiver.

— Ça n'intéressera personne. Ou alors, un petit entrepreneur qui a besoin d'argent.

Il secoue la tête.

— Vous valez mieux que ça, madame Vaindrier.

— Moi ?

Il sourit, avec un peu de gêne et en même temps une sorte de complicité amusée. Sa voix est précise, très claire, et pourtant grave. Nicole Vaindrier se dit qu'il y a deux hommes en lui. Le premier, un peu trop agressif, méprisant, homme d'affaires n'a pas réussi à étouffer celui qui, de loin en loin, se glisse entre deux sourires, comme un plongeur revient prendre souffle à la surface.

— Je me suis renseigné sur vous, je l'avoue. Je sais le travail que vous faites au sein du Conseil municipal. Les hésitations de vos collègues qui vous trouvent d'avant-garde. J'admire qu'une femme ait le courage de chercher à les secouer. C'est pour ça que j'ai envie de vous aider. Pas pour votre projet. Franchement, il n'a aucun intérêt pour moi. Si vous m'aviez demandé mon avis avant d'acheter ce bâtiment, je vous l'aurais déconseillé absolument. Mais vous êtes là. Je sens que vous avez envie de bouger, d'élargir votre horizon, de ne pas accepter une vie faite une fois pour toutes. Alors...

Il hésite, écarte les bras de nouveau.

— Alors je ne me décide pas à dire non.

Il fait quelques pas, va jusqu'à la fenêtre, regarde la Loire presque immobile, où se reflète le ciel trop pâle de l'hiver.

— Il faut que je revienne. Sans vous. Que j'y repense. Que je cherche une solution.

— Je vais prévenir le gardien. Il vous donnera la clef quand vous en aurez besoin.

Ils sortent. Avant de remonter en voiture, Nicole Vaindrier dit :

— Ne me faites pas attendre votre réponse trop longtemps. Il y a deux mois que madame Andrieux a acheté ce bâtiment et rien n'est commencé.

Depuis, elle attend qu'il téléphone. Quatre jours. Elle ne sort plus. Elle sait qu'il faudrait rendre visite à madame Saulieu, mais elle hésite à s'absenter. Madame Marie a peur du téléphone, ne comprend jamais ce qu'on lui dit. Elle s'aperçoit qu'elle n'a répondu à aucune carte de vœux, occupe ses journées à écrire. Ce sont des traditions nécessaires. Elle fait une longue lettre pour Lisette, lui expliquant en détails ce qui se passe, et l'espoir qu'elle a d'une réponse enfin favorable. Elle lit et relit une lettre de Noële qu'elle comprend mal, qui semble ne pas vouloir raconter tout ce qui s'est passé, mais qui laisse entendre, après tant de jours d'inquiétude, une respiration heureuse. Elle apprend qu'ils sont revenus à Athènes, que Ugo a recommencé à travailler, qu'il ne parle plus du concert de New York mais que pour en effacer définitivement le souvenir il a demandé au signor Peretti de lui en organiser un autre. Yannis Karrassos se prépare à partir pour le Japon où des affaires importantes l'attendent. C'est un voyage dont il avait parlé pendant son séjour aux Quatre Vents. Il hésitait à le faire par crainte d'abandonner Noële et Ugo. S'il s'y décide, c'est qu'il estime lui aussi que tout est apaisé. Nicole peut donc penser à la Grèce sans angoisse. Sur ces terrasses, dont elle conserve un souvenir ébloui, s'inscrivent de nouveau des images de bonheur.

Au bout de quatre jours, comme François Gallart ne téléphone pas, elle décide d'aller prendre des nouvelles de madame Saulieu.

Elle la trouve devant ses fenêtres. Exactement comme il y a un mois.

— Je suis venue vous présenter mes vœux de bonne année. C'est un peu tard, mais Jean-François vous l'a peut-être dit, nous avions des invités.

Madame Saulieu ne tourne pas le regard vers elle. Elle fixe le fleuve au loin. La petite île où, le dimanche, abordent les pêcheurs.

— Des vœux ? répète-t-elle.

Elle a un petit geste de la main.

— Personne n'est venu. Tous les trois. Seulement tous les trois.

— Vous n'avez plus aucun parent, aucun ami ? A Roanne pourtant vous receviez.

— C'est trop loin ici.

Madame Saulieu se penche comme si elle cherchait quelque chose sur le sol.

— Trop grand.

Nicole est debout près du fauteuil.

— J'espérais vous trouver guérie, dit-elle. Je vois que vous vous obstinez. Vous ne pensez toujours pas à Jean-François ? Vous venez de me dire que vous étiez restés seuls, tous les trois, le jour du 1er janvier. Vous ne pouviez pas faire un effort ? Pour lui ?

Elle pose une main sur le bras de madame Saulieu.

— Qu'attendez-vous ?

Madame Saulieu se dégage vivement, ferme les yeux.

— Laissez-moi.

Elle renverse la tête, l'appuie au dossier du fauteuil.

— Cette petite... Comment l'appelez-vous ?

— Qui ?

— Celle qui est à Paris.

— Marie-Hélène ?

Madame Saulieu lève la main, la repose très vite.

— Que voulez-vous à Marie-Hélène ?

Mais madame Saulieu ne répond pas.

En quittant l'appartement, Nicole Vaindrier rejoint Jean-François dans son bureau.

— Elle s'obstine.

— Même avec vous ?

— Oui.

Jean-François parle du docteur Berthelin. Il finit par mettre en doute son diagnostic, pense qu'il va en faire venir un autre. Il lui paraît impossible que cette comédie dure depuis si longtemps. Peut-être n'y avait-il au départ qu'un embryon de maladie qui s'est peu à peu développé.

Un jeune homme entre dans le bureau.

— Oh, pardon !

Il a une chemise de couleur vive, des chaussettes orange, des cheveux assez longs sur le front.

— Madame, je vous présente Alain Burion, un ingénieur que je viens d'engager.

Le jeune homme demande un renseignement, repart aussi vite qu'il est venu.

— Votre mère m'a encore parlé de Marie-Hélène, dit Nicole Vaindrier après un instant de silence.

— Elle m'en parle aussi, de temps en temps.

— Que vous dit-elle ?

— Elle me demande simplement où elle est.

Nicole Vaindrier s'approche de la fenêtre. La cour a

changé. Le potager a disparu. Il y a maintenant des hangars en ciment, fermés par de grandes portes en tôle ondulée.

— Avant de faire venir un nouveau médecin, je pense qu'il serait peut-être bon d'inviter Marie-Hélène aux Quatre Vents.

En rentrant aux Quatre Vents, elle téléphone à Paris. Marie-Hélène semble assez confuse de l'entendre.

— Oh ! ma tante...

Elle explique maladroitement, qu'elle s'en veut de son silence, qu'elle a un travail énorme, qu'elle ne trouve pas le temps d'écrire, même une carte postale, que son médecin lui a fortement conseillé d'aller passer quelques jours en montagne, et qu'au moment où le téléphone sonnait, elle était en train de faire ses valises.

— Quand pars-tu ?

— Demain matin. Avec mon amie Odile.

— Où allez-vous ?

— En Suisse. Non, non, ma tante, pas à Gstaad, je ne suis pas snob à ce point. A Verbiers. Nous avons très facilement trouvé une chambre pour quinze jours.

— En revenant, pourquoi ne t'arrêterais-tu pas quelques jours ici ? Il y a longtemps que tu n'es pas venue.

Marie-Hélène répond plus maladroitement encore, qu'elle ne demanderait pas mieux, mais que c'est impossible, qu'elle a eu beaucoup de mal à obtenir ces quinze jours de vacances, que son patron est furieux, que si elle ne rentre pas à la date prévue, elle risque d'être mise à la porte.

— Aux vacances de Pâques, ma tante, j'essaierai. Mais maintenant...

— Il y a quelqu'un ici qui voudrait te voir qui parle de toi.

Il y a un silence à l'autre bout du fil, puis Marie-Hélène demande d'une petite voix :

— Qui ?

— Madame Saulieu.

Un nouveau silence.

— Je ne peux pas tout te raconter par téléphone, mais elle est assez malade. J'ai été la voir tout à l'heure. Elle

m'a demandé de tes nouvellès. Et ce n'est pas la première
fois. Si tu trouves le temps d'écrire une carte postale, pense
à elle.

— J'y penserai, ma tante, je te promets.

En raccrochant, Nicole Vaindrier aperçoit un petit
papier près du téléphone. Elle le déplie. C'est l'écriture
de Gilles. *Rappeler monsieur Gallart.*

— .Madame Marie !

— Madame ?

Nicole va jusqu'à la cuisine.

— Il y a eu une communication pour moi ?

— Oui, madame. Comme je n'entendais rien, j'ai été
chercher monsieur à la laiterie.

— Quelle heure était-il ?

— Trois heures passées.

Nicole demande le numéro de l'architecte. Elle se dit
qu'il est déjà tard, qu'il n'y aura plus personne au bureau.

— Allô ?

C'est la voix de François Gallart.

— Ah ! madame Vaindrier, je suis retourné au bâtiment
des douanes trois jours de suite.

— Alors ?

— J'ai fait plusieurs projets de maquettes. Je voudrais
vous les soumettre. Pouvez-vous venir demain au bureau ?

CHAPITRE V

LA RACLETTE

— Tu as vu le grand blond ?

— Où ?

— Au bar. Il me regarde. Il doit les trafiquer, ses cheveux. A ce point-là, ce n'est pas naturel.

Odile a mis son fuseau rouge vif, celui qu'elle réserve aux élégances du soir. Elle trouve qu'il la grossit un peu, vers les hanches. Mais comme elle l'a taillé elle-même, il n'est pas question de se plaindre. Elle a d'ailleurs décidé d'être de bonne humeur, quoi qu'il arrive. Depuis quatre jours, c'est le désastre. Un temps bouché, un ciel bas, de la neige qui n'arrête pas de tomber. Impossible de s'aventurer sur les pistes. Quatre jours, dans le hall de l'hôtel, à jouer à la bataille anglaise, et à boire des cafés irlandais pour se remonter le moral. Marie-Hélène, le deuxième soir, a annoncé qu'elle n'en pouvait plus et qu'elle partait. Odile l'a suppliée. Elle est descendue au syndicat d'initiative consulter le bulletin météorologique. Elle est revenue triomphante : le beau temps arrivait à vive allure. En fait, il avait mis deux jours à traîner dans les vallées lointaines, avant de se décider à briller sur Verbiers. Depuis midi, le soleil était là. Odile s'était jetée sur les remonte-pentes. Elle avait parcouru les pistes avec une allégresse de monitrice d'éducation physique. Les courbatures se dessinaient avec le soir, mais elle refusait de les admettre.

— Il se retourne.

— Qui ?

— Le grand blond.

Marie-Hélène lève un œil, aperçoit dans une glace un grand monsieur, manifestement suédois, le torse moulé dans un chandail blanc, qui sourit en direction d'Odile.

— Je l'ai croisé deux fois sur les pistes aujourd'hui. La seconde fois il m'a fait un grand salut avec ses bâtons.

— Tu veux que je te laisse seule ?

— Pourquoi ?

— Tu seras plus à l'aise.

— Que vas-tu imaginer ? Je regarde, un point c'est tout, parce qu'il a des cheveux comme personne.

— Et que tu travailles dans les coiffures.

Marie-Hélène cherche à plaisanter, mais le cœur n'y est pas. Elle se demande ce qu'elle fait là. Depuis son arrivée, elle se traîne. La fatigue lui est tombée dessus d'un seul coup. Et une sorte de mélancolie dont elle ne sait pas se débarrasser. Même le café irlandais n'y réussit pas. Elle en boit pourtant. Elle en boit beaucoup.

— Skoll, dit-elle en levant son verre.

— Pardon ?

— C'est le seul mot de suédois que je connaisse.

Odile commence à sentir sérieusement ses courbatures. Il faut qu'elle se couche de bonne heure pour être en forme le lendemain, et éblouir le grand blond.

— J'ai faim, dit-elle. On va dîner ?

— Si tu veux.

Elles se dirigent vers la salle à manger. Quatre jours. Marie-Hélène en a le vertige. Faut-il attendre plus d'une semaine encore avant de rentrer ?

— Tu viens avec moi demain, dit Odile en dépliant sa serviette.

— Où ?

— Sur les pentes.

— Je skie comme un ourson.

— Il y a des pistes faciles. Je te montrerai. Si tu ne viens pas, je me demande vraiment pourquoi tu m'as entraînée à Verbiers.

C'est vrai. C'est une idée à elle. Un soir, comme ça, parce qu'on a envie de bouger, de voir un peu de ciel neuf, des visages inconnus. On dit : si on s'en allait. On s'en va. Et puis ?

— Peut-être. On verra.

Elle s'oblige à dîner. Elle n'a pas d'appétit. C'est comme une punition parce qu'elle a menti à sa tante Nicole. Elle lui a parlé d'une fatigue grave, d'un médecin qui lui avait ordonné ce séjour en montagne. C'est devenu vrai. Elle ne retrouve sa lucidité qu'à l'heure du courrier. Pendant quelques minutes, elle se sent revivre. Elle guette le facteur par la fenêtre. Elle descend en courant jusqu'à la réception de l'hôtel. Il n'y a rien.

Le premier jour, elle a envoyé des cartes postales. Plusieurs. A son oncle et à sa tante. A madame Marie. A Noël, en Grèce. A madame Saulieu aussi, puisque sa tante Nicole le lui a conseillé. Quelques mots. Pour dire simplement qu'elle lui souhaitait une meilleure santé. La Suisse, c'est tout près. Le courrier ne doit pas mettre bien longtemps. Les cartes postales sont sûrement arrivées au bout de quatre jours.

— A quoi penses-tu ?

— A mon lit. J'ai sommeil.

Elles se couchent. Odile se fait des massages avec une crème spéciale contre les courbatures. Elle s'en veut de ne pas avoir préparé son séjour aux sports d'hiver. Il y a des salles de gymnastique à Paris. On s'entraîne un mois avant de partir. Si le suédois trouve qu'elle manque de souplesse...

Le lendemain, il fait très beau. Un soleil vif, clair. Pas un nuage. Au flanc de la montagne, les chalets brillent de tous leurs bois vernis. On fait la queue devant les remonte-pentes. Odile s'y précipite dès le matin. Marie-Hélène n'a pas le courage de se lever.

— Je t'attendrai vers une heure, sur la terrasse du café, qui fait location de skis.

Elle s'attarde dans son lit. Elle a acheté plusieurs romans policiers. Elle lit sans y penser. De temps en temps, elle regarde le téléphone. Elle se lève vers onze heures, s'installe devant la fenêtre pour guetter le facteur.

— Rien pour vous, mademoiselle.

Elle met longtemps à faire sa toilette, à s'habiller. Lorsqu'elle arrive à la terrasse du café, Odile est déjà là.

— Je me fais bronzer.

En fait, elle ne veut pas l'avouer, mais elle a les reins

un peu hésitants. Elles se font servir une assiette de viande froide.

— Il était là.

— Ton Suédois ?

— Il m'a parlé.

— Et alors ?

— Pas plus Suédois que toi et moi. Un Français. Et devine ce qu'il fait ?

— Des coiffures ?

— Presque. Comédien. Il y a dix ans, il paraît que je lui ai fait un masque de chinois pour une pièce de Brecht. Je croyais qu'il m'avait saluée parce qu'il me trouvait attirante. Pas du tout. C'est parce qu'il me connaît.

Elles sont allongées sur des chaises-longues, face au soleil, et se laissent cuire à petit feu. « Si je reviens avec un joli bronzage, pense Marie-Hélène, je n'aurai pas tout à fait perdu mon temps. »

— Il m'a invitée à dîner, reprend Odile. J'ai dit non.

— Pourquoi ?

— Parce qu'il va me parler d'un tas de gens que je connais. Je ne suis pas venue jusqu'ici pour ça.

— Accepte Odile. Tu t'amuseras mieux qu'avec moi.

Elle a une soudaine envie de pleurer. Stupide. Elle a honte, se dit qu'il faut qu'elle bouge, qu'elle attrape des courbatures elle aussi.

— Je me risque, dit-elle en se levant. Je loue une paire de skis. On verra bien.

Odile sursaute. Elle dormait à moitié.

— Maintenant ?

Elle n'avait pas du tout l'intention d'y retourner.

— Je me débrouillerai toute seule. Reste ici. Repose-toi.

— Je ne vais pas t'abandonner. Surtout pour la première fois.

Elles font quelques descentes. Marie-Hélène s'amuse. Elle a décidé que c'était nécessaire. La nuit vient vite en janvier. Elles rentrent à l'hôtel, en flânant. Elles s'arrêtent devant une affiche de cinéma.

— On y va ce soir ? Ça nous occupera.

A la réception il y a un message pour Marie-Hélène. Elle lit, regarde Odile, lit une seconde fois.

— Je suis folle ou quoi ?

Elle se met à trembler. Elle monte en courant dans sa chambre, s'assied au bord du lit. Elle ne parvient pas à se calmer. Elle ferme les yeux. Elle serre ses mains l'une contre l'autre. Odile ne pose pas de question. Elle lit le message à son tour.

— Ce monsieur Saulieu, c'est ton Jean-François ?

Marie-Hélène est incapable de répondre. Elle secoue la tête, les yeux toujours fermés.

— Je te dis que je n'irai pas.

— Il t'a invitée.

— Tu lui raconteras n'importe quoi, que j'ai une entorse, que je saigne du nez, que je déteste la raclette, mais je n'irai pas.

— Alors, moi non plus.

Marie-Hélène est debout au milieu de la chambre. Depuis la veille au soir, elle est comme une somnambule. L'arrivée de Jean-François à Verbiers, c'est tellement impensable qu'elle ne peut pas y croire. Elle est en train de rêver. Un rêve qui dure longtemps, mais qui va s'arrêter bientôt. Elle le sait. Elle va se retrouver seule avec Odile. Toutes les deux seules.

— Tu sais que tu commences à m'agacer ?

— Moi ?

— Jean-François est là depuis hier soir et vous n'êtes pas restés une minute en tête à tête. Tu t'accroches à moi, tu ne me quittes pas d'une semelle, tu m'obliges à être entre vous. On dirait deux sœurs siamoises. C'est ridicule. Il n'y a pas d'autre mot. Quand je pense que tu n'es même pas venue skier aujourd'hui, et que c'est avec moi finalement qu'il a passé la journée !

C'est vrai. Dès la première minute, Marie-Hélène a su qu'elle n'aurait pas la force de se trouver seule avec lui. Elle a obligé Odile à l'accompagner. Parce qu'elle a peur de se réveiller brusquement et de perdre l'équilibre. Jean-François a pris une chambre dans un hôtel voisin. Après avoir hésité longtemps, elle lui avait téléphoné la veille, pour lui dire qu'elle avait bien reçu son message. Il lui avait demandé de dîner avec lui. Elle avait refusé.

— Nous sommes invitées déjà, mon amie et moi.

— Demain soir alors ?

Elle n'avait su répondre ni oui ni non.

— Je ne connais pas votre amie, mais je l'invite aussi, bien entendu.

Elle avait remercié, disant qu'elle ne pouvait pas encore donner de réponse, qu'elle rappellerait. En l'écoutant, Odile faisait de grands gestes.

— Qu'est-ce qui te prend ? Ne t'occupe pas de moi. Fais comme si je n'étais pas là.

— Au contraire. Je t'interdis de m'abandonner.

Odile ne comprend pas. Jamais elle n'a vu Marie-Hélène aussi paniquée.

Il est huit heures passées. Jean-François leur a donné rendez-vous dans un restaurant, où la raclette est, paraît-il, remarquable. Il doit les attendre.

— Tu gardes ce pantalon ?

— Bien sûr.

— Le vert te va mieux.

— Et toi, lequel mets-tu ?

— Je te dis que je n'y vais pas. C'est clair. Vous mangerez votre raclette tous les deux.

Odile est assise sur son lit. Elle est déjà toute bronzée. En deux jours.

— Tu sais qu'il est très beau garçon ? Tu m'avais fait croire que c'était un gros ours bourru. Pas du tout. Souple, élégant, rapide, très bon skieur. Et quand il sourit...

Marie-Hélène est toujours debout au milieu de la chambre, un peigne à la main. Elle regarde Odile.

— Puisque tu le trouves à ton goût, viens avec moi.

Le téléphone.

— C'est lui, dit Odile. Il commence à trouver le temps long.

— Tu crois ?

Marie-Hélène décroche.

— Oui, oui, pardon... Je suis en retard... J'arrive.

Brusquement elle s'anime, ouvre l'armoire, prend son pantalon vert, se change très vite, se coiffe. Elle est impatiente. Elle voudrait déjà être là-bas. Odile sourit.

— Tu es très belle.

— C'est vrai ?

Elle a tout oublié. Ces jours, ces mois, tout. Elle est

comme une jeune fille, au premier soir d'une rencontre.

C'est un restaurant grand comme une brasserie, avec des nappes à carreaux rouges et blancs et des chaises de paille. Aux murs, il y a des têtes de chamois empaillées et un cerf avec tous ses bois au-dessus de la cheminée. Les serveurs sont en rouge et noir, et dans une pièce voisine, on entend un accordéon. La salle est pleine. L'odeur du fromage tourne autour des lampions de papier accrochés au plafond.

— Vous aimez ? demande Jean-François.

— C'est la première fois que j'en mange.

Elle trouve que c'est bien épais, ce fromage chaud sur des pommes de terre. Mais elle se force. Elle se dit qu'elle est idiote. Rien d'autre. Elle ne sait pas si elle est bien, si elle est contente d'être avec lui. Elle sait seulement qu'elle est idiote. Jean-François n'a pas eu l'air de regretter l'absence d'Odile. Il a fait enlever le troisième couvert, sans insister. Il ne dit pas grand-chose. Il boit du vin blanc, à petites gorgées rapides, comme si les pommes de terre étaient trop chaudes.

— Pourquoi n'êtes-vous pas venue sur les pistes aujourd'hui ?

— Je ne sais pas skier.

— L'an dernier pourtant, au Freney d'Oisans...

Elle le regarde.

— Vous vous en souvenez encore ?

Il ne répond pas. Dans la pièce voisine, l'accordéon s'est tu. Des hommes chantent en chœur, et quelqu'un rit, très longtemps.

— Vous aimez Verbiers ? demande Jean-François après avoir bu un peu de vin blanc.

— Je ne sais pas.

— Pourquoi ?

— Il a fait très mauvais temps pendant quatre jours. J'avais envie de partir. Maintenant, je commence à m'habituer.

— Vous pensez rester jusqu'à quand ?

— La fin de la semaine prochaine.

— Moi, je pars demain.

Il a parlé d'une voix sèche, presque agressive. Pendant

un long moment, il écrase une pomme de terre avec sa fourchette. Marie-Hélène pense à Odile. Elle se demande si elle ne va pas lui téléphoner, en la suppliant de les rejoindre.

— Si vous aviez une entorse, dit soudain Jean-François, ce serait grave ?

— Une entorse ?

— Ou quelque chose comme ça. Pour votre patron, ce serait grave ?

— Je ne comprends pas.

Il s'irrite un peu de ne pas savoir dire les choses. Il avait préparé des phrases. Aucune ne lui sert.

— Ma mère parle souvent de vous, dit-il enfin.

A contrecœur, sans regarder Marie-Hélène, en parlant très vite pour qu'elle comprenne mal.

— Elle est malade. Venez la voir, je crois qu'elle ira mieux. Racontez à votre patron n'importe quoi. Si vous avez besoin d'un certificat médical, Berthelin vous le fera.

Il prend sa respiration, lève la tête, comme s'il cherchait quelqu'un dans la salle.

— Puisque vous n'êtes pas sûre d'aimer Verbiers, partez demain avec moi. J'ai une place dans ma voiture.

Il appelle le garçon, demande un autre cruchon de vin blanc. Marie-Hélène attend. Elle voudrait que tout s'arrête, que le temps revienne en arrière, et qu'il lui demande encore une fois de partir avec lui. Le garçon apporte le vin. Jean-François remplit son verre, boit.

— Il est très frais, dit-il.

Elle en boit une gorgée à son tour.

— Odile ne va pas être contente, si je la laisse ici toute seule.

Elle repose son verre. Jean-François ne dit rien. Comme s'il n'avait pas entendu. Le garçon vient desservir, propose un dessert. Ils choisissent une glace.

— Café ?

— Pas pour moi, merci.

Il commande un café très fort.

— Votre usine marche bien ? demande Marie-Hélène.

— Très bien.

Il raconte en quelques phrases qu'il a engagé un nouvel ingénieur, que les commandes ont triplé en un mois, que

l'étranger s'intéresse à lui, qu'en Suède on lui demande
de s'associer à une affaire importante, qu'il doit y retourner un jour prochain.

— Vous ne regrettez jamais l'aviation ?

— L'aviation ?

— Vous étiez passionné pourtant. Je me souviens, à
Paris, pendant votre stage.

— Je n'ai pas été à Paris.

— Ah ?

— Je n'ai jamais fait de stage dans l'aviation.

— Pourtant...

— Jamais.

Une sorte de colère, brusquement. La voix dure.

— Vous parlez de quelqu'un qui n'existe pas. Si je
suis venu à Verbiers, c'est pour me prouver qu'il n'existe
pas.

Marie-Hélène le regarde.

— Alors ce n'est pas moi qu'il fallait venir voir.

Elle se lève. Le garçon apporte les glaces. Mais elle
repousse la table, quitte la salle sans un mot. Elle se
retrouve dans la neige. Le restaurant est en dehors du
village. Il n'y a plus de lumière. Elle marche droit devant
elle, sans rien voir. Elle tourne le dos à l'hôtel. Elle
ne veut pas rentrer. A cause d'Odile. Elle n'est ni triste
ni en colère. Simplement agacée contre elle-même d'avoir
été si sotte, d'avoir attendu sans se l'avouer, espéré sans y
croire, et que ce soit déjà fini. Elle a froid, revient sur
ses pas. Peu importe Odile. Elle n'a rien de mieux à faire
qu'à se coucher.

Le lendemain, sur le plateau du petit déjeuner, elle
trouve un message. Il y a simplement le mot : « *Pardon.* »

— Comment va ton faux Suédois ? demande-t-elle à
Odile.

— Assez bien, merci. Nous avons pris un verre ensemble
hier soir. Pourquoi ?

— Pour être sûre que je ne te laisse pas seule.

— Tu t'en vas ?

Marie-Hélène s'approche de la fenêtre. Jean-François
est là, devant l'hôtel. Il fait les cent pas. De temps en

temps, il lève les yeux, interroge la façade, cherche a quelle fenêtre elle va lui faire signe.

— Je crois que je m'en vais.

Elle s'habille en vitesse.

— Si tu étais gentille, tu me préparerais ma valise.

— Tu blagues ou quoi ?

— Regarde toi-même.

Odile aperçoit Jean-François à son tour. Elle sourit.

— Tu n'as pas perdu de temps.

Elles s'embrassent, sans rien dire.

En la voyant sortir de l'hôtel avec sa valise, Jean-François n'a pas l'air de très bien comprendre. Il traverse la rue, vient vers elle. Il n'ose pas interroger.

— Où est votre voiture ? demande-t-elle.

Il lui montre une petite Fiat noire arrêtée un peu plus loin.

— C'est à vous ?

— Non. A Burion, mon nouvel ingénieur. Il me l'a prêtée parce que c'est mieux pour la montagne.

Elle lui tend sa valise. Il va jusqu'à la voiture, ouvre le coffre.

— J'ai été très bête hier, dit-il.

Il a parlé en rangeant la valise dans le coffre, plié en deux, comme s'il se cachait.

— Moi aussi, dit Marie-Hélène.

Elle attend qu'il ait refermé le coffre.

— C'est difficile, dit-il.

— Je sais.

— Plus difficile que je ne pensais.

— Beaucoup plus.

Ils sont debout près de la voiture. Il est très tôt. Les skieurs impatients sont déjà sur les pistes.

— Ce qu'il faudrait, dit-il, c'est faire comme si nous n'avions aucun souvenir commun. Comme si je vous avais rencontrée avant-hier, ici, par hasard.

— Non, Jean-François.

Ils se regardent. Pour la première fois. Ils se mesurent. Et, en même temps, ils s'encouragent.

— Ce n'est pas une bonne attitude. Le vrai courage c'est de savoir que tout a vraiment eu lieu. Tout.

Il la regarde toujours.

— J'aurais dû partir, dit-il doucement. N'importe où. En Afrique. Au Canada. Mais c'était trop tard. J'étais pris au piège. J'avais commencé avant. Avant de savoir que c'était perdu.

Brusquement, il ferme les yeux.

— Vous lui ressemblez trop, dit-il.

— Vous en parlez enfin, dit Marie-Hélène.

Elle est délivrée. Elle sait que le voyage sera possible, qu'ils arriveront ensemble.

— Vous n'avez pas encore prononcé son nom, mais vous avez parlé d'elle. J'attends ça depuis que vous êtes ici. Hier soir, j'ai fait exprès de vous parler de Paris et de votre stage. Vous avez refusé. Vous avez tort. Il faut, Jean-François. Il faut en parler. Sinon, c'est un mensonge qui n'est pas digne de vous.

Il attend un moment, le visage baissé, écoutant ce qu'elle vient de dire. Puis il remonte la fermeture-éclair de son anorak, cherche ses gants, ouvre la portière.

— On part ?

Avant de monter en voiture Marie-Hélène regarde la façade de l'hôtel. Derrière le rideau de sa chambre, il lui semble apercevoir Odile qui lui fait signe.

CHAPITRE VI

LE VIN A COULE SANS ECUME

— Non, Ugo. Je préfère être seule.

— Pourquoi ?

— Je préfère.

La voiture est arrêtée devant l'immeuble du médecin.

— Alors je ne bouge pas d'ici. Je laisse la voiture le long du trottoir et j'attends.

— Tu n'as pas de courses à faire ?

— Des courses ? Qu'est-ce que ça veut dire ? Tu m'as déjà vu faire des courses ?

— A Ithaque, oui. Tous les jours on allait au petit bazar-épicerie-buvette.

Elle regarde l'heure à sa montre.

— Il faut que j'y aille.

Elle ouvre la portière. Elle a envie de rire. Quelque chose en elle qui est comme un rire, et une musique très forte, et le soleil d'été. Elle regarde le visage de Ugo. Elle a envie de tendre la main, de l'attirer vers elle, et de l'embrasser comme le visage d'un enfant.

— Comment te sens-tu ? demande-t-il.

— Tu n'as aucune raison d'être inquiet.

Elle descend de voiture. C'est une large rue d'Athènes, avec beaucoup de monde sur les trottoirs. Des gens qui marchent vite. Noële se dit que dans une heure, lorsqu'elle sortira de chez son médecin, elle sera quelqu'un d'autre, et que personne ne la reconnaîtra plus. Ugo lui-même.

— Reviens le plus vite possible, dit Ugo.

Elle sonne. La porte s'ouvre. Elle pénètre dans l'immeuble. Ugo la regarde disparaître. Il saisit le volant à deux mains, et se met à trembler. Il sait que ce sera très long, qu'il n'aura peut-être pas la patience, qu'il aura envie de sonner à son tour et de la rejoindre. Depuis que Noële a pris rendez-vous avec ce médecin, il ne veut pas penser. Il ne veut pas imaginer. Il attend. Il la regarde. Il se souvient de cette nuit sur la plage d'Ithaque, de toutes les étoiles au-dessus d'eux, et il se dit que la nuit est peut-être à jamais apprivoisée. Qu'il n'aura plus peur de ses ombres, ni de ses voix. Il sort de la voiture, marche de long en large devant l'immeuble. C'est la fin de la matinée. Le soleil est haut, un soleil d'hiver qui rend le ciel presque blanc. Ugo marche. Il essaie de faire le vide en lui, qu'il n'y ait plus aucun mot, aucun souvenir. Que ce soit l'oubli et le silence. Avec la seule image de Noële franchissant la porte du médecin, de dos, disparaissant sous la voûte, et la porte qui se referme. Maintenant, il est devant la porte. Il refuse le mot : tombeau. Il refuse de penser à cet univers de l'autre côté. A cette vie qu'il ne connaît pas. Pas encore. A cette vie ... Il traverse la rue, entre dans un café, demande un verre d'*ouzo*. Il boit très lentement, en s'obligeant à ne penser qu'au goût du liquide dans sa bouche. *Ouzo.* Il prononce le mot à mi-voix. Il demande un autre verre, le lève en direction du soleil, regarde la couleur jouer dans la lumière. Comme une aube. Comme cet instant, juste avant le matin, où tout est possible. Il sort du café, se retrouve devant la porte du médecin. Elle s'ouvre. Noële vient vers lui. A son visage il sait déjà.

— Alors ? dit-il.

Elle n'a pas besoin de répondre. Elle dit oui de tout son corps émerveillé. Il tombe à genoux, sur le trottoir, devant elle. Il se baisse.

— Ugo !... Que fais-tu Ugo ?

Il cache son visage contre le trottoir

— Tout le monde nous regarde, Ugo. Tu es fou. Relève-toi.

Il reste à genoux. Il se met à rire.

— Qu'ils regardent. Qu'ils sachent. Qu'ils tombent à genoux comme moi.

Il a trop attendu. Il ne savait pas que ce serait aussi beau. Qu'il y aurait ces deux mains de fer qui l'obligeraient à plier les épaules. Il a les larmes aux yeux. Noële a peur. Elle voudrait qu'il se relève, qu'il remonte en voiture, qu'il la reconduise chez elle.

— C'est ce qu'il y a de plus naturel au monde, Ugo. Toutes les femmes, presque toutes les femmes, attendent un jour un enfant.

Il secoue la tête.

— La seule au monde, dit-il.

Il se relève, la prend dans ses bras. Autour d'eux, il y a déjà un attroupement. Des gens qui regardent, qui s'interrogent, qui plaisantent. Ugo n'entend rien.

— Le tombeau, murmure-t-il.

Il regarde la porte. Le soleil sur la porte. Et le visage de Noële dans le soleil. Il se souvint du lac Balaton. Il était sur la berge, à genoux, le visage caché dans le sable. Il n'osait pas regarder Maria. Mais, depuis que la porte s'est ouverte, que Noële est apparue dans le soleil, il sent que Maria bouge, qu'elle se redresse lentement, qu'elle remue la tête, parce que ses cheveux lui couvrent le visage, et qu'elle le regarde en souriant.

Ils reviennent au palais Karrassos. Ils frappent à la porte de la chambre de Delpina.

— Oui ?

Noële entre, s'approche de sa tante. Elle est assise dans un fauteuil, près de la fenêtre. Sur une petite table, à côté d'elle, il y a l'album de cuir vert avec les photographies. Noële se penche, lui dit tout bas ce qu'elle vient d'apprendre. Delpina lui prend les deux mains, serre, comme si elle tombait, comme si elle cherchait un appui.

— Alexandra ..., murmure-t-elle.

Quelque chose peu à peu éclaire son visage. Une sorte de confusion et de fierté en même temps. C'est de la douceur, de l'apaisement. Elle ne sourit pas encore. Mais la lumière qui monte le long de ses joues vers son front et ses cheveux gris a comme un tremblement de gaieté. Pendant un moment elle fixe un point devant elle, elle

parcourt toutes les années effacées. Puis elle se lève, va
vers Ugo qui est resté sur le pas de la porte.

— Va travailler Ugo. Nous avons à parler, Alexandra
et moi.

Elle referme la porte, se dirige vers sa table de chevet.
Elle marche lentement, gravement, comme obéissant à
un cérémonial. Il y a un coffret de bois sur la table. Elle
soulève le couvercle, prend un grand trousseau de clefs,
revient vers Noële.

— La maison t'appartient désormais. C'est toi qui
commandes et gouvernes et protèges et reçois.

Elle tend les clefs à Noële.

— C'est la tradition Karrassos. La femme qui porte
la vie reçoit les clefs de la maison. Depuis vingt et un ans,
je les gardais à ta place. Mon temps est achevé.

— Je ne saurai pas, dit Noële.

Elle comprend mal.

— Tu sais déjà, Alexandra. Je n'ai rien à t'apprendre.
Tu es la maîtresse partout où les Karrassos ont élevé
une maison. Je deviens ton invitée. Accepte-moi ici encore
quelque temps. Tu ne m'entendras pas. Tu ne sauras pas
que je suis là. Je vais faire remettre en état ma maison
de Pisticci. J'irai m'y installer dès que possible.

— Restez, ma tante. Restez avec moi. Je vous aime.
Vous le savez.

— Ne t'attendris pas, Alexandra. Tu es une Karrassos.
Grâce à toi, les Karrassos ont pris vie une nouvelle fois.
Tu es celle qui les réunit tous.

Elle a attaché le trousseau à la ceinture de Noële. Elle
le tient encore dans sa main ouverte.

— Il y a deux trousseaux. Celui-ci : la maison d'Athènes.
Celui-là : la maison de Lefkas. Je t'expliquerai les clefs
l'une après l'autre.

Noële prend à son tour les clefs, referme la main.

— Merci, dit-elle.

Sur le visage de Delpina la lumière est tout à fait
venue. Elle sourit enfin, avec une tendresse si profonde,
que Noële en est bouleversée.

— C'est moi qui te dis merci, Alexandra. Parce que
je vais me reposer sur toi maintenant. Je vais me laisser
conduire, obéir enfin.

Elle lui prend la taille entre ses mains, serre doucement.

— Sois prudente, dit-elle.

Elle regarde ce trousseau de clefs, pendu à la ceinture, et cette vie nouvelle qui bat en secret.

— Garde-la bien, cette vie en toi. Pense à Yannis et pense à moi qui l'avons attendue si longtemps.

— Où est-elle ? Que je la regarde, que je l'embrasse.

Yannis Karrassos monte l'escalier en courant.

— Elle dort encore ?

Il est devant la porte de la chambre. Il frappe.

— Noële tu dors ?

Il ouvre la porte. Il ne peut pas attendre. Il a besoin de la voir, de la prendre dans ses bras. Il ne sait pas comment il est arrivé à Athènes, quel voyage il a fait. Il sait seulement qu'elle est là, qu'elle s'est réveillée en sursaut, qu'elle ne comprend pas ce qui se passe.

— Je suis fou, dit-il. J'ai perdu la tête.

Il avance dans le noir, jusqu'à son lit. Il la soulève. Il la serre contre lui de toutes ses forces.

— Un garçon. Je veux que ce soit un garçon. Je lui donnerai tous mes navires. Il se fera hisser sur la plus haute grue. Il mesurera son empire. Je lui apprendrai ce qu'il faut savoir. Je m'appuierai sur lui. Il me rendra mes vingt ans.

Il crie, il rit, il pleure. Il ne sait pas où il est. Il pose sa main sur le visage de Noële, interroge, d'une voix soudain émerveillée :

— C'est vrai ? C'est bien vrai ?

— Oui, père.

Il se redresse. Il pousse une sorte de cri profond. Il enlève son manteau, le jette sur un fauteuil, se frotte le visage à deux mains.

— J'ai cru que je devenais fou, vraiment fou, quand j'ai téléphoné hier, et que Ugo m'a appris ce qui arrivait. Comme un trait de feu. Une lumière aveuglante. J'ai porté la main à mes yeux. Je ne sais pas comment je me suis retrouvé à l'aéroport de Tokyo. J'ai abandonné Messara. J'ai pris le premier avion. Je me suis assis à la place du pilote. C'est moi qui tenais les commandes pour arriver plus vite.

Il rit de nouveau. Noële a allumé la lampe de chevet.
Il la regarde. Il y a comme du respect et de la stupeur
aussi dans son regard.

— La vie, murmure-t-il.

Il se penche, appuie ses lèvres sur sa main.

— Une déesse...

Noële secoue la tête. Elle refuse que tout soit ainsi
exalté.

— Non, père, non. Je suis une femme parmi d'autres.
Une femme mariée qui attend son premier enfant. Nous
sommes des millions de femmes en ce moment dans ce
cas-là.

Sur le visage de Yannis Karrassos, il y a brusquement
toute la fatigue du voyage, et ce que les années trop
longues y ont laissé de traces.

— Pour moi, tu es la seule. Comment veux-tu que je
te confonde avec les autres ?

Il est debout, penché vers Noële. Il lui parle doucement,
comme à une enfant à qui il faut tout faire comprendre.

— Etait-ce dans l'ordre des choses que ta mère soit
morte, et dans l'ordre des choses que je t'aie perdue, et
dans l'ordre des choses que je t'aie retrouvée ? Alexandra.
Alexandra Karrassos. Je te révère comme la déesse de la
vie.

Elle a levé vers lui son visage. Elle est attachée à lui
de tout son regard, et de tout son amour.

— Je suis Alexandra. C'est vrai. C'est mon nom.

— Celui que ta mère et moi t'avions choisi.

— Désormais, je le porterai.

Ils restent ainsi un long moment, silencieux, essayant
d'entendre, sans se le dire, le battement étouffé de ce
cœur vivant, de ce sang nouveau. Puis Yannis Karrassos
se redresse.

— Où est Ugo ?

— Il va revenir. Il est fou lui aussi depuis hier. Il ne
sait plus dormir. Il s'est levé en pleine nuit. Il doit
marcher dans Athènes.

— Appelle-moi dès qu'il sera là. Il faut que nous inter-
rogions ensemble le vin.

Il quitte la chambre de Noële. Il parcourt le palais de
haut en bas. Il sort sur les terrasses, dans les jardins.

Il veut le dire. Il veut qu'on le sache. Il cherche quelqu'un. Il franchit la grille, se retrouve dans la rue. Il est encore trop tôt. Les trottoirs sont déserts. Un chien vient vers lui. Il se penche, l'attrape par le col. Le chien gronde, mais Yannis le tient bien serré. Il éclate de rire.

— Un chiot, toi, sais-tu seulement ce que c'est ?

Il desserre son étreinte. Le chien s'enfuit en aboyant. Une ombre au coin de la rue.

— Ugo !

Il fait de grands signes. Ugo le rejoint en courant.

— Qu'est-ce que tu fais ainsi à courir dans la nuit ? Je t'attends, Ugo.

Il l'embrasse, comme son fils, et le pousse vers la maison.

— Ta femme est réveillée. Elle se demande où tu es.

Ugo entre dans la chambre de Noële.

— J'ai trouvé ceci pour toi, dit-il.

C'est un bouquet de perce-neige, qu'il pose sur le lit.

— Les fleurs de l'hiver, dit Noële.

Elle les prend, les approche de son visage.

— Plus fortes que le froid. Qui fleurissent comme un défi.

Ugo la regarde. On dirait qu'il dort encore. Il a l'air étonné de quelqu'un qui se raconte un rêve et qui le vit en même temps.

— Je t'ai regardée dormir, dit-il. Très longtemps.

Il se penche un peu. Il a l'impression de ne l'avoir jamais vue.

— Comme si l'enfant était déjà né, et c'était toi.

Yannis Karrassos revient avec une bouteille et deux verres.

— Tiens, Ugo.

Il lui donne un verre, le remplit de vin.

— Deux seulement ? demande Noële.

— C'est réservé aux hommes. Les femmes portent les enfants, les hommes les protègent.

Il remplit le second verre.

— Le vin est le sang de la terre, dit-il. Nous buvons le sang de la terre.

Ils boivent tous deux, avec gravité. Le visage de Yannis

est celui d'un grand prêtre, fermé sur le monde, écoutant
le mouvement sourd d'une création où la terre n'est plus
qu'une étoile parmi les autres.

— Maintenant, nous répandons le sang de la terre sur
le seuil de la chambre où l'enfant doit naître, pour que
la terre l'accepte et déjà le connaisse.

D'un geste brusque, il jette la bouteille sur le sol. Elle
se casse, le vin se répand. Yannis tombe à genoux, se
penche sur l'étrange figure qui se dessine au milieu des
éclats de verre.

— Ce sera un garçon, crie-t-il en se redressant. Le vin
a coulé sans écume. Le vin nous le dit. Ce sera un garçon.

CHAPITRE VII

EMPORTEE PAR LES COURANTS

C'est toujours la neige. Nicole Vaindrier a chaussé des bottes. Elle marche au hasard, à travers champs, sans savoir où elle va. Elle a relevé le col de son manteau, enfoncé les mains dans ses poches. Elle a quitté les Quatre Vents tout de suite après le déjeuner, sans prévenir personne. Pas même madame Marie. Elle se dit que la nuit va venir et qu'elle n'a pas envie de faire demi-tour. Elle avait besoin de marcher. D'être seule et de marcher. De *s'éloigner*. De prendre de la distance. C'est la première fois de sa vie qu'elle éprouve un tel besoin. Elle marche comme quelqu'un qui s'évade, sans regarder derrière elle. Elle marche pour ne plus savoir qui elle est. Elle pense à Noële, il y a plus d'un an. En découvrant qu'elle n'était pas la fille des Vaindrier, elle avait pris le premier train, elle avait voulu mettre la plus grande distance possible entre elle et cette terrible vérité. Pour Nicole, aujourd'hui, c'est la même chose. Avec la même envie de descendre jusqu'à la gare, de prendre un train, n'importe lequel. Parce que c'est la même révélation. Elle croyait encore qu'elle était la mère de Noële. Elle vient d'apprendre que non. Jusque-là, il y avait bien eu des papiers officiels, des actes d'adoption, des enquêtes, mais ce n'était qu'une série de conventions abstraites, qui ne signifiaient rien. En devenant Karrassos, Noële n'avait retrouvé qu'un père. Le destin l'avait voulu ainsi. Pour Nicole, tout s'était passé sans déchirement, sans problème. Elle se souvient. C'était au moment où monsieur Baxter procédait, en Grèce, aux dernières vérifications. Noële un soir, penchée vers elle, lui avait dit : « *Si ce dossier est vraiment le mien, tu resteras ma mère.* » Elle l'était restée. Jusqu'à ce téléphone, quatre jours plus tôt.

Ce qui s'est passé à cet instant, Nicole Vaindrier ne parvient pas à le comprendre. Ce choc brutal. Cette déchirure. Elle avait été obligée de fermer les yeux, pliée en deux pendant quelques secondes. Elle entendait la voix de Noële, à l'autre bout du fil, joyeuse, émerveillée, n'ayant pas l'air de croire à ce qu'elle annonçait, mais elle était incapable de répondre. Elle avait cru que c'était l'émotion, l'avait laissé croire. Ce n'était pas l'émotion. C'était... Elle tourne autour de ce mot, depuis quatre jours. Elle en a peur. Il faut pourtant le prononcer. C'est pour cela qu'elle a quitté les Quatre Vents, qu'elle marche au hasard, depuis des heures. Pour trouver le courage d'affronter le mot jalousie. De la jalousie, oui. *Pas moi.* A la seconde même. Ce cri en elle. Ce cri violent, odieux, dont elle a honte. *Pas moi.* Dans son corps à elle, ce miracle, cette récompense. Dans son corps à elle. Comme les arbres, comme les plantes, comme les animaux. La création. Toute la création. Elle en fait partie. *Pas moi.* Moi, ma fille n'est pas ma fille. Moi, ma fille, je l'ai trouvée. Elle était perdue dans une gare. Je l'ai prise parce qu'il fallait la prendre, parce qu'elle était perdue. Moi, ma fille, c'est dans un autre corps qu'elle a pris naissance. Je ne sais rien. Il ne s'est rien passé en moi. Je n'ai jamais senti ce poids. ce mouvement, cette vie. Je ne lui ai jamais rien donné. Je n'ai jamais dormi de son même sommeil. Moi, ma fille...

Elle s'arrête. Elle n'en peut plus de marcher. Elle est au bord d'un chemin. La nuit approche. Des ombres la cernent. Elle s'assied sur une pierre. Elle écoute ce bruit en elle. Son cœur. Son cœur pour rien. Son cœur pour elle seule. Jamais partagé. Elle secoue la tête. Elle ne comprend pas. Elle aurait voulu être heureuse. Comme Gilles. Gilles est heureux. Dès qu'il a appris la nouvelle, il a changé de visage. C'était un tel sourire, une telle fierté. Elle aurait voulu partager ce bonheur. Mais non. Elle est desséchée. Aride. Noële, au téléphone, disait :

— Je voudrais que tu sois là. Je voudrais tellement
que tu sois là. Je voudrais tellement t'embrasser.

Nicole avait réussi à répondre : « Peut-être, mon chéri,
nous allons voir... Un tel voyage... » En elle-même, c'était
non. Elle savait qu'elle n'irait pas. Elle savait qu'elle
n'en avait pas le courage.

Elle est seule. Assise sur cette pierre, au bord du chemin. Elle parle tout haut. Pour essayer de se délivrer de
sa honte. Pour que la blessure soit bien ouverte, et cesse
peu à peu de lui faire mal. Pour que tout le sang mauvais
s'écoule. Après, elle pourra revenir aux Quatre Vents.
Quatre jours. Elle donne le change. Elle s'oblige à vivre
comme avant. Elle descend à Roanne, pour étudier les
plans que lui propose François Gallart. Elle accompagne
Marie-Hélène à l'usine Saulieu, pour avoir des nouvelles.
Elle se réjouit, parce que madame Saulieu a enfin quitté
son fauteuil. Parce que Marie-Hélène a réussi à lui faire
faire quelques pas dans la cour de l'usine. Elle a même
traîné de force madame Marie chez le docteur Berthelin,
et tous les soirs, elle lui frictionne l'épaule avec un
onguent. Elle écoute Giles qui veut remplacer son
contremaître le plus vite possible. Elle lui conseille d'en
parler à Jean-François. Le jeune ingénieur qu'il vient
d'engager a peut-être un ami qui ferait l'affaire. C'est
une bonne façon de renouer des relations d'amitié avec
Jean-François. Marie-Hélène en est heureuse. Tout cela,
c'est la vie de tous les jours. Nicole parvient à faire comme
si... Mais, au bout de quatre jours, elle étouffe. C'est un
trop grand poids. Il faut qu'elle s'en libère. Elle a envie
de rester là. Elle a froid, mais elle n'y fait pas attention.
Elle se dit que la nuit sera longue, qu'au petit matin
elle se sera peut-être réconciliée avec elle-même. Qu'elle
pourra regarder ce pays autour d'elle, les arbres, la terre,
et les accepter de nouveau. Pour le moment, c'est la
révolte. C'est le refus. Elle comprend Gilles qui, tout de
suite après le mariage, est parti pour Paris, sous un prétexte, qui s'y est attardé, qui a mis longtemps à en revenir.
Elle ne savait pas ce que cela voulait dire. Lorsqu'elle en
avait parlé à Lisette, elle était comme une femme abandonnée et méfiante, qui se demande ce que son mari fait
loin d'elle. Aujourd'hui elle comprend. Il s'était senti

dépossédé de sa fille. Il avait souffert. Il n'en avait rien
dit. Ou plutôt, Nicole n'avait pas voulu entendre. Depuis
quatre jours, elle traverse la même épreuve. D'une façon
inattendue, violente, insupportable. Peut-être Gilles
pourra-t-il lui venir en aide. C'est en pensant à lui qu'elle
se lève, qu'elle reprend son chemin. Parce que la nuit est
venue, et qu'il doit commencer à s'inquiéter. Il faut qu'elle
rentre. Il faut qu'elle lui évite cette angoisse. Il est heureux.
Il partage le bonheur de Noële. Elle n'a pas le droit de
l'en empêcher.

Il est sur le seuil des Quatre Vents lorsqu'elle y arrive
enfin.

— Où étais-tu ?

— Je marchais. Je me suis perdue. C'est absurde.

— Je commençais à me demander..

Elle monte dans sa chambre. Il est près de neuf heures.

— Vous n'avez pas dîné ?

— Je t'attendais.

— Marie-Hélène ?

— Elle est chez les Saulieu.

Nicole a enlevé son manteau, ses bottes. Elle se laisse
tomber sur le lit. Elle a envie de s'allonger, de s'endormir.
Elle a froid. Elle ne le sentait pas jusqu'à maintenant. Elle
croise les bras, pliée en avant, ramassée sur elle-même.
Gilles Vaindrier se penche.

— Qu'y a-t-il ?

Il lui parle doucement, presque tendrement.

— Explique-moi. Depuis quatre jours, tu n'es plus la
même.

Nicole le regarde. Ce visage près du sien, c'est le visage
de son repos et de sa conscience.

— Je crois que je lui en veux, dit-elle tout bas.

Gilles écoute, se redresse. Dans le silence, la voix de
madame Marie, au pied de l'escalier, demande si elle peut
servir. Nicole se lève.

— Oui, madame Marie.

Ils dînent en silence. Comme deux amis qui savent se
taire ensemble, parce que c'est la preuve la plus certaine
de leur entente. Après le dîner, au salon, devant le feu
allumé, Nicole interroge.

— Tu me juges mal ?

— Non.

— Tu ne dis rien.

— Parce qu'il n'y a rien à dire.

Il est debout près de la cheminée, comme chaque soir, avec sa veste d'intérieur un peu usée, sa pipe, ses lunettes. Comme chaque soir depuis tant d'années.

— Nous avons eu notre vie, dit-il. Elle a été ce qu'elle a été, avec ses joies, ses chagrins, ses erreurs. Noële, à son tour, a la sienne. Si différente de la nôtre, que nous finissons par ne plus y voir très clair.

— Tu ne regrettes plus ?

— Longtemps j'en ai souffert, tu le sais. Longtemps, j'ai espéré qu'à côté de Noële, il y aurait un enfant à nous. Et puis, elle a pris toute la place. Je ne regrette plus.

— Je voudrais avoir ta force.

Elle ne parvient pas à se détendre. Même avec Gilles, qui lui parle comme avant, avec la même confiance paisible. C'est trop récent encore. Cette blessure, en elle.

— Aide-moi, dit-elle à mi-voix.

— Parle.

— Je ne sais pas ce qui m'arrive. Je suis jalouse. Je ne peux rien dire de plus. J'ai honte. Je voudrais me cacher.

— Parle encore.

— Il n'y a pas d'autre mot. Je ne sais pas. C'est en moi. J'y pense toutes les nuits, sans dormir. Je répète seulement : pas moi. C'est tout.

Elle regarde le feu. La flamme, le bois, la cheminée.

— Quand elle s'est mariée, je n'ai pas eu le sentiment de la perdre. Je savais qu'en épousant Ugo, elle quitterait la France, que je ne la verrais presque plus. Mais même à l'autre bout du monde, je me disais qu'elle resterait ma fille.

Elle se penche en avant, pliée en deux, les bras refermés sur elle-même.

— Maintenant, elle a rejoint sa vraie mère. Qui l'a portée, qui l'a faite, qui l'a mise au monde. Comme elle qui porte, qui fait, qui va mettre au monde un enfant. Toutes les deux réunies. Enfin mère et fille. Et moi...

Elle baisse la tête.

— Moi, rien.

Elle pleure. Elle ne s'en défend pas. Gilles vient vers elle, pose doucement la main sur ses cheveux.

— Nicole...

Le feu s'éteint peu à peu. Ils ne s'en aperçoivent pas. Ils sont seuls. Ils découvrent que l'amour, même lorsqu'il est aussi profond que le leur, ne permet pas de tout partager.

Des jours. Nicole essaie de ne penser qu'à la maison des Jeunes. François Gallart a dessiné plusieurs plans, aussi intéressants les uns que les autres. Elle ne sait pas choisir. Elle demande un délai de réflexion. Elle voudrait envoyer les papiers au Brésil, pour que Lisette Andrieux donne son avis.

— Je ne comprends pas, dit François Gallart. Vous paraissiez tellement pressée.

Elle ne peut pas expliquer. C'est quelque chose en elle qui s'alourdit. Une sorte de lassitude. Elle cherche des prétextes. En fait, au moment de prendre une décision sa volonté ne joue plus. Elle pense : pourquoi ? Elle remet tout en question. Elle explique à François Gallart qu'elle a besoin d'un devis pour y voir clair. Les capitaux ne lui appartiennent pas. Elle ne voudrait pas entraîner Lisette Andrieux dans de trop lourdes dépenses.

— C'est impossible de chiffrer d'avance, répond Gallart.

— Pourquoi ?

— Il faudrait faire des études préalables. Sonder les murs, le lit du fleuve, vérifier l'état des fondations. Actuellement, je ne pourrais établir qu'un devis très approximatif.

— Faites-les faire, ces études.

Elle gagne encore un peu de temps. Elle ne se l'avoue pas, mais elle a peur de tout régler trop vite et d'affronter de longues journées désertes. Mais François Gallart est impatient d'aller plus loin. Il s'entend le jour même avec une équipe de techniciens. Les travaux commencent un lundi matin. Ils doivent durer toute la semaine. Nicole a décidé de suivre jusqu'au bout les opérations de sondage. Elle revient aux Quatre Vents le soir, la tête pleine de bruits, de voix, de cris, de chiffres. Fatiguée, presque

satisfaite. Elle ne sait plus qui elle est. Elle oublie. La
Loire, le bâtiment, la fatigue. Rien d'autre. C'est un
premier espoir dans sa nuit. Avec le temps, et beaucoup
de journées semblables, elle finira peut-être par moins
sentir sa blessure. Comme certains hommes qui vivent avec
un éclat de métal dans le corps. Peu à peu ils n'y pensent
plus. Elle compte. Jusqu'à la fin de la semaine. Cinq
jours. Elle se lève de très bonne heure, arrive sur le
chantier la première. Les hommes la regardent, un peu
étonnés. Elle est assise au premier étage du bâtiment.
Elle écoute. Elle absorbe les bruits. Les oreilles, la tête,
le corps tout entier. Lorsque la nuit vient, et que les
ouvriers arrêtent leur travail, elle a l'impression d'être
ivre, de ne plus marcher droit. Au volant de sa voiture,
parfois, elle est obligée de faire un écart pour éviter le
fossé.

— Il y a une lettre de Noële.

C'est le vendredi soir. Gilles Vaindrier est assis devant
le feu. Il lit le journal, en attendant l'heure de dîner.
Nicole monte dans sa chambre, se change, s'assied quelques
minutes au bord du lit. Demain, les équipes travaillent
encore. Elles doivent avoir tout terminé pour quatre
heures. D'après les premiers résultats, on peut espérer que
le rapport des experts sera favorable. François Gallart
est venu le lui annoncer, au début de l'après-midi.

— Au fond, vous ne l'avez pas si mal choisi, votre
bâtiment.

Ses autres chantiers sont en sommeil. Il n'y va que de
loin en loin. Il a décidé de consacrer tout son temps à ce
projet de maison des Jeunes. Il a déchiré les premiers
dessins, qui ne lui plaisent plus, et ne cesse d'en faire
d'autres. Les idées lui viennent. Il est passionné. Nicole
Vaindrier se rassure. Tout ne sera pas terminé si vite.

Elle redescend. La lettre de Noële est sur le petit
bureau.

— Bonnes nouvelles ? demande-t-elle.

— Oui, dit Gilles. Un concert pour Ugo, à Venise.

Il sait qu'il ne faut pas en dire davantage. Depuis cette
soirée où ils se sont retrouvés si proches l'un de l'autre, ils
n'ont plus parlé de Noële. Lorsqu'une lettre arrive, ils la
lisent, sans faire de commentaires. Lorsqu'elle téléphone,

ils se transmettent les nouvelles brièvement, comme s'il
s'agissait d'une étrangère.

— Marie-Hélène dîne encore chez les Saulieu ?

— Oui.

Gilles Vaindrier grogne un peu. Il n'est pas très content.

— Elle va passer le week-end à Lyon. Avec Jean-
François et Burion. Elle me l'a annoncé tout à l'heure,
en ayant l'air de trouver ça tout à fait normal. Ils partent
dans la voiture de sport du petit ingénieur, et ne reviennent que le lundi matin pour la réouverture de l'usine.

— Elle est majeure, dit Nicole. Depuis déjà longtemps.

Elle regarde la lettre sur le petit bureau. Elle la lira
plus tard. Après le dîner. Ils passent à table. Elle se met
à parler des travaux. Elle raconte tout ce qui s'est passé.
Elle parle beaucoup, très vite, d'une voix un peu trop
tendue, comme si elle voulait faire renaître tous ces bruits,
toutes ces voix, pour rompre le silence des Quatre Vents.
Elle dit que François Gallart a bon espoir. Le rapport
des experts sera sûrement favorable.

— Il l'aura quand ?

— Dans quelques jours.

— Il pourra enfin établir un devis ?

Plusieurs fois déjà Gilles insiste sur ce point.

— On les connaît, ces architectes. Ils te présentent des
maquettes sensationnelles. Tu te laisses éblouir. Quand
vient le moment de payer, tu t'aperçois que c'est hors de
prix.

Nicole hausse les épaules.

— Pas Gallart. On voit que tu ne le connais pas. C'est
un homme de confiance.

— Je ne demande qu'à le connaître.

— Je l'inviterai à dîner un soir.

Ils reviennent dans le salon. Il faut la lire, cette lettre.
Comme si elle se forçait. Comme si quelque chose en elle
était sur la défensive. Tous les bruits du chantier pour
couvrir cette petite voix. Elle lit. Un concert, en effet.
Le 18 mars, dans un peu plus d'un mois. Au théâtre de
la Fenice à Venise. Pour une société privée, une sorte
de club international. Le signor Peretti a accepté parce
que cela évitait tout risque de perturbation. Seuls, les
membres du club auront le droit d'entrer. « *Mais si Ugo*

*le demande, on fera une exception pour vous deux. Venez
nous rejoindre. On est si bien à Venise. Souvenez-vous de
la photographie au milieu des pigeons.* » Peut-être. Nicole
Vaindrier ne dit pas non tout de suite. Il faut en parler
calmement avec Gilles, savoir ce qu'il en pense. Il a sûrement envie d'accepter. Il a sûrement envie d'embrasser
Noële. Si c'était demain, elle dirait non. Mais dans un
mois... Elle continue sa lecture, brusquement s'interrompt.
Elle savait. Il ne fallait pas. Pas ce soir. C'est un jeu.
Il faut se dire que c'est un jeu. Mais elle n'aurait pas dû.
Plus tard, dans une autre lettre. Beaucoup plus tard. Mais
ce soir...

— Tu as vu la signature ? demande-t-elle à mi-voix.

— Oui, répond Gilles.

A mi-voix, lui aussi. Sans se retourner, sans lâcher son
journal qu'il a repris. Mais à mi-voix. *Alexandra Karrassos.*
Pour la première fois. Elle explique que son père a décidé
de lui rendre son véritable prénom. A Athènes, tout le
monde suit son exemple. Delpina. Et Ugo lui-même, de
temps en temps. Elle dit qu'elle ne s'y habitue pas, qu'elle
hésite à répondre lorsqu'on l'appelle ainsi. Mais qu'il
faut bien y arriver. Et, par jeu — oui, par jeu, elle le
dit, et c'est vrai, Nicole le comprend, c'est un jeu — elle
s'est inventé une nouvelle signature. Elle en donne un
exemple, au bas de la page.

Nicole replie la lettre, la remet dans l'enveloppe, appuie
sa tête au dossier du fauteuil, ferme les yeux. Ils vivent
avec leur éclat dans le corps. Ils n'y pensent pas. Un geste,
un choc, la douleur se réveille, plus vive qu'avant. Il est
toujours là. Elle cherche longtemps à reprendre souffle.
Elle finit par tendre la main, par appeler doucement.

— Gilles...

Il prend sa main, la garde un moment, tente de la
réchauffer. Elle ne veut pas le lui dire, parce qu'il aurait
peur. Mais elle a senti la maison bouger. Depuis quelques
jours, il y a de grandes pluies, qui annoncent la fin de
l'hiver. Le jardin est noyé. Il a fait place à un large
fleuve, dont la poussée contre les murs est si forte, que
la maison vient de se détacher de la rive, emportée par
les courants. Nicole est assise sur le toit, la main levée.
Elle fait signe. Mais le pays est désert. Des arbres seule-

ment, à moitié enfouis dans les eaux, comme sur les
images des inondations. C'est la dérive.

Le lundi matin, Gilles Vaindrier grogne de nouveau, avec
un peu plus de conviction. Marie-Hélène est restée à
Lyon, avec Jean-François, à cause d'une panne de voiture.
Seul, le jeune Burion est rentré par le train.

— Pourquoi lui, puisque c'est sa voiture ? C'était à Jean-
François de rentrer, à Burion de faire réparer.

Il s'inquiète. Il a beaucoup d'affection pour Jean-François. Ce qui s'est passé n'y a rien changé. Mais cette façon
de se raccrocher à Marie-Hélène lui paraît trop rapide.
Un homme qui se noie saisit la première bouée qu'on lui
lance. D'instinct. Comment le lui reprocher ? Il faudrait
qu'il comprenne pourtant que Marie-Hélène risque d'en
souffrir. Gilles essaie d'en parler à Nicole. Elle ne répond
pas. Elle est debout près de la fenêtre. Elle regarde le
jardin, la pluie sur le jardin. Elle voit l'eau qui monte le
long des murs. Elle a l'impression que la lettre de Noële
a été emportée par un coup de vent sur la pelouse. La pluie
brouille l'encre, efface les mots. Ce n'est plus qu'un papier
trempé de petits ruisseaux bleuâtres. Mais la signature
est encore lisible : *Alexandra...*

Marie-Hélène revient le mardi matin. Elle annonce
qu'elle est obligée de rentrer à Paris. A cause de son patron.
Elle ne peut pas le faire attendre plus longtemps, sinon
elle risque de perdre sa place. On ne voit pas les jours
passer aux Quatre Vents. On se croit toujours en vacances.

— Du reste madame Saulieu va tout à fait bien maintenant. C'est pour elle que j'étais venue. Elle n'a plus besoin
de moi.

Elle ne dit pas la vérité. Gilles Vaindrier le sent. Il y a
quelque chose de rompu en elle, une certaine façon de
sourire, de plaisanter. Elle revient de Lyon, étonnée,
essayant de comprendre, comme quelqu'un qui dormait,
qui se réveille, et qui se souvient mal de ses rêves.

— Reste au moins jusqu'à la fin de la semaine.

— Ce soir, mon petit oncle. Je pars ce soir.

Elle fait sa valise. Dans l'après-midi, Jean-François

arrive aux Quatre Vents. C'est Gilles qui le reçoit. En
reconnaissant la voiture. Marie-Hélène s'est enfermée dans
sa chambre.

— Elle retourne vraiment à Paris ?

— J'ai tout fait pour qu'elle reste.

— C'est vraiment à cause de son patron ?

— Elle le dit.

Marie-Hélène est assise sur son lit, sa valise prête. Elle
regarde sa montre. Il faudrait que Jean-François ne s'attarde pas, sinon elle va rater son train.

Un coup discret à la porte.

— Marie-Hélène...

C'est Gilles. Il dit que Jean-François refuse de partir
avant de lui avoir parlé. Que c'est inutile de s'entêter plus
longtemps. Elle descend.

— Je suis venu vous chercher pour vous conduire à la
gare, dit Jean-François.

Ils sont seuls. Comme à Lyon, dans la chambre d'hôtel.

— J'ai beaucoup réfléchi, dit Jean-François.

Il a les mains dans les poches de son manteau. Il parle
sans regarder Marie-Hélène, la tête baissée, la voix sourde.

— Vous attendiez peut-être que je parle d'une autre
façon. Avec un peu plus de chaleur. Que je dise des choses
du genre : je n'en peux plus d'attendre. En ce moment,
c'est impossible. Je dis : j'ai beaucoup réfléchi.

Il lève brusquement la tête, la regarde. Elle est debout,
au milieu du salon, avec sa robe de voyage.

— Vous savez qui je suis. Vous savez ce que je peux
vous offrir. Un grand besoin de ne plus être seul. C'est
peu. Mais tout ce que je pouvais avoir d'autre, on me
l'a pris.

Elle ne bouge pas. Comme si elle était encore là-haut,
dans sa chambre. Comme si elle n'entendait pas.

— Pour le reste, soyons très lucides. Je ne quitterai pas
l'usine. Vous m'avez parlé, à Verbiers, de mes rêves d'aviation. Ils sont tout à fait morts. J'ai remis cette maison en
état. J'y resterai. Ce qui veut dire qu'il faudra vivre ici,
avec tous les souvenirs d'autrefois. Vous êtes peut-être
courageuse. Pas moi. Ce sont des souvenirs trop récents.
Ils me font encore peur.

Il attend un moment, le regard toujours posé sur elle.

Mais elle ne répond pas. Elle lève simplement la main pour s'appuyer au dossier d'un fauteuil.

— Si vous ne voulez pas habiter l'usine il y a un terrain boisé pas loin. Nous pourrons faire construire. De toute façon, mes parents sont là. Ce ne serait pas très agréable pour vous de partager l'appartement avec eux.

Brusquement, Marie-Hélène se redresse. Elle a tout le sang au visage. C'est à la fois de colère et de honte.

— Pourquoi ? dit-elle. Parce que j'ai passé une nuit avec vous ? Vous avez le droit de penser ce que vous voulez, de me mépriser. Tous les droits. Mais pourquoi venez-vous jusqu'ici vous moquer de moi ?

Elle tremble. Ses lèvres, ses mains. Tout son corps. Elle ne comprend pas cette vengeance.

— Pour vous, qu'est-ce que c'était ? Rien. Une fille parmi d'autres. Mais, moi... Tout le monde le sait pourtant. Tout le monde. Moi...

Elle cache son visage dans ses mains. Elle tremble toujours.

— Vous n'avez pas compris ?...

Jean-François s'approche d'elle. Il voudrait qu'elle se calme, qu'elle écoute mieux.

— Je ne me moque pas, dit-il.

Etonné devant cette colère, maladroit, cherchant comment se faire entendre.

— Vous non plus vous n'avez pas compris ?

Marie-Hélène se calme soudain, lève les yeux, interroge sans un mot. Sans un mot, il répond. Ils restent ainsi longtemps, l'un en face de l'autre, se demandant s'ils finiront un jour par se comprendre. Puis, Marie-Hélène regarde sa montre.

— Mon train, dit-elle.

Elle va chercher sa valise, embrasse son oncle et sa tante, monte dans la voiture de Jean-François. Ils ne prononcent pas un mot pendant le trajet. Ils regardent la route, qui s'efface avec le soir. En arrivant à la gare, avant de sortir la valise du coffre, Jean-François dit :

— Prenez tout le temps qu'il faut. Réfléchissez, à votre tour.

Ce délai, elle comprend que c'est pour lui qu'il le demande encore.

Aux Quatre Vents, il n'y a plus que des chambres vides, et le silence d'un dîner en tête à tête. Gilles Vaindrier parle de Marie-Hélène, explique son inquiétude. Pourtant ce qui s'est passé le rassure. Il a vu le visage de Marie-Hélène lorsqu'elle lui a dit au revoir. Un visage apaisé. Pas encore heureux. Mais avec une certaine lumière dans le regard.

— Elle sait très exactement ce qui s'est passé entre Noële et Jean-François. Elle n'a pas d'illusion. Elle se dit que ce sera très long. Mais elle a le droit d'espérer qu'avec le temps...

Nicole Vaindrier voudrait ne pas tout dire. Mais parler devant Gilles, c'est parler pour elle-même.

— Ce n'est pas en remplaçant un mot par un autre qu'on force la vérité.

Elle a quitté la salle à manger, s'approche de la fenêtre. La nuit est noire. Elle ne distingue plus le jardin. Mais elle entend la pluie qui tombe toujours.

— Il ne faut pas qu'en parlant de Marie-Hélène, Jean-François dise : ma femme, comme j'ai dit...

Elle hésite. La maison bouge. Les courants.

— ...comme j'ai dit : ma fille en parlant d'Alexandra.

Des jours encore. Une autre lettre. Ils sont à Venise. Ugo est venu travailler avec le signor Peretti. Cette fois, il a permis à sa femme de l'accompagner. Il a décidé de jouer une œuvre française, en hommage aux Quatre Vents, et à ceux qui ont recueilli la petite fille perdue. Il a choisi le *Concerto* en *sol* de Maurice Ravel. « *C'est pour vous qu'il jouera. Pour vous deux. Venez. J'aimerais tant que vous soyez là.* »

— Qu'en penses-tu ? demande Gilles Vaindrier.

Elle ne répond pas. Elle regarde un calendrier. Le concert a lieu dans trois semaines. Elle a perdu pied. Les jours tournent sur eux-mêmes, comme un remous, au milieu d'un fleuve. Le fleuve est de plus en plus large. Elle n'a pas lu la lettre. Elle a demandé à Gilles de la lire à haute voix pour eux deux. Elle n'a pas vu la signature. Elle est toujours assise sur le toit de la maison. Isolée.

Perdue. Le téléphone sonne. C'est François Gallart. Il a
reçu le rapport des experts. Il voudrait le lui montrer.
Il a de nouveaux plans à lui soumettre. Elle fait répondre
qu'elle est souffrante, qu'elle ne peut pas quitter les
Quatre Vents. Des jours. Madame Marie est muette. Prise,
elle aussi, par la dérive. On ne lui a pas dit que Noële
attendait un enfant. C'est trop tôt. De toute façon, puisque
la naissance aura lieu en Grèce, à quoi bon en parler déjà ?
Une lettre encore. Celle-ci vient d'Amérique. C'est le président du club pour lequel Ugo donne son concert. Il s'est
obligé à écrire en français. Il dit, en de longues phrases
cérémonieuses, combien il serait heureux d'accueillir à
Venise monsieur et madame Vaindrier comme hôtes excep-
tionnels, et de leur réserver deux places à la Fenice pour
le concert du 18 mars.

— A Venise, en mars, il doit faire beau, dit Gilles.

Elle ne dit pas non. Elle dit : peut-être. Elle ne sait
plus. Elle sait seulement qu'il faut faire quelque chose,
n'importe quoi, que c'est trop de journées perdues. La
dérive est de plus en plus forte. Il y a cette lettre, cette
voix de l'autre côté de l'eau, cette main levée d'un homme
qui a le titre de président et qui semble dire : prenez
patience, madame, j'arrive, je vais vous aider à descendre
du toit. Mais elle ne comprend pas comment. François
Gallart téléphone de nouveau. Cette fois, elle répond elle-
même. Il annonce qu'il a établi un premier devis, qu'il
voudrait le lui soumettre.

— Venez dîner aux Quatre Vents, jeudi soir. Mon mari
aimerait vous connaître.

C'est un dîner qui s'interrompt brusquement. Elle entend
la porte qui se referme, le pas de François Gallart dans
le jardin, le bruit d'un moteur, une voiture qui s'éloigne.
Tout bascule. Gilles Vaindrier revient.

— Depuis quand le savais-tu ? demande-t-elle.

— Un mois environ.

— Pourquoi ne m'en as-tu pas parlé ?

Il craignait qu'elle renonce à ce projet de maison des
Jeunes. Il estime que ce n'est pas une affaire grave, qu'il
fallait simplement que la vérité soit dite.

— Maintenant que je l'ai vu, que je lui ai parlé, je suis

tout à fait rassuré. Cet homme est parfaitement honnête.
Nicole a fermé les yeux. Elle cherche le visage de sa
fille, comme une lumière dans sa nuit. Elle s'effraie de ne
pas le retrouver. Pour l'avoir si longtemps repoussé, va-
t-elle devenir aveugle ? François Gallart est parti, la porte
est fermée. Il a tout emporté avec lui. Les mensonges, les
erreurs, les refus. Tout. Et les courants de la dérive perdent
de leur violence.

— Je n'ai pas étudié l'affaire en détails, continue Gilles
Vaindrier. Mais je suis sûr qu'il dit la vérité lorsqu'il
rejette toute la responsabilité sur son cousin. S'il était
vraiment coupable, après un pareil scandale, il
ne serait pas resté en France. Il aurait été se cacher
quelque part. Ou il aurait changé de nom. Sa décision de
faire face, de venir s'installer à Roanne, et de tout recommencer à zéro est une décision d'homme courageux et
honnête.

Noële. Elle a senti le remous s'effacer et sur l'eau, enfin
apaisée, le visage lui est apparu. Noële. Elle prononce le
nom tout bas, avec colère, parce qu'elle a attendu trop
longtemps, parce qu'elle a failli tout perdre, par défi, par
fierté, par orgueil. Elle dit : Noële, comme on dit : pardon,
comme on dit : je t'aime.

— Tu n'as pas pu l'oublier, toi non plus, cette affaire
du Vésinet. Il y a quatre ans. Tous les journaux en ont
parlé. La justice est intervenue. Il y a eu d'autres scan-
dales immobiliers depuis, des architectes compromis, des
enquêtes, des procès. Mais celui du Vésinet a fait plus de
bruit que les autres. Gallart, c'est un nom qui me disait
quelque chose. Je ne savais pas exactement quoi. Le jour
où tu m'as annoncé : j'ai rendez-vous avec un architecte qui s'appelle Gallart, j'ai tout de suite pensé : je
connais. C'est pour ça que j'ai fait ma petite enquête. Je
n'ai pas eu de mal à savoir. Dès qu'il s'agit de dire du mal
de quelqu'un, les amateurs sont nombreux. Tu n'imagines
pas ce qu'on a pu me raconter. Mais je suis sûr qu'il
nous a dit la vérité.

Nicole Vaindrier n'entend pas, ne veut pas entendre.
La vérité, oui. François Gallart, oui. Mais plus tard. Ce
qu'elle veut maintenant c'est Noële, se réconcilier avec
Noële, descendre du toit et signer sa paix avec Noële.

Aller vers elle. Lui dire tout. Avec le même courage que
François Gallart. La vérité.

— J'espère que tu ne vas pas renoncer à tes projets.
Il faut poursuivre. Ce serait injurieux pour lui que tu
lui retires ta confiance. Tout le monde, dans le pays, sait
que tu travailles avec lui. Si on apprend que tu l'aban-
donnes, ce sera comme si le procès reprenait, comme si on
le déclarait coupable une seconde fois.

Elle secoue la tête. Les devis, plus tard, les projets,
les maquettes, plus tard.

— Gilles...

Elle est contente que François Gallart ait parlé, qu'il
lui ait donné l'exemple. Noële. Il faut avouer ses propres
mensonges.

— Gilles, il faut répondre oui au président. Il faut
rejoindre Noële à Venise.

CHAPITRE VIII

LE CAFE FLORIAN

— Passeports...

Tout est rose. Le printemps dans quelques jours, un ciel qui s'en étonne, des femmes avec les bras nus. Les douaniers ont le sourire. Derrière les barrières, un homme agite les bras.

— Tu le reconnais ? C'est le signor Peretti...

Il crie quelque chose. Mais ils sont trop loin pour entendre.

— Noële n'a pas l'air d'être là.

Les formalités de police sont terminées.

— Va le rejoindre, dit Gilles. Je m'occupe des bagages.

— Ah ! *signora* Vaindrier...

Il porte déjà un chapeau de paille, des gants de fil, une rose à la boutonnière, une cravate de la même couleur.

— Noële n'est pas souffrante, au moins ?

Il sourit, secoue la tête.

— La beauté, la santé, le bonheur. Mais venir à l'aéroport, trop fatigant, *signora,* pour quelqu'un qui attend le *bambino...*

Il s'incline, baise la main de Nicole, dit son plaisir, sa joie, son ravissement de la revoir, la remercie d'avoir accepté son hospitalité.

— Un honneur pour moi, un si grand honneur...

Il s'excuse déjà. Son palazzo, c'est si petit, si simple, si inconfortable, mais il espère que monsieur et madame Vaindrier accepteront de s'en contenter et ne regretteront pas la petite *pensione* de leur précédent séjour. Nicole répond à peine. Elle ne comprend pas pourquoi c'est si long de franchir la douane. Elle voudrait déjà être avec Noële. Depuis qu'elle a pris la décision de venir, elle se sent en paix avec elle-même. Elle a vécu ces deux semaines dans une sorte de silence heureux, bougeant à peine, écoutant la vie secrète des Quatre Vents reprendre peu à peu, comme ces ruisseaux sous la glace, qu'on entend courir et qui annoncent que l'hiver est fini. Elle n'a pas téléphoné à Noële. Elle n'a pas voulu entendre sa voix trop lointaine. Elle lui a écrit pour lui annoncer qu'ils arriveraient la veille du concert, le 17 mars. Elle a regardé les jours s'éteindre sans hâte. Elle a demandé à Gilles d'aller trouver François Gallart, de tout lui expliquer pour qu'il ne se blesse pas de cet ajournement. Elle s'est installée dans l'immobilité. Après l'inondation, et lorsque les eaux se retirent, la terre a besoin d'être asséchée lentement. Maintenant qu'elle est à Venise, que l'avion s'est posé, elle ne supporte plus d'attendre. Puisque Noële n'est pas venue à l'aéroport, pourquoi l'empêche-t-on de la rejoindre ?

Gilles Vaindrier arrive enfin avec les valises. Le signor Peretti recommence pour lui ses protestations d'amitié, les entraîne vers une voiture qui attend. Pendant le trajet, il donne des nouvelles de Ugo, qui répète avec l'orchestre.

— Il joue la musique française, vous savez ? *Bella bellissima...* Ravel, le *Concerto* en *sol.*

C'est un chef d'orchestre français qui dirige le concert : monsieur Forestier, très célèbre, très âgé, arrivé à Venise la semaine dernière, très sévère toujours lorsqu'il s'agit de Ravel, et très méfiant au début devant Ugo qui ne l'avait jamais interprété, mais très vite séduit et content, et surtout si heureux de parler de la France avec la *signora* Luckas. Nicole met quelques secondes à comprendre qu'il s'agit de Noële. Elle a fermé les yeux. Elle ne regarde pas la route. Elle écoute à peine ce que raconte le signor Peretti. Il est assis à côté du chauffeur, et parle en tournant la tête. De temps en temps, Gilles répond, par politesse. Il sent Nicole tendue, impatiente. Lui aussi, voudrait déjà être arrivé. Il faut atteindre Venise, descendre de

voiture, prendre un bateau. Le palazzo n'est pas loin
de la place Saint-Marc.

Ils y parviennent enfin. Ces derniers instants leur parais-
sent plus longs que le voyage tout entier.

— Où est Noële ? demande Nicole Vaindrier.

— Dans la chambre, là-haut, *signora*. Vous connaissez.
Toujours la même.

Nicole monte l'escalier. La porte de la chambre est
ouverte.

— C'est toi, maman ?

Noële est debout près de son lit, anxieuse, ne sachant
quel geste faire, quel mot prononcer, espérant que ce
sera comme d'autres jours, tous les jours d'avant ce long
silence. Nicole Vaindrier entre dans la chambre. Elle ne
regarde pas le visage de Noële, mais son corps, attentive
à y découvrir un signe de ce qui la rend si belle, épanouie,
déjà un arbre, déjà un fruit. Il lui semble qu'elle voit
deux visages, qu'elle entend deux cœurs.

— J'ai essayé, dit-elle tout bas. Mais Alexandra, je ne
sais pas le dire.

Sur le seuil de la chambre, n'osant pas entrer, regardant ce monde déjà en mouvement, déjà animé d'une
vie impérieuse, et dont elle n'a jamais pu franchir les
frontières.

— Je voudrais bien. Je ne sais pas. Quand je pense
à toi, je dis Noële, sans y penser. Depuis toujours. Chaque
matin, depuis vingt et un ans. Alors...

Noële fait un pas vers elle.

— Pardon, dit-elle. Pardon, maman. Je suis ta fille.
Embrasse-moi.

Nicole Vaindrier approche à son tour. Elles sont au
milieu de la chambre, avec tout ce rose dans les vitres.
Elles se regardent enfin. Leurs yeux sont changeants
comme si, de l'autre côté de leur visage, il y avait tous
les canaux de Venise. Alors gravement, Nicole Vaindrier
se met à genoux, prend dans ses mains la taille de Noële,
y appuie longuement les lèvres.

— Que fais-tu, maman ? Relève-toi.

Nicole Vaindrier a fermé les yeux. Elle devine le secret
de ces deux corps l'un en l'autre enfermés.

— J'embrasse l'enfant d'abord, dit-elle à voix basse.

Parce qu'il est à toi. Parce qu'il portera le nom que tu lui donneras.

Noële tombe à genoux à son tour. Elles se serrent, s'agrippent, s'attachent, comme retrouvées, comme si tous les canaux de Venise les avaient rendues l'une à l'autre.

— Maman.

Un long temps de silence, à ne plus savoir, à serrer de toute sa force, de toute sa tendresse.

— Maman. Seulement cela. Depuis que je t'attends. Tous les jours depuis que je sais que tu vas venir et que je t'attends.

— Noële.

— Je t'ai attendue. Si tu savais comme je t'ai attendue. Tu cherchais des raisons. Tu refusais de venir. Je ne comprenais pas. Je t'en voulais.

— Noële.

— Noële, oui. Je m'appelle Noële. D'un bout à l'autre de la terre, même si le monde entier nous sépare, tu diras Noële et je tournerai la tête vers toi.

Longtemps immobiles, accrochées, agrippées, le souffle partagé, mère et fille enfin retrouvées. Puis, de nouveau, Nicole pose ses deux mains sur la taille déjà alourdie.

— Il bouge ?

— Pas encore.

— Cela fait quatre mois ?

— Quatre mois.

Un murmure, des secrets de l'une à l'autre, et le sentiment qu'elles ont toute leur vie à réinventer.

— Comment es-tu ?

— Aveugle, sourde, dans un autre monde. Plus rien autour de moi que ce mystère, cette vie qui me prend peu à peu. Parfois je me dis que c'est une ville qui se construit, un continent apparu à la surface des eaux, un univers.

— J'avais oublié ta voix. La vérité, je vais te la dire. Je ne savais plus qui tu étais. Je te croyais morte.

— Maman...

— J'étais toute seule. Gilles ne pouvait rien pour moi. Même lui. Je te cherchais. Parle encore. J'ai besoin de t'entendre.

Le soleil à travers les vitres, l'odeur du printemps, et, sous les murs du palazzo, l'appel d'un gondolier.

— Tu vas rester avec moi. Des heures et des heures. Nous n'allons plus nous quitter. Ugo travaille toute la journée. Nous serons seules. Tu me raconteras. Depuis le vingt et un octobre. Tu as compté ?

— Près de cinq mois. J'ai compté. Pendant que cet enfant se nourrissait de toi, en moi c'était le contraire. Tu te détachais. Tu te séparais.

— Maman...

Un long moment encore. Toutes les cloches de Venise dans le ciel, avec des pigeons au-dessus des toits, gonflés comme des voiles. Puis Gilles Vaindrier entre. Il les trouve ainsi, au milieu de la chambre, accrochées l'une à l'autre, et il sait qu'il faut plaisanter, pour que tout s'apaise.

— Il n'y en a que pour ta mère, alors ? Ça t'est bien égal que je sois là, moi aussi, et que j'attende, et que j'aie l'air de m'occuper des valises...

— Que c'est bon, crie Noële. Que c'est bon de vous entendre enfin.

Elle rit. Elle se relève, Nicole se relève avec elle, s'aidant l'une l'autre, incapables encore de ne pas avoir les mêmes gestes en même temps. Puis elle se jette dans les bras de Gilles Vaindrier, lui saute au cou, l'embrasse sur les deux joues, avec un grand bruit et son rire qui ne s'arrête pas.

— Bonjour, papa.

C'est le bonheur. Ils parlent tous les trois en même temps. Des questions dans tous les sens, car ils sont impatients de savoir, de comprendre, de découvrir.

— Et Ugo ? demande Gilles Vaindrier.

— Il travaille, avec l'orchestre, à la Fenice.

Gilles se souvient. Le signor Peretti le lui a dit. Musique française.

— Il en a pour longtemps ?

— La journée, papa. Peut-être reviendra-t-il, très vite, à l'heure du déjeuner parce que vous êtes là. Mais ce n'est pas sûr. N'oublie pas qu'il joue demain.

Il a envie de les laisser seules, d'aller faire un tour du côté de son gendre, de sa musique, de cet univers dont il ne sait rien. Elles ont tant à se dire, que son absence passera inaperçue. Il descend l'escalier, se fait expliquer le chemin par le signor Peretti, quitte le palazzo. Seul, dans Venise, comme en vacances.

Déjà, Nicole et Noële parcourent en désordre le long chemin qui les sépare, impatientes de tout se dire, allant d'une chambre à l'autre, ouvrant les valises, s'arrêtant au bord d'un lit, d'une fenêtre, un objet à la main, s'interrogeant, écoutant, au hasard, se regardant surtout, se regardant longuement, surprises de se trouver si différentes, presque inconnues l'une pour l'autre, et Nicole Vaindrier pense : *La gare de Grenoble...*, parce qu'elle se sent prise du même étonnement devant cet être neuf, dont le poids remet soudain son existence en jeu. Elle comprend brusquement ce qui s'est passé, pourquoi, en écoutant parler François Gallart, elle a tout de suite pensé à Noële.

— Il faut que tu m'aides, dit-elle.

Noële est revenue dans sa chambre. Les valises sont défaites, les affaires rangées.

— Que tu m'aides à y voir clair.

— Moi ?

— De temps en temps il faut changer les rôles, et que ce soit les enfants qui donnent des conseils aux parents.

— C'est grave ?

Nicole hésite. Elle ne sait plus. Aux Quatre Vents, tout semblait grave. Depuis qu'elle a retrouvé sa fille, les poids ne sont plus les mêmes. Plus rien n'a d'importance, sinon la complicité de leur tendresse.

— Pendant quatre mois, j'ai eu l'impression que tu te détachais de moi, je te l'ai dit. Je me suis trouvée seule. Complètement seule. Pour m'en sortir, je me suis accrochée à cette histoire de maison de Jeunes. C'est devenu pour moi une idée fixe, une obsession, une maladie. Par moments, je redevenais lucide, je me disais : tu as perdu la tête. Je regardais autour de moi. Tu n'étais pas là, alors je me replongeais dans mon obsession. Une drogue ...

En le racontant, dans cette chambre de palazzo vénitien, avec les reflets du canal qui dansent sur le plafond, et le visage de Noële si profondément attentif, elle a l'impression que c'est une histoire lointaine et qui ne la concerne plus.

— Dans cette nuit complète, j'ai cru un jour apercevoir une lumière. J'ai rencontré quelqu'un qui s'intéressait enfin à mon projet. J'en avais interrogé plusieurs qui, tous, m'avaient répondu : non. Et celui-là, François Gallart, un architecte de Roanne, a fini par dire oui. Il s'est mis à travailler sur les plans, à se passionner. Il m'a donné du courage, de la force. Je me suis dit : voilà enfin quelqu'un qui m'aide, qui m'oblige à sortir de moi-même. J'étais presque sauvée. Je ne dis pas que je ne pensais plus à toi, mais c'était moins difficile. Et puis, il y a un peu plus de quinze jours...

Elle s'approche de la fenêtre. Il y a un petit balcon, avec des rosiers en pot, encore couverts de paillons. Elle se dit que l'hiver est fini, qu'il va faire beau longtemps, que dès qu'elle aura tout raconté à Noële, elles iront au hasard dans les rues, pour jouer à se perdre.

— Peut-être ne vas-tu pas comprendre. Moi-même, c'est aujourd'hui seulement que tout devient clair. Un soir, aux Quatre Vents, ton père a obligé François Gallart à s'expliquer sur un scandale immobilier dans lequel il a été compromis, il y a quatre ans. Un scandale, comme il y en a de temps en temps. François Gallart n'est pas coupable. Il a été obligé d'assumer des responsabilités qui n'étaient pas les siennes. Il nous l'a prouvé. J'ai une totale confiance en lui. Pourtant, ce soir-là, j'ai tout arrêté. Parce que...

Elle revient vers Noële, reste debout, comme un enfant que sa mère interroge et qui avoue la vérité.

— Cet homme est semblable à moi. S'il s'est accroché à cette maison des Jeunes, c'est pour s'en sortir lui aussi. Parce qu'après ce scandale, il a été obligé de tout recommencer. En lui apportant cette affaire, pratiquement officielle, puisque le conseil Municipal y est mêlé, c'est comme si je lui donnais une caution de garantie, comme si je le réhabilitais. Tu comprends ? Je croyais avoir trouvé quelqu'un qui m'aidait. J'ai découvert quelqu'un d'aussi faible que moi, et qui attendait que je l'aide. Alors, j'ai dit : Noële. Il faut que j'aille voir Noële. Il n'y a que toi, mon chéri, il n'y a que toi qui puisses m'aider.

Elles se regardent un long moment. Puis Noële secoue la tête. Elle est mécontente, le visage sévère, presque irritée.

— Tu es orgueilleuse, dit-elle.

Nicole Vaindrier attend, certaine d'être bien jugée.

— Si tu m'avais appelée je serais venue, n'importe où, n'importe quand. Mais tu ne voulais pas que je sache. Ni personne. Pas même papa. Tu ne lui en as jamais parlé. Tu voulais qu'on continue à croire que tu étais Nicole Vaindrier, la solide, la raisonnable, la parfaite Nicole Vaindrier.

— Tu me parles durement.

— Durement, oui, parce que personne ne l'a fait. Mais tristement parce que je suis coupable aussi. Et tendrement, parce que je t'aime. Si tu savais comme je t'aime.

Elle lève doucement la main, l'approche du visage de sa mère, efface de son front ces longs plis, que tant de semaines y ont tracés, s'attarde un moment sur la joue, comme une caresse, comme un pardon. Nicole a fermé les yeux. Elle prend la main de Noële, l'embrasse.

— Maintenant, je vais tout à fait bien, dit-elle.

— Qui est là ?

Ugo s'arrête de jouer, se penche vers la salle. Il a entendu s'ouvrir une porte de loge, quelqu'un qui entrait.

— C'est moi, Ugo. Je vous dérange. Pardonnez-moi. Je pensais ne pas faire de bruit.

Ugo se lève.

— Monsieur Vaindrier...

Il descend de scène, se glisse entre les fauteuils, vient jusqu'à Gilles, qui est debout sur le bord d'une loge.

— Je voyais mal. La salle n'est pas éclairée.

Ils se serrent la main.

— Vous venez d'arriver ?

— Il y a une heure. Noële est avec sa mère. J'ai eu envie de vous entendre répéter. Le signor Peretti m'a dit que c'était possible.

Gilles Vaindrier n'est pas à l'aise dans cette salle vide. Il parle à mi-voix, comme s'il craignait de troubler le silence.

— C'est dommage, dit Ugo, vous arrivez au moment de la pause. Les musiciens ne seront pas là avant une demi-heure.

— J'ai eu un peu de mal à trouver le théâtre. Les gens m'indiquaient des rues à droite, à gauche, mais je tombais toujours sur un canal.

Il essaie d'interroger la pénombre. Il distingue un drap blanc qui recouvre les fauteuils et transforme le théâtre en une sorte de lit désert.

— Je reviendrai, dit-il. Je vous dérange.

— Pas du tout. Je m'occupe les doigts. Restez.

Ils sont debout l'un en face de l'autre, séparés par le rebord de la loge, et, comme il y a peu de lumière, ils peuvent se regarder sans gêne.

— Ne restez pas là, dit Ugo. Vous êtes mal.

Il repousse le drap, dégage quelques fauteuils. Gilles Vaindrier sort de la loge, tâtonne dans l'obscurité du couloir, réussit à trouver la porte qui conduit dans la salle. Il pense à ces grottes profondes, où l'on enferme des volontaires pour les soumettre à des expériences scientifiques. Lorsqu'ils reviennent au grand jour, on raconte qu'ils ont tout oublié de la date, de l'heure, du temps écoulé. Sur les photographies que publient les journaux, on les voit porter la main à leurs yeux, de peur d'être éblouis à jamais, aveuglés par la lumière.

— Par ici, dit Ugo qui l'aide à s'y retrouver.

Gilles regarde la scène, les pupitres, les chaises.

— Combien avez-vous de musiciens ?

— Quatre-vingts.

— C'est beaucoup.

— A peu près le même nombre toujours.

— Vous les connaissez tous ?

— Quelques-uns seulement. Il y a beaucoup d'orchestres dans le monde.

— Je n'aimerais pas travailler avec des gens que je ne connais pas.

— Ce n'est pas avec eux que je travaille, mais avec le chef qui les dirige. Il n'y a pas quatre-vingts musiciens sur cette scène. Il y a un orchestre. Un tout.

Gilles Vaindrier écarte les mains un peu maladroitement.

— Tout ça est très nouveau pour moi. Mes questions doivent vous sembler naïves.

— Au contraire. Personne ne les pose. Les journalistes s'intéressent à tout autre chose.

— Et Noële ?

— Elle est entrée dans cet univers, comme on pousse une porte. Elle ne s'étonne de rien. Elle accepte les choses telles qu'elles sont.

Gilles Vaindrier fait quelques pas, s'approche de la scène, regarde le piano noir, ses longs bois vernis, où jouent les reflets d'un projecteur.

— Vous savez, dit-il...

Il ne sait pas très exactement les mots à employer. Mais il sait que le moment est venu.

— Cela ne va pas vous faire plaisir que j'en parle, mais, depuis le concert de New York, j'ai beaucoup d'estime pour vous.

Ugo est derrière lui, à quelques pas. Il a écouté. Quelque chose s'est mis à vivre. Une image. Toujours la même. Un homme, devant la fenêtre, dans la villa du lac Balaton. Qui parlait de la même façon, en tournant le dos, lorsqu'il avait une chose importante à dire.

— Je n'ai pas regardé la télévision, continue Gilles Vaindrier. Mais ma femme m'a raconté, et j'ai lu les journaux. Je vous ai trouvé très courageux de vouloir jouer quand même, d'être allé jusqu'au bout. Je ne vous connais pas beaucoup. Nous n'avons pas eu, jusqu'ici, des contacts faciles. Alors, je tenais à vous le dire.

Il fait quelques pas encore, fouille les poches de sa veste, comme s'il cherchait sa pipe machinalement. Ugo est immobile. Il se répète ces mots entendus.

— C'est la première fois, dit-il enfin.

— Pardon ?

Gilles se retourne.

— Je dis : c'est la première fois que quelqu'un me parle ainsi.

Il voudrait sourire. Il ne peut pas. Il y a l'image trop présente de son père. Il avait dix ans. Il ne comprenait pas toujours. C'est maintenant qu'il comprend. Deux hommes entrent sur la scène. L'un d'eux porte un violon.

— La pause est terminée, dit Ugo.

D'autres hommes arrivent. Peu à peu l'orchestre s'installe. On entend les instruments qui s'accordent. Quelqu'un vient jusqu'au piano, frappe plusieurs fois sur une note.

— C'est ce qu'on appelle donner le la ? demande Gilles.

— Oui.

L'un près de l'autre. Ils ne se regardent pas. Mais ils sont détendus. Ils respirent calmement.

— Je ne crois pas pouvoir m'échapper avant ce soir, dit Ugo. Il y a beaucoup de travail le dernier jour.

— Alors je vais aller retrouver ma femme et Noële.

Ugo ne s'étonne pas. Ce n'était pas pour la répétition. C'était pour lui. Pour que ces mots soient dits et que la paix soit faite.

— Ce soir, vers six heures, nous pourrions nous retrouver au Florian, tous les quatre.

— Au Florian, dit Gilles.

Et ils se sourient.

Ils ont envie de rester dehors, sur la place Saint-Marc. Ils sont seuls, à une table qu'on a installée pour eux. Tous les autres consommateurs sont à l'intérieur, parce que la nuit tombe et qu'il fait encore froid. Mais c'est comme un jeu, et ils sont d'accord pour s'y prêter. Ils ont mis des manteaux, des chandails. Ils ont demandé du vin chaud. Ils ne parlent pas. Toute la journée ensemble à tout se dire, à tout s'avouer, à tout partager. Même le secret de Maria, et de la tempête. Noële a voulu qu'ils sachent. Ugo le lui avait permis. C'était dans le palazzo Peretti, après le déjeuner. Nicole et Gilles Vaindrier ont écouté en silence. Ce que Yannis Karrassos n'avait pas pu révéler la veille de Noël, dans sa longue conversation avec Gilles, ce qu'il avait seulement laissé pressentir, s'éclairait enfin. Lorsque Noële a cessé de parler, ils l'ont regardée. Elle n'avait pas besoin de mots pour comprendre à quel point ils étaient bouleversés. Beaucoup plus tard, seulement, dans l'après-midi, alors qu'ils marchaient dans Venise, au hasard, en attendant d'aller retrouver Ugo au café Florian, Nicole Vaindrier a dit, à mi-voix, en serrant le bras de Noële :

— Je comprends maintenant ce que représente l'enfant pour lui.

Ils sont passés devant la statue des petits rois. Noële leur

a expliqué la tradition qui s'y attachait. L'un après l'autre,
ils ont posé la main sur la pierre. Puis Gilles a demandé
à l'un des garçons du Florian qu'on leur installe une
table dehors. Et ils attendent. Les lumières s'allument
sous les arcades. Les vitrines des magasins de verreries
ont des reflets de grotte sous-marine. Un homme passe,
habillé de gris clair, le chapeau sur l'œil, rapide, la
démarche presque dansante.

— C'est monsieur Forestier, dit Noële. Le chef d'orchestre qui dirige le concert de Ugo.

Il les aperçoit, assis tous les trois au milieu de la
place. Il lève les bras, vient vers eux. On dirait que la
musique est en lui, et qu'il marche à son rythme, en
chantonnant.

— Vous ne connaissez pas mes parents adoptifs, maître.

Il se penche, salue avec un grand sourire. De près son
visage laisse deviner un âge qu'on ne lui soupçonnait
pas. Il a de la bonté dans les yeux, de la vivacité dans
les gestes, et la voix un peu voilée de la sagesse.

— Ugo me suit, dit-il. Nous reprenons la répétition
tout à l'heure. Je me suis échappé un instant, pour respirer Venise, enjamber quelques canaux, comme on fait
un pas de danse, pour le plaisir.

— Vous êtes français, monsieur ? demande Nicole.

— De naissance, mais vénitien de cœur. Et chaque fois
que j'arrive ici, que je découvre le Grand Canal, je suis
pris d'un désir de danser. Mais oui. Malgré mon âge.
Parce qu'à Venise le cœur retrouve ses vingt ans.

Il les regarde tous les trois. Dans le soir qui vient
lentement, il est comme celui qui apporte une lanterne,
et tient les ombres en respect.

— Noële m'a appris que vous viviez dans une maison
entre les arbres, au bord de la Loire.

— En effet, dit Gilles. Mais pas la Loire des châteaux
et des rois. Celle des monts de la Madeleine, du côté
de Roanne.

— Je la connais, répond maître Forestier.

Il plisse un peu les yeux. Son sourire se fait plus secret.

— Elle n'a pas trouvé sa démarche. Elle se dégage
à peine des montagnes. Aucun affluent ne la grossit
encore. Elle est jeune, vigoureuse, et pourtant déjà indo-

lente. J'ai pensé à elle aujourd'hui en écoutant Ugo travailler le *concerto* de Ravel.

— Comment est-il ? demande Noële.

— Impressionnant de tendresse. J'ai souvent dirigé ce concerto. D'autres le jouent plus gravement, plus brillamment, plus profondément. Aucun ne le jouera jamais plus tendrement. Cet après-midi, tout l'orchestre avait les larmes aux yeux. Vous allez penser que j'exagère. Mais non. Vous l'entendrez demain. Il n'a plus la mort dans les doigts, comme il l'avait à New York, mais le cœur.

Une ombre passe entre eux, et s'éloigne. Une petite fille, avec des cheveux sur le visage, mouillés par les eaux de la tempête.

Puis, maître Forestier lève la main, comme si les musiciens, cachés derrière les arcades, n'attendaient qu'un signe de lui pour jouer.

— Venise s'impatiente. Mais j'ai encore une minute pour vous faire entendre ce que Taine a. écrit du café Florian. « *On s'asseoit au café Florian dans de petits cabinets lambrissés de glaces et de riantes figures allégoriques. Les yeux mi-clos, on suit intérieurement les images de la journée. On laisse fondre dans sa bouche des sorbets parfumés, puis on les réchauffe d'un café exquis. On fume du tabac d'Orient, et on voit arriver des bouquetières en robe de soie, gracieuses, parées, qui, sans rien dire, posent sur la table des narcisses ou des violettes.* »

Il sourit de tout son regard tendre, de tout son visage animé du plaisir de l'amour. Sa voix est celle d'un jeune homme qui enroule des romances au balcon d'une bien-aimée. Il fait un grand salut, et repart, dansant d'un pied sur l'autre à travers la place où les pigeons, dormant déjà sur les corniches. le prennent pour l'un d'entre eux.

Nicole Vaindrier l'a regardé partir. Elle aime cette façon de parler de la Loire. Brusquement, en l'écoutant, elle a eu le sentiment d'être revenue aux Quatre Vents, elle a compris qu'elle y vivrait désormais en paix avec elle-même, que cette longue journée commencée sur cette place Saint-Marc, cinq mois plus tôt, et toute hérissée d'erreurs, de malentendus, d'arrière-pensées, s'achevait enfin.

— Le voilà ! dit Gilles.

Ugo arrive en courant, du fond des arcades.

— J'avais peur que vous ne m'ayez pas attendu.

Il sourit à Nicole Vaindrier qu'il n'a pas encore vue depuis son arrivée. Elle se lève, l'embrasse. Ils sont tous les quatre réunis, comme ils auraient dû l'être, il y a cinq mois.

— Toute la journée j'ai pensé à vous, dit Ugo. Je croyais que je ne saurais pas jouer cette musique française. J'avais peur.

C'est Nicole qui cherche à le rassurer.

— Maître Forestier, qui vient de passer, nous a dit que l'orchestre entier, cet après-midi...

— Ce n'est pas pour lui que je joue. Les musiciens avaient l'air contents, cet après-midi, c'est vrai. Mais ils écoutaient, en professionnels. Demain, vous serez là, tous les trois.

Il est resté debout. Il n'a pas le temps de s'asseoir. Il faut qu'il retourne à la Fenice. La répétition n'est pas terminée. Il est heureux. Impatient d'être au lendemain. Il a les cheveux ébouriffés parce qu'il a couru, et si clairs dans la nuit qui descend, qu'ils semblent comme le dernier reflet de la lumière.

— Demain, j'entrerai peut-être vraiment dans votre famille.

Gilles Vaindrier lève une main.

— Mais, Ugo...

— Non, Monsieur. Jusqu'ici je n'étais rien pour vous. Rien que le mari de Noële. Un étranger. Demain soir, après le concert, vous me direz si j'ai réussi à franchir une autre frontière. Celle qui me sépare de vous.

Il se penche, caresse doucement le visage de Noële.

— Il faut que je parte. Pardon.

Il se met à rire.

— Vous croyez que je suis un peu fou. Parce que j'arrive en courant et que je repars en courant, et que je dis des choses qui semblent ne pas avoir de sens. Mais je vous jure qu'elles en ont un.

Ils savent. Tous les quatre. Ils savent exactement. Ils ont vu passer tout à l'heure l'ombre de la petite fille. Ils pensent à la mère de Ugo, debout devant sa porte. Un

cri. Ils l'entendent, loin derrière les palais qui s'endorment,
au-delà des mers. Ils savent, sans qu'il soit besoin de
rien dire. Ugo rit encore. Il est comme maître Forestier
tout à l'heure. Il danse d'un pied sur l'autre. La musique
est en lui. Elle se confond avec ce cri lointain, avec
cet appel, qui n'est plus un cri de révolte, mais une
plainte sourde et une prière. Il s'échappe, disparaît entre
les colonnes. Ce n'est plus la chemise rouge du premier
jour. C'est, dans ses cheveux, la promesse d'un autre
matin.

— Il commence à faire froid, dit Gilles Vaindrier.

Il se lève à son tour, appelle le garçon, règle les consom-
mations.

— Il faut rentrer, mon chéri.

Nicole Vaindrier tend la main à Noële. Mais elle s'inquiète aussitôt.

— Qu'y a-t-il ? Noële ?

Le visage plissé, comme si elle souffrait. Mais en même
temps, c'est l'étonnement, et, au fond des yeux fermés,
le jaillissement d'une source.

— Noële, mon chéri, dis-moi.

Noële pose doucement ses mains sur son ventre. Elle
sourit.

— Je ne sais pas comment te dire.

Une autre voix, un autre visage, des gestes si lents, et
la source, comme une lumière, au fond de ses yeux
fermés.

— Tu vas croire que j'ai eu mal. Mais non. Cela ne
fait pas mal. C'est comme un coup, oui. Mais c'est aussi,
comme un signe, comme un mouvement de tendresse,
comme un geste vers moi. Mon fils a bougé.

CHAPITRE IX

TOUTES LES FENETRES OUVERTES

Toute la nuit, à perdre la tête. Comme si c'était son premier concert. Comme s'il ne savait rien encore des applaudissements, des ovations, des musiciens de l'orchestre frappant leur pupitre en cadence pour exprimer leur admiration. Toute la nuit à serrer Noële dans ses bras, à rire avec elle, à interroger le regard de Nicole et de Gilles Vaindrier, pour être sûr qu'il n'y avait plus de frontière. Toute la nuit à écouter les projets du signor Peretti, à dire oui, sans réfléchir, parce qu'il avait envie que le monde entier maintenant sache que la mort s'était arrêtée en chemin.

— Plus tard, disait Noële ; vous en parlerez plus tard.

Le signor Peretti était ivre. Ivre de bonheur, ivre de fierté, ivre de *valpolicelle*. Il avait ouvert son palazzo aux membres du club pour qui Ugo avait joué. Il descendait lui-même à la cave, remontait les bras chargés de bouteilles. Enlevait sa veste, relevait ses manches de chemise, découpait les jambons fumés, la mortadelle, le *chorizo*.

— Paris, disait maître Forestier. Je vous y attends. Il faut faire un enregistrement de ce *concerto* de Ravel. Je repars demain. Dès mon arrivée j'en parle à ma maison de disques.

— Demain ?

Le signor Peretti levait les bras.

— Restez encore un peu, *maestro*. Venise, vous l'aimez comme une femme. On quitte une femme, seulement si on est obligé.

— Paris aussi est une femme, signor Peretti. Il y a dans le monde quelques villes qui sont devenues mes maîtresses. De temps en temps, je viens leur faire la cour, comme on perd la tête. Mais mon épouse légitime est Paris. C'est chez elle que je reviens toujours, que j'ai ma table, mon lit, et la sérénité du cœur.

Noële écoute. Elle pense : Paris. Tout de suite, elle sait que leur chemin passera par les Quatre Vents. Elle en parle à Nicole Vaindrier.

— Je ne sais pas encore la date. Mais nous viendrons. Tu peux préparer la maison.

C'est la nuit. La lumière des lustres de verre se reflète dans les miroirs. Des gens inconnus vont et viennent, parlant toutes les langues. Le président du club s'incline. dit une fois encore à Nicole, dans un français hésitant, combien il s'est senti honoré qu'elle ait accepté son invitation. Le bateau rompt ses amarres, la mer les emporte. Cette fois ils sont ensemble.

— Londres ? crie le signor Peretti.

— Oui, dit Ugo.

— Stockholm ?

— Pourquoi pas ?

— Melbourne ?

— Non, signor Peretti, l'Europe. Seulement l'Europe. N'oubliez pas que l'enfant doit naître au mois d'août.

Noële secoue la tête, se penche vers Nicole Vaindrier.

— Les Quatre Vents, dit-elle. Les autres villes, tant qu'ils voudront. Les Quatre Vents d'abord.

Le matin se lève sans qu'ils s'en aperçoivent. Le palazzo prend feu avec l'aurore. De l'autre côté du canal, un coq chante dans la cour du couvent. Les invités se regardent. Ils n'ont pas honte de leur visage, car le plaisir de la musique s'y devine encore malgré la fatigue d'une nuit blanche. Ils se disent seulement que Venise les attend, qu'ils ne peuvent pas la rejoindre avec ces chemises empesées, ces robes longues. Ils s'en vont tous ensemble ; c'est le brusque silence, le sommeil qui tombe d'un coup, les portes des chambres qui se ferment. Ils dorment longtemps. Gilles se réveille le premier, regarde l'heure. Il se souvient qu'ils ont leurs places retenues dans l'avion du soir.

— Tu veux rester ? dit-il à Nicole. Moi, je suis obligé
de rentrer. Mais toi ...

— Non, dit-elle.

Elle se lève. Elle a un peu honte d'avoir tant dormi.

— Moi aussi, j'ai beaucoup à faire.

Elle sait qu'il n'y aura plus longtemps à attendre, et
que tout désormais se fera en son temps.

Quelques heures plus tard, en embrassant Noële à
l'aéroport, elle lui dit d'une voix apaisée :

— Je vous attends.

— Tous les deux ?

— Oui, madame Marie.

— Mon Dieu, mais quand ?

— Je ne sais pas encore. Mais bientôt.

Elle se réveille brusquement. Elle ouvre ses placards,
fait ses comptes de bocaux. Les confitures, les fruits cuits,
les cornichons, les oignons marinés, les piments doux.
Elle grimpe sur un escabeau, inspecte ses plats à tarte.
Elle a oublié son épaule. Elle vérifie son jeu de brosses
et de balais, décide de faire « le grand nettoyage ». Les
murs, les plinthes, jusqu'aux plafonds. Elle sort de la
cave la grande échelle. Nicole Vaindrier la découvre un
matin, perchée sur le plus haut barreau, la tête renversée.
Elle se garde de protester. Cette jeunesse revenue la
stimule. Elle veut s'y laisser prendre à son tour. Toutes
les fenêtres sont ouvertes et l'air circule dans la maison.
Le début du printemps s'accompagne de brusques coups
de chaleurs, comme une fièvre qui va et vient. Nicole
Vaindrier met de l'ordre dans ses dossiers. Elle veut
qu'en arrivant Noële trouve tout en état. « *Tu es orgueilleuse.* » C'était une phrase sévère, mais juste. Cette
Nicole Vaindrier solide, parfaite, raisonnable, il faut
qu'elle existe de nouveau.

Dès le lendemain de son retour, elle a téléphoné à
François Gallart pour lui demander un rendez-vous. Il
a répondu que son heure serait la sienne. Comme s'il
n'attendait qu'elle.

— Cet après-midi ?

— D'accord.

Tout de suite, en arrivant, elle dit ses remords.

— Je n'ai pas bien agi envers vous. Je vous ai blessé. Vous avez cru que je me méfiais de vous, que je mettais en doute votre honnêteté. Vous vous êtes dit que j'étais devenue votre ennemie. Tout, dans mon attitude, dans mon silence, le laissait croire. Mais c'est faux.

François Gallart est assis derrière son bureau, les mains posées devant lui. Il regarde ses mains. Il ne veut pas encore lever les yeux.

— Je vous crois, dit-il lentement.

— J'aurais dû venir plus tôt. C'est vrai. Mais je n'aurais pas pu vous parler comme aujourd'hui. Je n'y voyais pas clair. Je ne veux pas tout vous raconter, mais j'ai une fille adoptive. Je ne l'avais pas vue depuis plusieurs mois. J'avais besoin d'elle pour retrouver mon équilibre. Nous venons de passer deux jours ensemble à Venise. Maintenant tout est bien.

François Gallart regarde toujours ses mains. Il voudrait qu'elles ne tremblent pas. Il a un sourire un peu triste.

— Vous ne savez pas comme je vous ai attendue, dit-il.

Il est assis, très droit, très raide, comme quelqu'un qui s'oblige à ne pas bouger.

— Je ne voulais pas croire, au début, que votre silence était une preuve de méfiance. Mais les jours passaient. Votre mari est venu m'expliquer, c'est vrai. Pour moi, ce n'était pas la même chose.

Il croise brusquement les mains, lève les yeux. Il sourit. Son visage est celui d'un jeune homme.

— Merci, dit-il.

Il prend deux dossiers sur son bureau.

— Nous reprenons nos projets ?

— Si vous acceptez.

— J'ai ressorti les dossiers tout de suite après votre coup de téléphone.

— Il faut rattraper le temps perdu, monsieur Gallart. Perdu par ma faute, je le sais.

— Nous le rattraperons.

Ils travaillent. Jusqu'au soir. Les plans, les devis. Nicole a retrouvé toute sa lucidité. Elle discute avec animation. Elle est impatiente d'aboutir à un accord. Elle explique

à François Gallart que sa fille et son gendre doivent venir
aux Quatre Vents, qu'elle voudrait commencer les travaux
avant leur arrivée. Elle emporte les plans et les devis,
pour les montrer à son mari, promet une réponse définitive
dans quarante-huit heures.

— Votre amie, madame Andrieux ?

— Elle me fait confiance. Si nous attendons ses décisions, nous n'en finirons pas.

Le soir est venu. Ils ne s'en sont aperçu ni l'un ni
l'autre. Quelqu'un frappe à la porte du bureau.

— Oui ?

Une jeune femme passe la tête. Très blonde, un visage
rond, des joues de poupée, des yeux avec beaucoup de
bleu et de vert.

— Pardon, François. Je te dérange ?

Une voix haute, assez drôle, avec un léger accent anglais
qui n'a pas l'air authentique.

— Un moment.

La porte se referme. Nicole Vaindrier range les papiers,
les enferme dans une grande enveloppe, se lève.

— Quarante-huit heures ? demande François Gallart.

— Dernier délai.

Elle se dirige vers la porte. Il n'a pas l'air pressé
qu'elle s'en aille. Il s'attarde près de la fenêtre. Sur le
bureau, une seule lampe allumée, très basse, concentre
la lumière vers le sol.

— Je ne connais pas Venise, dit-il doucement, mais
je crois que je n'aimerais pas.

— Pourquoi ?

— C'est une ville d'un tel défi.

— J'ai pensé la même chose. C'est étrange. Sur la place
Saint-Marc. Ces dizaines de milliers de pilotis plantés
pour ne rien soutenir d'autre qu'une place où s'asseoir
au soleil, quelle insolence. Mais pour comprendre cette
insolence-là, peut-être faut-il avoir quelqu'un à sauver.

Il est loin d'elle, contre la fenêtre, dans la pénombre.

— A sauver ?

Il semble attendre sa réponse, avec étonnement.

— Je veux dire : aimer un être si profondément qu'on
se sente capable, s'il est en danger, de faire surgir une
île au milieu des eaux pour qu'il soit en sécurité.

Il baisse la tête, écoute en lui une autre voix, très basse.

— Il faut que je rentre, dit Nicole Vaindrier.

Elle ouvre la porte. La jeune femme est assise dans l'entrée, vêtue d'un scaphandre de cosmonaute, gris et beige, avec des anneaux de cuivre un peu partout.

— Dorothée, dit simplement François Gallart.

Nicole fait un signe de tête et quitte le bureau.

Deux jours après, elle apporte sa réponse. Elle a choisi le projet le plus audacieux, qui transformera le vieux bâtiment des douanes en une sorte de maison de soleil, creusée d'alvéoles de couleurs, où les baigneurs pourront se nicher en sortant de l'eau, et bronzer en dormant, suspendus dans le vide. Des mâts, des drapeaux, des escaliers accrochés aux façades comme des rubans enroulés, des salles carrelées, un snack-bar, un restaurant, un vaste ensemble de cinéma-théâtre-musique. Gilles Vaindrier craint que ce ne soit un peu trop futuriste pour la région, mais Nicole s'est souvenue de la jeune Dorothée vêtue comme en l'an 2000. L'avenir, c'est elle, de toute façon.

— Votre décision est définitive, madame Vaindrier ?

— Définitive.

— Je peux mettre le projet en chantier ?

— Dès demain.

Il ne cache pas qu'il est heureux.

Nicole ne le cache pas plus que lui.

— Il faut que ce soit très réussi, dit-elle. Pour que nous puissions réaliser d'autres choses ensemble.

— Vous avez des projets ?

— Peut-être.

Elle ne peut rien dire encore. Gilles lui en voudrait. La décision, c'est à lui de la prendre. Depuis qu'il sait qu'il sera bientôt grand-père, même si cet enfant n'est pas vraiment à lui, il a recommencé à rêver autour de sa laiterie. Il a été revoir le terrain, dont lui avait parlé Yannis Karrassos, l'an dernier. Après le pont, et le petit ruisseau. Il s'est discrètement renseigné. C'est toujours à vendre. En étudiant les projets de François Gallart, il a fini par en parler à Nicole.

— Ce n'est pas pour tout de suite, bien sûr. Finis
d'abord ta maison des Jeunes. Mais, je dois reconnaître
qu'il a du talent.

Le problème urgent c'est Simon. Il est parti, le 21 mars,
jour du printemps, comme prévu. Depuis Gilles est seul
pour tout faire. Il s'aperçoit que c'est trop. Il a failli
embaucher le premier venu, un garçon capable de conduire
un camion et de faire les livraisons. Mais ce n'est pas une
solution raisonnable. S'il veut vraiment transformer son
usine, lui donner du sang, neuf, mieux vaut s'attacher
dès maintenant un jeune ingénieur qui l'aidera à mettre
ses idées au point. Le développement du marché commun
pose des problèmes d'avenir. Il se décide à en parler
à Jean-François.

— Si votre Burion connaissait quelqu'un...

— C'est très facile, monsieur Vaindrier. Je vais m'en
occuper personnellement. Il faut que j'aille à Paris. Je
demanderai à Burion quelques adresses de candidats pos-
sibles. Je vous en ramène un de gré ou de force.

— On a sonné.

— Comment ? crie Marie-Hélène.

— Je te dis qu'on a sonné.

Marie-Hélène débranche l'aspirateur. Tous les meubles
sont en tas, au milieu du salon. Elles ont décidé, avec
Odile, de faire un grand nettoyage, pour que l'appartement soit impeccable le jour où Odile s'y installera. Le
propriétaire est d'accord. Le changement de bail a eu
lieu. Odile est ravie. Elle en avait assez de son courant
d'air. Les journaux conseillés par Gilles Vaindrier avaient
été inefficaces. Bien sûr, l'appartement de Marie-Hélène
n'a rien d'un atelier d'artiste. C'est banal, bourgeois,
plutôt vieux-jeu. Mais Odile n'est plus tellement tentée
par les coiffures. Elle connaît depuis peu un étudiant
chinois qui voudrait ouvrir un restaurant de spécialités
cantonaises. Il affirme qu'avec des baguettes les gens
avalent n'importe quoi. Odile rêvasse sur des nids
d'hirondelles.

— Tu ouvres la porte ou quoi ?

— Dans cette tenue ?

Pour faire son ménage, Marie-Hélène a enfilé un vieux blue-jean qui ne ferme plus à la taille et une chemise d'homme, dont elle s'est noué les pans sur le ventre. Elle est coiffée d'un chiffon à poussière jaune vif.

— Qui est là ? demande t-elle à travers la porte.

— Jean-François.

C'est la panique. Une envie de fou rire et de larmes en même temps.

— Je ne peux pas ouvrir.

— Pourquoi ?

— On s'est lancé dans un nettoyage à fond, avec Odile. Tout est sens dessus dessous. On marche dans la poussière. On est habillées comme des *hippies*.

— Bon. Je reviendrai plus tard. Mais ouvrez au moins une seconde.

Elle défait le nœud de sa chemise, arrache le chiffon à poussière, ouvre la porte.

— Vous auriez dû m'avertir.

Il a un gros manteau, une écharpe, des gants. Il sourit.

— Je n'avais pas prévu. Mais cette nuit, brusquement, j'ai eu envie de vous parler. Alors j'ai sauté dans la voiture de Burion.

Ils se regardent dans l'encadrement de la porte.

— Bonjour.

Elle sourit à son tour.

— Vous devez être fatigué d'avoir roulé toute la nuit.

— J'ai surtout besoin d'un grand café.

— Je vais demander à Odile. Elle le fait très bien.

— Non.

Il lui prend le poignet.

— Il y a sûrement un petit bistrot pas loin. Pour être tranquilles.

Il est maladroit. Il lui embrasse la main, très vite. Marie-Hélène s'enferme dans sa chambre, se change en hâte. Jean-François est toujours sur le palier. Odile, qui est debout sur une chaise, et qui lave les carreaux de la cuisine, lui crie bonjour de loin, prétend qu'elle n'est pas présentable. Marie-Hélène revient. Elle a une vraie robe, des bas, des chaussures à talons, comme si elle avait voulu s'habiller déjà en épouse. Ils descendent, traversent la rue, entrent dans un café. Autour de l'appareil à sous, des jeunes gens parlent très fort.

— J'ai faim, dit Jean-François.

Ils s'installent au fond, sur la banquette. Le garçon s'approche.

— Un crème, dit Jean-François, dans une grande tasse, avec du pain et du beurre.

Le garçon est en bras de chemise, un chiffon à la main. Il nettoyait les cuivres. Comme si tout le monde s'était donné le mot pour que le quartier soit flambant neuf.

— Et pour la petite dame ?

Jean-François rit, se tourne vers Marie-Hélène. Elle attend. Elle ne sait pas où elle est. Elle ne pense à rien, sinon que Jean-François lui a dit : « *J'ai eu envie de vous parler.* » Elle entend qu'il rit. Il ne rirait pas s'il était venu l.. annoncer qu'à bien y réfléchir ... Elle aperçoit son image dans une glace. Elle se dit qu'elle aurait dû rester une minute de plus dans la salle de bains, et se coiffer un peu mieux.

— La même chose ? demande le garçon.

— La même chose, répond Jean-François.

Elle regarde devant elle. De l'autre côté de la rue, il y a un marchand de légumes, avec des salades très vertes. Une dame se penche, saisit une laitue, la fouille jusqu'au cœur, comme si elle espérait y trouver quelque chose.

— Je suis venue pour connaître votre réponse, dit Jean-François. Je pense que vous avez eu le temps de réfléchir.

En parlant, il regarde la même dame, qui fouille toujours la laitue, qui renonce à l'acheter, la repose dans le panier et s'en va, son sac vide à la main.

— Vous la connaissez, ma réponse, depuis toujours.

Elle parle à mi-voix. Autour de l'appareil, les jeunes gens se sont tus. Ils regardent le plus habile d'entre eux, qui dispute une partie délicate.

— C'est la vôtre qu'il faut donner, Jean-François.

Il attend une brève seconde. Il n'hésite pas vraiment. Il prend sa respiration.

— Puisque je suis venu ...

Brusquement, elle ne voit plus rien. C'est comme une

brume, un rideau, quelque chose d'opaque qui vient de tomber, qui la rend aveugle. Simplement ses yeux qui se ferment.

— Et voilà les deux crèmes dans des grandes tasses.

Le garçon se demande pourquoi ces deux-là ont l'air de dormir, l'un à côté de l'autre, sur la banquette, comme dans un compartiment de chemin de fer. Les amoureux, d'habitude, et Dieu sait s'il en vient dans ce café, à cette place-là justement, dans le fond de la salle, pour être tranquilles... Il pose les tasses sur la table, le pain, le beurre, les couteaux, en faisant du bruit exprès, en sifflotant, en se disant que s'ils ne se regardent pas, s'ils ne se tiennent même pas la main, c'est sans doute qu'ils se séparent, qu'ils se voient pour la dernière fois, que la petite dame va sûrement pleurer beaucoup.

— Bon appétit, m'sieu-dames.

Il s'en va, reprend son chiffon, continue à astiquer les cuivres.

— Vous aviez raison, dit Marie-Hélène. Là-haut, ça n'aurait pas été possible. Ici, avec ces gens, ce bruit, c'est mieux.

— Oui.

La fumée des cafés crème bien chauds.

— Mais il n'y aura pas toujours les autres. Il y aura un moment où nous nous retrouverons seuls, vous et moi, portant le même nom, dans une chambre à nous.

— Cela nous est déjà arrivé.

Marie-Hélène revoit brusquement la chambre de Lyon, l'hôtel. Elle baisse la tête.

— N'en parlez pas.

Comme si elle avait peur.

— Il faut en parler. Maintenant nous le pouvons. Quand je pense à vous, depuis tous ces jours, ce n'est pas Verbiers que je revois, c'est Lyon.

Il tourne la tête, la regarde. Il voudrait qu'elle cesse d'avoir honte.

— Avec plaisir, ajoute-t-il doucement.

Le garçon, qui les observe d'un œil, en frottant ses cuivres, se dit qu'il avait raison, que la petite dame commence à pleurer trop vite, et que ce grand crème ne servira à rien. Jean-François prend la main de Marie-Hélène.

— Ne pleure pas, dit-il tout bas. Le garçon nous regarde. Il va croire que je te dis des choses affreuses.

Il est penché vers elle. Il sourit. Il trouve qu'elle n'aurait jamais dû mettre cette robe, qu'elle était beaucoup mieux tout à l'heure avec son blue-jean, qu'il ne faudrait pas qu'elle se croie obligée de se conformer à une fausse image des épouses Saulieu.

— Bonnes, répond Marie-Hélène. Si bonnes, si tu savais...

— Tu m'as tutoyé. C'est la première fois.

— La première ?

Elle le regarde. Ils ont le visage si près l'un de l'autre, qu'ils n'ont pas besoin d'articuler pour s'entendre.

— Même à Lyon tu ne m'as pas tutoyé. Tu ne parlais pas. Tu étais comme une femme muette.

— Je ne pouvais pas te dire. Tu n'aurais pas supporté.

— Quoi ?

— Que je t'aime.

Elle s'éloigne de lui brusquement, tend les mains vers la grande tasse de café, l'approche de ses lèvres, boit longuement. Elle n'aurait pas dû. Elle l'aime. Elle n'aurait pas dû le dire. Il le savait pourtant. Tout le monde le savait. Même le garçon. C'est écrit sur son visage. Elle ne peut pas cacher qu'elle l'aime. Le jour des fiançailles de Noële, aux Quatre Vents, elle s'en souvient, elle n'a pas réussi à garder son secret. Elle l'a dit. Devant tout le monde. Elle l'aime. Et il a fait toute cette route en voiture, la nuit, en conduisant comme un fou, pour lui demander de l'épouser. Elle rêve. Elle se dit que ce n'est pas vrai, qu'elle va se réveiller. Il boit son café, il parle. Il explique qu'il y a toutes sortes de formalités à remplir. Une liste impressionnante. Il va tout écrire sur un papier, et rayer au fur et à mesure. La date du mariage. Le lieu. La mairie. L'église. Les invités. Les bans à publier. Les papiers, les visites, les démarches. Et leur vie après. L'appartement, le terrain à acheter, les travaux. Elle écoute à peine. Elle se dit qu'il ne l'aime pas, qu'il ne l'aimera jamais, qu'il ne l'épouse que parce qu'il n'en peut plus d'être seul, et de penser à Noële. Elle se dit qu'en échange

de son amour, elle ne peut attendre que de l'amitié, de
la tendresse peut-être, de la confiance, de l'estime. C'est
beaucoup. C'est trop. Elle ne le mérite pas. Jamais elle
n'aurait cru. Il parle toujours. Il raconte leur vie. Leur
vie à tous les deux. Leur vie commune. C'est un mot qui
la fait sourire. Elle le trouve bête. Et en même temps,
tellement surprenant. Commune. En commun. Tout en
commun. Jusqu'au nom.

— Je repars demain, dit-il. Revenez aux Quatre Vents
avec moi.

— Non.

— Pourquoi ?

— Quand on s'en va pour toujours, et qu'on met la
clef sous la porte, il y a beaucoup à faire. Une autre
liste. Aussi longue que la vôtre.

Jean-François fait signe au garçon.

— Un autre café crème.

— Dans une grande tasse ?

— Oui.

Il parle de Gilles Vaindrier, du jeune ingénieur qu'il
a promis de découvrir, des adresses que Burion lui a
données. Il veut tout de suite chercher une chambre
d'hôtel, prendre un bain, commencer les démarches.

— Si vous pouvez abandonner Odile, je viendrai vous
chercher à une heure pour déjeuner.

Marie-Hélène ne comprend pas. A une heure ? Pour
elle, le temps est arrêté. Elle est là, avec lui, dans ce
café. Le garçon apporte une seconde tasse, qui fume,
comme la première. C'est le temps immobile. Devant l'épi-
cerie, la dame est revenue. Elle tripote la même salade.
Un moment, comme celui-là, qui n'est accordé qu'une
seule fois dans une vie, il faudrait qu'il dure à jamais.

— Et Noële ? dit-elle.

Jean-François s'immobilise.

— Comment allons-nous lui annoncer notre mariage ?

Il ne répond pas.

— Vous n'y avez pas pensé ?

Il appelle le garçon.

— Je vous dois combien ?

Il a l'air pressé. Elle pose une main sur son bras.

— Jean-François...

Ils ont la même attitude qu'à leur arrivée. Immobiles, l'un à côté de l'autre, regardant devant eux.

— Il faut que vous l'entendiez, Jean-François, que vous le sachiez, une fois pour toutes. Je suis heureuse que Noële ait épousé Ugo. Je suis heureuse qu'elle soit heureuse. Chaque fois que je parlerai d'elle, n'espérez pas que je prendrai un air grave, une voix triste. Non, Jean-François. Sans ce mariage, le mien ne pouvait pas être. Et moi aussi, j'ai envie d'être heureuse.

Elle enlève sa main. De nouveau ils sont séparés.

— Je ne le dirai jamais plus, ajoute-t-elle à mi-voix. Mais il fallait que je le dise.

CHAPITRE X

ON A TOUJOURS DIT : LES DEUX SŒURS

C'est un garçon timide et gentil. Il s'appelle Brémont. Il visite la laiterie sans un mot, regarde attentivement les moteurs, les machines, se frotte le nez. Gilles Vaindrier sent qu'il hésite.

— Faisons un essai de trois mois, propose-t-il.

Brémont accepte. Il s'installe aux Quatre Vents. Ce sera plus simple pour tout le monde. S'il décide de rester définitivement, on s'occupera de lui trouver une chambre en ville. Madame Marie l'observe pendant une semaine, sans rien dire. Comme il arrivait de Paris, elle se méfiait. On parle tellement de *beatniks* dans les journaux. Mais celui-là n'a pas les cheveux trop longs, ses vêtements sont brossés, et il se lave.

— Il a reçu la bonne éducation, dit-elle enfin.

Ce qui signifie qu'elle l'a adopté. Gilles est satisfait. Cette présence, dans la maison, c'est comme un signe de renouveau. Brémont a vingt-trois ans et l'avenir devant lui. S'il envisage de rester aux Quatre Vents, c'est avec l'espoir qu'un jour ou l'autre on modernisera les installations. Il sait, par son camarade Burion, comment Jean-François a transformé son usine. Peu à peu, il poussera Gilles à en faire autant. Il est trop bien élevé pour en parler. Mais le petit sourire qu'il a, chaque matin, en mettant en route les vieilles machines, parle pour lui.

Jean-François n'a pas eu grand mal à le trouver. Burion l'avait inscrit en premier sur sa liste. Il a accepté de quitter Paris sur-le-champ. Il a profité de la voiture pour

faire le voyage. Ils sont arrivés ensemble aux Quatre Vents.
Jean-François, tout de suite, a mis les Vaindrier au courant
de son mariage. En quelques mots, très brefs, et il les a
quittés avant qu'ils n'aient le temps de réagir. C'était trop
difficile. Pour eux, comme pour lui. Un long téléphone
de Marie-Hélène, le soir même, une lettre, plus longue
encore, arrivée deux jours plus tard, leur ont permis d'y
voir clair. Depuis qu'il a compris ce qui se préparait,
Gilles Vaindrier est d'accord. Il l'a déjà dit à Nicole. Elle
n'a pas su l'entendre, car il n'y avait pour elle qu'un visage
au monde, celui de Noële, qu'elle cherchait dans sa nuit.
Aujourd'hui, elle comprend qu'il avait raison. Elle s'inquiète seulement d'une trop grande hâte.

— Ils vont vraiment se marier tout de suite ?

— Pourquoi attendraient-ils ? Les problèmes matériels
ne se posent plus. Et ils savent exactement où ils en sont.

— Mais, Gilles...

Elle ne parvient pas à y croire.

— Il y a juste un an, ici même, un peu avant Pâques...

Les fiançailles de Noële et de Jean-François. Juste un
an. Comment est-ce possible ? Il lui semble que la brusque
arrivée de monsieur Baxter dans leur vie a tout bouleversé : le temps, les distances, l'espace. Avant, c'était
le rythme des saisons, égal et familier. Depuis...

— Ainsi Marie-Hélène épouse Jean-François.

— Oui. Et j'en suis heureux.

— Moi aussi, Gilles, j'en suis heureuse. Mais si vite...

Elle regarde le jardin. Il y avait des fleurs partout, des
pelouses très vertes, un grand buffet, du soleil, et les
invités avaient dansé jusqu'au soir tant il faisait beau.
Il y avait les roses, le télégraphiste qui commençait à
trouver que le chemin était long, et Marie-Hélène, regardant Noële, dans sa robe neuve, se détournant soudain,
les larmes aux yeux, disant : « *C'est idiot. Je crois que
je suis triste.* » Dès ce jour-là, comme si dans les laines
embrouillées de la tapisserie, elle avait su, avant les autres,
découvrir le dessin véritable.

— De toute façon, dit-elle en se retournant, s'ils ont
envie de se marier ici, ce sera difficile.

Ils voudraient ne pas y penser. Il le faut pourtant. Ugo
et Noële seront là bientôt.

— Légalement, Marie-Hélène est domiciliée à Paris, dit Gilles.

— Bien sûr. Mais les Saulieu n'ont qu'un fils.

Leur appartient-il de poser le problème ? Une nouvelle lettre de Marie-Hélène les rassure. Elle leur annonce que la date du mariage est fixée au 8 avril, qu'il aura lieu à Asnières, qu'elle partira le soir même avec Jean-François pour la Suède, où ils passeront quelques jours dans une petite villa, au bord d'une plage, prêtée par l'un des ingénieurs avec qui Jean-François a mis au point ses machines neuves. C'est une lettre, un peu rapide, un peu retenue, comme si Marie-Hélène se méfiait d'elle-même.

— Elle n'ose pas nous demander d'y assister, dit Gilles après l'avoir lue, mais c'est pour ça qu'elle écrit.

— Tu crois ?

— C'est évident. Et je ne connais pas tes intentions, mais moi j'irai, quoi qu'il arrive. Marie-Hélène est ma nièce. Son père ne s'est jamais occupé d'elle. Je l'aime beaucoup. Elle a grandi avec Noële. Je tiens à être là le jour de son mariage.

Nicole Vaindrier est d'accord.

— Pensons pourtant aux Saulieu. J'y reviens toujours. Si notre présence les gêne en quoi que ce soit...

— J'irai leur en parler demain.

Il trouve monsieur Saulieu désemparé.

— Vous êtes au courant, n'est-ce pas, cher monsieur ? J'avoue que nous sommes très contrariés, ma femme et moi. C'est un trop long voyage. Berthelin est formel. Ma femme n'est pas en état de le supporter. Alors ? D'un autre côté, Jean-François ne veut pas se marier ici. Je lui en ai parlé plusieurs fois. Il est intraitable. Que faire ?

Il a pris Gilles Vaindrier par le bras, l'entraîne vers le fond d'un couloir, comme s'il avait peur d'être entendu.

— Ne pouvez-vous pas agir auprès de votre nièce ? Lui faire comprendre que c'est un déchirement de cœur pour ma femme de ne pas assister au mariage de son fils ? C'est une jeune fille sensible, elle comprendra sûrement.

Gilles Vaindrier secoue la tête. Est-ce à lui de parler de Noële, des souvenirs que Jean-François retrouve sans cesse, du courage qu'il lui faudrait pour les affronter — et comment lui reprocher de ne pas l'avoir ?

— Nous attendons Noële d'un jour à l'autre, dit-il enfin.

— Aux Quatre Vents ?

— Oui.

Monsieur Saulieu sent qu'il n'a plus le droit d'insister.

— Je comprends, dit-il à mi-voix.

Il revient lentement vers son bureau. Il marche en hésitant, un peu perdu dans cette usine où tout est neuf, à la recherche d'habitudes trop anciennes. Il a pris le bras de Gilles, s'y appuie un peu lourdement.

— Nous ne nous voyons guère, cher monsieur, et toujours dans des circonstances délicates.

Il se souvient du chapeau gris bordé de soie, du manteau noir, et de Gilles Vaindrier en robe de chambre et en pantoufles. Le matin, très tôt. Derrière la cloison, dans la salle à manger, il y avait le bruit des bois du petit déjeuner. Il ne se dit même plus que tout va trop vite. Dans cette usine neuve, les machines tournent sans bruit.

— On aurait tant aimé que ce soit une vraie fête.

Il s'est arrêté. Il regarde Gilles.

— Il finira bien par être heureux, n'est-ce pas ? Il le mérite, vous savez.

D'une voix un peu irritée, en secouant le bras de Gilles, comme s'il était responsable.

— Je sais qu'il le mérite. Marie-Hélène aussi.

Le jeune Burion traverse brusquement le couloir, sans les voir. Il court. Il a une chemise violette, un pantalon de marin breton. Monsieur Saulieu sursaute, le regarde disparaître, a l'air d'attendre qu'il revienne, comme s'il n'était pas certain d'avoir bien vu.

— Nous ferons tout ce qui est en notre pouvoir pour qu'ils soient heureux, dit Gilles Vaindrier.

Revenu aux Quatre Vents, il téléphone à Marie-Hélène.

— Tu viens.

— Où ?

— Aux Quatre Vents. Il le faut. Pour madame Saulieu. Elle comprend, embrasse Odile, prend le premier train.

Tout est simple. Depuis que Jean-François a dit oui, dans le petit café, elle a l'impression qu'il y a partout des cuivres, que le garçon les a tellement frottés qu'ils brillent comme des soleils. Elle est bête. Elle le sait. Si complètement, si profondément. Plus rien n'a de sens, sinon Jean-François. Tous les mots. Tous les gestes. Toutes les heures du jour : Jean-François. Comme une raison à tout, un refuge contre tout. Son oncle lui dit de venir aux Quatre Vents pour voir madame Saulieu, elle comprend : Jean-François. Elle prend le train. Odile l'a accompagnée à la gare. Elle s'inquiète, Odile. Elle trouve que c'est une façon un peu dangereuse de vivre, qu'on n'a pas le droit d'être aussi émerveillée parce qu'un garçon vous demande de la consoler. « Elle a tout à fait raison, pense Marie-Hélène. Je n'ai pas le droit. Mais comment faire autrement ? » Odile est sur le quai, avec un visage tout petit, et froissé, comme si quelqu'un avait brusquement refermé le poing sur elle.

— Tu reviens quand ?
— Je ne sais pas.

Elle pense : Jean-François. Ils reviendront pour le mariage. Cette longue liste de choses à faire, c'est lui qui l'a établie. C'est lui qui barre, au fur et à mesure.

— Si tu as des problèmes pour les papiers, ou autre chose, appelle-moi. Je m'en occuperai.
— Tu es gentille.

Elles s'embrassent. Il y a beaucoup de monde sur le quai, des enfants surtout. Elle se souvient que c'est bientôt Pâques.

— Par moments, dit Odile, on dirait que tu as douze ans.

Le train part. Marie-Hélène reste dans le couloir, regarde par la vitre. Pourquoi ce visage si inquiet d'Odile ? Parce que cette image du bonheur n'est pas ce qu'elle attendait ? C'est si simple, pourtant, si bête. Jean-François. Comme s'il n'y avait jamais eu personne avant lui. Les autres, elle savait toujours qu'ils n'étaient pas le premier. Elle ne cherchait même pas à le croire. Jean-François, c'est le premier. Le seul. Aussi simple, aussi bête. Le train le dit, les roues du train, les fils télégraphiques, les banlieues qui s'éloignent, les arbres, le ciel.

Elle trouve les Quatre Vents enfiévrés comme un printemps. Il y a partout des pousses, des bourgeons, des nœuds de sève, dans les murs, dans les portes, tout bouge et craque, et la nuit, c'est un grand concert de racines. Madame Marie est toute gonflée de rire. Elle le retient autant qu'elle peut, mais c'est plus fort qu'elle, et de temps en temps il s'échappe, sans qu'elle s'y attende. Alors, elle se met à sautiller sur place. Nicole et Gilles Vaindrier lui ont appris que Noël attendait un enfant. Il fallait qu'elle le sache, puisque Noële allait venir. Sur le moment elle n'a rien dit. Elle a regardé par terre. Elle a cru apercevoir sur le tapis un morceau de ficelle, ou de papier, quelque chose. Elle s'est baissée, elle l'a ramassé, elle est retournée dans sa cuisine. Au bout d'un long moment, comme elle ne revenait pas, qu'elle ne faisait aucun bruit, Nicole s'est inquiétée.

— Tu devrais aller voir, Gilles. Je me demande bien ce qui se passe. A son âge, une émotion trop forte...

Gilles Vaindrier l'a trouvée, penchée sur son fourneau, le visage ouvert en deux par une gaieté d'enfant.

— Il ne faut pas que madame m'en veuille, si je suis partie comme ça, mais je ne pouvais plus me retenir.

— Cela vous amuse, à ce point, madame Marie ?

— C'est qu'elle ne saura pas. monsieur.

Elle essuie un peu ses yeux, du revers de la main, parce que tout ce rire lui a fait venir des larmes, et qu'il fallait bien qu'elle s'empêche de faire du bruit pour que monsieur et madame ne l'entendent pas.

— Pour le moment, c'est tout simple, parce qu'elle le porte avec elle sans y penser. Elle marche avec, elle dort avec. Mais quand il sera vivant pour lui tout seul, à tenir sa place, à remuer, à crier, comment voulez-vous qu'elle fasse ? Elle ne saura pas. Alors, elle appellera à l'aide sa vieille madame Marie. Et je le lui prendrai, son enfant, je l'amènerai aux Quatre Vents, et je ferai pour lui ce que j'ai fait pour elle.

Gilles Vaindrier a envie de rire lui aussi. Il a l'impression que le gosse est là, dans la cuisine, entre les jupes de madame Marie, et qu'elle va et vient avec lui, sans y penser, en lui glissant de temps en temps un morceau de sucre dans la bouche.

— Mais non, madame Marie. Ce n'est pas un petit Vaindrier, c'est un petit Luckas, un petit Karrassos. Comment voulez-vous ? Ce n'est pas aux Quatre Vents qu'il vivra. C'est en Grèce, à Lefkas.

Madame Marie s'est arrêtée de rire. Elle regarde Gilles Vaindrier droit dans les yeux.

— Ce que dit monsieur, c'est la vérité des bureaux de mairie. Ma vérité à moi, c'est que les enfants ça ne pousse pas dans les avions, ni sur les bateaux. Ça pousse dans les maisons. Voulez-vous me dire où elle est, la maison de Noële ? Toujours à faire ses valises, et à voyager, une fois c'est son île, une fois c'est Athènes, une fois c'est Venise, et une fois c'est Ithaque, et une fois c'est New York...

Elle lève une main, la pose à plat sur le mur de sa cuisine.

— Sa maison, monsieur, c'est ici.

Marie-Hélène le sait, elle aussi. Elle tourne dans la maison, cherche les pièges. Noële se tient derrière chaque porte. Toutes les images, tous les souvenirs. Il faut les apprivoiser, faire que plus rien ne blesse. Deux sœurs, on l'a toujours dit, depuis qu'elles sont petites, à s'aimer tendrement. Il faut que cela reste vrai. Pour elle-même. Mais surtout pour Jean-François. Il lui reste peu de temps. Noële et Ugo ont annoncé leur arrivée pour le 5 avril. Ils doivent rester une dizaine de jours aux Quatre Vents, puis se rendre à Paris où Ugo commence ses enregistrements avec maître Forestier le 17 au matin. Marie-Hélène décide de les attendre, d'être là pour accueillir Noële, parce qu'elle ne veut pas que ce soit comme une défaite, comme si elle cédait la place. Entre elles deux, quoi qu'il soit arrivé, l'affection est la même. Elle va chaque jour à l'usine. Pour obéir au docteur Berthelin, elle ouvre en grand la fenêtre de madame Saulieu. Il lui faut de l'air. Elle n'est pas malade, mais, Berthelin cette fois est affirmatif, elle ne simule plus. Elle est très lasse. En voyant Marie-Hélène entrer dans sa chambre, elle sourit, lève la main, ne dit rien. Il faudrait trop de mots. Simplement, de loin en loin, elle dit : Jean-François. Comme un message secret qu'elle veut transmettre à Marie-Hélène. L'usine vibre sans bruit. Parfois, dans la cour, on ouvre la porte d'un hangar, avec un grand bruit de tôle, et les ballots de papier roulent vers les camions. Ici aussi Noële est présente. Malgré les machines neuves, les cloisons abattues, son nom passe d'un arbre à l'autre, et le fleuve le répète. Jean-François l'entend. Plus approche la date de son mariage, et plus il l'entend. Il parle à peine à Marie-Hélène. Il semble qu'entre eux, tout soit dit de cet accord qu'ils ont conclu. Les autres fiancés se cherchent, se poursuivent, s'impatientent des jours qui les séparent encore. Jean-François et Marie-Hélène refusent de se mentir. Ils ont un langage précis et clair, examinent ensemble la liste des choses qui restent à faire, prennent les dernières décisions. Dans cette complicité instinctive, Marie-Hélène voit déjà le signe d'une promesse.

— Nos billets d'avion pour Stockholm.

Il les lui tend, un soir. Sa secrétaire vient d'aller les retirer à l'agence de voyage.

— Nous embarquons à Orly à 21 h 50, le soir de notre mariage.

Elle prend les billets, les ouvre, a un tremblement bref. Sur l'un d'eux, elle voit écrit : *madame Saulieu.*

— Bien sûr, dit Jean-François.

Elle n'avait pas compris tout de suite. C'est elle. En montant dans l'avion, ce soir-là, elle s'appellera Saulieu.

— Bien sûr, dit-elle à son tour.

Elle repose les billets sur le bureau. Elle pense qu'il faudra s'inventer une nouvelle signature. Elle s'exerce, le soir, aux Quatre Vents, sur le petit bureau de sa tante Nicole. Elle couvre des pages et des pages, pour que tout le monde voit. Marie-Hélène Saulieu. Elle voudrait l'écrire en grand sur les murs, sur le seuil de la maison.

— Qu'en penses-tu, oncle Gilles ?

Elle va jusqu'à la cuisine, montre les signatures à madame Marie. L'ombre de Noële est toujours là, derrière les portes. Elle a vu, entendu, elle aussi. Il semble à Marie-Hélène qu'elle sourit doucement.

— Noële arrive toujours le 5 ?

— Oui, mon chéri, à moins d'un changement de dernière minute. Avec Ugo c'est toujours possible. Il paraît que le signor Peretti est débordé. On lui propose des contrats de partout. Et comme Ugo refuse, il n'arrête pas de gémir. Tu ne le connais pas, c'est vrai.

Gilles Vaindrier se lève, les genoux pliés, la tête sur le côté. Il fait de petits pas dansants sur le tapis.

— L'Italien, tu sais, mais tout petit, avec des mains partout, et une voix suraiguë qui crie : *ma, ma, ma...*

Il rit, et Nicole Vaindrier rit, et Marie-Hélène, qui n'a jamais vu son oncle s'amuser ainsi.

— Comment va-t-on le leur dire ? demande-t-elle.

Gilles s'arrête, la regarde.

— Quoi, ma petite fille ?

— A Noële et Ugo. Que je me marie.

Parce qu'il faut bien en parler. Gilles est soudain désemparé.

— Ne t'inquiète pas, dit Nicole.

Elle va jusqu'au petit bureau, ouvre un tiroir, y prend une lettre.

— Il y a longtemps que j'y pense, et que je me pose la question. Tu vas peut-être me dire que j'aurais dû t'en parler avant. Mais...

Elle déplie la lettre.

— J'ai pris sur moi de le lui écrire, il y a quelques jours. J'ai reçu sa réponse tout à l'heure.

Elle tend la lettre à Marie-Hélène.

— J'étais la seule, je crois, à pouvoir le lui annoncer.

Marie-Hélène ouvre la lettre. Elle a du mal à lire, parce qu'elle sait tout de suite, et qu'elle n'espérait pas que ce serait si simple. « *Contente, contente, heureuse... Dis-le lui... Il faut me croire, je suis sincère. Tous mes torts envers lui, je les connais, je ne les oublie pas... Il faut me croire. J'ai une profonde, profonde estime pour Jean-François...* » Et un peu plus loin souligné de deux traits : « *Marie-Hélène est ma sœur. Dis-le lui bien.* »

Les jours passent très vite. Avril est là. Les Quatre Vents attendent. A l'horizon, il y a des guetteurs. Gilles a des mouvements de tendresse impatiente. Il se penche sur les rosiers. Il voudrait que tout soit en fleurs pour l'arrivée de Noële et de Ugo. Nicole est sans arrêt sur les routes. Les travaux de la maison des Jeunes ont enfin commencé. Elle voulait pouvoir l'annoncer à Noële. A la laiterie, le jeune Brémont donne de petits coups sur les moteurs pour essayer de les faire tourner plus vite. Le soir, dans la chambre qu'on lui a installée au grenier, il écoute à la radio des musiques électroniques. Marie-Hélène regarde le calendrier. Elle téléphone à Odile. Tout est prêt à Paris, les papiers, les chambres d'hôtel. Les Vaindrier ont tenu à assister au mariage, malgré la présence de Noële et de Ugo. Ils les abandonneront pour deux jours. Ils prennent dans leur voiture monsieur Saulieu et Denis qui a accepté d'être le témoin de Jean-François. Une nuit à Paris, la mairie et l'église le lendemain matin, un déjeuner très simple. Ils pourront reprendre la route dans l'après-midi.

— Qui sera ton témoin ? demande Gilles Vaindrier.

Marie-Hélène sourit.

— Odile.

Elle s'amuse, parce qu'il a l'air de ne plus savoir qui c'est.

Elle refait sa valise. Elle va embrasser madame Saulieu. Elle ne lui dit rien. Elle l'embrasse seulement très fort, très longtemps. C'est le 4. Il est entendu que Jean-François viendra la chercher aux Quatre Vents, le lendemain après le déjeuner. Ils partent pour Paris ensemble, dans la voiture de Burion, qui n'ose pas trop se plaindre mais trouve que son patron la lui emprunte bien souvent.

Jean-François sait. Il a accepté. Marie-Hélène n'a pas eu besoin d'insister. Tout de suite, il a dit : oui. Lorsqu'il arrivera le lendemain aux Quatre Vents, Noële et Ugo seront là.

Il y a une nuit, la dernière. Puis une matinée à attendre, en essayant de cacher son impatience. Madame Marie tourne en rond, Nicole regarde la route, Gilles, toutes les cinq minutes, passe la tête par la porte de la laiterie. Seule Marie-Hélène est calme. Elle a posé sa valise dans l'entrée, contre l'escalier, avec son manteau et ses gants. Elle ne regarde pas l'heure. Elle dit : Jean-François. Elle dit aussi : Noële. Elle est assise dans le salon, devant la cheminée. Elle a sorti un jeu de cartes. Elle fait des réussites, comme autrefois. Pour que Noële, en arrivant sache que rien n'est changé. Brusquement, c'est l'affolement. Une voiture entre dans la cour. Ils se précipitent tous les trois, et madame Marie, la première, qui crie :

— Oh ! voyageuse... voyageuse...

Ugo, Noële. Ils descendent de voiture. Ils parlent, ils rient, ils regardent la maison, ils embrassent Nicole et Gilles Vaindrier, lèvent la tête, interrogent le ciel, les champs, les arbres. Marie-Hélène est restée dans le salon. Elle n'a pas rangé ses cartes. Elle attend.

— Comme il est grand, monsieur Ugo. Beaucoup plus grand qu'à la télévision...

Madame Marie lui tourne autour, le flaire un peu comme un animal qui apprend à reconnaître. Il fait beau. Gilles tient Noële par les épaules. Il lui parle à mi-voix. Elle se détache d'un geste lent, se dirige vers la maison.

— Marie-Hélène..

Elles sont l'une en face de l'autre. Elles se regardent. Elles ont envie de se prendre par le cou. Déjà elles savent que tout est vrai.

— Je suis contente que tu m'aies attendue, dit Noële.

— Il fallait que je t'embrasse.

Elles se sourient. Elles ont le même sourire sur le visage.

— Je suis heureuse pour toi. Profondément heureuse, dit Noële.

Marie-Hélène, sans répondre, vient vers elle, se penche, lui embrasse l'épaule, comme en signe de respect. Mais Noële refuse, l'attire contre elle, la tient serrée dans ses bras.

Maintenant, ils sont tous ensemble dans le salon. Ugo a l'air étourdi par tout ce qui tourne autour de lui de voix, de mots, de récits, de souvenirs. Marie-Hélène est debout devant la fenêtre. Une voiture de sport pénètre dans la cour, s'arrête à côté de celle de Noële et Ugo. Marie-Hélène sort du salon, va au-devant de Jean-François.

— Je suis prête, dit-elle.

Elle revient vers la maison. Elle ne lui fait pas signe de la suivre. Il sait, comme elle, ce qui doit être. Ils arrivent ensemble jusqu'au salon. Noële est debout à côté de Ugo. Ils se sont levés tous les deux. Il y a un instant très bref, et pourtant c'est le temps suspendu.

— Bonjour. Jean-François.

Noële a parlé très doucement. Elle sait qu'il ne faut pas bouger, pas faire un geste, mais qu'il y ait dans sa voix toute la tendresse qu'elle lui garde.

— Bonjour. Noële.

Il voudrait déjà être sur la route, et ne plus se dire qu'il n'aura pas la force. Il sent Marie-Hélène à côté de lui. C'est pour elle qu'il est venu.

— Bonjour, Ugo.

Il regarde devant lui, sans rien voir. Il fait seulement, vers Ugo, une sorte de salut rapide, parce qu'il n'en peut plus de ne pas bouger.

— Bonjour. Jean-François.

Maintenant, Marie-Hélène sait que tout est bien. Elle peut tendre la main à Jean-François et quitter les Quatre Vents. La maison s'est apprivoisée.

CHAPITRE XI

COMME UNE FAMILLE

Trois jours. Noële ne bouge pas. Elle attend que le mariage ait eu lieu. Elle prend prétexte du travail de Ugo. Il a besoin de faire marcher ses doigts. On lui a fait venir un piano de Roanne. Il pense à cet enregistrement qu'il doit réussir. Madame Marie est un peu déçue. Elle croyait que les pianistes, ça s'intéressait surtout aux valses de Chopin. Toutes ces gammes, elle finit par penser que c'est monotone.

Gilles et Nicole Vaindrier quittent les Quatre Vents, le second jour, après le déjeuner. Noële les regarde partir, et s'assied devant la cheminée. Elle se sent séparée. Elle aurait voulu être à Paris avec eux, attendre sur le banc de la mairie, embrasser Marie-Hélène à la sortie de l'église. Elle pense à Jean-François. Au petit café de Tokyo, avec ses bambous, à cette promesse, la dernière : « *Je t'attends.* » Elle ne voulait pas de cette promesse, parce que c'était une menace, le signe d'une mort espérée. Il n'a pas attendu. Il a eu la force de se remettre debout. Il a recommencé à marcher. Elle voudrait remercier Jean-François, lui dire son estime, sa tendresse. Mais elle est séparée. Une autre. D'une autre famille. Le jour du mariage, c'est un engourdissement. Elle a besoin d'embrasser quelqu'un. Après le déjeuner, elle demande à Ugo de la conduire à l'usine, au bord de la Loire.

— Attends-moi.

Elle entre dans la cour. Tout est désert. En l'honneur du mariage de leur patron, les ouvriers ont deux jours de congé. Noële monte jusqu'à l'appartement, frappe à la porte.

— Qui est là ?

Elle entre. Madame Saulieu est dans son lit. Elle n'a pas l'air étonnée. Elle regarde Noële longuement.

— Je pensais à vous.

Noële reste debout contre la porte.

— Je me demandais si Jean-François aurait été heureux avec vous. Si ce n'était pas comme le temps de la jeunesse, qui ne veut pas finir.

Le silence. Les machines qui ne tournent pas. La fenêtre fermée.

— Marie-Hélène est forte. Elle est courageuse. J'aime beaucoup Marie-Hélène.

Madame Saulieu parle sans hâte, sans colère. Elle dit ce qu'elle pense, et Noële est heureuse d'être ainsi avec elle.

— Je ne dis pas cela comme un reproche, ma petite fille. Je ne dis pas cela contre vous. Vous ...

Elle fait un signe bref, en soulevant la main. Noële s'approche. Elles sont très près l'une de l'autre et se regardent calmement.

— Vous, c'est comme la lumière...

Noële se penche brusquement. Elle l'embrasse de toute sa force, les larmes aux yeux. C'est le pardon, c'est enfin la paix revenue. Mais madame Saulieu se dégage.

— Il faut me laisser.

D'une voix basse, effrayée, parce qu'elle ne sait pas si elle a assez de courage. Noële sort de l'appartement, rejoint Ugo. Elle ne dit rien. Elle lui prend la main, la garde un long moment dans les siennes. Elle sait que, maintenant, elle peut lui offrir son pays.

Alors, ils se mettent à vivre comme en vacances. Ils vont et viennent au hasard. Noële veut qu'il sache tout d'elle, de son enfance, des couleurs, des bruits familiers, des odeurs. C'est l'album de photographies que Nicole Vaindrier a offert à Delpina, mais les images bougent, vivent, ils entrent dedans, ils refont les chemins de l'enfance, et ces chemins sont restés les mêmes. Ugo regarde.

Ugo respire. Ce qu'il savait jusqu'ici de Noële, c'est un rocher rouge sur lequel elle s'était réfugiée, le pont d'un navire entre ciel et mer, son visage du petit jour sur la plage de Capetown, et tous les instants de leur vie partagés. Il apprend ses racines. Il met un genou en terre, il pose la main sur les routes, il ramasse les pierres, les caresse un moment, les rejette, et le bruit de l'herbe qui se referme est comme une parole. La parole donnée, le serment de fidélité. Il ne travaille plus. Il ferme son piano. Il n'en a plus besoin. Le concerto qu'il va enregistrer dans quelques jours, et qu'il avait choisi de jouer à Venise en hommage aux Quatre Vents, c'est en touchant le tronc des arbres, en aidant Brémont, un matin, à changer les seaux à la laiterie, en soulevant les couvercles des casseroles de madame Marie, qu'il le travaille. C'est le matin surtout, lorsqu'il se lève, et que dans sa fenêtre le ciel est gris-bleu, les champs fument légèrement, une bicyclette passe sur la route, dans le lointain il y a la corne de l'autocar qui ramasse les enfants du pays au bord des routes, pour les conduire à l'école.

— La tendresse, dit-il.

Il se souvient de maître Forestier. Il prend le visage de Noële dans ses mains, le regarde avidement.

— Qui es-tu ?

Il ne savait pas. C'est ici qu'elle devient elle-même. Cette lumière vient d'ici. Comment vivre sans ces démarches souterraines ? Il l'a découverte un matin, en croyant qu'elle était née de la veille, qu'elle était sortie de la mer, qu'il n'y avait rien avant lui. Il s'était senti exilé, avec elle, de la même vie errante, de la race de ceux qui partent et coupent derrière eux les amarres. Il comprend. C'est une autre femme, et pourtant c'est elle. C'est toutes les femmes avant elle, jour et nuit, et certains gestes les plus quotidiens, dont il croyait qu'elle les inventait, fermer une porte, se coiffer en penchant un peu la tête, il découvre leur origine dans la place des miroirs aux Quatre Vents, dans la hauteur des serrures. Et certaines intonations, certaine musique de sa voix, soudain il se retourne, parce qu'elles ont traversé la voix de Gilles, ou de Nicole, ou de madame Marie.

— Apprends-moi tout, dit-il.

Ils vont à la vieille maison. La forêt est encore douce, avec des feuilles qui se déplient. Ils marchent lentement. Noële depuis un temps s'alourdit. Elle sent dans ses jambes comme une paresse. Elle cherche appui au bras de Ugo.

— Tu es fatiguée ?

Elle dit : non. Cette marche-là n'est pas une fatigue. C'est un récit. C'est comme si elle était assise dans un fauteuil, et qu'elle raconte : autrefois, tu sais, quand j'étais petite j'entrais le jeudi dans la forêt... Ugo voudrait avoir eu dix ans avec elle. Il se baisse, arrache des herbes, les mord, les mâche, pour manger cette terre, pour en avoir le goût dans les dents. « Plus tard, pense-t-il, quand je serai mort, peut-être mon fils viendra-t-il m'enterrer ici. Alors, j'aurai cette herbe dans la bouche, qui poussera. » Il serre Noële contre lui. Le temps est celui des nuages très blancs et très ronds, avec du soleil.

— Les arbres, j'ai vu déjà...

Quand on les coupe. Il a vu déjà, sur les troncs abattus, ces cercles l'un après l'autre qui permettent de lire les âges. Il sait que Noële est ainsi, son corps et son cœur. avec de petits cercles qui sont les années d'avant lui.

La vieille maison est fermée, avec son cadenas de l'an dernier. Le même. Toujours brillant.

— Pour entrer, il suffit d'arracher l'un des pitons.

Ugo tourne autour.

— C'était toi ?

— Oui. J'avais dix ans, onze ans. Le jeudi.

Sur la porte, Ugo découvre deux initiales, gravées au couteau.

— N.V.

Il passe un doigt sur les lettres, lentement. Il sent le bois guéri de sa blessure, qui ne se souvient plus d'avoir été marqué au couteau, et porte le nom de Noële comme s'il l'avait inventé.

— C'est Denis, dit Noële.

— Il venait ici avec toi ?

— Oui.

— Il t'aimait ?

Elle regarde les lettres à son tour.

— Nous étions enfants.

Ils reviennent.

— Il faut que j'aille voir ton école, à Ouches.

En entrant dans la cour, Ugo s'arrête. Il a l'impression d'être déjà venu.

— Toutes les écoles se ressemblent, dit-il.

Il pense à la sienne. Exactement la même. Sauf l'arbre, au milieu de la cour. A Budapest, il n'y avait que le ciment. Il pousse la porte de la classe, s'assied sur un banc. Sa main frotte le bois. Toutes les écoles ont la même odeur : l'encre et le papier, et la poudre de lessive pour laver les parquets à grande eau. Le poêle. Le charbon et la grille. L'hiver, quand il fait de la neige. Sa main s'immobilise. Il y a deux initiales sur le bois du pupitre.

— Comme à la vieille maison.

N.V. Le même couteau maladroit, la même blessure ancienne. Il ne comprend pas ce qui est en lui brusquement, cette irritation.

— C'est moi, dit-il. C'est moi qui les ai gravées.

Il est jaloux. De tous ces temps. Il se lève. Noële s'étonne qu'il marche ainsi entre les bancs.

— Tu sais...

Il vient vers elle. C'est comme un défi, et en même temps une plainte.

— Mon enfance à moi...

Pourquoi n'a-t-il pas le droit d'y penser, à son tour. Pourquoi elle seule ?

— J'étais heureux, moi aussi. J'étais un petit garçon heureux.

Il y a, très vivant, le visage de sa mère derrière la vitre, qui s'appuie, qui regarde, qui s'en va. Il se souvient de la chambre d'Ithaque. *Le seul cadeau que je voudrais te faire...* Prendre avec Noële le chemin de la Hongrie, passer la frontière, et lui offrir tout. Tout ce qu'elle lui offre depuis qu'il est aux Quatre Vents. Tout. Les odeurs, et les couleurs, et les images, et que ses racines apparaissent. Qu'elle se penche à son tour, qu'elle ramasse une pierre, qu'elle arrache une herbe et la morde.

— Je t'aime.

Il sort de la classe. Il appelle :

— Denis !

Pourquoi n'est-il pas là ? N'a-t-il pas entendu arriver la voiture ?

— Oui ?

Denis se. penche par la fenêtre du premier étage. Il travaillait. Il n'avait pas entendu, c'est vrai. Il descend. Avec Denis, ils vont parler musique, disque, enregistrement. Il le sait. Il préfère. De temps en temps, pendant qu'il parle. il regarde Noële. Elle ne dit rien. Depuis qu'elle est arrivée à Ouches, elle écoute Ugo. Quelque chose. de nouveau, s'est mis en route. Quelque chose qui n'est encore qu'un peu de lumière dans son regard, un éclat vite étouffé dans sa voix. Elle s'est assise. Elle ne veut rien savoir. Seulement cette caresse furtive, dont elle ne sait pas encore prendre l'habitude, lorsque son enfant se met à bouger.

Plus que trois jours. Il faut qu'il recommence à travailler. Pour les doigts. Noële reste dans le jardin, allongée sur une chaise longue. Elle a besoin de se reposer. Tous ces jours ont été comme une fièvre. Il y a les mois qui s'ajoutent, et sa taille qui change.

— Tu n'as pas pensé à tes robes ?

Nicole Vaindrier sourit.

— Personne ne s'occupe de toi.

Elle lui raporte des modèles d'un magasin de Roanne. Elle l'oblige à choisir. Noële ne sait pas, lui fait confiance. Comme autrefois. Elle est dans le jardin. Elle écoute Ugo qui travaille. Dans ses doigts aussi, quelque chose passe, par instants. Une impatience ?...

Le dernier jour, il ferme son piano, vient la rejoindre.

— Tu es bien ?

Il tire une chaise-longue, s'allonge à côté d'elle.

— Demain à Paris, tu ne pourras plus te reposer.

Il lui prend la main, l'embrasse doucement.

— Merci.

— Pourquoi, Ugo ?

— Pour toi.

Ils restent longtemps sans parler. Dans la laiterie, au fond de la cour, par la porte restée ouverte, on entend le bruit des seaux, des moteurs, la voix de Gilles Vaindrier parfois, celle de Brémont qui répond. Contre le mur du jardin, un lilas est en fleurs.

— Il fleurit toujours le premier, dit Noële.

Toujours. Cela veut dire vingt années, l'une après l'autre. Elle regardait fleurir le lilas. Elle ne se demandait pas où était Ugo. Elle ne s'étonnait pas qu'il soit si loin d'elle. De nouveau, comme une ombre, derrière le petit mur, une femme, avec un visage blanc de fatigue, la bouche qui s'ouvre, et peut-être va-t-elle l'appeler par son nom...

— Tu rentres de bonne heure, aujourd'hui.

Noële regarde Nicole Vaindrier qui vient vers elle. D'habitude elle reste sur le chantier jusqu'au soir.

— C'est le dernier jour. Je voulais être un peu plus longtemps avec vous.

Mais elle n'ose pas approcher tant ils sont silencieux. C'est la première fois qu'elle les trouve ainsi.

— Je vous dérange ...

Ugo s'est levé.

— Prenez ma place, madame.

— Non, Ugo, merci. J'ai mes habitudes. Un vieux fauteuil. Demandez à Noële.

— C'est vrai. Lorsque maman s'assied dans le jardin, elle s'installe dans une sorte de fauteuil en osier, complètement effondré, qui s'en va en morceaux, mais elle s'y invente un équilibre qui la repose.

Elles se sourient. Elles n'ont pas besoin de se reconnaître. Depuis toujours, elles savent.

— Je vais vous le chercher, dit Ugo.

— Dans la remise, au fond.

Il revient avec le fauteuil. Nicole Vaindrier s'assied près de Noële. Elle parle un peu. Quelques mots sur les travaux, sur François Gallart, sur sa journée. Mais très vite, elle se tait. Comme Noële, comme Ugo. Elle se tait parce que peu à peu elle a découvert le lilas.

— Il résiste à tout, dit-elle. Aux gelées, aux orages. Il doit avoir plus de cent ans.

Ils ne savent pas que le soir approche. Gilles Vaindrier sort de la laiterie avec Brémont. C'est l'heure des livraisons. Il les aperçoit, tous les trois. Il pense à Venise, à la

place Saint-Marc. Il vient lentement vers eux. Brémont
s'écarte, disparaît dans le hangar où le camion est rangé.
— Méfiez-vous, dit Gilles Vaindrier. Il commence à
faire frais. Nous ne sommes qu'en avril.
— Je vais monter chercher un chandail.
Noële regarde son père, sourit en plissant les yeux.
— Je peux dire ce que je pense ? demande Gilles.
Il est devant eux, un peu maladroit, et c'est à Noële
qu'il parle, mais il sait que sa femme écoute, et Ugo.
— Je ne vais pas vous faire un petit couplet lyrique,
rassurez-vous. Mais il faudra nous souvenir toujours de
cet instant, de ce jardin, de ce silence. Toujours, oui.
Vous, les enfants, et nous les parents. Parce que...
Il regarde vers le hangar, vers le camion. Il peut aller
jusqu'au bout de sa phrase, puisque tout de suite après,
il tournera le dos et s'il est ému, personne ne le verra.
— ...parce que c'est enfin comme une famille.

A Paris, maître Forestier les héberge dans son petit
appartement, sur les boulevards extérieurs. Il habite tout
en haut d'une sorte de tour, avec une terrasse et des
rosiers. De ses fenêtres, on voit Paris, les banlieues, une
large route qui semble partir de sa porte et conduire
vers les aérodromes. Le studio d'enregistrement est à
côté de chez lui. Ils y vont ensemble et en reviennent.
Noële assiste à toutes les séances. Elle s'installe dans la
cabine des techniciens. Ugo travaille avec une minutie,
une exigence, qui surprend tout le monde. Maître Forestier
le premier.
— On dirait que vous ne serez jamais satisfait, Ugo.
Que, ce disque terminé, vous allez refermer votre piano.
— C'est vrai, dit Ugo.
Il est assis sur le bras du fauteuil de Noële. Il parle
pour elle seule.
— Un concert, cela ne reste pas, on peut toujours se
dire : je ferai mieux demain. Mais un disque, c'est une
fois pour toutes. Un peu comme si j'allais mourir.
Il pose sa main sur l'épaule de Noële. Elle demande,
sans lever les yeux :
— Pour qui fais-tu ce disque, Ugo ?

Il se lève, parce que les musiciens sont revenus dans le studio et que le travail va reprendre. Maître Forestier attend. Noële sait déjà. Ce qu'elle veut, c'est qu'il le dise tout haut.

— Pour mon fils.

L'enregistrement dure toute une semaine. Ugo a recommencé chaque mouvement plusieurs fois. Il a écouté toutes les prises. Il n'est pas complètement satisfait, mais il sait qu'il ne pourra pas aller au-delà. Maître Forestier s'engage à suivre lui-même les opérations de montage, de gravure, de pressage. Il tient lui aussi à ce que ce disque soit le plus près possible de la perfection. Ugo doit donner un concert à Londres, dans trois semaines. Il est convenu qu'au retour, il s'arrêtera à Paris, qu'il écoutera la première épreuve.

— Et si vous n'êtes pas content, nous recommencerons, Ugo. Ne vous inquiétez pas.

Ils peuvent rentrer à Athènes. Mais il leur reste quelque chose à faire à Paris. C'est Noële qui en a parlé la première. Ugo y pensait-il ?

— Cet appartement dans l'île Saint-Louis, où tu as vécu, peut-être faudrait-il y mettre de l'ordre.

Depuis l'accident d'Héléna, personne n'y est entré. Yannis Karrassos a tiré les rideaux, verrouillé les portes. Et c'est une ombre encore qui attend que quelqu'un lui ferme les yeux.

— Tu auras la force ?

— Oui.

Ils y vont. C'est un jour immobile, entre deux saisons. La Seine hésite d'une berge à l'autre. Ils montent trois étages. La porte est un peu difficile à ouvrir. Il n'y a pas d'électricité. On a coupé les compteurs. Ugo va jusqu'à la fenêtre, écarte les volets. C'est à la pointe de l'île, avec Notre-Dame dans les fenêtres. Tous les objets sont à leur place. Noële a l'impression qu'Héléna va revenir, qu'elle est en voyage pour quelques jours. Elle aperçoit de grands dossiers sur les rayonnages de la bibliothèque.

— Il y a ton prénom partout. Ugo... Ugo...

— C'est tout ce qui concerne mon métier.

Il sort les dossiers, les ouvre. Noële regarde. Des photographies, des articles de journaux, des contrats, des lettres.

— C'est triste, ne regarde pas. Héléna gardait tout,
le moindre entrefilet, la plus mauvaise photographie.

— C'est toi, Ugo. C'est toi avant moi.

Elle regarde toujours.

— Je voudrais emporter tous ces dossiers.

— Où ?

— A Athènes, à Lefkas, je ne sais pas. Mais je voudrais
les avoir à moi, pouvoir les regarder.

Elle s'arrête sur une photographie, très noire sur la
page d'un programme.

— A qui ressembles-tu ? Tu ne m'as jamais dit.

— A mon grand-père paternel. J'ai tout de lui, le
visage, la démarche.

— A ta mère, non ?

— A ma mère, c'était Maria.

Il referme les dossiers, les remet en place.

— Je demanderai à la concierge tout à l'heure. Quelqu'un viendra, mettra tout dans des caisses, et les enverra
à Athènes.

Il s'approche de la fenêtre ouverte.

— Ce que j'aimais dans cet appartement...

Il monte sur le balcon. Noële le rejoint.

— Parfois, la nuit, quand il faisait chaud, je dormais
sur ce balcon. Au petit jour, la Seine, c'est très blanc.

Il s'accoude, se penche un peu. Les gens passent dans
la rue. Sur les quais, plus loin, des pêcheurs immobiles.

— C'est ça, que j'aimais. Le fleuve. Comme à Budapest.
Chez moi, à Budapest, il y a aussi un fleuve dans les
fenêtres. Depuis que je suis enfant, je m'accoude au
balcon et je regarde l'eau couler.

Noële regarde ce visage penché vers la Seine, vers des
images à la surface de l'eau.

— Pendant la guerre, tous les ponts, sur le Danube,
avaient été détruits. Je les ai vus, l'un après l'autre, se
reconstruire. Il y a un moment où les deux arches se
rejoignent. On ne respire plus, on attend, et tout d'un
coup, ça y est. La vie peut circuler d'une rive à l'autre.
Chaque fois que ...

Il s'interrompt brusquement, se penche davantage.
Quelque chose dans la rue, quelqu'un. Noële ne voit pas.
Elle prend le bras de Ugo.

— Qu'y a-t-il ?

Il ne répond pas. Elle se penche, essaie de voir. Des gens, qui vont et viennent, pressés, parce que le soir est proche, et qu'ils rentrent chez eux. Ugo se redresse.

— Cet homme, tu vois.

Il désigne quelqu'un de dos, qui s'éloigne, un homme grand, mince, avec un manteau sombre. Un homme qui ne marche pas vite, moins vite que les autres, qui semble se promener, visiter l'île.

— Quand il a levé la tête vers le balcon... C'est absurde, je sais, absurde. Mais ...

— Qui est-ce ?

Ugo se penche de nouveau. L'homme est arrivé au coin du quai. Il disparaît derrière la maison d'angle. Il ne s'est pas retourné.

— Sa taille, sa façon de lever la tête, son visage. Pendant quelques secondes...

Il se tourne vers Noële. Dans son regard, il y a de l'étonnement, et une joie qu'il ne sait pas maîtriser.

— J'ai cru que c'était Tomas, mon frère aîné.

CHAPITRE XII

JE CONNAIS LES PASSAGES

— Je ne vous l'interdis pas formellement, madame. Comprenez-moi. Je dis simplement que ce serait plus raisonnable d'attendre votre mari ici. Vous n'êtes pas malade. Vous êtes simplement fatiguée. Tous ces voyages depuis des mois...

Noële ne veut pas croire. Londres. Le concert de Londres. Elle n'avait jamais pensé qu'il jouerait sans elle. Elle en veut, brusquement, à cet enfant qui lui impose sa loi, qui l'oblige à se séparer de son père.

— Si ce voyage est absolument nécessaire, faites-le, poursuit le docteur. Mais je sais d'avance ce qui va se passer. Les allées et venues, les chambres d'hôtel, les avions, les valises. Surtout avec cette escale à Paris, au retour. Vous êtes dans votre cinquième mois, madame. C'est celui qui exige le plus de prudence. Je préférerais vous savoir sur une terrasse, au soleil.

Il se tourne vers Ugo.

— J'ai dit tout ce que j'avais à dire, monsieur.

Ugo le raccompagne jusqu'à la porte. Delpina Karrassos entre dans la chambre.

— Je veux aller à Londres, dit Noële.

Elle se redresse, s'adosse aux coussins du lit. Delpina la regarde.

— A qui est-il cet enfant ?

Noële lui prend la main.

— Oh, non ! Pas vous. Ne vous mettez pas avec mes ennemis.

— Les gens raisonnables sont tes ennemis ?

Noële ne peut pas dire. C'est en elle, et personne ne comprendrait. Pas même Ugo. Il y a cet homme de dos, dans l'île Saint-Louis. Depuis trois semaines, elle attend qu'il se retourne, qu'il revienne sur ses pas. Elle voudrait voir son visage.

— Nous allons quitter Athènes toutes les deux, dit Delpina. Nous allons nous installer à Lefkas. Nous serons bien.

Noële ferme les yeux. Elle se laissera faire. Pendant tous ces jours où Ugo sera loin d'elle, elle n'aura plus le sens de rien.

— Quatre jours, dit Ugo en revenant. Seulement quatre jours.

Elle comprend qu'il a pris sa décision, qu'il ne veut pas qu'elle l'accompagne à Londres.

— Ce sera long, dit-elle.

— Je te téléphonerai tous les jours.

— Tu me diras tout ?

— Tout.

Il pense qu'elle se souvient de New York, qu'elle a peur pour lui, parce que le signor Peretti est obligé de rester à Venise. C'est un concert public, le premier depuis celui des Nations unies. Il se penche, lui prend le visage dans les mains.

— Maintenant que tu partages tout avec moi, si quelqu'un se lève dans la salle, et me crie encore : « Souviens-toi... », je penserai à l'enfant qui est en toi, et je jouerai.

Il quitte Athènes le lendemain. Noële l'accompagne à l'aéroport. Ils ne disent rien. Simplement les phrases qu'il faut dire :

— Ton billet ?

— Je l'ai.

— Dès que tu arrives à Londres, tu m'appelles.

Il la tient par les épaules. Elle est toute petite, et cet enfant en elle lui donne quelque chose de rond, qui l'attendrit. Il a envie de la prendre dans ses bras, de la porter jusqu'à l'avion, et de la garder contre lui pour qu'elle s'endorme.

— Quatre jours.

On appelle les passagers. Ils se sourient. Ils s'embrassent. Ils sont très calmes, soudain. Autour d'eux les gens bougent, parlent, s'agitent. Ils sont comme deux arbres, dans la forêt, autour de la vieille maison, l'un en face de l'autre, et leurs bras se referment.

— Je vais monter sur la terrasse, avec Delpina, je vais regarder partir ton avion.

Elle rejoint Delpina. Ugo se dirige vers la porte de départ. Sur les terrasses de l'aéroport, il y a beaucoup de monde. Noële s'accoude à la balustrade, Delpina est derrière elle.

— Je voudrais être à jeudi. Je voudrais que Ugo soit déjà revenu. Je ne sais pas pourquoi...

Delpina ne pose pas sa main sur elle, ne cherche pas à l'apaiser. Elle dit seulement :

— Ton amour est une maison avec des murs, Alexandra. Si tu ouvres une porte, la plus petite, le malheur entrera.

Noële se retourne.

— Quelle porte ?

— Ton inquiétude.

Ugo répète. Le soir de son arrivée, et toute la journée du lendemain. L'orchestre lui est familier. Il a déjà joué à Londres plusieurs fois. Il a tenu à inscrire à son programme le concerto inconnu de Mozart qu'il n'a pas su jouer aux Nations unies. Pour tout effacer. Sous ses doigts, c'est la même musique. Il est avec Noële. Il retrouve cette chambre, dont il lui a parlé, où il l'attend en disant qu'il l'aime, et qu'elle est douce, et qu'elle va venir... Il lui téléphone avant chaque répétition. Elle est à Lefkas. Elle est partie tout de suite après l'avoir accompagné à l'aéroport. Elle attend Yannis Karrassos, qui annonce son retour, après tant de semaines passées au Japon. Il devine à sa voix qu'elle est perdue sans lui.

— Plus que trois jours, mon amour.

Il répète. Il est seul. Les musiciens se reposent. Il travaille un passage du second mouvement. Il a l'impression que quelqu'un est là, que quelqu'un écoute. Il s'interrompt, se penche vers la salle.

— Ne t'interromps pas pour moi, Ugo.

Pendant un moment très long, il reste immobile. Il ne sait plus où il est. Il sait seulement qu'il a froid. Ses mains d'abord, tout le sang qui s'en va, et ses bras. Il tremble. Il ne s'en aperçoit pas. Il pense : la neige. Toutes les forêts d'un coup. Puis c'est la nuit. Il porte sa main à ses yeux.

— Je ne sais pas si je pourrai assister au concert, demain, soir. Alors, je suis venu à la répétition. J'avais envie de t'entendre jouer, Ugo.

Ce n'est pas une voix. C'est une musique. C'est tout en même temps. Le vent, mais aussi un escalier, une porte, le lac, le cordage des bateaux, et dans la chambre des garçons, la nuit, les trois sommeils. Ugo se lève. Il ne tremble plus. Il y voit. Dans la salle, debout dans son manteau sombre, le même manteau qu'à Paris, il reconnaît Tomas. Il avance jusqu'au bord de la scène.

— Je ne reviendrai pas, Tomas.

Il attend. Il s'étonne que Tomas n'ait pas changé. Exactement comme il y a trois ans. Un beau visage, très clair, très paisible, et cette façon de se tenir debout, bien solidement, parce qu'il est le frère aîné.

— Tu lui diras que j'ai une femme, Tomas. Que je vais avoir un enfant. Et que je reste avec ma femme et mon enfant.

Il voudrait que Tomas approche, et pourtant c'est mieux qu'il soit ainsi, dans l'ombre. Quand ils étaient enfants...

— C'était toi, à Paris, Tomas ?

— Oui.

— Pourquoi n'as-tu rien dit, ce jour-là, pourquoi n'es-tu pas monté jusqu'à l'appartement ?

Tomas ne répond pas. Ugo s'agenouille au bord de la scène, pour être plus près de lui.

— Quand nous étions enfants, quand j'avais trop joué... Tu étais l'aîné Tomas, le plus fort. Tu me prenais sur tes épaules, tu me portais jusqu'à la maison. Mais nous ne sommes plus des enfants. Tu ne pourras plus me porter jusqu'à la maison.

Il voudrait ne plus parler, ne plus se défendre.

— Il n'y a plus de frère aîné, Thomas. Il y a des frères

qui sont devenus des hommes, et qui se regardent en égaux.

Tomas fait un pas, sort de la pénombre.

— Travaille, Ugo. Laisse-moi t'écouter. Je veux pouvoir lui dire, en rentrant, que je t'ai entendu.

Ugo ne peut plus résister. Il saute de la scène, court vers Tomas, le prend dans ses bras, et serre, le visage baissé, comme autrefois, parce que Tomas est plus grand. Tomas le serre à son tour, et l'écarte avec violence, le repousse, parce que cela fait trois ans, et plus de trois ans. Ils se regardent. Ils n'ont pas la force de sourire. Ils n'ont pas la force de parler. Seulement de déchiffrer leur visage.

— Comment est-elle ? demande enfin Ugo à voix basse.

— Des cheveux gris.

— Tout à fait gris ?

— Oui, Ugo.

— Et sa taille ?

— Toujours aussi droite. Debout sans cesse. Elle marche dans la maison, même la nuit. Elle dort à peine, toujours comme une coupable. Elle ne veut pas que tu la surprennes endormie. Elle t'attend.

Derrière eux, il y a des voix. Les musiciens.

— Ne quitte pas Londres, Tomas. Retrouvons-nous ce soir, maintenant il faut que je travaille. Mais, ce soir, dans ma loge. Passe par les coulisses. Je préviendrai. C'est possible ?

Tomas le regarde toujours.

— Puisque tu le demandes.

Ils marchent. Il pleut, mais ils ne le savent pas. Ils vont au hasard, le long des quais. Il est tard. La répétition ne s'est terminée qu'à minuit. Ugo sait qu'il faut dormir, qu'il joue le lendemain.

— Je suis fatigué, dit-il.

Les voitures passent, avec un bruit très doux. Ils s'arrêtent près d'un pont. Ugo s'adosse au petit mur.

— Rentre te coucher, Ugo.

— Non.

— Pourquoi ?

Il ne veut pas dire qu'il a peur du téléphone. Noële ne doit pas savoir. Si elle sait, elle va venir. Il ne veut pas.

Pour obéir au médecin, mais surtout parce qu'il veut se défendre seul, gagner seul ce dernier combat. Il interroge. Tomas raconte. La maison du lac Balaton est vendue, et l'appartement au bord du Danube. Il y a maintenant trois pièces sombres, dans une banlieue. Yan est marié. Il vit dans le sud du pays. Il a une petite fille.

— Et toi Tomas ?

Il n'ose pas demander ce qu'est devenue Elizabeth.

— Comment as-tu fait pour venir, Tomas ?

— Il y a des passages. Il suffit de les connaître.

Ils repartent. Ugo passe devant une affiche. Il y a son nom écrit en grandes lettres rouges. Il s'arrête. Il secoue la tête.

— Va-t-en, Tomas. Je ne partirai pas avec toi. Demain soir, je donne un concert. Après-demain je suis à Paris, j'écoute l'épreuve de mon disque, et je rentre à Lefkas. Non, Tomas, non. Je ne partirai pas avec toi.

Il est devant l'affiche. Il crie presque.

— Je connais des passages, dit Tomas. Ils sont faciles. Il suffit que tu reviennes un soir, seulement un soir, pour qu'elle s'apaise et s'endorme. Le lendemain, tu pourras repartir. Par les mêmes passages.

Il est derrière Ugo, il parle lentement. C'est un frère aîné. Il suffisait qu'il parle autrefois, parce qu'il n'y avait plus de père dans la maison, et qu'une voix d'homme était nécessaire.

Ugo se retourne.

— C'est fini, Tomas. Pendant toute notre enfance, c'est toi qui commandais, Yan et moi, nous t'obéissions. C'est fini.

Il sort de sa poche son portefeuille, y cherche le billet d'avion.

— Pour Paris. Après-demain matin. Et pour Athènes, le même soir. A 19 h 17. Tu vois. C'est écrit.

— Pourquoi te débats-tu, Ugo ?

Tomas fait un pas en arrière, enfonce ses mains dans ses poches, regarde son frère, et s'éloigne rapidement.

Il joue. Toute la journée, il répète. Le soir il joue. Il joue comme si c'était la première fois, et la dernière aussi,

comme si le temps s'était arrêté. Il ne sait pas si le public
applaudit. Il n'entend rien. Les musiciens voudraient qu'il
les rejoigne après le concert, parce qu'il y a une réception
organisée en son honneur. Il dit non. Mais il y va. Parce
qu'il s'y sent protégé contre Tomas. Toute la journée, il
l'a attendu. Mais Tomas n'est pas venu. Le soir, non
plus. Il n'était pas dans la salle de concert. Ugo téléphone
à Noële. Il dit :

— Demain matin, Paris. Et toi, le soir.

Il dit que c'est un grand succès, qu'il a bien joué, qu'il
le sait. Il dit qu'il l'aime. Il reste le plus longtemps possible
à la réception. Il parle. Les mots l'empêchent de dire :
Tomas. Il rentre à son hôtel, il ne se couche pas. Il reste
assis dans un fauteuil. Il attend le petit jour, l'heure
d'aller à l'aéroport, de prendre l'avion pour Paris. Dans
l'avion, il y a Tomas. A quelques places devant lui. Ugo
est rassuré. Il ne comprenait pourquoi il l'avait laissé seul.
Il regarde son visage. Il dit, pour lui-même : « Maria... »
Ils n'en ont pas parlé. Ils n'ont parlé de rien. Il y a tant,
et tant d'images : autant d'images qu'aux Quatre Vents,
car les enfances sont aussi longues, avec le même nombre
de jours, et pour devenir un homme, il lui a fallu un
aussi long chemin.

A Orly, il trouve maître Forestier. Tout de suite, ils
vont au studio d'enregistrement.

— La tendresse, maître ? Y a-t-il assez de tendresse ?

— Vous avez le cœur dans les doigts, Ugo. Le cœur
d'un enfant et le cœur d'un homme. Personne jusqu'ici
n'avait mis dans cette musique autant de gravité et
d'émerveillement.

Ugo écoute l'enregistrement jusqu'au bout. Il se dit
que son fils, un jour, saura combien il l'aimait.

— Je vous confie ce disque, maître. Jusqu'au bout. Qu'il
soit parfait jusqu'au bout.

— Oui, Ugo.

Maître Forestier le sent bouleversé. Il voudrait comprendre. Ugo se lève.

— Il faut que je vous quitte.

— Je vous accompagne, Ugo.

— Non, maître. Je pars seul.

Il demande à écouter encore une fois les premières mesures du second mouvement.

— Oui, Ugo.

Le piano seul, comme une voix dans le silence du matin. Comme aux Quatre Vents, lorsque la fenêtre est ouverte, et que Noële dort encore, et qu'il se lève sans bruit pour la regarder dormir de loin, comme celui qui garde et protège.

— Vous lui direz, maître.

A mi-voix, penché sur la musique.

— Cette tendresse, vous lui direz...

Il quitte le studio. Tomas est dans le couloir, adossé au mur.

— Viens, dit Ugo.

— J'écoute.

La musique est un peu plus lointaine, comme si le voyage déjà commençait, comme si dans les vitres de la voiture, les paysages se détournaient.

— Viens, Tomas, sinon je ne pourrai pas.

Ils sortent.

— Tes valises ? demande Tomas.

— A la consigne d'Orly. Je serai revenu demain, je les reprendrai.

— Il y a une station de taxi au coin de la rue.

— Il faut d'abord que je téléphone en Grèce.

Il cherche un bureau de poste. Il entre. Tomas le suit. Il demande la communication pour Lefkas. Ils attendent ensemble.

— Pourquoi es-tu venu, Tomas ?

Ce n'est pas de la colère. C'est de l'étonnement, et le plaisir aussi d'être revenu vers ces temps où il n'avait qu'à obéir.

— Dès le premier jour, Tomas. Quand je t'ai vu sur le quai de l'île Saint-Louis, quand tu as levé le visage vers moi. J'ai su que je dirais non mais que je te suivrais.

Il ferme les yeux. Il y a Noële, le visage de Noële, et celui de sa mère en même temps, l'un sur l'autre, comme confondus, l'une et l'autre regardant devant elles, l'une et l'autre guettant son retour.

— Un jour, seulement un jour. Demain soir, je serai avec ma femme et mon enfant.

La standardiste lui fait signe. Il entre dans la cabine. La voix de Noële est difficile à entendre, brouillée. Il parle lentement, il détache les mots.

— Ecoute mon amour il ne faut pas que tu sois triste. Je reste à Paris, oui... Je t'entends mal... Non, pas ce soir, demain, je reviendrai demain, à cause de l'épreuve du disque. Il y a quelque chose à refaire. Je vais travailler toute la nuit avec maître Forestier, et demain...

Il écoute. Il tremble un peu, parce que Noële dit qu'elle n'a plus la force de l'attendre.

— Je t'aime... Ecoute, tu m'entends bien ? Je t'aime. Souviens-toi que je t'aime. Le disque sera beau. Oui. Il parlera de toi et de moi et de l'enfant... Comme tu es loin... Samedi, oui, je serai là samedi, un seul jour de retard..

Il raccroche. Il tremble toujours. Tomas le voit trembler. Il ouvre la porte de la cabine.

— Viens, Ugo.

TROISIEME PARTIE

LE CORDONNIER DE SESANA

CHAPITRE PREMIER

MAINTENANT TU TE LEVES

C'est une maison longue et basse. De hauts murs, dévorés de feuillages, des tuiles rousses et derrière des cyprès, la voix monotone d'un jet d'eau. La route qui y conduit est étroite, sinueuse, avec des fondrières. Lisette Andrieux sonne, attend qu'on ouvre, regarde autour d'elle. Des collines avec des profondeurs de bois touffus, et très loin, dans le soleil, la tache ocre d'un court de tennis. Le silence est si complet qu'elle entend le bruit des balles.

— Madame ?

Une jeune femme entrouvre la porte.

— Je voudrais voir madame Luckas.

La jeune femme regarde Lisette attentivement. Elle est brune, avec un long visage, les cheveux courts. Vêtue de gris bleu.

— Elle dort, madame. Ne pouvez-vous pas revenir plus tard ?

— Je suis sa marraine, mademoiselle. J'arrive de très loin, du Brésil. Je dois repartir ce soir même. Je suis allée au palais Karrassos. Sa tante, mademoiselle Delpina, m'a dit que je pouvais voir ma filleule sans attendre. N'est-il pas possible de la réveiller ?

Lisette parle vite, parce qu'elle s'inquiète brusquement. Il y a quelque chose qu'elle ne comprend pas. Quelque chose qui ne ressemble pas à ce qu'elle attendait. Cette maison, cette femme sévère, ce silence...

— J'insiste, mademoiselle.

— Du Brésil ?

— Oui.

La jeune femme regarde Lisette quelques secondes encore, ouvre la porte.

— Suivez-moi, madame.

Elles longent une sorte de cloître qui ouvre sur des pelouses. C'est la fin de la matinée. Le soleil est écrasant. Pas un arbre. Et partout des lances d'arrosage, montées sur des hauts pieds métalliques, qui tournent paresseusement. La jeune femme marche vite, pénètre sous un patio ombragé, s'arrête.

— Veuillez m'attendre, madame. Je vais prévenir madame Luckas.

— Non. Je vous accompagne.

Lisette a besoin de voir Noële tout de suite. La jeune femme a un geste bref, s'engage dans un couloir. Lisette la suit. Elles arrivent devant une porte. La jeune femme ouvre doucement la porte, entre. La chambre est dans l'obscurité.

— Vous dormez, madame ?

Lisette distingue un lit, une forme allongée.

— Qui est là ?

La voix de Noële, embrouillée, lointaine.

— Une visite pour vous, madame.

Noële se redresse brusquement, regarde vers la porte.

— Une visite ?

Elle a presque crié, tendue, cherchant à reconnaître cette ombre devant la porte entrouverte.

— Une visite à laquelle tu ne t'attends sûrement pas, mon chéri.

Lisette entre, vient rapidement jusqu'au lit, se penche. Noële la regarde longtemps. Elle semble sortir d'une torpeur si lourde, et en même temps, il y a comme un regret, comme si quelqu'un devait venir...

— C'est toi ?

A mi-voix, pas tout à fait certaine, comme si dans cette pénombre elle pouvait encore se tromper.

— Moi, Lisette, oui, mon chéri. Il fait si noir dans cette chambre, tu ne peux pas me reconnaître. Mais ma voix... Tu reconnais bien ma voix ? C'est exprès qu'on te laisse les volets fermés ? Tu n'as pas envie d'un peu de lumière ?

— Madame Luckas n'ouvre jamais sa fenêtre.

La jeune femme en gris bleu parle d'une voix sèche, debout près du lit, immobile.

— Vous pouvez nous laisser, mademoiselle.

Maintenant Lisette veut être seule. C'est un ordre qu'elle donne.

— Si j'ai besoin de vous, je sonnerai.

La jeune femme ne bouge pas.

— Vous pouvez nous laisser, dit Noële à son tour.

Quelques secondes encore, et la jeune femme sort sans bruit, referme la porte. Lisette jette son sac et ses gants sur un fauteuil qu'elle devine, va jusqu'à la fenêtre, écarte les rideaux.

— Non, Lisette...

— C'est interdit par le médecin ?

Noële a tiré les draps jusqu'à son menton. Elle est comme accroupie dans son lit, repliée sur elle-même, elle tremble. Lisette ouvre la fenêtre.

— Laisse entrer un peu d'air au moins, on étouffe dans cette pièce.

Elle pousse un volet. Le soleil déchire brusquement la pénombre, saute au visage de Noële qui porte la main à ses yeux. Lisette se retourne, la regarde. Elle a un bref sursaut, qu'elle s'oblige à réprimer. Il ne faut pas. Comme si tout était normal. Ne rien laisser paraître. Elle revient vers le lit.

— J'étais à Nice, chez mes parents. Je tournais en rond. Je pensais que je ne t'avais pas vue depuis le Brésil. Près d'un an. Et que tu étais à peine à une heure et demie d'avion. Je me suis finalement dit que c'était trop bête. Ce matin, j'ai pris un billet. Tu me connais. Un coup de tête.

Sourire. Rire même. Parler haut et vite, comme toujours. Et ne pas se demander qui est dans ce lit. Pas Noële. Ce visage tiré, et bouffi en même temps, ce teint gris, ces cheveux n'importe comment, raides, et sous les draps, ce ventre déjà rond, qui écrase et déforme.

— Comment as-tu su que j'étais ici ?

— Par ta tante Delpina, mon chéri. En débarquant à Athènes, je suis allée tout de suite au palais Karrassos, tu penses bien. Je savais que tu étais en maison de repos.

Mais je ne connaissais pas l'adresse. Et je me disais que tu en étais peut-être sortie. J'avoue même que je le souhaitais. Il me semble que c'est bien long...

Elle va comprendre, peu à peu. Il faut simplement de la patience. Elle va savoir pourquoi. Noële a toujours les mains sur son visage. Elle se cache.

— Ce sont eux qui t'envoient. Avoue. Ils savent quelque chose.

— Qui, mon chéri ?

— Mes parents. Ils ont appris.

Elle tremble toujours. Elle voudrait crier. Elle a du mal, parce que sa voix est faible. Mais elle voudrait crier, et sur un mot parfois, c'est comme un accent rauque.

— Tu penses bien qu'en arrivant en France, je me suis arrêtée aux Quatre Vents, comme toujours. J'y ai passé une semaine. J'étais là, d'ailleurs, l'autre dimanche, lorsque tu as téléphoné pour la fête des mères. Nicole avait tellement de choses à te dire qu'elle ne t'a pas parlé de moi. Mais j'étais là. Et je ne comprends pas pourquoi tu t'imagines qu'ils m'envoient. Qu'y a-t-il à savoir, mon chéri ? Tu leur as appris dès le premier jour que ton médecin te demandait de rester trois semaines dans une maison de repos. Je ne dis pas qu'ils sont très contents de te savoir là. Mais ils pensent que tu es bien soignée. Et ils pensent surtout que tu ne le leur a rien caché.

Lisette s'appuie au rebord du lit. Elle a peur d'aller trop vite, de poser les questions.

— Tu me jures, Lisette ? Tu me jures ?

Noële écarte les mains, regarde Lisette. « Un chien, pense Lisette. Un pauvre petit chien. » Elle s'assied doucement sur le lit, avance une main.

— Je te jure, mon chéri.

Noële se jette sur cette main, s'y accroche, se penche, le visage contre le drap, soudain abandonnée, à la dérive, toutes les défenses rompues.

— Ugo...

Elle parle, la bouche contre la main de Lisette, à voix si basse, si effrayée, que Lisette est obligée de se pencher à son tour pour entendre. Toutes les deux refermées l'une sur l'autre.

— Disparu. Depuis un mois. Je l'attends. Mon père est

allé le chercher. Oui, mon père. En Hongrie. Et j'attends,
les jours passent. Je deviens folle, folle, Lisette, je deviens
folle...

Elle ne pleure pas. Elle parle comme si les mots étaient
du feu et brûlaient. Chaque mot une flamme rouge, et
toute sa bouche brûle. Pendant un long moment, elle
garde le silence. Peu à peu elle cesse de trembler. Elle
a de petits à-coups brefs, qui s'espacent. Enfin elle se
redresse, lâche la main de Lisette, écarte ses cheveux.

— Sois gentille. Referme les volets.

Sans un mot, Lisette obéit. Noële s'assied, les jambes
allongées, la tête appuyée au dossier du lit. Elle raconte.
Plus calmement. Ugo a disparu. Depuis qu'il lui a té'éphoné
de Paris, pour lui dire qu'il ne rentrerait que le lendemain.
Elle a attendu. Un jour. Deux jours. Et puis, elle a appe'é
monsieur Forestier. Il n'a pas compris. Ugo avait dit qu'il
restait pour travailler avec lui. Ce n'était pas vrai. Monsieur Forestier l'avait vu, avait écouté avec lui les épreu-
ves du disque, mais l'avait quitté au studio d'enregistrement. Alors Yannis Karrassos a pris un avion. Il est allé
à Paris, à Londres. Il a refait le voyage de Ugo. Il a
interrogé tous ceux qui l'avaient vu : le chef d'orchestre,
les musiciens, le gardien du théâtre, le portier de l'hôtel.
Il a fini par savoir que quelqu'un avait rejoint Ugo à
Londres, la veille du concert, l'avait attendu dans sa loge,
qu'ils étaient partis ensemble. Un homme grand, très blond,
avec une voix claire et grave en même temps.

— C'est Tomas, Lisette. Son frère aîné Tomas. Je l'ai
vu à Paris. Du balcon de l'île Saint-Louis. Ugo me l'a
montré. Il n'a pas voulu me dire que c'était son frère.
Il m'a dit que c'était quelqu'un qui lui ressemblait. Mais
il l'avait reconnu. J'en suis certaine. Il l'avait reconnu.

Lisette la regarde. Malgré la pénombre, elle déchiffre le
visage. Tout à l'heure, elle se disait que c'était quelqu'un
d'autre. C'est vrai. Un mois d'attente, et le sang, la couleur
de la peau, la forme du menton, des lèvres, tout est différent. Comme si Ugo avait tout emporté. Jusqu'aux yeux,
à cette lumière dans ces yeux, éteinte. Plus rien ne vit
en elle que l'enfant.

Noële reprend son récit. Yannis Karrassos a découvert
les bagages de Ugo à la consigne d'Orly. Il s'est fait com-

muniquer la liste de tous les passagers ayant pris un avion, ce jour-là. Mais Ugo et Tomas avaient dû voyager sous des noms d'emprunt. Les hôtesses, les stewards, n'avaient pas su répondre. Deux hommes jeunes, blonds. C'était trop vague. Ils en voyaient tellement. Yannis Karrassos est revenu à Lefkas. La piste n'allait pas plus loin. Alors il a décidé d'aller en Hongrie. Ugo ne pouvait être que là. Tomas l'avait convaincu. Tous ceux qui avaient essayé avant lui n'avaient pas réussi. Tomas s'était décidé à venir lui-même. Ugo avait obéi à son frère aîné.

— Mon père s'est fait donner une mission officielle. Il est à Budapest depuis plus de deux semaines, comme président d'une commission de Finances, chargée de discuter je ne sais quoi, des acords commerciaux, je crois. Il a un ami, Georges, avec lequel il est en contact, qui me donne des nouvelles. Il doit revenir bientôt.

Elle ferme les yeux.

— Voilà, Lisette. Tu sais tout.

Elles sont immobiles. Derrière les volets, il y a le murmure lointain des lances d'arrosage.

— Je peux te poser deux questions, mon chéri ? Tu auras la force de répondre ?

— Oui, Lisette.

— Pourquoi es-tu ici ?

— Parce que j'ai besoin de me reposer. Je ne suis pas malade, tu peux interroger le médecin. C'est simplement une maison de repos, mais je n'avais pas la force d'attendre à Athènes. Je suis venue ici pour dormir, pour ne pas savoir que j'attends. Ici, c'est le noir. Toute ma lumière est là-bas, avec eux.

Elle tourne la tête.

— La porte..., dit-elle doucement.

Elle la regarde fixement.

— Quand tu es entrée tout à l'heure, j'ai cru...

Sa voix est devenue faible de nouveau. Le courage qui se perd.

— Un jour, la porte s'ouvrira et Ugo...

Elle respire un peu vite. Sa main a une crispation brève sur le drap. Elle reprend son immobilité.

— L'autre question, Lisette ?

— Tes parents, mon chéri. Les Vaindrier. Pourquoi n'as-tu rien dit ?

Noële se redresse brusquement. Elle s'accroche de nouveau à Lisette.

— Je ne veux pas, tu m'entends. Je ne veux pas. Ils sont loin, trop loin. Ils ne le supporteraient pas. Ugo va revenir. Je le sais. Il va revenir. Aux Quatre Vents, il faut qu'ils soient heureux en pensant à moi, qu'ils me voient heureuse, une image de moi heureuse, Lisette, tu comprends ? C'est ma défense, c'est comme s'ils veillaient sur nous.

Elle serre la main de Lisette de toutes les forces qui lui restent.

— L'autre dimanche, quand j'ai téléphoné, tu ne sais pas l'effort que j'ai fait. Je voulais que maman soit rassurée. Il y a eu brusquement cette date : la fête des mères. J'ai voulu qu'elle entende ma voix, ma vraie voix, celle d'avant. La voix de mon bonheur.

Elle est penchée, tendue.

— Tu ne diras rien, tu me jures que tu ne diras rien ? Je t'ai fait confiance, et maintenant...

— Calme-toi, calme-toi.

Lisette sait qu'elle doit agir à longues brasses régulières, comme on tire une noyée vers le rivage.

— Je ne dirai rien, calme-toi.

Elle ajoute, d'une voix un peu hésitante :

— Vous ne pourrez peut-être pas garder le secret bien longtemps. Tu es ici dans ta nuit, monsieur Karrassos à Budapest. Vous ne pensez plus aux contrats. J'imagine qu'Ugo devait donner des concerts un jour ou l'autre.

Elle se lève, va jusqu'à la fenêtre, écarte les volets.

— Lisette...

Elle n'entend pas la plainte, revient vers Noële.

— Maintenant, tu te lèves.

Elle tend une main.

— Je ne peux pas, Lisette.

— Tu peux très bien.

Noële secoue la tête.

— Tous les jours, j'essaie. Quand on vient faire mon lit. J'essaie de faire quelques pas. Je tombe.

— Je te retiendrai.

10

— Que veux-tu m'obliger à faire ?

Lisette sait. Ce silence, lorsqu'elle est arrivée, elle ne comprenait pourquoi il la mettait mal à l'aise. Maintenant, elle sait. Il faut arracher Noële à cette maison, le plus vite possible.

— A te lever, à sortir dans le jardin. Il y a un banc, à l'ombre tout près d'ici. Viens.

Elle a toujours la main tendue.

— Tu ne sais pas où est Ugo, tu l'attends, tu attends ton père, qui est parti le chercher. Mais Ugo est ici, mon chéri.

Sans s'attendrir, jusqu'au bout des phrases, pour qu'elles soient dites, et que Noële les entende.

— Ugo est en toi. Ton enfant c'est Ugo. Tu ne penses pas à lui. Tu oublies qu'il est là, qu'il grandit, que bientôt il aura envie de voir comment tu es faite. Il faut qu'il t'entende vivre, parler, rire aussi. Qu'il sache que tu es une mère comme les autres. Qu'il apprenne tout de toi, et pas seulement le chagrin, le sommeil et la nuit.

Noële cache son visage dans ses mains.

— Je ne veux pas qu'il naisse avant le retour de Ugo. Si son père n'est pas là pour l'accueillir, je ne veux pas le mettre au monde.

— Il naîtra quand même, mon chéri. Il naîtra le moment venu. Tu ne peux plus rien contre cette vie qui est en toi. C'est elle la plus forte. Elle qui commande. Tu es prise dans le cercle. L'univers tourne et tu obéis.

Noële attend encore un moment, puis elle écarte les draps, pose un pied sur le sol. Chaque geste avec une plainte sourde, comme si elle ne savait plus bouger.

— Je dois avoir une robe de chambre quelque part.

Lisette ouvre une armoire, trouve la robe de chambre, la tend à Noële. Elle va dans le cabinet de toilette, prend une brosse, un peigne, un miroir. Noële commence à se coiffer, s'arrête, se penche vers le miroir.

— Cette femme, dans la glace...

— C'est toi, oui.

Noële ferme les yeux brusquement. Elle a une voix effrayée.

— Si Ugo revenait... s'il entrait maintenant dans la chambre, il ne me reconnaîtrait pas.

Elle saisit le peigne, la brosse, se coiffe à gestes nerveux. Elle se lève, seule, refusant la main de Lisette. Debout au milieu de la chambre, regardant autour d'elle. « Elle était morte, pense Lisette. Vraiment morte... » Elles sortent de la chambre. Noële s'appuie au mur d'une main, longe le couloir, atteint le patio, s'arrête. Sur la gauche, à travers les vitres d'une porte-fenêtre, surgit comme une forêt touffue de fleurs, serrées les unes contre les autres, exubérantes, toutes les couleurs à la fois, encadrant une pièce d'eau où les nénuphars s'ouvrent comme des grenades. Noële tend la main. Lisette ouvre la porte-fenêtre. Elles ne cherchent pas de sièges, s'installent au bord de l'eau, sur la pierre, dans les fleurs. Il y a de petites grenouilles, gris argent, qui les regardent. Noële respire longtemps.

— Quel jour sommes-nous ?

— Le 6 juin.

— L'été bientôt.

L'eau est verte, immobile, avec des algues fines, qui remuent doucement.

— Ugo a quitté Paris le 4 mai. Un mois et deux jours.

Elle enlève une sandale, enfonce son pied dans l'eau.

— Tu avais raison, dit-elle. J'ai la tête qui tourne un peu, mais c'est bien.

— Tu veux que j'appelle l'infirmière ?

— Non, c'est l'air, toutes ces fleurs, la chaleur aussi. Mais je ne suis pas malade, au contraire. C'est la vie qui reprend.

Elle bouge son pied, les grenouilles s'effraient.

— Lisette...

Elle cherche la main de Lisette, la serre un peu, mais sans angoisse. Comme un signe de tendresse.

— J'ai prononcé le nom de Ugo, et je n'ai pas eu mal.

— C'est ce qu'il faut. Que tu penses à lui sans avoir mal. Sinon, c'est comme si tu n'avais plus d'espoir.

— S'il arrivait maintenant, au bout du patio, là-bas, il me reconnaîtrait, tu crois ?

Lisette embrasse légèrement la main de Noële.

— Maintenant, oui, mon chéri.

CHAPITRE II

VOUS VOULEZ QU'ELLE PARTE AVEC VOUS ?

Noële quitte la maison de repos deux jours plus tard.
Lisette a gagné sa première bataille. La seconde est plus
difficile. Elle veut que Noële rentre aux Quatre Vents,
jusqu'à la naissance de l'enfant. D'elle-même, elle l'aurait
mise dans un avion sans attendre. Mais la décision ne lui
appartient pas. Il faut attendre le retour de Yannis Karrassos. Il faut aussi que Noële consente à mettre les Vaindrier
au courant. Elle refuse toujours.

— Ta mère s'étonne.

— Pourquoi ?

— Parce que je devais rester à Athènes une seule journée. Je viens de lui téléphoner. Elle commence à comprendre qu'il se passe quelque chose.

— Lisette, tu ne lui as rien dit ?

— Puisque je t'ai promis.

Elles sont dans la chambre de Noële. Sur les terrasses
du palais l'ombre sort lentement des murs. Le soir approche. Très loin, un jardinier, coiffé d'un chapeau de paille,
se penche sur des rosiers.

— Elle s'impatiente aussi parce qu'elle a besoin de moi.
Je n'ai pas encore tout réglé avec la banque pour le
financement des travaux de la maison des Jeunes. Les
premiers fonds doivent arriver du Brésil ces jours-ci. Il
manque une ou deux signatures sur des papiers. Et
l'architecte, qui a tout financé jusqu'ici, voudrait bien que
je commence à le rembourser.

— Tu as vu les travaux ?

— Oui. Ce sera très bien. Ta mère a vraiment découvert un architecte remarquable. Plein d'idées, d'enthousiasme. En principe tout doit être terminé pour le 14 juillet. La municipalité prévoit une grande fête pour l'inauguration. Je rêve de faire venir Diego et mes fils pour y assister.

— Miguel et Carlo ?

Les chevaux, le soleil sur les pierres et, la nuit, dans l'ombre des piliers de la véranda, la guitare de Miguel. Noële ferme les yeux. C'était aussi des jours à attendre, à dire : « *Ugo...* » tout bas, à regarder la route.

— Lisette...

— Oui ?

— Entre les arbres, là-bas.

— Où, mon chéri ?

Noële a penché le visage vers la fenêtre. Elle regarde, dans la rue, derrière les murs des jardins, se renverse dans son fauteuil.

Un coup léger contre la porte.

— Entrez.

Une femme de chambre vient dire que mademoiselle Delpina voudrait parler à madame Andrieux.

— Elle a fait ses valises ? demande Noële.

— Oui, madame.

— J'ai essayé de la convaincre, dit Lisette. Pour qu'elle attende au moins le retour de son frère. Mais non. Elle ne m'entend pas. Elle répète : « Puisque vous êtes là, je m'en remets à vous. »

Elle suit la femme de chambre. Delpina est debout devant sa porte, en manteau de voyage. Toute noire, le col relevé. Son visage est très petit, perdu sous des cheveux qui perdent leur couleur, peut-être gris, peut-être blancs. Autour d'elle, ses bagages.

— Je pars, dit-elle.

A voix basse. Elle ne parle plus qu'à voix basse. Depuis la disparition de Ugo, elle ne sait plus comment on parle. Elle a oublié.

— Cette maison, dit-elle...

Mais pourquoi expliquer ? Noële a les trousseaux de clefs. Et madame Andrieux est là. Elle fuit. Elle a hâte d'être loin, avec la mer entre elle et cette maison. Elle va en Italie à Pisticci, parce que tout est à faire là-bas, à reconstruire, depuis tant d'années, depuis le bombardement qui a tout anéanti. Elle tire sur ses gants. Elle est impatiente. Pendant vingt ans, pas un jour elle n'est sortie, pas un jour elle n'a quitté ce palais d'Athènes, parce que la porte pouvait s'ouvrir, parce qu'Alexandra pouvait apparaître sur le seuil. Mais Ugo... Attendre Ugo maintenant, elle n'en a plus la force. Elle croyait que tout était en ordre, qu'il n'y aurait plus jamais que le bonheur...

— Il fait trop chaud, dit-elle.

Comme on cherche des raisons, sans y croire, comme si c'était l'été dont elle avait peur, et toutes les familles qui ont des maisons en dehors de la ville, font leurs bagages dès que la chaleur est venue. Elle sait que Lisette n'y croit pas. Personne. Il fallait qu'elle reste là tant que Noële était seule, tant que Yannis était en Hongrie. Mais une femme est arrivée, cette femme, petite et vive, qui a une voix précise, qui donne des ordres, force les malades à se lever, les tire hors de leur chambre. Alors Delpina peut s'en aller. Elle voudrait se raccrocher à quelque chose qui était ses défenses. Mais elle ne sait même plus tendre la main. Elle se dit seulement qu'il faut garder la tête droite en descendant l'escalier, marcher jusqu'à la porte. ne pas prendre appui sur les rampes.

— Alexandra...

— Je l'embrasserai pour vous, dit Lisette.

Delpina ne sourit pas. Elle lève les yeux. Son regard tourne d'une porte à l'autre, vers les couloirs, les chambres fermées, le silence des maisons trop grandes.

— Chez moi, à Pisticci...

Elle ne sait pas pourquoi, mais les mots n'obéissent plus. Une phrase commence, reste en suspens. Ce qu'elle essaie de dire, c'est tellement simple. Elle tire une fois encore sur ses gants, baisse la tête, regarde la première marche de l'escalier. Le chauffeur est en bas, dans le hall. Il attend un signe pour prendre les bagages. Delpina relève la tête. La première marche. Après, les autres, c'est simplement une habitude.

— Il faut que j'y retourne. Il faut que je m'acharne.

Jusqu'à ce que tout soit clair. Comment voulez-vous autrement ?

Yannis Karrassos est revenu. Il a débarqué de Hongrie un matin au petit jour, les mains vides. Pendant quinze jours, il a fait son enquête. Difficilement. Sa mission officielle l'empêchait d'aller et venir librement.

— J'ai eu tort. C'est Georges qui m'a mal conseillé. Il fallait y aller à titre privé, ne rien faire d'autre que chercher, comme un chien de police.

Il a pourtant découvert quelqu'un. Une femme. Elizabeth, la fiancée de Tomas. C'est elle qui est venue vers lui. Les journaux avaient annoncé son arrivée, et elle savait tout de Ugo et de son mariage. Pendant deux jours, elle lui avait menti, s'était fait passer pour une hôtesse d'accueil, avait dit s'appeler Wanda, parce qu'elle n'était pas sûre des intentions de monsieur Karrassos. Mais très vite, elle avait avoué. Déchirée, Elizabeth. Sans nouvelle de Tomas. Semblable à Noële. Dévorée d'attente et de questions sans réponse. Tellement semblable à Noële. Elle lui avait présenté un ami, Erwin, un de ceux qui connaissaient les passages, et les avaient indiqués à Tomas. Erwin ne savait rien non plus. Il avait attendu Tomas et Ugo dans la journée du 5 mai, comme prévu. Il avait fait son enquête. En vain. Par lui, Yannis Karrassos avait appris les premières étapes du voyage. A Orly, les deux frères avaient pris un avion pour Nice. Ils avaient franchi la frontière italienne, par bateau, dans la nuit du 4 au 5. Ils avaient débarqué dans un petit port : *San Lorenzo al mare.* La piste se perdait là. Erwin avait refusé d'indiquer à Yannis Karrassos les relais suivants.

— Il se méfie de moi. J'ai insisté tant que j'ai pu. J'ai dit que je pouvais aller sur place faire mon enquête. Mais il a refusé. Parce que j'étais en mission officielle. Il avait peur que je n'alerte les autorités. C'est pour ça que je veux y retourner. Quand il verra que je suis revenu, presque secrètement, que je suis comme l'un d'eux, il aura confiance.

Depuis deux jours, il marche. Dans le palais, dans les jardins. Lisette le harcèle. C'est pour lui échapper qu'il marche.

— Vous croyez vraiment que vous rendrez Ugo à
Noële ?

— Je ne comprends pas vos questions. Oui et oui, je le
crois vraiment. Sinon pourquoi ferais-je tous ces voyages ?

Il n'a pas pu lui échapper. C'est le soir, dans le salon
de musique. Il marche toujours, d'une porte à l'autre.
Mais les portes sont fermées.

— Vous repartez sûrement ?

— Sûrement.

Dans sa chambre, au premier étage, Noële est couchée.
Elle ne dort pas. Elle est couchée, la lampe éteinte, les yeux
ouverts dans le noir. Il fait une nuit d'été, lourde, avec
des silences d'arbres apesantis par les chaleurs du jour.
C'est au petit matin seulement que les branches retrou-
veront leur vigueur, que les feuilles s'ouvriront pour un
moment.

— Nous sommes le douze juin, dit Lisette. L'enfant va
naître bientôt. Pas même deux mois. C'est à cette naissance qu'il faut penser. A cette vie, qui est la vie même de
Noële. Dites-vous bien ceci : elle ne trouvera la force de
vivre que par cet enfant. Si Ugo ne revient pas, c'est
l'enfant qui empêchera Noële d'aller le rejoindre. Personne d'autre que l'enfant.

— Ugo reviendra.

— Vous l'affirmez ?

— Oui.

Yannis Karrassos desserre sa cravate, ouvre le col de
sa chemise. Il étouffe. Ce salon fermé. Ces fenêtres. Jusqu'ici, devant cette femme, il voudrait rester digne. Mais
c'est trop de chaleur. Il s'arrête de marcher, vient vers
elle.

— Vous voulez repartir, c'est cela ?

Il est devant elle, penché de toute sa taille.

— Avec ma fille ? Vous voulez qu'elle parte avec vous ?

Il parle bas, comme s'il craignait que dans sa chambre,
là-haut, Alexandra n'entende.

— Il faudra vous y résigner, monsieur Karrassos. Cette
maison est vide. Votre sœur est en Italie. Vous allez repartir. Moi-même, il faudra bien que je retourne chez moi.

Yannis Karrassos la regarde, désemparé. Tout ce qu'il
avait cru. Tout ce qui était possible.

— Mon petit-fils, mon garçon...

Toujours à mi-voix, pour lui-même. Son cœur qui ne cache plus rien de ce bonheur dont il avait rêvé.

— Mon garçon Karrassos ne naîtra pas chez les Karrassos ?

Il se redresse, regarde, derrière les fenêtres, cette nuit si claire, tant d'étoiles.

— Où l'emmenez-vous ?

— Vous le savez bien.

Il fait un pas, sur le côté, comme s'il perdait l'équilibre. Mais, déjà, son regard est plus calme.

— Aux Quatre Vents ?...

Noële refuse toujours. Ce n'est pas qu'elle se défende des Vaindrier, qu'elle veuille leur cacher la vérité. C'est qu'elle pense à cette image, dans le jardin des Quatre Vents. Silencieux tous les trois, Ugo et sa mère, et elle-même dans la chaise longue, avec l'odeur du lilas, et Gilles Vaindrier qui les avaient regardés et qui avait dit : « *Il faudra nous en souvenir toujours...* » Cette image d'un bonheur si rare, si profond, elle s'y accroche, comme à son espérance, comme à la certitude que Ugo est encore vivant, qu'il y pense lui aussi, où qu'il soit, dans ses terriers inconnus, et qu'il va revenir. Comme un talisman, oui, comme une aimantation, une force plus forte que tout qui obligerait les frontières à céder. Il ne fallait pas détruire cette image. Il fallait que Nicole et Gilles Vaindrier, chaque jour, y pensent, qu'ils en parlent, qu'elle soit devant leurs yeux. Sinon c'était tous les dangers.

Et puis, il y a ces caisses dans le salon. Avec tous les dossiers découverts dans l'appartement de l'île Saint-Louis, que deux hommes ont apporté sans qu'on les attende. Noële sait qu'il faut les ouvrir. Elle n'y pensait plus. Toute sa force pour affronter ces images de Ugo. Après, elle cédera peut-être, elle acceptera que tout soit dévoilé.

— J'ai l'impression...

Elle est à genoux, penchée sur la première caisse. Elle sort les dossiers, les pose par terre, ouvre au hasard.

— Ce doit être ainsi après les accidents. Il ne reste plus que des papiers, des photographies, des lettres. Et les femmes relisent, brûlent, ou gardent selon leur courage.

Lisette ne l'aide pas. Elle est là seulement pour que rien de grave ne se produise.

— Je ne sais même pas pourquoi j'ai voulu avoir ces dossiers. J'ai demandé à Ugo qu'il les fasse envoyer à Athènes, c'est vrai. Je pensais qu'il serait là, pour les ouvrir, avec moi.

Elle regarde, mais sans s'arrêter, feuillette, se désintéresse. Un autre. C'est un autre. Ces visages sur des journaux un peu jaunis, elle ne les a jamais vus. Ils sont fixes, muets. Elle se relève, s'approche de Lisette, lui prend la taille brusquement, comme si elle allait tomber.

— Il vit, n'est-ce pas ?

Avec certitude. Avec force. Intensément.

— Il vit. Il pense à moi. Il m'aime. Il me l'a dit. La dernière fois qu'il m'a parlé. A Paris. Il me téléphonait avant de prendre son avion. Je t'aime. Il me l'a dit plusieurs fois. Sa voix était lointaine. Mais je l'entendais. Je le voyais. Je voyais ses lèvres, qui remuaient, qui disaient : je t'aime. Où était Tomas, à ce moment-là ?

Elle parle plus haut, plus vite, avec une sorte de colère.

— A côté de lui, dans le bureau de poste. Devant la cabine de téléphone. Il voyait Ugo dire : je t'aime. Il entendait. Il aurait dû comprendre. Il aurait dû partir, et laisser Ugo revenir vers moi. Pourquoi ?

C'est comme un sanglot bref, sans larmes. Une crispation de tout le corps. Elle se détend d'un coup, appuie son visage contre l'épaule de Lisette.

— L'île Saint-Louis, Je n'aurais pas dû en parler à Ugo. Tomas sous la fenêtre, et Ugo déjà qui s'était détaché de moi.

Elle pleure. Depuis tant de semaines, c'est la première fois. Elle croyait qu'elle n'avait plus de larmes, qu'elle était une terre desséchée.

— Tomas me l'a pris. Il ne me reste plus que ces vieux papiers, Lisette. Tout mon amour, dans ces vieux papiers.

— Tu es là, tante Nicole ?

Aux Quatre Vents, un matin. Marie-Hélène arrive très vite, un journal à la main.

— Je suis venue dès que j'ai su. Pour avoir des nouvelles.

Nicole Vaindrier n'est pas encore prête. Elle a rendez-vous avec François Gallart pour aller choisir des peintures. Depuis la veille, les travaux de la façade ont commencé.

— Quelles nouvelles ?

— Tu ne vas pas me dire que tu n'es pas au courant ?

Marie-Hélène montre le journal.

— C'est sûrement grave puisqu'ils en parlent.

— Ils parlent de quoi, ma petite fille ? Explique-toi.

— De Ugo, ma tante. Il est malade. Il a annulé tous ses concerts.

Nicole la regarde, prend le journal, lit. C'est un article court. Le concert prévu pour la semaine suivante à Stockholm est annulé. Ainsi que tous les contrats signés pour l'été. L'article est ambigu. Il semble dire que les raisons de santé avancées par le signor Peretti, imprésario de Ugo Luckas, ne sont peut-être pas suffisantes pour expliquer ce désistement. Nicole Vaindrier rend le journal à Marie-Hélène.

— Tu as bien fait de venir tout de suite.

Elle va jusqu'au téléphone, décroche, demande la communication avec Athènes.

— Sois gentille, ma petite fille, va chercher ton oncle qui est à la laiterie.

Gilles Vaindrier arrive très vite. Il lit l'article à son tour. Nicole est toujours près du téléphone.

— Tu y vas, dit-il.

— J'appelle avant pour savoir.

— Non, Nicole. Tu y vas. Tu fais tes valises, tu prends le premier avion. Annule ta communication. On appellera plus tard. Je veux d'abord avoir Air-France. Je ne comprenais pas pourquoi Lisette restait là-bas si longtemps. Il est certain qu'on nous cache quelque chose. Tu vas sur place.

Nicole monte dans sa chambre, prépare une valise, ou plutôt laisse Marie-Hélène la lui préparer. Elle est au milieu de la chambre. Elle a froid. Elle pense à Lisette, elle aussi.

— Tu emportes ces deux blouses, ma tante ?

— Si tu veux, oui. Je ne sais pas.

Gilles vient la rejoindre.

— Tu vas faire un voyage un peu compliqué. Il y a un avion à deux heures, à Lyon, qui te conduit à Paris. De là, tu repars pour Athènes. Tu y seras le soir, tard. A 23 h 15. Dépêche-toi. Il faut partir.

— Tu n'appelles pas Athènes, pour prévenir que j'arrive ?

— A mon retour de Lyon.

— Pourquoi ?

Gilles Vaindrier ferme lui-même la valise.

— Parce qu'il sera trop tard pour t'empêcher de rejoindre Noële.

CHAPITRE III

UN VISAGE FAMILIER

Lisette l'attend à l'aéroport. Dans la voiture qui les conduit au palais Karrassos elle raconte tout. Nicole Vaindrier écoute, ne dit rien. Elle serre son sac dans ses mains, la tête baissée, immobile.

— Voilà, Nicole. Nous allons arriver. Tu vas voir Noële. Surtout, surtout, ne lui reproche pas de ne rien avoir dit. Elle ne pouvait pas faire autrement.

— Pourquoi ?

Le premier mot qu'elle prononce. Depuis qu'elle a quitté Gilles à l'aéroport de Lyon. Pendant tout le voyage, elle est restée assise, très droite, le regard fixe, ne parlant à personne. Même pas aux hôtesses, à Orly. Des heures sur une banquette, dans le hall, près d'une fenêtre, à regarder les avions, à attendre qu'on lui désigne le sien. Muette. Avec des phrases en elle qui tournent, une seule phrase, un seul mot : pourquoi ?

— Elle a très peur parce qu'elle sait que tu arrives, continue Lisette. Elle allait mieux depuis quelques jours. Ce qui la rassurait justement c'est qu'aux Quatre Vents, vous n'étiez au courant de rien.

— Comment peux-tu dire une chose pareille ?

Une voix qu'elle ne se connaissait pas, aiguë, coupante, qui lui fait mal.

— Comment peux-tu croire que je vais l'accepter ?

Elle serre les mains de plus en plus fort.

— C'est pourtant vrai, Nicole. Comment te convaincre ? Les Quatre Vents, c'est le repos pour elle, le seul endroit préservé. Comprends-là. Lorsqu'elle pense à vous, elle se dit que Ugo n'a pas disparu. Pour Gilles, pour toi, pour madame Marie, Ugo est encore là.

Nicole Vaindrier baisse la tête, se replie sur elle-même.

— Ma petite fille. Ma pauvre petite fille...

Comme un cri très haut, et tout se déchire en elle. Lisette frappe à la vitre, fait signe au chauffeur d'arrêter.

— Ce bonheur... Tout ce bonheur... Aux Quatre Vents, dans le jardin, le dernier jour, tu ne peux pas comprendre...

Elle se calme un peu.

— Elle a peur de me voir ? Vraiment peur ?

— Maintenant que tu sais, Ugo a tout à fait disparu.

— Mais toi, Lisette, comment as-tu pu me mentir si longtemps ?

— Je ne mentais pas.

— Je te demandais : Ugo va bien ? Tu me répondais : oui.

— Comment sais-tu que c'est un mensonge ? Si tu aimes Noële, tu dois souhaiter que Ugo aille bien.

Un temps encore. Nicole Vaindrier regarde par la vitre de la voiture. C'est la nuit. Des maisons endormies. Un arbre.

— Nous pouvons repartir.

Il y a encore des rues, une place assez grande, une large avenue qui monte entre des villas. Lisette a fermé les yeux. Ce qu'elle attendait, ce qu'elle espérait. Maintenant elle n'est plus seule à tout prendre en charge. La voiture s'arrête.

— C'est ici.

Lisette prend Nicole par le bras.

— Tu as la force ?

— Oui.

Une fenêtre est allumée au premier étage.

— Noële te guettait de sa fenêtre. C'est elle qui vient t'ouvrir.

Elles franchissent une grille, traversent un jardin aux pelouses régulières, atteignent le perron, au moment où la porte s'ouvre. Noële est debout, en robe de chambre, immobile, comme autrefois lorsque ses parents étaient sortis le soir, et qu'elle ne pouvait pas s'endormir, et qu'elle sautait de son lit, pour leur ouvrir la porte dès qu'elle entendait la voiture. Nicole Vaindrier la prend dans ses bras, la soulève jusqu'à elle, du même geste retrouvé, légère, si légère, et sans comprendre pourquoi elle a envie de sourire et de porter la petite fille jusque dans sa chambre.

— Serre fort, maman. De toutes tes forces, dit Noële à voix basse. Je n'en peux plus.

— Je te dis de revenir ici, aux Quatre Vents, avec elle, oui, le plus vite possible. Tu m'entends ? On a perdu assez de temps comme ça... Mais Nicole pourquoi discutes-tu ? Je te dis...

Gilles Vaindrier a l'impression qu'elle n'entend pas. Il crie. Il a la main sur l'appareil, et il crie, comme si elle était très loin, perdue, à faire des signes de détresse.

— Demain, oui. Je rappellerai demain. Maintenant, c'est fini.

Il raccroche, regarde sa montre. Trois heures du matin. Il reste un long moment debout. Il ne sait pas où il est. Des heures à attendre. Des heures à tourner autour du téléphone. Avec l'image de Nicole, suspendue, en mouvement. Il levait la tête. Il l'apercevait, sur un carré de ciel. Même quand la nuit est tombée. Une lumière qui avançait.

— J'ai soif.

Il parle tout haut. C'est une nuit d'été, très claire. Il n'a pas fermé les volets. Dans la cuisine, il fait couler le robinet de l'évier.

— Qu'est-ce que ça veut dire : disparu ?

Il remplit un verre, boit longuement.

— Pas aujourd'hui.

Il fait quelques pas dans la cuisine. La lune est blanche sur les carrelages.

— On s'en va, on quitte sa femme, on part avec une autre. Mais on ne disparaît pas. Pas aujourd'hui...

Il se redresse brusquement, va à la porte, écoute.

— Il est fou ou quoi ?

Il grimpe l'escalier en courant, frappe à la porte du grenier.

— Brémont, mon vieux, vous savez l'heure qu'il est ?
Il ouvre la porte.

— Qu'est-ce que c'est ?

Brémont s'est dressé dans son lit, en sursaut. Il cherche
le commutateur à tâtons, allume.

— Je vous demande si vous savez l'heure qu'il est ?

Gilles est entré dans le grenier.

— Trois heures du matin, mon vieux, et vous faites
de la musique à cette heure-ci ? Vous êtes fou ou quoi ?

Brémont le regarde, sans comprendre, les cheveux ébouriffés, perdu dans son sommeil.

— De la musique ?

— Oui. J'en ai entendu. Vous n'allez pas dire que ce
n'est pas vrai. D'en bas, j'ai entendu. Vous avez éteint
votre poste de radio pendant que je montais l'escalier.

— Je vous assure, monsieur...

— Tout, Brémont, j'accepte tout ; vous entendez ? Sauf
le mensonge. Je veux bien être bon, amical, compréhensif,
mais en échange, j'exige la vérité. Sinon, ça dure, ça
s'installe et vous ne savez plus où vous en êtes. C'est
plus fort que moi, Brémont, je ne comprends pas. Qu'on
vous cache des choses, que pendant des semaines on vous
dise que tout va bien, et brusquement...

Il s'arrête. Il secoue la tête. Il a l'impression de se
réveiller. Un coup, très violent, sur la nuque, on perd
la conscience. Peu à peu, ce qui était endormi se réveille.
Il regarde le grenier autour de lui, Brémont, en pyjama,
dressé dans son lit.

— Vous permettez que je m'asseye une seconde ?

Il va vers la chaise, s'y laisse tomber, ferme les yeux.

— Pardon, dit-il doucement.

Il reste assis un long moment.

— Avez-vous besoin de quelque chose, monsieur ?

— Merci, Brémont.

Il se lève.

— Je crois que je commence à avoir un peu mal.

Il va lentement vers la porte.

— Vous ne pouvez pas comprendre. Je deviens peut-
être fou.

Il redescend l'escalier, marche après marche. Il aimerait
se laisser glisser jusqu'en bas. Au rez-de-chaussée, assise

contre la rampe, dans l'ombre, il y a madame Marie.
Elle regarde Gilles. On dirait qu'elle a peur. Il vient
s'asseoir près d'elle, sur une marche.

— Vous aviez raison, madame Marie. Elle va revenir.

A mi-voix, comme un secret.

— Il faut qu'elle soit ici, avec moi. Vous aviez raison.

Ils sont tout près l'un de l'autre. C'est la nuit. Mais
si avant dans la nuit que le jour déjà se devine. Une
petite clarté rose, très loin, dans les fenêtres du salon,
à travers la porte restée ouverte.

— Ce qui est difficile, madame Marie, je vais vous
dire, c'est de savoir qu'elle souffre. Toute seule, sans
rien dire, des jours et des nuits. Ça, je ne peux pas
l'accepter. Les enfants, ils viennent au monde. Et puis
quoi ? Ils ont le droit d'être heureux.

Madame Marie attend, les mains croisées sur ses genoux.
Elle a toujours peur, parce que la maison est vide, et
que jamais encore, elle n'avait entendu Gilles Vaindrier
lui parler ainsi. Même quand il était garçon, et qu'il
prenait sa bicyclette pour aller rejoindre la petite Olga,
qui se moquait de lui.

— Des jours et des jours, madame Marie. Essayez de
m'expliquer. Moi, je dis que ce n'est pas juste. Expliquez-
moi ce qu'elle a fait. Cherchez bien. Depuis le premier
jour. Depuis qu'elle est toute petite. Dites-moi ce qu'elle
a fait pour mériter ça ? Elle était sage. Gentille. Une
enfant modèle. Alors ?

Il se relève. Madame Marie demande doucement :

— Que se passe-t-il, monsieur ?

— Demain.

Il sait qu'il va prendre la voiture.

— Je vous dirai demain.

Il descend la dernière marche. Il voudrait ne pas savoir
que madame Marie a aussi peur que lui. Parce qu'il a
peur maintenant. De toute cette souffrance découverte
brusquement, de tous ces jours de souffrance qu'il faut
vivre d'un seul coup. C'est trop. Alors il va prendre la
voiture, il va aller réveiller Marie-Hélène. Le jour, ce
n'est plus qu'une question de couleur de ciel. On sait
déjà qu'il est là. Gilles Vaindrier met le moteur en
marche. Ils ont emménagé dans un moulin depuis

trois jours. Les travaux à peine terminés. Marie-Hélène
était venue le leur annoncer, heureuse, tout le visage
ouvert. Heureusement qu'ils sont au moulin. S'ils étaient
encore dans l'appartement de l'usine, Gilles ne pourrait
pas. Il réveillerait les Saulieu. Comme si Marie-Hélène
l'avait su à l'avance. Il conduit très vite. Les routes sont
désertes. Toutes les routes où Noële roulait en solex. Il
arrive au bord de la Loire, découvre le moulin dans un
coude de la route, freine brutalement.

— Marie-Hélène ...

Il frappe contre la porte. C'est du bois très neuf. Partout, autour, il y a des plâtras, des planches, des pots de
peinture vides.

— Marie-Hélène, tu m'entends ?...

Il fait le tour. Leur chambre doit donner sur le fleuve.
Il n'y a pas de rideaux. Il appelle encore. Une fenêtre
s'ouvre.

— Qui est là ?

C'est Jean-François, qui passe la tête.

— C'est moi, Gilles Vaindrier. Pardon, Jean-François.
Je vous réveille.

— Une seconde. Je descends vous ouvrir.

Très vite, il est à la porte, ouvre. Un peu le visage
de Brémont, tous les cheveux dans la figure, et du sommeil
dans la voix.

— Il y a longtemps que vous appelez ?

— Non, non. J'arrive.

— Avec le bruit de la Loire, on n'entend rien. On n'a
pas encore l'habitude. Entrez.

Gilles Vaindrier ne voit rien. Il ne connaît pas ce
moulin. C'est la première fois.

— Par ici. Nous n'avons pas beaucoup de sièges encore.

Ils sont dans une pièce toute blanche, avec le plâtre
encore humide, et la fenêtre ouverte, pour sécher plus
vite.

— C'est Marie-Hélène, dit Gilles. Il faut que je la voie.

Il va jusqu'à la fenêtre. Le matin est frais, avec un
petit vent vif, qui fait bouger les arbres le long du fleuve.

— Je ne pouvais plus, dit Gilles à voix haute.

Marie-Hélène est là, effrayée, comme si elle savait déjà
tout. Il se retourne, la regarde.

— Ugo, dit-il.

Elle attend. Elle est comme madame Marie. Elle a peur. Elle voudrait s'asseoir sur un escalier, pour que ce soit moins difficile.

— Je ne pouvais plus, Marie-Hélène. Il fallait que je le dise à quelqu'un.

— Un accident ?

— Peut-être. On ne sait pas.

— Comment : on ne sait pas ?

Elle était arrivée avec son journal à la main, la veille, aux Quatre Vents. Elle avait lu quelque chose qui était déjà un signe d'alarme, mais si loin de la vérité.

— Ils racontent, mais ce n'est pas vrai. Il y a quelque chose d'autre, sûrement. Ils racontent qu'il a disparu. Depuis le 5 mai. Oui. A son retour de Londres. Ta tante est arrivée à Athènes cette nuit. Elle vient de me téléphoner.

Ils se regardent. Ils se disent : ce n'est pas vrai. Ils se disent : il y a autre chose. Marie-Hélène secoue la tête. On ne disparaît pas. Les mêmes mots que son oncle. Tout de suite. Son premier réflexe. Parce qu'ils sont Vaindrier. Parce qu'ils ne croient pas à n'importe quoi, qu'ils réfléchissent, qu'ils raisonnent.

— J'étais tout seul, dit Gilles. J'ai raccroché. Il n'y avait personne. Seulement Brémont, madame Marie. Je ne pouvais pas leur dire. Toi, oui. Alors je t'ai réveillée.

Il cache son visage dans ses mains, frotte de toutes ses forces pour arracher cette envie de se plaindre, de fermer les yeux, de céder.

— Je ne tiendrai peut-être pas le coup, dit-il.

Elle vient vers lui.

— Tu veux un café bien fort ?

— Ça va passer.

Il tremble un peu.

— J'ai froid.

— Je vais te chercher une couverture.

— Non, reste.

Il lui prend le poignet. Il est content de refermer sa main sur ce poignet vivant, d'être avec quelqu'un qui a le même sang que lui, le même cœur.

— J'ai tellement mal, quand je pense à elle. A ce qu'elle souffre.

Brusquement, il dit tout. Furieux. Comme aux abois.
Parce que c'est trop tard, qu'il est cerné, tous les chiens
autour, et il faut qu'il dise tout, parce que, devant Nicole
et devant Noële, jamais, jamais, il ne pourra.

— C'est la folie, tu comprends ? Leur folie. Que lui
est-il arrivé pendant vingt et un ans ? Rien. Le bonheur.
Rien d'autre. On faisait ce qu'il fallait. Elle était douée
pour ça. Le bonheur, Et puis, elle s'en va. Et ça commence. Tout commence. Parce que c'est la folie. Dans un
monde qui est la folie. Avec des rêves, des avions qui
s'envolent, des bateaux où tout est permis. La tête lui
tourne. C'est une petite fille. Je le sais. Mieux que vous
tous. Une petite fille. Elle a besoin qu'on lui donne la
main. Mais ils sont là, à la faire danser, à applaudir. Il
ne fallait pas ...

Il parle avec tout son corps, la voix qui sort de tout
son corps, et il se penche, parce que c'est tout son amour
qui le traverse comme une flamme.

— Il ne fallait pas aller à Nantes. Je l'ai dit. Voilà.
Il ne fallait pas lire le papier. Il ne fallait pas savoir.
Monsieur Baxter, monsieur Mesnard, madame Mesnard,
et Georges, et ta tante, oui, même ta tante. Ils se sont
tous ligués contre elle. Voilà où nous en sommes. Et
qu'est-ce que je peux faire, moi ? Qu'est-ce que je peux
faire, tout seul, pour qu'elle ne souffre plus ?...

Il sort. Il y a un petit balcon de bois sur le fleuve. Il
s'y accoude, respire un long moment. Marie-Hélène n'ose
pas le rejoindre. Il se penche un peu, et parce que le
bruit de la Loire couvre sa voix, il dit doucement, pour
lui seul :

— C'est ma fille... A moi...

Il revient vers Marie-Hélène.

— Maintenant, il faut que je reste seul. Parce que...

Il n'y voit plus rien déjà, le regard brouillé.

— ... je ne veux pas que tu voies.

Yannis Karrassos ne se débat plus. Avec Lisette Andrieux
il pouvait espérer un compromis. Depuis que Nicole
Vaindrier est là, il sait. Dès le premier instant. Dès qu'elle
a pris Noële dans ses bras. Il sait qu'elle ne le lâchera

plus, qu'elle la portera ainsi jusqu'aux Quatre Vents,
à pied s'il le faut, parce que les mères ont des forces
accordées par le ciel, au-delà de toute mesure. Noële
s'accroche à son cou, ne dit rien, se laisse porter. Yannis
pense à sa vraie mère. Ariana. C'était ainsi. Elle avait
pris la petite fille dans ses bras, dès qu'elle avait senti
le danger et l'avait portée le plus loin possible, à la limite
de ses forces. Ariana. Elle devait avoir la même fureur
sur le visage, la même détermination. Comme des louves,
des lionnes, toutes les femelles animales, lorsqu'il faut
défendre leurs petits. Elles montrent les dents. Pas de
sentiment. Pas de raisonnement. Le combat. Il ne savait
pas. C'est dans le regard de Nicole Vaindrier qu'il découvre, après vingt ans, la vérité d'Ariana. Il ne cherche.
pas à lutter. Il voudrait seulement obtenir un délai. Son
second voyage en Hongrie se prépare, mais les demandes
de visa sont lentes à accorder. Le départ de Noële, il le
supportera mieux s'il est certain de partir à son tour.
Son ami Georges met tout en œuvre pour aboutir.

— Trois jours, madame Vaindrier. Donnez-moi encore
trois jours.

Il revient le lendemain, apaisé. Il a attendu toute la
journée dans le bureau de Georges. A sept heures du
soir, ils ont appris par l'ambassade que le visa était
accordé. Il fallait encore quelque temps pour les formalités. Mais l'accord était sûr.

— Maintenant vous pouvez partir.

Il monte dans la chambre de Noële. Elle est allongée
sur son lit, les fenêtres ouvertes. Il a fait si chaud que
les pierres de la façade brûlent encore.

— Tu crois que tu seras bien aux Quatre Vents ?

— Il ne faut pas me demander, père.

Noële parle lentement, en regardant la fenêtre, un
arbre en face, une maison très loin, dont les volets fermés
sont verts.

— C'est ma mère qui sait. Je lui fais confiance. Si elle
me dit qu'il faut partir, je pars. Je sais qu'elle a raison.

— Oui, dit Yannis.

Il regarde la maison, lui aussi. L'été. C'est le moment
des brusques départs, toutes les familles se dispersent.

— Tu penseras à moi ?

— Je penserai à votre voix qui, de nouveau, va crier :
Ugo. Il faut qu'elle soit très forte, et que Ugo l'entende,
parce que la mienne, c'est fini, père, elle ne peut plus
appeler. C'est une voix trop basse. Pour l'entendre maintenant, il n'y a que mon enfant.

Yannis Karrassos fait le tour du lit. Les rues sont
désertes. Comme au lendemain des combats de rues, lorsqu'il n'y a plus rien, ni l'eau, ni l'électricité, seulement
des corps allongés qui semblent dormir. Il sort son portefeuille de sa poche.

— Je voudrais que tu emportes ceci.

Il cherche une petite photographie, la tend à Noële.
Elle regarde, et tout de suite, elle reconnaît. La première
image de sa mère qu'elle voit. Jamais encore Yannis
Karrassos ne lui en avait montré. Mais c'est comme si
elle en avait déjà vu beaucoup, depuis toujours. Un
visage familier. Peut-être, la nuit, apparaît-il dans ses
rêves, et le matin elle ne s'en souvient pas.

— Où l'avez-vous connue ?

— Sur un bateau. Un bateau français : le *Normandie*.
Au Havre. Je revenais d'Amérique. Je ne sais pas pourquoi j'avais pris ce bateau.

Il s'étonne, parce qu'il n'a jamais eu envie de raconter
cette histoire, à personne. Même à sa fille, lorsqu'elle
est revenue. Mais ce soir, il y a quelqu'un avec eux.
Une ombre. Il la distingue nettement, de l'autre côté du
lit, la main posée sur le bois.

— Racontez-moi l'histoire du bateau.

L'ombre fait signe. Puisque c'est le dernier soir, puisque demain on ferme la maison, il faut raconter.

— Tu veux vraiment ?

— Oui.

Noële tient la photographie dans sa main fermée. De
temps en temps, elle lève la main, l'ouvre très vite,
regarde, la referme. Elle pense à Ugo, qui est en route
vers sa mère. Elle comprend peut-être pourquoi il a obéi
à Tomas.

— Tout a commencé en débarquant au Havre. Pendant la traversée, ta mère est restée dans sa cabine. Elle
n'aimait pas la mer. Dès qu'elle posait le pied sur un

bateau, elle était mal à l'aise. A la salle à manger, j'étais
à la même table que sa dame de compagnie, et...

Noële sourit brusquement.

— Une dame de compagnie ? On dirait une histoire du
siècle dernier.

— Mais oui.

Yannis Karrassos s'assied sur le lit, se penche vers sa
fille, sourit avec elle.

— Ta mère était une personne du siècle dernier. Elle
n'aimait rien de notre univers. Elle avait peur des autos,
des avions, du téléphone. Je n'ai pas encore compris
pourquoi sa famille l'avait envoyée faire ses études en
Amérique. Après deux ans, elle revenait en Europe. La
dame de compagnie, à table, parlait sans cesse des malaises
d'Ariana, qui refusait toute nourriture, buvait de l'eau,
scrutait l'horizon par le hublot. A l'arrivée, elle était si
faible, qu'elle ne pouvait pas faire un pas. La dame de
compagnie m'a appelé à l'aide. Je suis entré dans la
cabine. J'ai pris Ariana dans mes bras, je l'ai portée
jusqu'à terre...

Il ferme les yeux.

Déjà comme un signe entre elles deux.

— Et puis je ne l'ai plus quittée. Nous avons pris le
train ensemble. Nous sommes arrivés ensemble à Athènes.
Je l'ai raccompagnée chez elle dans ma voiture. C'était
en juin. A l'automne nous étions mariés.

Noële ouvre une fois encore la main, sourit à sa mère.
Pendant un instant, elle oublie tout. Délivrée, son angoisse
suspendue. Dans cette chambre ouverte sur le ciel de
juin, avec les mêmes couleurs de nuit d'été que pour
son père et sa mère, autrefois, elle se sent en sécurité.
Tous les trois ensemble, pour un instant, et, dans le
secret d'elle-même, la caresse attendue de l'enfant.

— Père... dit-elle à voix basse.

— Oui, Alexandra ?

Il se penche vers elle. De l'autre côté du lit l'ombre,
du même mouvement, se penche, attentive.

— Vous me rendrez Ugo, père ? Vous me le retrouverez ?

Il se redresse.

— Ecoute-moi.

Il parle avec force, avec certitude, toute sa confiance
retrouvée parce qu'ils sont ensemble, tous les trois, le
père, la mère et la fille, dans cette nuit de juin.

— C'est un serment que je te fais. Solennel. Devant ce
fils en toi qui nous écoute, et qui sera mon témoin. Je te
rendrai Ugo. J'irai le chercher où il est. Je ne crois pas
aux légendes, mais c'est la Grèce ici, et il faut te souvenir
d'Orphée. Oui. mon enfant, j'irai le chercher jusque dans
les Enfers.

CHAPITRE IV

C'EST QU'IL ÉTAIT TOUT

— Si, si, je veux l'embrasser. Qu'elle monte.

Elle est obligée de rester allongée le plus longtemps possible dans la journée, sur ordre de Berthelin, mais elle ne veut pas être enfermée. Elle a sa porte ouverte sur la maison. Elle entend tout, veut qu'on lui dise tout. Les gens qui viennent, les incidents, les pannes de moteur à la laiterie s'il y en a, tout ce qui se passe, en détails. Elle a une faim d'être là, vivante, une avidité. Et la certitude aussi qu'il le faut, pour elle, pour l'enfant, parce qu'il reste encore plus d'un mois avant la naissance, et qu'elle a besoin de toutes ses forces. Elle s'accroche à Gilles Vaindrier. Elle a besoin de lui. Chaque matin, lorsqu'elle s'éveille, elle l'appelle, pour être sûre que la nuit le lui a gardé. Il entre dans sa chambre, l'embrasse. Elle se sent en sécurité, comme dans un terrier. Un animal qui a creusé son trou, qui n'a plus peur. La nuit, elle dort, immobile, pour ne pas s'apercevoir qu'il n'y a personne à côté d'elle. Le plus difficile, c'est madame Marie. Elles préfèrent ne pas se voir. Elles ne sont pas assez sûres d'elles-mêmes, de ce qu'elles diront, de ce qui les poussera dans les bras l'une de l'autre. Madame Marie monte les plateaux dans la chambre, les redescend, sert Noële lorsqu'elle a la force de venir à table. C'est tout. Elles se regardent très vite, se comprennent : « Plus tard, lorsque je pourrai te dire, lorsque tu pourras me dire ... » Pour le moment, c'est une trêve secrète. Noële pense pourtant à ces caisses entrouvertes dans un salon d'Athènes, à ces

images enfouies, qu'elle n'a pas eu la force de regarder.
Il ne faut pas que sa vie avec Ugo soit ainsi, enfermée,
refusée. Ce jour-là, elle avait eu l'impression qu'on lui
renvoyait les papiers d'un mort. C'était accepter qu'il
pouvait l'être. Elle ne veut pas. Pour elle, pour l'enfant,
il faut avoir cette assurance en elle, cette certitude : Ugo
est vivant. Des mois, des années peut-être, mais il
reviendra.

En acceptant de voir Marie-Hélène, qui a hésité quelques
jours, mais n'a pas pu attendre plus longtemps pour
embrasser sa cousine, et qui est en bas, qui demande si
elle peut monter, c'est cette force-là qu'elle met à
l'épreuve.

— Si, si, qu'elle monte.

Ce bref instant, où ils se sont trouvés tous les quatre,
au mois de mai. Ugo et Jean-François. Noële et Marie-
Hélène, graves, ne sachant rien se dire d'autre que :
bonjour, presque cérémonieusement et le temps semblait
suspendu. Depuis, de celle qui était heureuse et de celle
qui tentait de l'être, où est le partage ?

— Bonjour, Noële.

Marie-Hélène est sur la porte. Noële la regarde longtemps, comme si elle ne l'avait jamais vue, et c'est vrai
que c'est une autre femme.

— Tu portes le bonheur sur toi, dit-elle.

Avec étonnement.

— Je ne savais pas.

Elles se regardent encore. Marie-Hélène n'ose pas entrer.

— Ce n'est pas moi qui compte.

— C'est toi. A quel point, si tu savais...

Leurs visages s'éclairent ensemble. Elles sourient du
même sourire. Elles s'embrassent enfin, sans violence, sans
emportement, avec des tendresses.

— Raconte.

— Je ne sais pas raconter. C'est en moi. Ça bouge avec
moi.

— C'est le matin et le soir. La nuit et la journée. C'est
la respiration.

Elles parlent en même temps, les mêmes phrases, parce
qu'il n'y a que peu de mots pour le bonheur, toujours les

mêmes, et si on en cherche d'autres, c'est qu'il n'est pas vrai.

— Raconte encore.

— Je ne sais pas. C'est la lumière et la chaleur.

— La folie aussi.

— Par moments, oui. Parce qu'on se dit que c'est trop beau, que ça ne peut pas durer.

— Et ça dure, ça se prolonge, c'est de plus en plus.

Noële se renverse en arrière, ferme les yeux.

— Ugo..., dit-elle à mi-voix.

Marie-Hélène a peur. Elle pense qu'il ne fallait pas, qu'elle a trop parlé, et trop vite. Mais Noële, d'un geste, la rassure.

— Puisque toi aussi tu dis les mêmes choses, puisque c'est pareil pour toi, alors, c'était bien le bonheur.

Un long moment à ne plus rien dire, à rester ensemble, puis Noële interroge et Marie-Hélène raconte. Son voyage en Suède, la villa au bord de la plage, le retour, l'installation chez les Saulieu dans l'appartement de l'usine, et très vite l'idée du moulin.

— Tu le connais, il est au bord de la Loire, à deux cents mètres de l'usine. Un vieux moulin qui ne sert plus à rien depuis des cinquante ans. Il y avait beaucoup de travaux, mais Josselin a accepté.

— Alors tu es chez toi ?

— Ma première vraie maison. C'est loin d'être fini. Il y a tous les jours les peintres, les plombiers, les électriciens. Mais on a voulu s'y installer tout de suite, dans les plâtres, parce que c'est l'été et que ça n'a pas d'importance. Tu viendras ?

— Bien sûr.

— Je te fais trop parler, pardon. Je vais m'en aller.

— Non.

Un moment encore. Il y a Ugo entre elles deux, sans qu'elles en aient peur.

— Et Jean-François ? demande Noële.

— Il va bien. Il travaille.

Marie-Hélène voudrait lui dire merci d'en avoir parlé la première.

— Il est bouleversé d'apprendre ce qui arrive. Je ne

devrais peut-être pas te le dire... Nous parlons peu de
toi. Mais il y pense beaucoup.

— Peut-être, un jour, aura-t-il la force de venir me
voir. Pas tout de suite, non, mais un jour. Parce que je
vous aime tous les deux.

Maintenant, c'est comme une grande respiration. Un
long silence, et la maison toute entière se tait.

— Parle-moi de Ugo, dit Noële doucement.

Elle a fermé les yeux. Elle attend, parce que c'est
maintenant le plus difficile.

— Quand tu étais à Paris, l'an dernier. Les jours
d'avant moi, où il était malade.

Marie-Hélène comprend que c'est grave, qu'il faut
répondre. Sans se l'expliquer vraiment, elle devine une
impatience, mais retenue, quelque chose dans sa voix
comme une brume, pas encore dissipée.

— Tu veux que je te parle de Versailles ? De l'hôtel
où il était à Versailles ? J'allais le voir l'après-midi.
Monsieur Karrassos m'avait demandé de lui apprendre
à jouer aux cartes. Un jeu très facile. La crapette. Ugo
trouvait ce nom stupide. Il se moquait de moi. Il y avait
un jardin autour de l'hôtel, de l'autre côté le château,
et, dans des écuries, un vieux cheval qui toussait. Le
soir, Ugo lui donnait à manger des cigarettes. Il les posait
sur sa main ouverte, le cheval avançait une langue grise.
Ugo disait : « Il peut manger la main avec, puisque je
ne jouerai plus de piano. »

Elle s'interrompt. Noële semble endormie. Les yeux clos,
le visage comme une pierre soudain, une statue.

— Continue, dit-elle après un temps très long.

— Je ne sais plus.

— Mais si.

Marie-Hélène hésite.

— Tu ne veux pas me dire, parce qu'il y a Héléna
dans les autres souvenirs. C'est ça ?

— Oui.

— Je comprends.

Elle ouvre les yeux, regarde Marie-Hélène avec une
surprise profonde. Elle attendait que ce soit une peine
trop lourde, mais non. Ugo est là, et c'est une présence

apaisante, une façon de lui entourer doucement les épaules d'un bras, et de se tenir près d'elle.

Maintenant elle sait qu'il faut aller plus loin. Elle pense à Miguel et à Carlo, ses frères lointains. Lisette avait dit qu'elle les ferait venir en France pour l'inauguration de la maison des Jeunes.

— Tu n'y as plus pensé ?

— Si, mon chéri, mais comment veux-tu ? Ta mère a une maison assez difficile à tenir en ce moment. Je ne vais pas lui imposer la présence de trois hommes. Tu les connais. Ils ne disent rien, mais ils tiennent beaucoup de place.

Noële insiste. Nicole Vaindrier est d'accord. On les logera dans le grenier. Brémont, pour quelques jours, cédera la place. Il a d'ailleurs beaucoup de travail à la maison des Jeunes. François Gallart lui a demandé des idées de gadgets électroniques. Il accepte avec soulagement.

— Formidable, monsieur Vaindrier ! Je vais m'installer dans la maison même. En cette saison on peut dormir en plein air. Et, comme l'inauguration a lieu dans douze jours, j'aurai le temps de tout finir.

— Tu vois, Lisette. Il y a la place pour tes fils. Télégraphie-leur de venir.

La réponse arrive trois jours plus tard. Miguel et Carlo débarqueront à Orly le 13 juillet accompagnés de leur père. Noële est heureuse.

— Tu crois que je les reconnaîtrai ?

— Les années ne passent pas pour eux. Ils ne vieillissent pas. Leurs chevaux, leurs fusils, leurs troupeaux, la chasse. Et le désert tout autour.

— Ils finiront bien par se marier.

Lisette sourit.

— Ils ne sortent pas du domaine.

— Tu verras quand ils seront ici. Ils sont tellement beaux que toutes les jeunes filles de Roanne et des environs tomberont à leurs pieds. Ils repartiront fiancés.

Elles se regardent.

— J'ai l'air de parler vite, dit Noële, de dire n'importe

quoi pour arriver au bout de la journée. Mais non. Tes
fils, j'y pense vraiment. Je les attends vraiment. Il y
aura sûrement un moment, plus tard, où j'aurai la force
de rester seule, avec mon enfant, et les souvenirs de
Ugo, et mon amour, et mon attente. Mais...

Lisette lui prend la main.

— Je sais, mon chéri.

Mais Noële veut aller jusqu'au bout.

— ...mais, je suis encore un peu lâche. Tant que l'enfant n'est pas là, je veux dire. Alors, je m'entoure. Tous
ceux qui m'aiment un peu, j'ai besoin de les avoir autour
de moi, de les compter, de m'abriter derrière eux. Miguel,
Carlo, ton mari, en font partie, tous les trois.

Elle parle. C'est vrai. Elle parle beaucoup. Tout ce
silence accumulé dans la maison de repos, on dirait qu'elle
cherche à le combler. C'est comme un trou sans fond
où elle s'enfonçait. Elle le découvre et prend peur. Surtout
la nuit. Elle se réveille en sursaut parfois. Elle s'assied
dans son lit, sans allumer la lampe. Elle a cru que quelqu'un tournait la poignée de la porte. Elle attend. Elle
commence à parler tout bas, pour elle-même, pour son
enfant aussi. Pas seulement de Ugo, des souvenirs de Ugo.
De ce qui va venir, du lendemain, de ce qu'elle attend
pour le lendemain. Elle se raconte longuement sa journée
à venir, tout bas pour que ses parents, qui dorment dans
la chambre voisine, n'entendent pas. Elle est assise dans
son lit, et elle parle. Elle avait peur de ne plus savoir
les mots. Elle finit par se recoucher, par se rendormir.
Ce bruit de voix monotone, c'est comme les berceuses de
son enfance, ce qui rassure, ce qui oblige à fermer les
yeux. Une fontaine entre les feuilles, et la sensation de
fraîcheur qui naît du mouvement lui-même, de la douceur
de la voix. Elle voudrait que Denis soit là, ouvre un
livre, commence à lire. Mais l'école est fermée. Il a
emmené ses élèves en voyage, du côté des Landes, des
villes d'avenir qu'on construit dans le Sud-Ouest, avec
des forêts de tubes d'acier, et, la nuit, les hautes flammes
du gaz, qui s'échappent des sous-sols. Denis et sa voix.
C'est ce qu'elle s'efforce de retrouver, l'incantation, les
images qui naissent, qui empêchent de voir ce qui est.
Qui empêchent de compter les jours. Qui empêchent de se

dire que Yannis Karrassos piétine toujours aux frontières
de la Hongrie. C'est à lui qu'elle pense sans cesse, plus
encore qu'à Ugo. C'est son nom qu'elle ne veut pas prononcer. Le seul dont elle ait peur. Elle dit : *Ugo*, maintenant, et c'est avec douceur. *Père*, elle ne peut pas. Elle
ne demande jamais s'il a téléphoné. Elle ne descend pas
lui parler. Nicole Vaindrier, après chaque communication,
lui donne des nouvelles. Noële semble ne pas entendre.
Il attend toujours. Son visa n'arrivera que le 20 juillet.
Lui non plus ne demande pas à parler à Noële. Ils savent
l'un et l'autre. Ce pacte qui les lie, ce serment solennel,
aucun mot maintenant ne peut le rompre. Aucun mot le
préciser ou le commenter. Leur silence est à la mesure
de leur amour. Il n'y a plus qu'un mot possible, désormais,
pour le dénouer. Une porte qui s'ouvrira. Yannis Karrassos debout devant la porte. « *Voilà* », dira-t-il. Et Ugo sera
avec lui.

Lisette part pour Paris le 12 au soir, en voiture. Elle
va chercher son mari et ses fils. Brémont a quitté les
Quatre Vents depuis plus d'une semaine. Il est fébrile. Il
veut que ses gadgets fonctionnent à tout prix. Tout le
monde en ville partage cette fébrilité : les ouvriers, les
maçons, les peintres, les membres du Conseil municipal, le
directeur de la maison des Jeunes et sa femme, qu'on vient
de nommer, les jeunes eux-mêmes, qui tournent autour du
chantier, viennent jeter un œil, réservent leur opinion.
Nicole Vaindrier ne s'est plus occupée de rien depuis le
retour de Noële. Elle veut être près d'elle sans cesse, se
rassurant jour après jour, obligeant Berthelin à des visites
régulières. Elle a demandé à Lisette de la décharger complètement des soucis du chantier. Elle a décidé de ne
pas assister à l'inauguration. Le dernier jour pourtant,
elle s'échappe.

C'est la fin de l'après-midi. La chaleur a été très forte.
Les ouvriers travaillent torse nu. A les voir, de loin, on
croirait les premiers nageurs, qui se bronzent au soleil.
Nicole Vaindrier ne reconnaît plus rien. Elle s'arrête, en
descendant de voiture, la tête levée, incrédule. En trois
semaines, tout a changé. C'est un bâtiment neuf, vivant,

avec des couleurs, des enjambements de terrasses, des escaliers qui s'enroulent sur les façades. Il y a des grandes vitres, où la Loire se reflète, et, sous certains angles, c'est comme si le fleuve était prisonnier.

François Gallart l'aperçoit, et vient au-devant d'elle.

— Je n'espérais plus vous voir.

— Madame Andrieux vous a tout expliqué.

— Oui.

Il la regarde avec un plaisir qu'il ne sait pas cacher.

— Est-ce vrai que vous n'assisterez pas à l'inauguration ?

— C'est vrai.

Elle porte la main à ses yeux. Tous ses reflets sur les vitres, même si le soleil commence à baisser, c'est un incendie.

— Cette maison, nous l'avons voulue, vous et moi, monsieur Gallart. Alors, je préfère que nous la visitions ensemble, avant tout le monde.

Il est heureux. Et inquiet en même temps. Comme un élève qui a beaucoup travaillé sur un devoir, et qui attend le jugement du professeur. Tout de suite, ils montent au solarium. Il y a des matelas de couleurs vives, des marches couvertes d'ardoise, de petits trous dans le sol. François Gallart explique que c'est l'une des inventions de Brémont, un moyen de capter les émissions de radio grâce à des lunettes de soleil équipées de petits haut-parleurs, et d'une fiche qu'on enfonce dans l'un des trous. Chacun écoute pour soi, sans déranger personne. Ils continuent leur visite, parlent peu, regardent ensemble. Nicole Vaindrier pose une question parfois, demande une précision. Le snack-bar, la salle de lecture, la bibliothèque, la cabine de cinéma, le théâtre. Ils ont l'impression d'être de vieux parents visitant l'appartement qu'ils vont offrir à leurs enfants, le soir de leur mariage. Un appartement qu'ils ont installé eux-mêmes, avec le plus de dévouement possible. Mais ils se disent que, le lendemain, les enfants changeront tout, comme on joue à l'indépendance.

Ils s'attardent devant les fenêtres ouvertes sur le fleuve, en bordure de la piscine. C'est une chose faite. Ils sont contents de l'avoir faite.

— Voilà, dit François Gallart.

— Oui.

Deux ouvriers posent des serrures aux portes des cabines et sifflotent.

— Nous avons bien travaillé, dit Nicole Vaindrier.

— Je le crois, oui.

Il regarde la Loire.

— Je ne la voyais plus comme un fleuve, tous ces temps-ci, mais comme un élément du chantier. Un matériau parmi d'autres. Je la découvre, brusquement.

— Oui. Des choses qu'on croit connaître, ou des êtres, parce qu'on les voit trop. Et puis, un jour...

Elle pense à Noële. Elle voudrait rentrer vite. Mais elle est là, immobile à regarder cette eau, ce soleil, tous les reflets dans les vitres.

— Vous vous souvenez ? demande François Gallart.

— Quoi ?

— Le premier jour. Le chantier de Montagny, avec ces bottes trop grandes qui vous donnaient une démarche si drôle. C'est à cause de ces bottes, au fond...

Il hausse les épaules.

— On ne sait pas les choses. Je ne vous l'ai pas dit, mais grâce à vous j'ai retrouvé l'estime de tout le monde dans le pays. Tous les jours on me fait des offres. Les dossiers s'empilent sur mon bureau. Ma secrétaire est débordée. Je vous en remercie.

— Mais non.

— Vous m'avez fait confiance. Les autres ont suivi.

Il la regarde.

— Vous ne dites rien.

Nicole Vaindrier pose ses deux mains, à plat, sur la vitre. Elle est chaude. Le soleil toute la journée.

— Je reprends courage, dit-elle, avant de remonter aux Quatre Vents.

— Je ne vous en ai pas parlé. Il ne faut pas croire que je m'en désintéresse, mais...

— Il n'y a rien à dire. Attendre, seulement. La naissance, et le retour de monsieur Karrassos.

Elle a envie de poser sa joue contre la vitre, comme autrefois, lorsqu'elle était enfant, et qu'il y avait du soleil à la fenêtre de sa chambre. Puis de fermer les yeux, et de s'imaginer qu'elle s'envolait lentement.

— Monsieur Gallart !

C'est la voix de Brémont.

— Oui ?

Quelque chose qui ne fonctionne pas dans la salle de douches. Brémont est inquiet. Cette salle de douches, c'est son chef-d'œuvre. L'eau qui coule alternativement chaude ou froide, selon le cri qu'on pousse, en entrant dans la cabine.

— Je viens, dit François Gallart.

Nicole Vaindrier attend. Maintenant qu'elle est seule, elle peut se prendre à son jeu. Elle s'envole. Elle ne sait pas combien de temps. C'est un long mouvement le long de son corps, une fraîcheur d'air léger. François Gallart la retrouve ainsi.

— Montons au bar.

— Non, je rentre.

Elle a un geste très bref, un mouvement de la tête, pour reprendre pied.

— Il le faut.

Mais il voudrait la retenir encore.

— Nous nous reverrons ? demande-t-il.

— Rien n'est vraiment terminé. Il y aura sûrement, dans les semaines à venir, des factures, des papiers, des problèmes de banque.

Il a les yeux grands ouverts, un peu en retrait dans l'ombre d'un pilier.

— Je voulais vous dire...

Il ne la regarde plus, mais quelqu'un au-delà d'elle, plus loin.

— Cette estime que j'ai retrouvée... Je l'espérais, bien sûr, mais il y avait autre chose, quelque chose de beaucoup plus important. L'estime d'un être. Le seul être...

Il regarde toujours très loin.

— Sans doute aussi, est-ce grâce à vous... Hier, au courrier, il y avait une lettre. La première depuis quatre ans. Une lettre d'Espagne. Je ne vous en ai jamais parlé. Je ne vous ai jamais dit qu'elle était partie pour l'Espagne, au moment du procès, avec notre fils. Elle n'a pas pu accepter. Elle a repris son nom. Quatre ans de silence. De temps en temps, par ses parents, j'avais des nouvelles. Et hier, pourquoi ? cette lettre...

Il s'approche de la vitre, se penche un peu.

— C'est un garçon de dix ans maintenant.

Nicole Vaindrier le regarde. Il est très grand, de dos. Un homme qui attend son fils, qui a toutes sortes de jeux et d'inventions dans les mains, toutes sortes de forces, des maisons à construire, des villes entières, pour lui, et chaque fois qu'une maison s'achève et que les ouvriers s'en vont, il se dit qu'il faut en commencer une autre plus grande encore puisque ce fils continue de grandir.

Elle s'éloigne sans bruit. Il la laisse partir, sans se retourner, il voit son reflet dans la vitre. Malgré tout le soleil, elle a un peu froid.

Les Brésiliens arrivent. Brûlés, nerveux, avec des odeurs de cuir, des petits cigares, les dents prêtes à mordre, et du rêve dans les yeux. Miguel se penche par la portière de la voiture. Il ne comprend pas les arbres. Tous ces feuillages. Il y a des ombres et des chiens endormis, des petites filles avec des bâtons qui rentrent les vaches. Carlo conduit comme un fou.

— Méfie-toi des motards, lui crie Lisette. En France, ils sont impitoyables.

Il s'en moque. Il rit. Miguel rit avec lui. Ils sont comme deux hommes qui débarquent, pour la première fois, sur la lune. Impatients, avides et stupéfaits. Diego, assoupi dans le fond de la voiture, ne regarde rien. Il est content que Lisette soit à côté de lui. Leur arrivée est comme une fanfare. Le pays se réveille. Tous les cuivres à la fois. Un soleil de trompettes, de cors, de pistons. Les jeunes filles courent à leur fenêtre. La voiture passe en trombe. La poussière ne retombe pas derrière elle, mais reste en suspens, au-dessus des routes, comme un drapeau. Noële les entend venir de loin. Ils entrent dans la cour des Quatre Vents, sautent de voiture, montent en courant l'escalier, avec leurs bottes, des sonorités d'éperons, mais s'immobilisent au seuil de la chambre, soudain bouleversés par le visage de cette sœur dont ils rêvaient, depuis un an, dans leurs déserts, et qui ne sait pas leur cacher qu'elle est blessée.

— Carlo, Miguel...

Ils baissent les yeux pour ne pas voir, font une sorte

de révérence, qui ressemble à celle d'un cavalier au moment de sauter en selle, très lentement, puis s'éloignent à reculons.

L'inauguration est, pour eux, une manière de triomphe. On se presse pour les voir. La maison des Jeunes passe au second plan. Ils sont habillés de blanc, avec des chemises brodées, des cravates noires, très minces, des bottes courtes, des chapeaux à larges bords. On les surnomme : *les cow-boys.* Il y a du champagne. Miguel brise une bouteille contre la porte d'entrée. On applaudit. Les jeunes filles s'accrochent aux balustres du quai pour mieux voir. Quelqu'un prononce un discours. Ils n'écoutent pas. Ils regardent le fleuve à travers les vitres. Ils se demandent pourquoi on les retient par tant de phrases. Le discours fini, on fait circuler des plateaux avec des olives dans de petites assiettes, et des tranches de saucisson. Ils ne résistent plus, courent vers les cabines en arrachant leurs chemises, en ressortent avec des maillots empruntés au hasard, montent ensemble sur le plongeoir, s'immobilisent, bruns, secs, nerveux comme des chevaux, l'œil à la tempe, et sautent dans le fleuve avec un cri furieux, qui est un hennissement. Cette fois, c'est la débandade. La cérémonie prévue s'interrompt. Tout ce qui est là de garçons et de filles, oublie le vin blanc et les olives, suit l'exemple de ceux qu'on surnomme maintenant : *les hypocampes.* La maison des Jeunes éclate de partout, vitres, portes, tout s'ouvre. On échange des mots brésiliens. La Loire devient comme la mer, avec des souvenirs de Rio. C'est le plaisir jusqu'au soir, qui n'en finit pas de venir. Miguel, au lever de la lune prend sa guitare, s'assied sur le bord du plongeoir, cherche des accords. Tout le monde s'installe autour de la piscine, aux fenêtres de la maison, dans les alvéoles suspendues. Le silence n'est plus qu'une voile gonflée, par des rêves, et la maison neuve, glisse lentement vers les Amériques, guidée par la voix de celui qu'on commence à surnommer : *la Touraine,* parce qu'on vient d'apprendre qu'il tenait de sa mère ce regard bleu-vert, un peu tendre, comme un reflet des collines où elle était née. De sa chambre, aux fenêtres ouvertes, Noële ne l'entend pas chanter. Mais un écho lointain lui en arrive, avec les images de cette nuit, entre les pierres sèches, où,

pour la première fois, elle avait dit à haute voix :
« *J'aime Ugo...* »

Pendant trois jours, ils ne quittent pas la maison des
Jeunes, dans l'eau du matin au soir, comme des dauphins.
Ils transportent les filles en grappe sur leur dos. Ils
découvrent qu'ils savent parler. Ce qui, au Brésil, leur
était impossible, devient aisé, évident. Ils rient sans
cesse. Ils jouent. Ce sont des enfants. Aux corps durs,
racés, des muscles longs, la démarche retenue des chevaux
avant la course. Ils ne se lassent pas des douches électroniques inventées par Brémont, modulent des cris inat-
tendus, pour voir si les relais obéissent quand même, et
font surgir, derrière les carrelages brillants, tous les
oiseaux de leurs nuits brésiliennes. Mais ces rires, ces cris,
ces plongeons, c'est pour fermer les yeux, c'est pour ne
plus se souvenir du visage de Noële, aperçu à travers la
porte de la chambre le soir de leur arrivée, et qui leur
a déchiré le cœur. Lorsqu'ils reviennent aux Quatre Vents,
tard dans la nuit, ils s'arrêtent dans le jardin, sous la
fenêtre. Silencieux, la tête levée, ils écoutent. Dort-elle
enfin ? Ils ne le disent pas, mais ils savent.

— Si elle était restée avec nous...

C'était si simple. Cette jeune fille dans leur maison de
pierre, qui dînait le soir avec des gestes doux, qui leur
souriait.

— Il fallait la retenir...

Jamais rien ne serait arrivée. Elle aurait gardé son
visage de bonheur. Ils lui auraient appris à monter à
cheval, à se servir d'un fusil. Le soir, ils seraient venus
s'asseoir loin d'elle et l'auraient regardée. Un jour, peut-
être, après avoir hésité longtemps, aurait-elle dit à l'un
d'eux : « Je n'ai besoin que d'un frère. Pourquoi ne
seriez-vous pas mon mari ? » Et celui qui n'aurait pas été
choisi aurait eu tant de joie pour son frère et tant de
fierté qu'il en aurait oublié d'en être jaloux.

C'est Diego, le troisième soir, qui frappe à la porte de
la chambre, qui vient s'asseoir près du lit de Noële. Il
reste longtemps sans parler. Il a les mains à plat sur les
genoux, très calme, avec des paupières baissées, et il la
regarde un peu en dessous, non par méfiance, mais parce
qu'il craint que son regard ne parle pour lui.

— Nous avons gardé vos étriers, dit-il enfin.

La voix sourde, voilée, parce que dans les déserts il n'y a pas besoin de parler haut.

— Les étriers que vous aviez lorsque vous êtes montée à cheval pour la première fois. Nous les avons cloués au-dessus de la porte de l'écurie. Comme un porte-bonheur. Chaque matin, avant de partir, nous les regardons.

— Mes étriers...

Noële sourit. C'est si loin. Une journée à parcourir les domaines, à regarder les troupeaux dans les bergeries, à attendre Ugo qui traversait les mers, et ne donnait pas signe de vie.

— Et de Ugo ? Qu'avez-vous gardé de Ugo ?

Diego soulève les mains, les regarde.

— Une image.

— Aucun objet ?

— Seulement une image.

Noële attend. Derrière ces paupières baissées, Ugo est vivant. Quelle part de lui, ainsi prisonnière ?

— C'est un homme qui est venu. Jusqu'à son arrivée, vous nous regardiez, vous étiez avec nous. Dès qu'il a été là, vous n'avez plus regardé que lui. Il est parti. Vous êtes partie avec lui. La maison a été vide.

— C'est que je l'aimais, Diego.

— Oui. C'est qu'il était votre amour, votre bonheur. C'est qu'il était tout.

Noële écoute. Les mots sont en elle maintenant. Ceux qu'elle n'osait pas espérer. Tout ce voyage, ces distances parcourues, pour que Diego, un soir, monte l'escalier, s'asseye près de son lit et les prononce d'une voix évidente comme on confesse la vérité. *C'est qu'il était tout.* En elle, comme une caresse, comme le battement d'un cœur, comme les mouvements secrets de son enfant.

Ils repartent. Diego, Miguel, Carlo, et Lisette qui rentre au Brésil avec eux. Il le faut. Elle en est triste, mais Diego trouve qu'elle lui a manqué trop longtemps. A la maison des Jeunes, on voudrait les attacher au plongeoir. Ils sautent une dernière fois dans le fleuve, roulés en boule, les genoux au menton, comme des pierres. Ils s'enfoncent avec de grandes gerbes d'écume. On ne sait pas s'ils refont surface. On préfère penser qu'ils restent au fond, comme des navires qui ont sombré, et qu'en nageant, les yeux ouverts, entre les eaux, on retrouvera au milieu des herbes, l'éclat de leur rire silencieux. Ils viennent dire au revoir à Noële, retenus, une fois encore au seuil de la chambre, par la crainte de ne pas savoir tenir leur chagrin en respect.

— Miguel, Carlo...

Elle ne dit rien d'autre. Elle pense à ses étriers. Dans deux jours, en sellant leurs chevaux, c'est à eux qu'ils parleront. C'est à eux qu'ils diront tout ce qui les rend tristes. Elle se lève, regarde la voiture quitter les Quatre Vents. De sa fenêtre, au premier étage, on voit la route plus longtemps. Quand il n'y a plus rien, pas même le nuage de poussière suspendu, car ce n'est plus Carlo qui conduit, c'est Lisette, et elle a tant de mal à s'en aller, qu'elle oublie de passer les vitesses, Noële sort de sa chambre, descend jusqu'à la cuisine. Madame Marie la regarde, étonnée. Noële s'assied à côté d'elle.

— Tu es levée ? demande madame Marie.

— Tu vois.

— Tu as le droit ?

Noële ferme les yeux une seconde. Elle est comme éblouie. Mais le soleil s'en va. Le soleil est parti avec la voiture. La maison reprend son calme.

— Nous avons du travail, toi et moi, maintenant.

— Du travail, ma petite belle ?

— Pour l'enfant. Il est bientôt là. Je n'ai pensé à rien pour lui, à rien du tout.

Madame Marie se lève, ouvre un placard.

— J'y ai pensé, moi.

Elle montre, sur les étagères, tout ce qu'elle a préparé. Par piles entières, des vêtements, des draps, des peignoirs, tout blanc, sans une couleur, blanc brodé de blanc.

— Tout ceci ? dit Noële.

Elle se lève, regarde ce trésor de linge et de laine.

— Tu te souviens, l'an dernier, dit madame Marie, quand tu es partie pour faire la connaissance de monsieur Karrassos ? Monsieur n'a pas voulu que tu arrives avec des valises vides. Il t'a fait faire des robes et des robes. Pour ton enfant, c'est pareil. Quand monsieur Karrassos viendra ici voir son petit-fils, il a beau être habillé comme les rois mages, avec tout son or, je te promets bien qu'il ne trouvera pas un jésus tout nu dans la paille.

Noële referme le placard, revient s'asseoir près du fourneau. Tout est prêt. Il ne lui reste plus qu'à conduire l'enfant jusqu'au jour de sa naissance.

C'est à monsieur Karrassos, maintenant, de tenir son serment.

CHAPITRE V

APPORTEZ-MOI UNE PREUVE

— Entrez, Erwin.

Yannis Karrassos, dès son arrivée à Budapest, a fait prévenir l'ami d'Elizabeth. C'est un appartement très vaste, qui appartient à un couple grec, ami de Georges. Yannis a préféré ne pas descendre à l'hôtel. Ils s'enferment dans une chambre, au fond d'un long couloir. Par la fenêtre, on aperçoit une cour d'école, vide parce que c'est l'été.

— Vous êtes revenu ? dit Erwin.

— Vous voyez.

Erwin est debout contre la porte. Il a le visage tiré. Il travaille la nuit dans une imprimerie. Avant d'aller dormir, il a voulu répondre au message de monsieur Karrassos.

— Il n'y a plus d'espoir, dit-il très vite.

— Comment ?

— Nous avons fini par apprendre qu'il y avait eu un accident au passage de la frontière italienne.

— Un accident ?

— On a tiré.

— Qui ?

— On ne sait pas. Peut-être un douanier.

Ils parlent vite, à voix basse, comme si quelqu'un était caché derrière les arbres de la cour.

— Et puis ?

— Rien. Nous cherchons à en savoir plus. C'est très difficile.

— Vous dites qu'on a tiré. Ça signifie quoi ? Un blessé, un mort ?

— Je vous répète que nous n'en savons pas plus.

Yannis Karrassos s'approche d'Erwin.

— Alors pourquoi dites-vous qu'il n'y a plus d'espoir ?
Tant qu'il n'y a pas de preuve...

Erwin ferme les yeux.

— Il faut que je parte.

Mais Yannis a besoin d'en savoir davantage.

— Je veux connaître tous les passages. Vous m'entendez,
Erwin ? Tous les passages.

Erwin secoue la tête.

— Non, monsieur.

Ils restent ainsi, un long moment. Yannis Karrassos
comprend qu'il n'obligera pas Erwin à parler. Il revient
vers la fenêtre, regarde les bâtiments carrés de l'école,
en ciment gris.

— Je veux voir Elizabeth, dit-il. Où est-elle ?

— Chez Yan, dans le sud.

— Prévenez-la que je suis revenu. Que je veux la voir.

— Elle refusera peut-être.

— Prévenez-la, Erwin.

— Bien, monsieur.

Il ouvre la porte, quitte la chambre. Yannis Karrassos le
laisse partir seul. Il regarde toujours les bâtiments. *Ugo*,
pense-t-il. C'était peut-être son école.

Elizabeth pleure.

— Il n'y a plus d'espoir, monsieur Karrassos.

Les mêmes mots qu'Erwin. Il fait nuit. Ils sont dans
la voiture, au bord du chemin. A quelques mètres, entre
les arbres, le toit de la maison de Yan. Pour l'atteindre,
Yannis Karrassos a roulé toute la journée, dans une
voiture de location. Erwin lui a tracé un plan précis. Il
était convenu avec Elizabeth qu'il arriverait à dix heures
du soir, qu'il ferait un appel de phares. Elle ne veut pas
qu'il entre dans la maison de Yan, parce que Yan n'accepte
pas ce qui s'est passé. Il prétend que sans Elizabeth, sans
Erwin et ses amis, Tomas serait encore là, que tout est
de leur faute, et qu'il ne sert à rien de s'acharner. Elizabeth a rejoint monsieur Karrassos dans la voiture.

— Non, Elizabeth. Rien n'est fini. Il faut me raconter
tout. Tout ce que vous savez. Et je referai le chemin,
étape par étape. Vous ne pouvez pas le faire. Erwin non
plus. Vous ne pouvez pas sortir de ce pays. Moi, je
peux. Tant que je n'aurai pas vu le corps de Ugo, tant
que je n'aurai pas la preuve de sa mort, je la refuserai.
Ma fille aussi.

— Vous le dites pour me redonner de l'espoir ou parce
que c'est vrai ?

— Parce que c'est vrai.

Elle se renverse contre le dossier du fauteuil, ferme
les yeux.

— Ici, on me dit : Tomas a été tué en passant la frontière et je suis obligée de le croire.

Elle parle doucement, comme si elle découvrait que tout
était possible de nouveau, comme si la voix de Tomas
lui parvenait à travers de grandes étendues.

— Je vais vous dire ce que je sais.

Elle a besoin de parler maintenant, de tout dire, de
donner tous les détails, parce que depuis des jours et des
jours elle n'avait plus de raison de vivre, qu'elle était perdue en haute mer, à se laisser couler à pic, et quelqu'un
est là qui lui tend la main.

— Il y a Nice d'abord.

— Nice, je sais. Un bateau jusqu'en Italie. *San Lorenzo
al mare*. Et puis ?

— Une voiture, et l'Italie du Nord jusqu'à Venise.

— Venise !

Brusquement, il pense au signor Peretti. Est-ce chez
lui que Tomas et Ugo s'étaient réfugiés ?

— Une auberge, à Venise. L'*albergo dei Carmine*. Quelqu'un qui les attendait. Un homme. N'écrivez pas son nom.
Mais gardez-le dans votre mémoire. Zerlini.

— Zerlini.

— Il devait les conduire, en bateau, à Trieste. De là,
ils devaient franchir la frontière yougoslave, traverser la
Yougoslavie, atteindre la Hongrie. Et puis l'accident...

— A la frontière yougoslave ?

— Un coup de feu. Je ne sais rien de plus.

Elle est délivrée. Elle se dit que cet homme, assis dans
l'ombre, à côté d'elle, a tous les pouvoirs. Elle riait

souvent avec ses amis devant ce Karrassos, dont les
journaux de son pays parlaient parfois, toujours avec un
peu d'ironie, parce qu'il était trop riche, trop puissant,
qu'il ressemblait à ces vedettes de cinéma que dévorent
les photographes, et qui sont toujours debout, avec des
lunettes noires, sur le pont des yachts. Maintenant, elle
comprend. Il retrouvera Tomas. Elle en est certaine.

— Je pars demain. Je vais à Venise. Je verrai le signor
Zerlini. Il me conduira à Trieste. Je saurai la vérité.

Elizabeth le regarde. Yannis se met à trembler. C'est le
même regard, il le reconnaît. Alexandra, dans la chambre
d'Athènes, lorsqu'il lui a fait serment de retrouver Ugo.
Le même regard. Il prend Elizabeth par les épaules. Il
voudrait l'embrasser doucement, comme si c'était aussi
sa fille.

— Toutes les deux désormais, dit-il. Toutes les deux
avec moi.

— Entrez, signor Karrassos, ce palazzo est votre palazzo !

Le signor Peretti était à l'aéroport. Il ne savait rien
depuis qu'il avait été obligé d'annuler les contrats de Ugo.
De loin en loin, il téléphonait à Athènes, mais n'osait pas
insister, sentant que dans ces mystères, il y avait trop de
blessures ouvertes. Yannis Karrassos lui a tout raconté dans
la voiture et avant même de s'installer au palazzo, il a voulu
se faire conduire à l'*albergo dei Carmine*.

— Non, signor, pas tout de suite.
— Pourquoi ?
— Parce que le Zerlini n'est pas là.
— Comment le savez-vous ?
— Je suis vénitien.

Yannis Karrassos est obligé d'obéir. Ils arrivent au
palazzo.

— Attendez-moi là, bien tranquillement, signor Karrassos.

— Où allez-vous ?
— A l'*albergo*.
— Seul ?
— Il vaut mieux.

Il a toujours des costumes gris clair, des foulards rouges,

mais froissés, tombant mal, comme si, depuis la disparition
de Ugo, il portait les vêtements d'un autre. Son visage
s'est gonflé, bouffi autour des yeux. Il traîne un peu la
jambe.

Il revient deux heures plus tard.

— Alors ?

— Je l'avais dit. Il est absent.

— Où est-il ?

— Certainement dans sa chambre. Mais il n'a pas voulu
descendre. Il m'a fait dire qu'il était en voyage. Qu'il revenait peut-être *domani*.

— Non, signor Peretti. Aujourd'hui, maintenant. Je
veux le voir maintenant. S'il est dans sa chambre, je
forcerai sa porte.

Le signor Peretti s'éponge le visage. Il a marché vite.
Il fait chaud. Et il a peur. Il pense à Ugo. Il aime Ugo.
Il ne veut pas croire à ce coup de feu.

— *Domani*, signor Karrassos. Faites-moi confiance. Le
Zerlini, il sera là, dans mon palazzo, il sonnera, j'ouvrirai,
je le ferai entrer dans ce salon. Je lui ai fait dire que
j'avais besoin d'un bateau, pour faire un voyage, que
j'avais beaucoup d'argent. Alors, il va venir discuter le
prix avec moi.

— Et moi ?

— Vous ?

— Il ne sait pas que je suis là ?

— Si j'avais fait dire au Zerlini : le signor Karrassos
veut vous voir, il aurait répondu : *si, si*, mais il ne serait
pas venu.

Il a encore sa canne à la main. Il la pose sur ses
genoux, regarde Yannis Karrassos.

— C'est la mer, ici. La mer partout. Entre les maisons,
entre les hommes. Chacun dans sa barque. Pour que deux
barques accostent l'une contre l'autre, il faut faire longtemps des signaux.

Zerlini est veuf. Il porte deux alliances, l'une au-dessus
de l'autre.

— Vous allez me dire tout ?

— *Si*.

Il est venu, comme promis, pour discuter du prix du bateau. Mais déjà il savait. Quand un Karrassos débarque à Venise, tout le monde l'apprend dans l'heure. Il s'était enfermé dans sa chambre. Il avait fait dire qu'il était en voyage, parce qu'il se doutait de quelque chose. Le signor Peretti, vénitien comme lui, lui avait semblé un bon ambassadeur.

— Vous avez conduit Ugo et Tomas à Trieste ?
— *Si.*
— Quand ?
— Dans la nuit du 6 au 7 mai.
— En bateau ?
— *Si.*
— Et puis ?

Zerlini fait un signe. Il a soif.

— Je les ai déposés sur le quai, dans le port, à l'endroit convenu et je suis revenu ici.

— Ce n'est pas vrai.

Deux jours déjà. Yannis Karrassos n'en peut plus.

— Pourquoi dire seulement la moitié de la vérité ? Puisque vous êtes venu ici, puisque vous avez accepté de me rencontrer ?

— J'ai dit ce que je savais.

Le signor Peretti va lui-même chercher un grand verre d'eau glacée. Zerlini boit lentement, garde chaque gorgée un moment dans sa bouche, l'avale comme un médicament. Il repose le verre, se lève.

— *Buona serra.*

Il cherche son chapeau.

— Non, Zerlini.

Yannis Karrassos l'a saisi par le bras, et le retient. Il serre de toutes ses forces.

— Vous ne partirez pas avant de m'avoir donné le nom du passeur de Trieste. Vous le connaissez. Ou vous me donnez ce nom, ou vous me conduisez vous-même en bateau, au même endroit, sur le même quai.

Zerlini regarde Yannis, puis le signor Peretti. Il fait un signe de la tête, secoue l'épaule pour se libérer, cherche dans sa poche un carnet, arrache une feuille, prend un crayon dans une autre poche.

— Le nom, je ne sais pas, dit-il. La maison, *si.*

Il dessine un plan : le port, une rue qui monte, trace
une croix sur la gauche, écrit un chiffre : 37, tend le
papier à Yannis Karrassos, et sans ajouter un mot, quitte le
palazzo.

— Désirez-vous boire quelque chose, monsieur ?
C'est un café, long comme un couloir, avec des tables
recouvertes de plastique jaune vif. L'homme est grand
et maigre, posé de biais sur sa chaise, comme si ses jambes
trop longues ne pouvaient pas se glisser sous la table. Il
fait signe au garçon.
— *Cameriere* !
D'une voix profonde et sonore, comme une basse d'opéra.
Il affecte des attitudes théâtrales, agite ses longs bras,
sourit de biais, mais Yannis Karrassos sent derrière cette
façade une sourde inquiétude.
— Qu'attendez-vous de moi, signor Karrassos ?
La voix toujours aussi profonde mais la sonorité plus
sourde, comme un chanteur qui sait que le grand air
commence et qu'il faut l'attaquer *mezzo-voce*.
— La vérité sur ce qui s'est passé à la frontière.
Yannis Karrassos a quitté Venise tout de suite après
le départ de Zerlini. Il est arrivé à Trieste, il y a une heure.
Il a trouvé sans difficultés le numéro 37 de cette rue qui
monte du port. Un café. Il a eu le sentiment qu'on l'attendait. Une femme ronde, avec des cheveux déjà blancs,
était assise sur le seuil. Elle écossait des haricots. Elle ne
lui a pas demandé ce qu'il désirait, lorsqu'il s'est arrêté
devant elle. Elle a posé les haricots par terre, s'est levée,
avec un geste craintif, et lui a fait signe d'aller s'asseoir
au fond, Yannis Karrassos a attendu. Il y avait un bruit
de pas, au-dessus de sa tête, quelqu'un qui marchait, en
long et en large. Puis, le pas s'est éloigné. Très vite, une
porte s'est ouverte. L'homme a dit : « *Buona serra...* »
en levant le bras, comme si la salle du café était pleine
de monde.
— Je n'étais pas à la frontière, signor.
— Vous y étiez.
Le garçon apporte deux *espressi*.
— Non, signor.

Yannis Karrassos a décidé de rester calme.

— Nous n'allons pas recommencer la même comédie qu'avec le Zerlini. Vous savez pourquoi je suis ici. Vos préliminaires sont peut-être utiles à votre amusement personnel. Mais j'ai trop attendu. Je répète : vous étiez à la frontière.

L'homme a un haussement de sourcil un peu méprisant. Son grand air comportait un récitatif d'entrée auquel il renonce difficilement.

— J'ai conduit les deux hommes près du passage. A un kilomètre. Et je les ai laissés continuer seuls.

Il parle d'une voix neutre maintenant. A quoi bon se donner du mal pour quelqu'un qui n'a pas le goût des usages ?

— Pourquoi ?

— C'était convenu.

— Vous êtes reparti tout de suite ?

— Oui.

— Je ne vous crois pas.

L'homme hausse le sourcil, une fois encore, boit une gorgée de café.

— Puisque vous aviez pris ces deux hommes en charge, vous avez attendu pour savoir si tout se passait bien. Ne me dites pas le contraire.

Il ne répond toujours pas.

— C'était la nuit ?

— La pleine nuit.

— Quelle heure ?

— Deux heures vingt du matin, quand je les ai quittés.

— Vous étiez où ?

— En bordure d'un champ.

— Quel champ ?

— Comment vous l'expliquer ? Il faudrait que vous connaissiez la frontière.

— A qui appartient-il ?

— A l'un de mes amis.

— Loin des postes de gendarmerie ?

— Pas très loin.

Yannis Karrassos perd tout contrôle de lui-même. Cet homme méprisant, qui répond du bout des lèvres, comme un enfant rabroué, l'exaspère.

— Alors pourquoi ce champ ? Il est sûrement connu et surveillé. Pourquoi ? Vous vouliez qu'ils se fassent prendre, c'est ça ? Vous les avez conduits jusque-là pour vous débarrasser d'eux. Peut-être même est-ce votre ami, le propriétaire, qui a prévenu les gendarmes. Avouez donc !

Il s'est levé. Il n'en peut plus d'être assis dans ce couloir, comme pris au piège, avec la femme assise devant la porte qui écosse ses haricots, et personne jamais qui n'entre. L'homme finit de boire son café, repose sa tasse, s'essuie les lèvres avec un mouchoir qu'il tire de sa poche, puis se lève.

— Bonsoir, monsieur.

— Où allez-vous ?

— Chaque fois que j'ouvre la bouche, vous me dites que je mens. Alors pourquoi continuer ?

Il est déjà à la porte. Comme le Zerlini. L'un après l'autre, ils lui font le coup de l'esquive. Cette fois encore, il faut l'empêcher de partir.

— Comment vous dire ? ... Cela fait plus de deux mois. Par moment, je perds patience.

Et c'est vrai. Ce soir, à Trieste, il est découragé.

— J'espérais que vous seriez la dernière personne, que j'allais tout apprendre par vous. Vous me dites que vous n'avez pas attendu, que vous êtes reparti tout de suite... Alors, qui va m'apprendre la suite ?

L'homme s'est retourné. Il est grave. Il a décidé de ne plus jouer.

— Je vous ai dit la vérité, monsieur.

— Vous n'avez pas entendu les coups de feu ?

— Un d'abord, oui. Deux autres, un quart d'heure plus tard. Mais j'étais déjà loin. J'ai peut-être mal entendu.

— Votre ami, le propriétaire du domaine, était chez lui, cette nuit-là ?

— Oui.

— Il a entendu ?

— Tout.

Yannis Karrassos hésite. Il ne franchira la dernière étape que si cet homme le veut bien. Sinon, il n'a plus qu'à retourner sur ses pas. Comment le demander, sans risquer de tout perdre ? L'homme comprend, plisse les yeux très vite, en signe d'acquiescement, va dire quelques

mots à la femme, puis entraîne Yannis Karrassos vers
une petite cour, aussi étroite que la salle du café, où est
garée une camionnette de dépannage.

— Entre, Marco.

La porte de la bergerie s'est ouverte sans bruit. Il n'y a
pas de lumière.

— *Buona serra*, Fabrizio. Je suis avec le signor
Karrassos.

— Entrez, monsieur. Marco, tu restes dehors, tu t'assieds
contre le mur et tu regardes ce qui se passe.

La porte se referme. Yannis avance vers ce Fabrizio,
qui est le propriétaire du domaine. La lune se glisse par
les fenêtres de la bergerie. Tout est bleu. Fabrizio est
large, trapu, le contraire de l'homme de Trieste. Le crâne
nu, tous les poils en broussaille sur le visage : la moustache, de longs favoris épais, qui se rejoignent sous les
oreilles, comme un masque. Très noir. Tout de suite
Fabrizio parle.

— C'est un grand domaine ici, plus de cent vingt hec-
tares. Le long de la frontière. Cette ligne d'arbres, là-bas.

Il a un geste vers la fenêtre. Yannis Karrassos se
penche. Il y a, en effet, un long ruban de peupliers,
sinueux.

— Au pied des arbres, une rivière. C'est le passage.

Il a une voix sèche, presque haute, tous les mots à leur
place. Une voix habituée à donner des ordres, sans s'irriter jamais. Pour un si grand domaine, il faut beaucoup
d'ouvriers.

— Je ne voulais pas qu'ils passent, cette nuit-là. La
frontière était surveillée. Ils ont voulu passer quand
même.

— Ugo et Tomas ?

— Les deux hommes, oui. Je ne sais pas leur nom.
Je sais seulement qu'ils ont voulu passer quand même.
J'avais demandé deux semaines de délai. Il y avait des
mouvements le long de la frontière. Ils ont dit qu'ils ne
pouvaient pas attendre. Alors, nous les avons laissé passer
seuls. D'habitude, Marco les conduit jusqu'au bout. Cette
nuit-là, c'était trop risqué. Marco a tenté de les convaincre.

Ils se sont obstinés. Il les a conduits dans sa camionnette de dépannage jusqu'à cette bergerie. Il est reparti. Moi, j'étais dans une autre maison, deux kilomètres plus loin. Je regardais l'heure. Marco n'est jamais en retard. Il devait déposer les deux hommes à deux heures et demie du matin. Je m'étais donné jusqu'à quatre heures. Le moment où le jour se lève. Si, à quatre heures, il ne s'était rien passé, je n'avais plus à m'inquiéter. A trois heures, j'ai commencé à penser qu'il y avait de l'espoir. A trois heures vingt, j'ai entendu un coup de feu.

Il s'interrompt. Il a un geste vers sa moustache, comme s'il cherchait d'instinct une pipe qu'il a l'habitude de fumer. Yannis Karrassos ne bouge pas. Il écoute. C'est la première fois qu'il n'a pas à poser de questions.

— Je suis sorti. J'ai couru jusqu'au petit bois qui entoure la maison où je me tenais. J'ai écouté. Je ne comprenais pas pourquoi le coup de feu avait été tiré si près de chez moi. Je vous ai dit que Marco avait déposé les deux hommes ici. Ils devaient aller tout droit, jusqu'aux peupliers, franchir la rivière, il y a un gué assez facile en été, où les eaux sont basses, et marcher tout droit encore pendant une heure, avant de rejoindre le dernier passeur. Or le coup de feu a éclaté à deux cents mètres à peine de chez moi. Je pensais qu'on allait entendre les chiens aboyer. Mais non. Rien. J'ai attendu longtemps. Je me suis décidé à rentrer. Au moment où j'ouvrais la porte, il y a eu deux autres coups de feu, beaucoup plus loin sur la droite. J'ai regardé l'heure. Quatre heures moins vingt-cinq. J'ai attendu encore. Le jour s'est levé. Voilà.

Il se tourne vers la fenêtre, regarde. Le ciel est encore celui de la nuit. Sous la lune, le champ paraît enneigé. Fabrizio enfonce ses mains dans ses poches.

— Le lendemain, j'ai interrogé les gendarmes, sans insister. Je ne voulais pas avoir l'air de m'intéresser à cette affaire. Ils m'ont répondu qu'ils n'avaient entendu aucun coup de feu. Je savais qu'ils répondraient ainsi. La surveillance s'est renforcée tout de suite. Elle dure encore. C'est pour ça que Marco a été obligé de prendre des précautions pour vous conduire jusqu'ici.

Il se penche, semble surveiller quelque chose, très loin.

— J'ai pu reconstituer à peu près ce qui s'était passé.
Je connais bien mes terres, et je suis chasseur. Je déchiffre
facilement les traces. Vos deux hommes ont franchi la
rivière, mais ils n'ont pas continué tout droit, comme
prévu. Ils sont restés cachés quelque temps sur la rive,
puis sont partis vers la gauche, en continuant à se cacher.
Ils se sont donc rapprochés de la maison où j'étais. J'ai
repéré l'endroit exact où ils se sont couchés à plat ventre
quand le premier coup de feu a été tiré. Brusquement les
traces changent. Ils ont quitté le bord de la rivière, sont
partis en courant droit devant eux. Ce qu'ils auraient
dû faire tout de suite, s'ils avaient suivi le plan prévu.
Après, je n'ai pas pu aller voir. C'est la Yougoslavie.

Deux coups très brefs contre la porte. Fabrizio va
ouvrir.

— Il y a deux hommes qui approchent, dit Marco.

— Ce sont mes ouvriers. Entre.

Marco entre. Fabrizio revient vers Yannis Karrassos.

— Je vous quitte. Je vous demanderai de ne pas
repartir avant dix heures du matin. C'est la première
pause des équipes.

Il ne tend pas la main, salue brièvement, de la tête.

— Le passeur de Yougoslavie, demande Yannis
Karrassos, vous le connaissez ?

Fabrizio regarde Marco. Ils ne parlent ni l'un ni l'autre.
Mais ils se comprennent.

— Son nom, je l'ignore. Ceci seulement : il est cordonnier à Sésana.

— Pour vous, monsieur Karrassos, je remuerais le ciel
et la terre. Votre famille, votre chère et honorée famille ...

C'est le consul de Grèce à Ljubljana. Yannis est venu
chez lui directement. Il sait qu'il ne pourra pas découvrir
seul le cordonnier de Sésana. Il a besoin d'une aide effi-
cace. Le consul est un homme d'âge, petit et rond, avec
des cheveux très blancs, et un nez curieusement cassé,
comme si, dans sa jeunesse, il avait fait de la boxe.

— J'ai très bien connu votre père, monsieur Karrassos,
votre cher et honoré père. Il a sauvé la vie de mon

oncle Angelos. En 1912, au moment de la guerre contre les Turcs. N'avez-vous pas souvenir de ce haut fait d'armes ?...

Il faut le laisser parler, raconter ce haut fait, pour qu'il soit ensuite dévoué et compréhensif. Ils sont enfermés dans un bureau étroit, peint en vert, avec des classeurs métalliques contre les murs. C'est le début de l'après-midi. Yannis Karrassos a quitté la bergerie de Fabrizio à dix heures, comme convenu. Il s'est présenté au poste frontière, a obtenu un visa de transit provisoire, valable pour vingt-quatre heures, après avoir longtemps parlementé. Il a alerté le consul de la ville la plus proche.

— Mon pauvre oncle Angelos serait mort si votre père ne l'avait porté lui-même, sur ses épaules, jusqu'à une grange transformée en infirmerie de campagne. Dans notre famille, lorsqu'on prononce votre nom, tout le monde lève les bras au ciel et crie : « Hosannah !... »

Il rit. Il est heureux. Il ne sait pas pourquoi Yannis est venu le voir, mais c'est comme si quelque chose des légendes de son enfance devenait vrai.

— Le ciel et la terre, je vous le répète. Demandez-moi tout ce que vous voudrez. Tout. Ce sera pour moi un honneur.

Yannis Karrassos explique sans attendre.

— Je ne connais pas ce pays, je ne connais pas cette langue. Sans vous, je ne parviendrai jamais à découvrir le cordonnier de Sésana.

— Je comprends.

— Mon visa expire dans moins de vingt-quatre heures. Il faut aller vite.

Le consul ne réfléchit pas plus longtemps.

— Je vais à Sésana, monsieur Karrassos.

— Je vous accompagne.

— Il faut que j'y aille seul. Votre arrivée donnerait l'éveil. C'est un petit bourg, ou tout se sait. Vous allez m'attendre ici. Il y a une chambre, vous pouvez vous reposer, dormir. Je ne sais pas encore comment je vais m'y prendre, mais ce soir au plus tard, votre homme sera dans ce bureau.

Il se lève, accompagne Yannis Karrassos jusqu'à une chambre très sombre, au bout d'un couloir.

— J'ai besoin de joindre un de mes amis, à Athènes pour avoir des nouvelles de ma fille. Vous avez un téléphone, monsieur le consul ?

Le consul montre l'appareil, posé sur le sol au pied du lit.

— Il est à vous, monsieur Karrassos, comme tout ce qui est dans cette maison, en souvenir de votre cher et honoré père ...

Ils attendent. Il est neuf heures passées. Le consul est rentré en fin d'après-midi. Il a réussi à trouver le cordonnier, mais ils ne sont pas revenus ensemble. Le cordonnier a préféré venir de son côté, plus tard.

— Vous êtes certain qu'il viendra, monsieur le consul ?

— Lorsque les habitants de ce pays disent : je viens, ils viennent.

Ils sont assis dans le petit bureau. Une seule lampe allumée. Yannis Karrassos, pour la première fois, tremble et ne sait pas le cacher. Il dit que c'est la fatigue. Depuis des nuits, il ne dort pas. Mais c'est l'impatience. Le cordonnier va lui apprendre la vérité. Il n'y a plus d'intermédiaire, plus de recul possible.

— Pourquoi n'est-il pas là ?

Le consul se lève, va jusqu'à la fenêtre. La rue est déserte. Il ne fait pas encore tout à fait nuit.

— Il attend qu'on n'y voit plus rien.

Yannis voudrait que Georges l'appelle. Il n'a pas réussi à le joindre, ni chez lui, ni à son bureau. Il a laissé le numéro du consulat à une secrétaire. Ce soir, parce qu'il est au bout de son enquête, parce que la vérité lève déjà son masque, il a besoin qu'on lui parle d'Alexandra.

— Voici une voiture.

Le consul observe la voiture qui s'arrête au coin de la rue. Un homme en descend.

— C'est lui.

Il va ouvrir. L'homme entre rapidement.

— *Buona serra.*

Yannis Karrassos ne connaît que quelques mots de yougoslave. Mais le cordonnier parle couramment l'italien.

Le consul le conduit jusqu'au bureau, le fait entrer, ferme la porte derrière lui, se retire dans sa chambre.

— Vous allez regretter que je sois venu, dit l'homme.

Il est jeune, très blond avec des yeux vifs.

— Ils sont morts ?

— Vraisemblablement.

— Vous n'êtes pas sûr ?

— Personne n'est sûr de rien.

— Alors pourquoi dites-vous qu'ils sont morts ?

— Parce qu'il n'y a pas d'autre possibilité. Je tourne et je retourne dans ma tête, depuis trois mois. J'interroge aussi. J'interroge beaucoup. Les hommes de la frontière, les douaniers, les gendarmes, ceux avec les chiens, ceux avec les fusils. Je les connais tous. Celui qui a tiré le premier coup de feu, je lui ai parlé.

Il croyait qu'il ne pourrait rien dire, mais les mots viennent facilement. Il y a trop longtemps qu'ils sont en lui, et qu'il ne peut les dire à personne. Cet homme, ce monsieur Karrassos, il avait peur qu'il ne se mette à crier ou à pleurer, il ne savait pas. Mais il ne bouge pas, il interroge, il a l'air très calme.

— Je lui ai parlé, oui. Ses bottes, c'est chez moi qu'il les fait réparer. Lui, il prétend qu'il a tiré sur une ombre, sur quelque chose qui remuait. Peut-être un animal. Il ne sait pas. Mais les deux autres coups de feu, un quart d'heure plus tard, il sait que c'était quelqu'un.

Yannis Karrassos a posé les deux mains sur le bureau. Il se penche, approche lentement son visage de la plaque de verre qui recouvre le bureau. Soudain, il a un brusque sursaut, se redresse d'un bond.

— Ce n'est pas vrai.

Il crie. A pleine voix. Dans la chambre, au fond du couloir, le consul s'effraie.

— Ce n'est pas vrai.

Le même cri terrible. Comme quelqu'un sous la torture, qui a résisté le plus longtemps possible, et que ses forces trahissent.

— Tous ces chemins, toutes ces recherches, toutes ces villes, tous ces hommes l'un après l'autre, pour apprendre la mort de Ugo ?

Il secoue la tête, les yeux fermés.

— Ugo n'est pas mort. Ce n'est pas vrai.

— Ne criez pas, supplie le cordonnier à voix basse.

— Je n'ai plus la force de m'en empêcher.

Il se lève, cache son visage dans ses mains.

— Ugo...

Le consul ouvre la porte du bureau, passe la tête.

— Monsieur Karrassos...

Yannis reste immobile un long moment, à chercher sa respiration.

— Pardon, murmure-t-il.

Il se rassied, demande au cordonnier de venir s'asseoir en face de lui, sur une chaise qu'il tire contre le bureau.

— Il faut tout me dire, depuis le début.

— Oui, monsieur.

Maintenant ils parlent à voix basse. Le consul est retourné dans la chambre du fond.

— Où étiez-vous, cette nuit-là ?

— J'attendais.

— Où ?

— Ce sont mes secrets.

— Quelle heure ?

— Deux heures. Le passeur italien devait les conduire au bord de la rivière à deux heures et demie. Ils devaient marcher droit devant eux pendant une heure, me rejoindre à trois heures et demie. J'avais donc le temps. Mais je préfère être en place avant.

— Qu'avez-vous fait ?

— J'ai attendu. Au premier coup de feu, j'ai compris. J'ai hésité. J'ai pensé qu'il fallait peut-être aller vers l'endroit où on avait tiré. Et puis je ne l'ai pas fait.

— Pourquoi ?

— Si on tirait, c'est qu'il y avait des garde-frontières. Il valait mieux que je ne me montre pas. Et puis, je devais prendre les deux hommes en charge à un endroit précis. Je n'avais pas le droit de le quitter. J'ai continué à attendre. Et puis, j'ai entendu les deux autres coups de feu.

— Alors ?

— J'ai encore attendu. Sans bouger dans ma cachette. Jusqu'au jour. Que faire d'autre ? Voilà tout ce que je sais.

Ils se regardent longtemps. Puis Yannis Karrassos secoue la tête. Il a une sorte de sourire.

— Je n'accepte pas la mort. Apportez-moi une preuve, et je vous donnerai raison. Jusque-là, je n'ai pas le droit. On se résigne à la mort lorsque toutes les autres portes sont fermées. L'espérance, aussi faible soit-elle, est un devoir.

Le cordonnier secoue la tête à son tour.

— Ce sont des mots, monsieur.

Yannis se penche vers lui, avec une sorte de tendresse.

— Si vous étiez à ma place, vous sauriez que l'espérance n'est pas un mot.

Ils se regardent encore. Yannis Karrassos sait qu'il a achevé son enquête, et qu'elle a été vaine. Il pense au serment fait à sa fille. Elle lui dira : « Où est Ugo ? », il écartera les mains sans répondre. Le cordonnier se lève, se dirige vers la porte. Yannis le laisse partir sans le voir. Il n'y a plus qu'Alexandra. Il reste ainsi très long-temps, comme endormi. Les images passent, toutes ensemble. Surtout celle du chantier naval, dans le soleil, la grue la plus haute, la plate-forme suspendue dans le vide. *Le regard de Dieu* ... Il n'est plus qu'un homme sans pouvoir, qui a tenté de vaincre plus fort que lui, et qui reconnaît sa défaite. Très loin, il lui semble entendre une sonnerie.

— Monsieur Karrassos..., appelle le consul dans le couloir.

Il ouvre la porte.

— On vous demande d'Athènes.

Il va jusqu'à l'appareil, s'assied sur le lit.

— Allô, oui ?

Il écoute. Il n'a pas l'air de comprendre. Comme si ce que lui disait Georges ne pouvait pas être vrai, comme si c'était dans un rêve. Il s'est endormi. Il a posé sa tête sur le bureau, et s'est endormi. Il n'entend pas la voix de Georges. Il croit l'entendre, mais il va se réveiller, dans le bureau. Il dit seulement, après avoir longtemps écouté :

— Je vais rentrer, oui.

Il répète :

— Je vais rentrer.

Il raccroche doucement, garde l'appareil sur les genoux. Les mots. Peu à peu ils arrivent jusqu'à lui. Ils étaient tout autour, à hésiter. Maintenant, ils se précisent, s'éclairent, deviennent comme les journaux lumineux sur les façades. De grandes lettres oranges qui courent l'une derrière l'autre, et, la tête levée, il les déchiffre. Il comprend. Il voit le chien. Il se souvient. Dans la rue. Au petit matin. La gueule du chien toute humide, avec la langue qui pendait.

— Consul, crie-t-il.

Il se lève. L'appareil tombe. Il n'entend pas. Il croit qu'il rit. Il n'est pas sûr. Il pleure peut-être. C'est le même bruit, dans sa gorge. Il voudrait parler. Il ne peut pas. Il cherche. Il y a toujours ce chien.

— Dans le vin, dit-il enfin. Ugo et moi...

Il revoit la tache, au milieu des débris de verre. Le vin qui coulait, qui dessinait lentement, sans écume, le visage de son petit-fils. Alors il comprend. Il comprend ce que Georges lui a dit, et que c'est vrai, que l'enfant est né et que c'est un garçon.

CHAPITRE VI

UNE OMBRE DE FEMME

— Il le faut, Elizabeth. Avant de repartir, il faut que je la voie.

Ils sont dans la voiture, à quelques mètres de la maison de Yan. Elizabeth ne répond pas. Elle regarde devant elle. C'est le matin. Elle dit seulement, tout bas :

— Tomas, Tomas...

Elle a écouté parler Yannis Karrassos. Elle a écouté attentivement, et pendant qu'il parlait elle pensait : « Ce n'est pas vrai. Il va me dire que ce n'est pas vrai. » Elle avait cru. Jusqu'à cette minute, elle avait cru qu'il reviendrait de son voyage en sachant où était Tomas. Tous les matins, elle se levait, elle allait à la fenêtre, elle regardait la route. Comme madame Luckas. Elle était devenue, à son tour, une femme qui ne compte plus les jours, qui soulève le rideau et qui attend.

— Tomas, Tomas...

Yannis Karrassos regarde la maison entre les arbres. Une petite maison, presqu'une ferme, au bord de la route, avec des champs tout autour. Il veut parler à madame Luckas. Il veut lui dire que l'enfant est né. C'est aussi son petit-fils. Même si elle n'entend pas, si elle ne comprend pas, il pourra dire à Alexandra qu'il a tenu l'enfant un moment devant la mère de Ugo.

— Emmenez-moi, dit Elizabeth.

— Où ?

— Je rentre à Budapest. Je ne peux plus vivre à côté de cette femme qui attend. C'est fini. Moi, je n'attends plus. Si Tomas est vivant, ce n'est pas en restant debout devant la fenêtre que je le ferai revenir.

— Oui, Elizabeth. Repartez avec moi. Mais avant, il faut que je voie madame Luckas. Que je lui parle. Même si Yan s'y oppose. Obligez-le à m'ouvrir sa porte. Deux minutes. Pas plus de deux minutes.

Elizabeth sort rapidement de la voiture. Maintenant qu'elle a décidé de partir, elle est pressée.

— Elle ne comprendra pas, dit-elle. Elle a tout oublié. Elle ne parle plus que notre langue.

— Vous traduirez.

Il fait gris, un ciel très bas, avec des nuages. C'est l'été pourtant, mais les orages sont proches. Yannis descend de voiture, fait quelques pas sur la route. Il essaie d'imaginer. Mais il ne sait pas. Jamais encore. Même sa fille, lorsqu'elle est venue au monde, il était caché dans les montagnes. Un enfant de quelques heures, il ne sait pas comment c'est fait. Il voudrait qu'il soit grand tout de suite, qu'il marche, qu'il parle, qu'il regarde son grand-père dans les yeux et lui tienne tête et donne des ordres, et soit un homme, de sa taille, de son poids, égal. Ces sortes de petits animaux sourds, repliés sur eux-mêmes, avec des visages rouges, comment en approcher seulement une main ?

Il s'immobilise, brusquement.

— Ugo..., dit-il.

Sur la route, venant vers lui. Ugo. Vivant. Sorti de la maison. Tous ces mensonges, toutes ces recherches. Pourquoi ? Il était là, caché dans la maison.

— Ugo !

L'homme s'arrête.

— Pourquoi voulez-vous voir ma mère ?

Yan. Comme un frère jumeau. Les cheveux, le regard, la voix, même la voix. Il regarde Yannis, le visage fermé. Il a un chandail épais, malgré la chaleur, un pantalon de laine, des bottes. C'est Ugo, et pourtant son contraire. C'est Ugo posé sur sa terre, dans ses champs, avec des chevaux dans ses écuries.

— Pourquoi ? répète-t-il.

— J'ai quelque chose à lui dire. Quelque chose de très important.

— Dites-le moi à moi.

— A elle seule.

Elizabeth a prévenu Yan. Il comprend qu'elle avait raison. On n'empêchera pas cet homme d'entrer. Il restera là, devant la maison, aussi longtemps qu'il le faudra. Il finira par perdre patience et par enfoncer la porte.

— Deux minutes ?

— Deux minutes.

La maison est sombre. Elizabeth attend près d'une porte ouverte. Elle fait signe à Yannis Karrassos d'approcher. C'est une pièce carrée. Trois chaises, une table ronde. Rien au mur. Une lampe au bout d'un fil, avec un abat-jour de carton. Debout devant la fenêtre, tournant le dos, une femme. Une ombre de femme, très mince, très droite, avec un long cou que dégagent des cheveux relevés sur la nuque. Une jeune fille. Avec une robe longue, qui pourrait être une robe d'autrefois, de celles que l'on trouve dans les malles des greniers. Grise, très claire, ou même blanche, Yannis ne distingue pas très bien, la femme est à contre-jour. Il n'ose pas entrer. Il attend. Puisqu'elle regarde la route, elle a dû le voir venir. Elle sait qu'il est là. Mais elle ne bouge pas. Des années. Combien d'années ?

Elizabeth dit un mot, d'une voix haute, chantante. Yan est resté dans le couloir. La femme ne bouge pas. Elizabeth répète ce mot. C'est un appel. C'est, dans toutes les langues du monde, la musique du mot : mère.

Madame Luckas se retourne brusquement, très vite, vient vers Yannis Karrassos, le regarde de très près, fixement, un peu penchée vers lui. Elle est très belle, le visage lisse et doux, sans une ride, comme à seize ans. La sœur. Pas la mère, la sœur. Plus jeune que Ugo. Pendant quelques secondes Yannis Karrassos croit qu'il y a méprise, que c'est la femme de Yan qui est devant lui, mariée depuis peu, et qui s'appelle aussi madame Luckas. Mais le visage ... Elle regarde toujours, les yeux grands ouverts. Il commence à déchiffrer. C'est un visage qui n'est pas le sien. Un visage refait chaque matin, devant le miroir de sa chambre, minutieusement, pendant des heures avec tout ce qu'elle a sauvé du désastre, tout ce qui lui reste de rouge et de rose, et qui tient comme un masque, et les

cheveux gris maintenant, presque blancs sur ce visage
de jeune fille, tirés un à un, longuement mis en place,
pour qu'il la reconnaisse, pour qu'il sache qu'elle est la
même, qu'il peut revenir, qu'elle n'a pas vécu, pas un an,
pas un jour, la même, comme autrefois, lorsqu'il est venu
chez ses parents pour dire qu'il l'aimait et qu'il désirait
lui donner son nom, et elle était déjà debout, déjà immobile, déjà contre la porte de sa chambre, attendant que
ses parents disent oui, et qu'il monte, qu'il l'entraîne vers
ses longues propriétés brûlées de soleil, allongées près
du Balaton comme au bord d'une mer. Ce n'est pas Ugo,
Yannis le comprend brusquement, ce n'est pas Tomas
qu'elle attend, ce n'est pas non plus Maria qui est morte
et qu'on a retrouvée sur la plage. C'est son mari. Yannis
se souvient. Ugo lui en a parlé. Une voiture qui s'arrête,
deux hommes qui en descendent, et monsieur Luckas, sans
un mot qui repart avec eux. Debout, ce jour-là, devant la
fenêtre qu'elle n'a plus quittée, la raison perdue peu à
peu, les yeux trop grands à force d'être fixes, et ces
vieilles robes qu'elle sort des malles, et qu'elle porte avec
obstination, comme pour forcer le destin.

Madame Luckas se redresse, fait lentement de la tête
un signe de refus, parce qu'elle a bien regardé le visage
de cet homme, et ce n'est pas celui qu'elle attend. Même
après tant d'années, elle l'aurait reconnu. Pourquoi l'appeler, l'obliger à quitter la fenêtre ? Pendant ces quelques
instants, peut-être a-t-il traversé la route. Peut-être, ne
la voyant pas, est-il reparti ?

— Dites-lui...

Yannis Karrassos se tourne vers Elizabeth. Il ne sait
plus ce qu'il veut dire. Il ne sait plus pourquoi il est là.

— Dites-lui que je rentre en France, que je vais
retrouver ma fille.

Elizabeth prend madame Luckas par le bras, lui parle
à mi-voix. Madame Luckas répond, très vite, d'une voix
précise, mécanique, qui n'a pas l'air de lui obéir, et
qu'elle tente de retenir en ouvrant à peine les lèvres,
pour que son visage ne bouge pas.

— Elle dit qu'elle ne sait pas qui est votre fille.

Yann, dans le couloir, frappe du poing contre le mur.

— Deux minutes.

— Dites-lui que l'enfant est né, l'enfant de Ugo. Dites-lui que c'est un garçon.

Elizabeth le regarde, et Yan s'immobilise dans le couloir. Il y a comme un grand silence. Dans une autre pièce de la maison, quelque chose tombe. Un léger bruit métallique, et une voix étouffée qui s'irrite. Elizabeth parle de nouveau à madame Luckas, plus longuement, en répétant plusieurs fois les mêmes mots. Madame Luckas lève la tête, regarde Yannis Karrassos. Une sorte de lueur apparaît, un reflet à peine mouvant, qui cherche à se fixer. Elle bouge la main plusieurs fois, de haut en bas, comme on fait signe à un enfant de se taire, parce qu'il fait trop de bruit. Elle tourne lentement, tout son corps redevenu souple. On dirait qu'elle va tomber. Mais non. Elle est très près de Yannis Karrassos. Elle fait un effort. Elle parle. C'est une autre voix. C'est une autre femme, prisonnière, et qui se débat, qui tâtonne vers la lumière, qui appelle. C'est étouffé, lointain. Pas un cri, à peine articulé, pas une plainte non plus.

— Vous et moi...

En français. Des mots qu'elle avait oubliés, qui reviennent, qu'elle reconnaît avec étonnement.

— Votre petit-fils et mon petit-fils...

— Oui, répond Yannis.

Très bas, comme en secret, comme s'il tendait la main pour l'aider à sortir de cette ombre.

— Oui, répète madame Luckas.

Et elle sourit, brusquement, tout son visage ouvert, le regard comme une mer très verte avec le soleil sur les eaux. Et c'est vrai tout d'un coup, c'est vrai qu'elle a seize ans, qu'elle est une jeune fille, qu'autour d'elle le temps s'est immobilisé.

Il y a un long moment de silence absolu. Puis madame Luckas ferme les yeux, se met à trembler, tend la main vers Elizabeth, prend appui sur elle, retourne lentement jusqu'à la fenêtre, soulève le rideau, penchée de nouveau vers la route, le dos tourné à ce qui n'est pas son attente.

CHAPITRE VII

LES MAINS VIDES

Elle ne savait pas que ce serait l'amour.

— Mademoiselle...

— Madame ?

— Vous avez vu beaucoup d'enfants. Dites-moi la vérité. Comment trouvez-vous mon fils ?

— Très beau, madame.

— Vous dites la même chose à toutes les mères.

L'amour. L'infirmière ne peut pas comprendre. Elle répond, comme par habitude : il est beau, mais c'est tellement autre chose.

— Quand je pense à lui...

Elle ne veut pas dire. C'est un secret. Comme un homme qui la regarde de loin, et elle se met à trembler. Elle rougit en baissant les yeux.

— Vous me le reprenez ?

— C'est l'heure, madame.

Elle le regarde encore, attentive à ce visage inconnu, refermé sur des mondes où il règne seul. Elle ne cherche pas à qui il ressemble. Ce sont des jeux auxquels se livrent les autres, ceux qui se penchent sur les berceaux et ne savent pas très bien quoi dire. Pour elle, c'est l'amour. Elle le déchiffre. Son oreille. Ses mains. Des signes ainsi, des signes secrets pour elle et lui comme un langage qu'ils s'inventent.

— Il va dormir ?

— Certainement, madame.

Il dort déjà. L'infirmière le prend, sans même le

regarder, parce qu'elle a l'habitude de prendre des enfants, de les porter dans leur lit. C'est son métier. Elle le fait avec conscience, mais s'il fallait qu'elle soigne chacun comme s'il était le seul, comment ferait-elle ? La porte de la chambre se referme. Noële s'enfonce dans ses oreillers, ferme les yeux. Elle attend le prochain rendez-vous. Amoureuse, oui. Elle ne sait pas d'autre mot. Je l'aime. Une heure avant que l'infirmière ne le lui apporte, elle se prépare. Elle se coiffe, elle se parfume, elle se regarde dans son miroir. Elle voudrait être belle. Ce qui compte, elle le sait maintenant, ce n'est pas qu'il soit beau, comme le dit l'infirmière, c'est qu'elle soit assez belle pour lui.

— Entrez.

C'est Nicole Vaindrier.

— Il est déjà recouché ?

— A l'instant, oui.

— Je peux aller le voir, tu crois ?

— Bien sûr, maman.

Nicole Vaindrier longe le couloir, arrive à la nursery, fait signe à l'infirmière. Noële attend, immobile dans son lit. Elle regarde la courbe de température, dans son étui de plastique. Trois jours. Elle ne parvient pas à y croire. Des semaines, des mois, ce temps où l'enfant vivait d'elle, en elle, où elle pensait qu'il ne la quitterait jamais, qu'ils étaient pour toujours liés l'un à l'autre. Trois jours à peine. Et déjà c'est une vie pour lui seul, une vie commencée dans un monde où elle n'a pas le droit d'entrer. Son fils ? On lui dit : ton fils. Elle ne comprend pas. Il y a un homme dans une chambre voisine, qui vient la voir à heures fixes, et elle ne vit plus que pour ces rencontres.

— Comment es-tu, mon chéri ?

Nicole Vaindrier est revenue dans la chambre, s'est assise près du lit de Noële.

— Je ne sais pas.

Il paraît qu'elle a eu deux jours de brusque dépression, que Berthelin a été inquiet, qu'elle bougeait à peine, plongée dans une sorte de torpeur. Il paraît qu'elle ne parlait plus, reconnaissait à peine Gilles et Nicole Vaindrier. On le lui a raconté. Elle ne s'en souvient plus. Sa vie a commencé au moment où elle a pris son fils dans ses bras, où elle l'a regardé, où elle a senti son poids, non plus en elle-même, mais séparé d'elle, son poids d'homme seul.

— C'est l'amour, dit-elle.

Elle tend la main à Nicole Vaindrier, lui parle, les yeux fermés, parce que c'est sa mère, et qu'elle peut tout lui dire.

— Il n'est pas à moi, tu sais. Ce n'est pas lui que je portais. Celui que je portais vivait de ma vie. Celui-ci, c'est quelqu'un qui ne me connaît pas. Un inconnu. Je l'aime. Il ne m'aime pas.

— Il ne t'aime pas ?

— Non, maman. Il ne fait encore aucune différence entre l'infirmière, toi et moi. Toutes pareilles, pour lui. Moi, je l'aime et je me dis : peu à peu, il fera la différence. Peu à peu, il me distinguera des autres. M'aimera-t-il alors ?

— Bien sûr.

— Ce n'est pas sûr. C'est comme l'amour d'un homme. Il faut que je le mérite. Il faut que je le gagne.

Elle parle doucement. Nicole Vaindrier se souvient. Cette journée de janvier, en gare de Grenoble. C'était aussi l'amour. Le même désir d'être aimée, de séduire, la même angoisse de ne pas savoir. Elle croyait que tout serait différent pour Noële.

— J'ai peur de tout. De la nuit quand il dort, quand je dors. J'ai peur de ne pas être comme il veut que je sois. Il est trop petit encore. Il n'a pas ouvert les yeux. Mais quand il me verra, maman, la première fois qu'il me verra... Je le lâcherai, je crois, pour me cacher le visage.

Nicole Vaindrier embrasse doucement la main de Noële. Elles restent ainsi sans parler. Depuis la naissance, pas une fois Noële n'a prononcé le nom de Ugo.

— J'ai vu Berthelin en arrivant. Il pense que tu pourras rentrer aux Quatre Vents dans quelques jours. Avant la fin de la semaine.

Elle attend encore un moment. Elle hésite. La clinique est silencieuse. Même dans la nursery, au fond du couloir, les enfants ne crient plus.

— Papa va venir te chercher ?

Il faut lui répondre. Nicole Vaindrier voulait attendre

encore un moment. Mais puisque Noële pose la question.

— Oui, mon chéri.

Elle embrasse encore une fois la main de sa fille, très vite.

— Avec ton père.

Noële se redresse, regarde Nicole.

— Il est revenu ?

A mi-voix. Et sans attendre la réponse, très vite :

— Seul ?

Déjà elle sait, ferme les yeux, s'allonge de nouveau. Si Yannis Karrassos n'était pas revenu seul, on le lui aurait dit tout de suite. Ç'aurait été le tonnerre, la foudre, toutes les voix ensemble criant : Ugo.

— Nous savons peu de choses, dit Nicole Vaindrier. Il a seulement télégraphié à Gilles de venir l'attendre à l'aéroport de Lyon. L'avion a dû se poser depuis plus d'une heure.

Ugo. Lointain. Sans que rien ne déchire, ne blesse. *Ugo.* Une voix derrière des murs, beaucoup de murs, très épais, et la voix les traverse l'un après l'autre. C'est une bouche collée contre les pierres qui appelle : *Ugo.*

— Quand on me l'a donné pour la première fois, dit-elle à voix basse, c'était Ugo. Exactement Ugo. Mais déjà, c'est fini. Maintenant il a encore les oreilles de son père et les doigts, oui, exactement les doigts de son père. Mais il ne ressemble plus qu'à lui seul.

— Attends de savoir, mon chéri. Monsieur Karrassos a sûrement découvert quelque chose. Ce n'est pas possible autrement.

Noële entend, une fois encore, très loin : *Ugo.*

— Ils viennent à la clinique, directement ?

— Oui.

Vivant, elle le sait. Maintenant que l'enfant s'est détaché d'elle, c'est Ugo qu'elle porte. Et il bouge. Il le lui a dit un jour : tu es ma mère. Maintenant c'est vrai.

— Moi, je sais, dit-elle. Quoi qu'il ait découvert là-bas, moi je sais.

Elle se retourne sur le côté, comme si elle voulait dormir, les genoux un peu remontés.

— Tu es fatiguée, mon chéri ? Tu veux que je te laisse seule ?

Elle fait signe que non, que c'est un simple moment de repos, un souvenir de Ugo lorsqu'ils partageaient leurs sommeils, et qu'elle se roulait en boule contre lui. Toujours ainsi, comme des enfants. Elle se dit qu'il leur faudra apprendre à dormir sur le dos maintenant, à de longues distances, pour ne pas être surpris, le moment venu, par le sommeil immobile de la mort. Mais, pour un instant encore, elle s'arrondit, elle se referme, elle a l'impression de le protéger. Elle dort peut-être, elle ne sait pas. Elle croit entendre sa mère qui ouvre la porte de la chambre, une voix dans le couloir. Elle regarde par dessus son épaule.

— Ugo...

Yannis Karrassos n'ose pas entrer. Il est sur la porte, les bras ouverts.

— Je t'avais fait un serment, dit-il.

Elle se lève, vient vers lui sans un mot, ne l'embrasse pas, lui prend la main, l'entraîne le long du couloir jusqu'à la nursery. L'infirmière, qui l'a entendue, s'approche, mais Noële l'écarte avec un geste d'une si grande douceur qu'elle laisse faire, malgré les règlements de la clinique. Noële ouvre la porte, n'allume pas. Il y a des lits, les uns à côté des autres, contre le mur. Elle va droit à celui de son fils, se penche. Yannis Karrassos se penche avec elle. Il ne voit qu'un petit visage à la renverse, les lèvres serrées. Il a envie de se plaindre, de pousser un grand cri dans cette salle trop sombre, pour que toutes les lampes s'allument, que tous les yeux s'ouvrent. Il ne parvient pas à comprendre. Leur folie, lorsqu'ils ont su. Ugo, le premier, à genoux sur le trottoir, et tous les gens autour qui regardaient. Et lui, au Japon, lui, Yannis Karrassos, comme si la foudre lui tombait dessus, portant la main à ses yeux, aveugle, courant jusqu'à l'aérodrome, prenant lui-même les commandes de l'avion. Cette joie démesurée, cette folie. Ugo et lui, sur le seuil de la chambre, brisant la bouteille de vin. Ce qu'ils n'osaient pas croire, le monde entier qui leur appartenait, parce que la vie était revenue. Et voilà l'enfant. Devant lui. Il dort, fermé sur son sommeil, indifférent à celui qui se penche, qui n'a même plus la force d'avancer la main.

— Ses yeux, dit-il enfin. De quelle couleur sont ses yeux ?

— On ne sait pas encore, père. C'est trop tôt.

Pas même son regard. Volés. Ils sont tous volés de leur joie. Cette naissance, ils l'attendaient comme un jour de Noël, comme si Dieu lui-même frappait contre la porte et demandait l'hospitalité. Mais personne n'était là pour ouvrir. Chacun sur sa route à crier : *Ugo...* Dans le désert, dans le chagrin, avec ce grand vide en eux tous, cette faim. C'est à l'enfant qu'il faudrait demander pardon. Il avait dit : *Je te rendrai Ugo, j'en fais serment, devant ton fils qui nous écoute, et qui sera mon témoin...* Il revient seul, les mains vides.

Noële se redresse.

— Il est à vous, dit-elle.

Elle vient vers son père, le visage levé.

— Il s'appelle Yannis.

De nouveau, il voudrait crier. De peine et de joie. Il ne sait plus. Il porte ses deux mains à sa bouche, renverse la tête. Pendant une seconde à ne plus savoir s'il tiendra debout. Puis il cède enfin, prend l'enfant, d'un geste maladroit, le tient à bout de bras, le porte jusqu'à la lumière, interroge ce visage qui dort toujours, qui grimace un peu, qui défend son sommeil, qui commence à se plaindre avec sur les lèvres une sorte d'ombre qui ressemble à un sourire.

Yannis Karrassos a parlé longtemps. Nicole et Gilles Vaindrier ont écouté, en même temps que Noële, dans la chambre de la clinique. Le docteur Berthelin a consenti. Maintenant que son père est revenu, il sait que Noële ne peut pas attendre. Ce serait plus grave encore. Mais il reste dans son bureau. Au moment où les Vaindrier et monsieur Karrassos quitteront la clinique, il se chargera d'aider Noële à traverser cette nuit difficile, à atteindre l'heure où l'infirmière lui apportera son fils.

Lorsque Yannis Karrassos achève son récit, c'est un long silence. Le monde arrêté, la nuit immobile derrière les fenêtre, comme quelqu'un qui retient sa respiration. Il se lève enfin.

— Je t'avais fait un serment, dit-il.

Les mêmes mots qu'à son arrivée. De nouveau il écarte les bras. Sans pouvoir. Tous ses empires derrière lui, ses arsenaux, ses univers, et pourtant les mains vides.

— Il est vivant, dit Noële.

Une évidence. Ce qu'elle sait, malgré tous ces hommes, interrogés l'un après l'autre, et qui ne découvraient qu'un petit ruban de la route, un fragment de la vérité. La certitude que cet enfant, qui est son amour, n'est pas un orphelin. Son père un jour le prendra dans ses bras et lui confiera à voix basse les secrets qu'un homme, depuis les temps de son enfance, tient en réserve pour son fils. Elle se dit que l'attente est insupportable, qu'elle manquera de courage, qu'elle traversera des déserts, qu'elle se révoltera, mais qu'il reviendra comme elle est revenue. Elle regarde Yannis Karrassos. Lui aussi a attendu. Vingt ans. Refusant la mort.

— Je vais chercher le docteur Berthelin, dit Nicole Vaindrier.

Gilles est silencieux, assis dans un coin de la chambre, le visage pensif. Le docteur entre. Ils se séparent très vite, sans un mot, parce que tout a été dit. Noële déjà sait qu'il faut dormir longtemps. Dans la voiture qui prend le chemin des Quatre Vents, Yannis Karrassos est seul à l'arrière. Il se laisse conduire. Il regarde toujours ses mains vides.

— Quelle dérision, dit-il tout bas.

Un autre homme. Terrassé de fatigue. Qui n'a plus la force de croire.

— Je vais rentrer à Athènes.

Cette route lui parait longue. Il ne pense plus qu'à être chez lui. Pourquoi les Quatre Vents ? Ce n'est pas une maison pour ces tristesses. Il la reconnaît de loin, dans l'ombre, l'allée de tilleuls, la grille, une lampe allumée dans le salon, comme si quelqu'un était là. Il descend de voiture, reste debout au milieu de la cour, le visage levé vers les fenêtres. Il sait qu'il va passer la nuit, sur un banc, dans le jardin, et que demain, il repartira.

— Ne vous inquiétez pas pour moi, dit-il à Nicole Vaindrier. Je serai très bien. Si le froid vient au petit matin, je marcherai.

Il prend Gilles par le bras.

— Je sais ce que vous pensez, monsieur Vaindrier. J'étais au Japon, c'est vrai lorsque Ugo est parti pour Londres. Si j'avais été là, l'aurais-je empêché de partir, aurais-je poussé Alexandra à l'accompagner, malgré l'avis de son médecin, l'aurais-je accompagné moi-même ?

Ils regardent la maison, les murs, la nuit qui est une lumière secrète.

— Qu'auriez-vous fait à ma place ?

Sans élever la voix, un peu tristement, parce que les choses qu'on voudrait reprendre, vers lesquelles on avance la main, se dérobent toujours. Gilles Vaindrier ne répond pas. A quoi bon ?

— Je suis fatigué, dit-il.

Il rentre lentement. C'est vrai qu'il est fatigué, les jambes lourdes, la tête lourde aussi, et tout ce qu'il ne formule pas, qui pèse, dans le cœur. Cet homme, qu'il a laissé seul dans la cour, est si proche de lui, ce soir, qu'on pourrait les confondre. Mais non. Ils ne sont pas les deux chevaux d'un même équipage. Chacun doit faire sa route.

Au lever du jour, Yannis Karrassos se réveille. Il a dormi une heure. Les oiseaux perdent la tête, s'égosillent dans les arbres, comme on crie au secours. Il se glisse dans le salon, cherche une feuille de papier, y griffonne quelques mots. Il a décidé de descendre à pied jusqu'à Roanne. Deux longues heures de marche. Il arrivera très tôt à la clinique. Peut-être assistera-t-il au réveil de son petit-fils, peut-être verra-t-il la couleur de ses yeux. Il marche. Il se sent mieux. Son amertume se dissipe. Un matin nouveau, non pas comme une promesse, mais comme la nécessité de reprendre la vie où elle était. Tout en ordre, et chaque pas l'un après l'autre. Il ne regarde pas autour de lui. Les champs, les arbres, cette France qu'il découvrait l'an dernier, il s'y sent étranger aujourd'hui. Il marche simplement pour s'obliger à faire les mouvements de l'habitude, à retrouver son rythme et son souffle, à refaire connaissance avec lui-même.

Il arrive devant la clinique avec le matin. Noële n'est pas encore réveillée. Il demande à parler au docteur Berthelin. Il se rassure : la nuit a été calme. Il pénètre sans bruit dans la chambre. Noële dort sagement, les bras le long du corps, le visage tourné vers la porte. Il tire une chaise, s'assied, la regarde. Il a l'impression qu'elle sait qu'il est là, qu'elle joue encore à dormir, parce que c'est la première fois qu'ils sont ainsi, dans la pénombre et le silence, si proches.

Elle ouvre les yeux. Tout de suite, elle l'aperçoit et sourit.

— Comment va mon fils ? demande-t-elle.

Yannis Karrassos secoue la tête. Il n'a pas encore été le voir. C'est vers elle, d'abord, qu'il est venu. Il se lève, s'approche du lit.

— Je repars tout à l'heure, je retourne en Grèce.

— Déjà ?

Elle est encore engourdie, un peu absente.

— Je ne vous aurai pas vu bien longtemps.

— Il faut que je rentre. Tout est en désordre là-bas. Il faut que je recommence à travailler. Pour moi, pour toi, pour l'enfant.

— La vie reprend ?

— Oui. La vie reprend.

Il se penche soudain. Il a le visage tendu.

— Laisse-moi te regarder.

Elle se redresse, fait un effort pour se libérer de son engourdissement.

— Une fois encore, je m'en vais, dit-il sourdement. Une fois encore, je te quitte, je te perds. Viendras-tu me rejoindre ?

— Mais, père...

— Ne réponds pas. Pas encore. J'ai l'impression que tu vas rester ici pour toujours, que rien ne s'est passé, que tu as retrouvé tes vraies racines, ta vraie maison. Que vais-je faire de Lefkas, maintenant ?

Il se détache d'elle, s'éloigne d'un pas.

— Les clefs, que faut-il en faire ?

— Je ne sais pas.

— Elles sont à toi. Delpina te les a remises. A qui veux-tu que je les confie en attendant ?

Elle ne sait pas répondre. Elle cherche. Depuis des

semaines, c'est un autre univers qui était le sien, où plus rien n'avait de sens. Et soudain, il faut penser aux clefs, aux armoires, à la vie qui reprend.

— J'aurais voulu...

Yannis Karrassos s'interrompt. Il n'a pas le droit. Il se plaindra plus tard, dès la porte fermée. Pas devant elle. Il aurait voulu qu'elle reparte avec lui. Il aurait voulu ne pas être seul une fois encore. Il aurait voulu que l'enfant soit là, et qu'il le regarde grandir. Il va remonter à pied, jusqu'aux Quatre Vents, refaire le chemin, et il parlera, il dira tout aux arbres, aux buissons des haies, il cachera sa plainte entre les feuilles pour que le pays qui lui reprend sa fille sache bien que c'est un vol.

— Je vais travailler, dit-il, beaucoup travailler,, pour l'enfant et pour toi. Reste ici autant qu'il le faudra. Un jour, si tu as envie de me rejoindre, je serai là, à l'attendre.

Il ne l'embrasse pas, il sort rapidement de la chambre. Dans le couloir, par la porte ouverte de la nursery, il entend des cris, plusieurs voix mêlées qui se confondent. Il ne veut pas aller voir. Le petit Yannis, parmi tant d'autres, semblable à tant d'autres... Il tourne le dos, sort de la clinique.

— Au revoir, Yannis, dit-il à mi-voix.

Les mains vides.

— Je suis venu vous chercher.

C'est Gilles Vaindrier, qui a trouvé le mot griffonné, qui est descendu tout de suite avec la voiture, pour lui éviter de refaire la route.

— Monsieur Vaindrier...

Il écarte les mains, une fois encore. C'est le seul geste qu'il sache faire depuis qu'il est revenu.

— Tout ce que j'ai, je vous le laisse.

Il explique qu'il a besoin de rentrer à pied. Il s'éloigne, les mains dans les poches, le col de sa veste relevé, hésitant d'une rue à l'autre, comme quelqu'un qui n'est pas chez lui.

Gilles Vaindrier le regarde partir. Il sait maintenant.

Ce qu'il a pensé hier, et qui n'était qu'une réaction inconsciente, depuis ce matin il sait que c'est vrai. Non pas les chevaux d'un même équipage. Mais une route différente pour chacun. Toute la nuit, il y a pensé. Il en a parlé avec Nicole dès son réveil. Il faut maintenant qu'il en parle à Noële. Il monte jusqu'à la chambre. Noële ne s'est pas rendormie. Elle est enfoncée dans ses oreillers, regarde l'heure, écoute à travers les cloisons les voix des enfants qui crient. Elle sait que bientôt son amour sera devant elle.

— Bonjour, dit Gilles Vaindrier.

Elle a dormi longtemps et calmement. Il le voit à son visage. Il le connaît bien.

— Je viens de croiser monsieur Karrassos. Il t'a dit qu'il partait aujourd'hui ?

— Oui.

Elle ferme les yeux.

— Je voulais te dire...

Gilles Vaindrier cherche ses mots. Cette idée, elle est encore trop imprécise pour qu'il en parle facilement. Mais en lui la décision est déjà prise.

— Tout à l'heure, en quittant la clinique, je vais aller dans une agence de voyage. Pour demander des renseignements. J'ai entendu parler d'un circuit touristique...

Il a l'impression que Noële n'entend pas. Il continue pourtant.

— Quinze jours. Au début septembre. Moi, si j'arrive là-bas, personne ne me connaîtra, tu comprends. Mon nom, Vaindrier, ce n'est rien pour les journaux. Je veux dire que je serai peut-être plus libre, qu'on ne sera pas toujours à guetter ce que je dis, ce que je fais.

Il parle d'une voix un peu embarrassée. Il voudrait qu'elle comprenne sans qu'il ait besoin d'en dire davantage.

— Toi, papa ?

Noële sort de sa nuit. La mer se retire, très loin. Elle se sent neuve. Elle se redresse.

— Jusque là-bas ?

— Pourquoi non ? demande Gilles Vaindrier.

Elle tend une main vers lui, l'oblige à s'approcher. Elle n'a que lui, et, à son tour, il veut s'en aller. Mais elle n'a pas le droit de le retenir. Pas plus qu'elle n'a retenu Yannis Karrassos. Ces combats qu'ils livrent pour elle, l'un après l'autre, avec des armes si différentes qu'on peut tout en attendre, que tout devient possible, qu'un espoir renaît lorsque l'autre paraît s'éteindre, elle y découvre, en tremblant, les signes d'un même amour.

CHAPITRE VIII

C'EST LA VOIX DE UGO

Quinze jours avec des chevaux. Les prospectus sont alléchants. Une étape par jour, de haras en haras. Gilles Vaindrier hésite pendant deux jours. Il se demande si la vie de groupe lui laissera des loisirs. Il craint d'être prisonnier d'horaires et de contraintes qui l'empêcheront de chercher Ugo. De toute façon, il ne fait pas de cheval. Ce sera peut-être une bonne raison pour rester en dehors des circuits. Il n'a pas le temps de réfléchir davantage. Le directeur de l'agence a besoin d'une réponse rapide. Pour la demande de visa. Le prochain départ est prévu le 4 septembre, à Paris. Ce sera le dernier. La saison est trop avancée pour en envisager d'autres avant l'année prochaine.

— Je me suis inscrit.

Il revient aux Quatre Vents, le soir.

— Il y avait encore de la place ? demande Nicole Vaindrier.

Elle ne sait pas cacher sa réserve.

— Tu espérais que c'était trop tard ?

Dès le premier jour, elle a marqué son désaccord. Gilles ne retrouvera pas Ugo. Il aura beau interroger les gens, chercher, ce sera inutile. Elle ne dit pas : puisque monsieur Karrassos n'a pas réussi... Non. C'est autre chose. Une conviction. Pour elle Ugo a vraiment disparu. Il a changé de nom, de visage. Il est devenu quelqu'un d'autre. Déjà une fois, il a voulu disparaître. C'est dans sa nature.

Elle le sait maintenant. Tout, en elle, est changé depuis qu'elle a été chercher Noële à Athènes. Jusque-là elle était compréhensive, ouverte, elle aimait Ugo, elle voyait le bonheur dévorer le visage de Noële, elle se laissait prendre à ces bateaux, à ces départs, à ces voiles gonflées de vent. Elle acceptait les dérives, les courants, comme des jeux, comme des reflets de soleil. Mais en arrivant à Athènes, elle a dit : non. Du fond d'elle-même, en apercevant Noële dans la porte, en haut des marches du perron, déchirée, sans vie, avec toute cette douleur dans le corps, en la prenant dans ses bras, en la sentant devenir si lourde, en entendant cette voix suppliante, épuisée qui avouait : *Je n'en peux plus*, elle a dit non. Trop de chagrin, trop de mystère. Elle ne comprend pas. C'est trop loin d'elle, étranger. Ce n'est pas sa façon de vivre, de penser, d'aimer. Elle n'a pas été étonnée que monsieur Karrassos revienne les mains vides. Ugo est effacé. Ugo n'est plus. Maintenant il y a Noële, l'enfant de Noële, deux vies à défendre. Les Quatre Vents refermés, comme une place-forte. Et tout ce qu'il faut de courage pour garder la porte. Mais Gilles cède. Lui aussi, brusquement, a changé. De façon inverse. Tout ce qu'il refusait jusqu'ici, il semble l'admettre. Il ne supporte pas la souffrance de Noële. Pour qu'elle cesse, il est prêt à tout. Peut-être a-t-il raison, peut-être est-ce la seule façon d'apaiser Noële : que son espérance, quelques jours encore, lui soit rendue. Nicole Vaindrier, s'il le faut, reconnaîtra ses torts plus tard. Pour le moment, elle refuse.

— Tu restes longtemps ?

— Deux semaines. Je pars le 4, je reviens le 17.

— Si j'ai besoin de te joindre d'urgence ?

— Le voyage est très bien organisé. J'ai la liste de tous les hôtels où nous descendons, avec les dates. Un simple télégramme suffira.

Ils n'en parleront plus. C'est un accord entre eux. Noële non plus n'en parle pas. Elle attend. De nouveau, elle attend. Le docteur Berthelin la garde en clinique un peu plus longtemps que prévu. Pour qu'elle soit tout à fait bien. L'enfant est beau. Il prend du poids. Il semble ne poser aucun problème. Les infirmières, entre elles, l'ont baptisé : *le magyar*, parce qu'il a de longs yeux très

noirs et déjà très ouverts. Noële s'en occupe complètement.
Elle ne supporte pas que quelqu'un d'autre le touche.
Elle a besoin de sentir cette vie sous ses doigts, sous ses
lèvres. Et surtout elle veut pouvoir répondre à Ugo, lorsqu'il demandera à connaître tous ces jours sans lui. Elle
n'aura pas le droit de répondre : *Je laissais faire les infirmières.* Tous les gestes, tous les réveils. Tous les fronce-
ments de visage. Mais pas de photographies. Elle ne veut
pas. A cause des caisses restées à Athènes, de ces images
qui ont l'air d'être les images d'un mort. Pour son fils,
c'est elle qui regarde, qui fixe dans sa mémoire, qui se
souvient. Les photographies, plus tard, lorsque Ugo sera
là.

Elle revient aux Quatre Vents, un lundi après-midi, dans
la voiture de Gilles Vaindrier. Elle tient son fils dans ses
bras. Elle lui parle, elle lui montre de loin les tuiles
rouges entre les arbres, les tilleuls. Il écoute. Il s'étonne
de ce bruit nouveau pour lui : le moteur d'une voiture.
Madame Marie est sur le seuil. Elle se penche sur l'enfant.
Elle le regarde attentivement.

— Il est bien à toi, dit-elle enfin.

Elle est satisfaite. Elle le regarde encore un moment,
devant la porte, avant d'entrer dans la maison.

— Je ne l'oublierai plus, maintenant, tu peux être
tranquille. Si on te le perd, je te le retrouverai.

L'enfant plisse les yeux à cause du soleil. Il fait très
beau. C'est le cœur de l'été.

— Attends, dit madame Marie.

Il ne faut pas qu'il fasse la grimace en passant le seuil
de la maison. Il faut que ce soit un sourire. Il faut qu'il
ait l'air content.

— Comment peux-tu... ? dit Noële. Ces choses que tu as
en tête, où vas-tu les chercher ?

Elle a presque envie de sourire. Elle est contente d'être
revenue. Elle regarde le jardin. Il y a leur image, sur la
pelouse, très nette, tous les quatre, silencieux, et l'enfant
déjà était avec eux.

— Maintenant, tu peux, dit madame Marie.

Il sourit. Il ne sait pas encore très bien. On peut croire
que c'est un sourire. Un reflet sur ses lèvres.

— Il sera heureux, ici. C'est bien.

Les premières visites. A la clinique, on n'osait pas. Mais aux Quatre Vents, la porte est ouverte. Noële les accepte toutes. Elle veut parler, recevoir. *La vie reprend,* a dit Yannis Karrassos. Elle obéit. Ce n'est pas encore septembre. Gilles Vaindrier ne s'est pas mis en route. Alors, les jours se présentent l'un après l'autre, et il faut les accepter. Marie-Hélène vient tout de suite. Seule. Elle regarde l'enfant. Elle ne sait pas ce qu'il faut dire.

— Il y a des gens qui ont des mots tout prêts.

Elle est grave. Elle voudrait sourire, mais elle ne sait pas. C'est un mouvement secret, qui la conduit vers des silences. Elle reste longtemps avec Noële. Elle s'oblige à parler du moulin, des meubles qu'elle achète, des petites virées chez les antiquaires de la région. En elle, quelque chose s'étonne d'être aussi grave. Derrière les mots, et Noële le sent peu à peu, des ombres se dessinent. Elle se lève enfin. Il faut qu'elle parte.

— Je t'envie, dit-elle en embrassant Noële.

Tout bas, comme si elle avait honte.

Le lendemain, dans l'après-midi, une voiture s'arrête dans la cour. Nicole Vaindrier vient prévenir Noële, dans sa chambre.

— Jean-François est en bas.

— Seul ?

— Oui.

Elle savait qu'il viendrait. Le bruit de la voiture, sans même regarder par la fenêtre, elle l'avait reconnu.

— Je descends, dit-elle.

— Tu auras la force ?

— Oui, maman.

Elle se lève, se regarde dans une glace. Si vieille, aujourd'hui. Marie-Hélène l'a-t-elle prévenu ? Elle se penche sur son fils, qui dort.

— Mon amour, dit-elle tout bas.

Elle sort de sa chambre. La porte du salon est ouverte. Tout de suite, avant même de commencer à descendre l'escalier, elle aperçoit Jean-François debout, au milieu du salon, très droit, qui lève la tête vers elle et la regarde. Ils ne s'affrontent pas. Ils s'offrent sans détours, avec leur visage nouveau, leur vie nouvelle posée devant eux, comme sur ces planches en couleurs, où le corps

s'ouvre pour que le cœur soit à nu. A cette minute, ils
ne se cachent rien de leurs blessures. Ils sont à vif, et
plus sincères l'un envers l'autre qu'à aucune minute de
l'amour qui les unissait.

Noële descend lentement, marche après marche. Leurs
regards ne se quittent pas. Elle entre dans le salon, ferme
la porte derrière elle. Jean-François n'a pas bougé. Ils sont
très calmes. Ils avaient peur de trembler, ou de ne pas
se tenir droit, ou de baisser les yeux. Mais non. Le temps
est avec eux, enfermé dans le salon, immobile.

— Je voulais te dire merci, dit enfin Jean-François.

Même sa voix a changé.

— Parce que tu as été voir ma mère le jour de mon
mariage.

— J'aurais voulu pouvoir être là, avec vous deux.

Elle était dans ce salon, ce jour-là, assise devant la
cheminée. Ugo ne comprenait pas ce qui la tenait silencieuse. Elle aurait voulu être avec eux, à Paris.

— Qu'il n'y ait jamais rien eu, Jean-François, toute
cette souffrance...

Il lève la main, très vite.

— C'est oublié.

— Toute cette souffrance. A Tokyo. Dans le petit café.

Ils gardent le silence encore un moment.

— Je voudrais que tu viennes jusqu'au moulin, que
tu nous voies ensemble, Marie-Hélène et moi. Ce qui
commence à exister entre nous, ce n'est pas encore le
bonheur, mais ce n'est pas très loin. Tu vois. Je te dis
ce qui est, la vérité. Il m'arrive de penser à toi. A toi
et à moi l'an dernier. A Lefkas, sur la plage, pendant les
vacances de Pâques, au soleil. Et aussi à la vieille maison
dans la forêt. Et aussi à l'appartement de l'usine ...

Il a un peu de mal à parler, mais il reprend sa respiration, et sa voix s'affermit de nouveau.

— Au début j'ai essayé d'oublier tout. Je me défendais
contre toi. Maintenant, je ne me défends plus. Ces souvenirs ne me font pas mal. Je ne dis pas que je les aime.
Pas encore. Il s'y attache du regret, comme une vie qui
s'est arrêtée brusquement. Mais je ne t'en veux plus. Je ne
m'en veux plus. Entre toi et moi...

Il réussit à sourire.

— ... c'est la paix

Il l'a dit lentement, presque tendrement, parce qu'il se révolte, parce qu'il n'accepte pas que cette jeune fille qu'il aimait, qui était sa lumière, soit devenue cette ombre, cette femme un peu penchée, qui ne sait plus son âge.

— Il faut que tu me croies, dit-il.

Elle sourit à son tour. ·

— Je te crois.

Elle aime le mot : paix. Elle l'écoute encore. Il est dans la pièce, et tourne autour d'elle.

— C'est injuste, dit-il. Je n'accepte pas. J'aurais voulu que tu sois la plus heureuse de toutes.

Elle ferme les yeux. Le mot : paix, une fois encore.

— Tu me trouves changée ? demanda-t-elle.

— Oui...

— Je suis vieille, si vieille depuis que Ugo n'est plus avec moi.

Elle penche un peu la tête.

— Dis-moi une fois encore que tu ne m'en veux plus.

— Je ne t'en veux plus.

Ce n'est pas pour la rassurer, pour la consoler. C'est un jour où la vérité seule est entre eux. Alors, elle sait.

— Par moments, je me dis... Si je suis malheureuse aujourd'hui, c'est peut-être pour me punir de toi. De tout ce que je t'ai apporté de souffrance l'an dernier.

Jean-François secoue la tête.

— Il n'y a pas de comptes à rendre.

— Il y a des comptes à rendre, si, Jean-François. Il y a une raison à tout.

Elle ouvre les yeux, le regarde. C'est comme un mouvement de tendresse de l'un à l'autre. Jean-François a envie de la prendre dans ses bras, non pas comme autrefois lorsqu'il avait le désir de l'avoir à lui seul, mais pour la réchauffer, comme un petit animal, quelqu'un qui a trop froid. Une immense pitié. Quelque chose qu'il ne connaissait pas. Il oublie tout. Tout ce qui n'est pas ce besoin de l'aider, de lui tendre la main, de lui redonner de l'espoir. Noële le sent Dans sa solitude, il y a maintenant ce repos.

— Tu sais, dit-elle tout bas, c'est peut-être ce qu'attendait Ugo, cette paix entre toi et moi, pour revenir.

13

— Ce que j'apporte avec moi est terrible, madame
Vaindrier. Je ne sais pas si vous comprenez vraiment.
Ce disque, c'est Ugo vivant.

Maître Forestier vient de descendre du train. Il est
encore sur le quai de la gare. Avant de se faire conduire
aux Quatre Vents, il veut que Nicole Vaindrier sache exactement, qu'elle décide en connaissance de cause.

— Il suffit de poser ce disque sur un plateau, de mettre
l'appareil en marche, et Ugo est là. Vivant. Ce ne sont
plus des mots, madame, ni des images. C'est la vie même.
C'est Ugo qui joue. La main de Ugo, les doigts de Ugo.
En prêtant bien l'oreille, on pourrait presque l'entendre
respirer.

Nicole Vaindrier l'entraîne vers la sortie.

— Noële sait que vous arrivez, maître. Je le lui ai dit.
Elle sait ce que vous apportez. Elle n'a pas peur.

— Moi, j'ai peur, madame.

Il a hésité longtemps. Le disque est sorti des presses
depuis déjà deux mois. Il a demandé qu'on le garde, qu'on
n'en parle à personne. Il a attendu, pensant qu'on allait
retrouver Ugo. Mais devant le temps qui passait, il a
fini par se dire qu'il n'avait pas le droit d'attendre plus
longtemps. Il a écrit aux Vaindrier. Il proposait d'apporter
un exemplaire du disque à Noële, de la laisser seule juge.
Fallait-il le garder secret, fallait-il l'offrir au public ?

Il monte dans la voiture, à côté de Nicole Vaindrier.
Il n'a plus d'âge. Ce voyage qu'il vient de faire, on
dirait que c'est à pied. Il est voûté. Il marche avec peine.
Ce danseur de la place Saint-Marc, qui portait en lui sa
musique allègre, est-il parti, lui aussi, avec Ugo ?

— C'est un testament que j'apporte.

Il se souvient. Depuis que Ugo a disparu, c'est une
phrase en lui qui tourne jusqu'à l'obsession. Il l'avoue
à Nicole Vaindrier.

— Pendant les séances d'enregistrement, devant votre
fille et devant moi, il l'a dit. Il voulait que ce soit parfait.
Il travaillait, retravaillait sans cesse. Il a fini par nous
dire que c'était comme si, jamais plus, il ne devait jouer
de piano.

Il parle sourdement.

— Je ne le dirai pas devant votre fille, madame. Mais devant vous, je peux. Ce remords... J'aurais dû aller jusqu'à l'aéroport. Il était en studio avec moi. Son frère Tomas l'attendait dehors. Je ne savais pas. Quel que soit le temps qui me reste à vivre, ce remords ne s'effacera plus. Si je l'avais mis moi-même dans l'avion d'Athènes...

Il les aimait. C'étaient comme des enfants, découverts au soir de sa vie. En arrivant aux Quatre Vents, il cherche Noële des yeux. Il voudrait qu'elle ne soit pas là, qu'elle n'attende rien de lui. Il n'est pas assez sûr de son courage. Noële vient vers lui, l'embrasse, lui parle de Paris, de ses rosiers, de sa terrasse. Elle lui montre la maison, le jardin. Elle marche à son pas, attentive. Ils savent l'un et l'autre, mais n'en parlent pas. Le soir, seulement, avant le dîner, Noële dit à sa mère :

— Crois-tu que Denis soit rentré ?

— Je ne sais pas, mon chéri. Pourquoi ?

— Il a un très bon tourne-disque. C'est chez lui que je voudrais emmener monsieur Forestier.

Gilles Vaindrier se renseigne. Denis est là, depuis quelques jours.

— Nous irons demain.

Monsieur Forestier pensait ne rester aux Quatre Vents qu'une journée. Il retarde son départ. Sa fatigue s'estompe un peu. Il s'installe dans le jardin, au soleil. Il respire ce pays qu'il aime.

— Je comprends, dit-il. Lorsque Ugo a joué le concerto de Ravel à Venise, pour la première fois, il ne connaissait pas encore cette maison. A Paris, tout était changé. La même musique, et pourtant les arbres, les champs, le ciel, une respiration qui ne se découvre qu'ici.

Noële ne répond pas. Elle pense à son fils. *Pour qui fais-tu ce disque, Ugo ?* Il l'avait regardée. Il était assis sur l'accoudoir du fauteuil, penché vers elle. Il avait souri. *Pour mon fils.*

Le lendemain, elle est prête de bonne heure. Elle a trop attendu. C'est l'impatience. Elle voudrait que monsieur Forestier soit prêt en même temps qu'elle. Mais il s'attarde, il a l'air d'hésiter. Maintenant que le moment est venu... Il sort enfin de sa chambre, le disque serré

contre lui. Il voudrait le cacher. Noële tend la main. Il
ne peut pas refuser. Il se dit seulement qu'il aurait pu
ne pas apporter la pochette. Les mains de Ugo. Une
photographie tellement nette. tellement vivante. Noële
regarde. Sans un mot. Elle ne ferme pas les yeux. Elle
ne tremble pas. Elle regarde longtemps. Puis elle se dirige
vers la voiture. Monsieur Forestier conduit. Très lentement. Le docteur Berthelin l'a demandé. Noële ne dit
toujours rien. Elle indique simplement la route d'Ouches,
d'un geste, lorsqu'il le faut. Denis est debout, dans la
cour de l'école. Gilles Vaindrier l'a prévenu. Il attend.

— J'ai besoin de toi, dit Noële.

Elle ne lui parle pas de ses vacances, de ses élèves.
Plus tard. Une autre fois. Elle descend de voiture.

— Ton tourne-disque est toujours dans le grenier ?

— Oui.

— Aide-moi.

Elle manque de force. Au moment de monter l'escalier.
Denis la prend dans ses bras, la porte jusqu'au grenier.
Monsieur Forestier monte derrière eux, accroché à la
rampe.

— Voilà, dit Denis.

Il assied Noële dans un fauteuil, lui glisse un coussin
sous les jambes.

— Tu es bien ?

Elle lui tend le disque. Il regarde la photographie à
son tour. Il ne dit rien. Il est très calme. Ce que Noële
est venue lui demander, c'est d'abord d'être calme. Il
allume le tourne-disque.

— J'ai peur, Denis.

Elle parle à voix basse.

— Ne me regarde pas. Ecoute en tournant le dos.
Je ne sais pas comment je vais être.

— Voulez-vous attendre, ma petite fille ? dit monsieur
Forestier.

— Non, non, maintenant... Le second mouvement
d'abord, Denis, parce que le piano joue seul.

Seul. Oui. Ugo seul. Un peu penché sur le clavier, le
visage tourné vers elle. Seul. Toutes les scènes en même
temps, tous les théâtres où il a joué, dans le monde entier.
La lumière sur lui, et son visage tourné vers la salle,

vers la pénombre de la loge où elle est assise. Seule elle
aussi. Le voyage. Mon amour. Il est vivant. Il lui parle.
Ses mains. Depuis tant de jours et de nuits, elle guette,
elle attend ses mains, dans son sommeil. Elle se tourne.
Elle s'étonne. Tout à l'heure, après, lorsqu'il aura fini de
jouer, dans la loge, ses mains, sur son visage, sur ses
yeux, et ses lèvres sur son visage, sur ses yeux, dessinant
son visage, déjà dans la musique il dit : je t'aime, la
nuit, ses lèvres, je t'aime, la phrase est longue, longue,
elle avance sur des chemins de nuit, elle avance vers le
jour, vers la petite voix de la flûte, comme un chant
d'oiseau, le premier, toute la terre, tout l'orchestre avec
lui qui s'éveille, et les voix, les voix, la voix de Ugo, plus
forte, plus haute, mon amour, les dominant toutes, les
obligeant toutes à dire ce qu'il dit, mon amour, plus
haute, plus forte, debout, pour elle, pour elle seule, debout,
devant elle, debout...

— Ugo !...

Elle crie, longtemps, tout son corps. A travers les
frontières jusqu'à lui.

Denis arrête le disque.

Elle est retombée dans le fauteuil, les yeux fermés, le
visage sans vie, tout le sang tiré vers le cœur, morte
Un long moment. Ils ne savent que faire Denis et monsieur Forestier. Ils la regardent. Ils voudraient la prendre
dans leurs bras, tous les deux ensemble, du même âge,
à la fin de leur vie tous les deux, avec cette enfant à
faire revivre.

— Maître, dit-elle enfin.

— Oui ?

— C'est aussi beau qu'il le voulait ?

— Oui, mon enfant.

Elle ouvre les yeux, regarde Denis.

— Je le laisse ici. Je reviendrai. Un autre jour. Je
ne sais pas quand, et je l'écouterai jusqu'au bout.

— Je t'attends.

Il l'aide à se relever, à descendre l'escalier. Il la porte
encore dans ses bras. Il ne savait pas qu'un jour elle
serait ainsi sans. forces, qu'elle se tournerait vers lui
pour chercher du secours. Il n'en rêvait plus. Il avait

cet amour en lui, sans mesure, offert à Noële, sans que jamais elle ne l'accepte. Et brusquement, elle se souvient. Il regarde partir la voiture, reste longtemps immobile au milieu de la route. Il sait qu'elle reviendra.

Cette nuit-là, Noële se lève, écarte les volets de sa fenêtre, se penche. Très loin, au-delà des arbres, sans qu'elle puisse l'apercevoir, elle devine l'école d'Ouches. Elle entend Ugo. Il marche dans le grenier, il fait les cents pas, il attend. Il ne comprend pas pourquoi ils sont si loin l'un de l'autre, lui dans ce grenier, elle aux Quatre Vents. Il s'impatiente. Il vient à son tour jusqu'à la fenêtre. Il se penche. La nuit est noire. Il l'aperçoit pourtant, lui fait signe, la main levée. Elle répond à ce signe. Puis elle se tourne vers son fils. Il dort.

— Tu sais..., lui dit-elle tout bas.

Il ne se réveille pas, habitué à cette voix, qui lui parle la nuit, depuis si longtemps.

— Ton père est vivant. Il va revenir. Je ne sais pas quand, mais il va revenir. Il y a d'abord un voyage à faire, ton grand-père Vaindrier, qui va prendre l'avion à son tour. Et quand ce voyage sera terminé, ton père se mettra en route, pour nous rejoindre.

CHAPITRE IX

LE VIEUX PROFESSEUR

— Vous aimez faire du cheval, monsieur ?

— Moi ? Oh ! je n'en ai jamais fait.

— Tu entends, Gilbert ?

— Pardon ?

— Monsieur Vaindrier dit qu'il n'a jamais fait de cheval.

Elle est blonde, un peu ronde, avec un pantalon tout neuf, en gabardine beige, et des bottes. Elle s'appelle Cécile. Elle a voulu être en tenue pour le voyage. Les chevaux, c'est seulement dans trois jours, puisque le programme prévoit d'abord deux jours à Budapest. Mais, avec ses bottes, elle a l'impression d'être déjà là-bas. Son impatience est celle d'un enfant. Dans la salle d'attente d'Orly, quelques instants avant l'embarquement, elle a poussé de petits cris de plaisir.

— Je suis contente, contente...

Elle dansait sur place. Son mari riait avec elle. Et le groupe les regardait avec amusement. Seul, Gilles Vaindrier semblait ne pas les voir. Dans l'avion, elle est venue s'asseoir à côté de lui, étonnée par cet homme qui ne ressemblait pas aux autres.

— Je l'avais dit. En vous voyant arriver. Tous ceux du groupe sont des cavaliers. Nous les connaissons plus ou moins. Mais vous... Je l'ai dit à mon mari. N'est-ce pas, Gilbert ?

Il est de l'autre côté du couloir central, penché par le hublot.

— Pardon ?

Cécile voudrait savoir.

— Pourquoi venez-vous alors, si le cheval ne vous intéresse pas ?

— Tu es indiscrète, Cécile. Ne pose pas toujours des questions.

— Tu peux parler, toi. Tu ne fais que ça.

Tournée vers Gilles Vaindrier, avec un sourire.

— Gilbert est journaliste.

L'avion est immobile au-dessus des nuages. Ils ont quitté Orly au milieu de l'après-midi. Ils doivent atteindre Budapest avant la nuit. Gilles Vaindrier pense aux Quatre Vents. Noële dans son fauteuil, Nicole à la fenêtre, silencieuses toutes les deux, attendant qu'il soit l'heure prévue, et qu'elles puissent se dire qu'il est arrivé.

— Vous connaissez la Hongrie, monsieur Vaindrier ?

Gilles a un petit mouvement de tête.

— J'en ai entendu parler, oui.

— Gilbert et moi, c'est comme si on connaissait. Parce qu'on a un ami, journaliste comme Gilbert, correspondant d'une agence de presse. Julien. Il est là-bas depuis deux ans.

Elle cherche une cigarette.

— On ne voit rien, dit Gilbert penché par le hublot.

— Alors vous voulez garder votre mystère, monsieur Vaindrier ? Vous ne voulez pas me dire ce que vous allez faire en Hongrie ?

— Je vais voir.

— Voir quoi ? Le pays ?

— Le pays, oui.

Elle a un petit rire de gorge, ferme les yeux à demi.

— Ma vraie raison à moi, ma vraie de vraie, vous voulez que je vous la dise ?

Elle parle à mi-voix, avec une sorte de soupir heureux.

— C'est une phrase du prospectus. Une phrase qui dit, je l'ai retenue par cœur, vous pensez : *l'attrait majeur de vos vacances, c'est une amitié de chaque jour avec une monture d'un haras hongrois.* Des phrases comme ça, vous comprenez, ça fait rêver ...

Julien est à l'aéroport. Ce sont des embrassades. Cécile

piaffe un peu. Le voyage en avion l'a émerveillée. Elle
ne savait pas que tout allait si vite, et qu'on n'avait
jamais peur. Elle n'a rien vu, ni le décollage, ni l'atter-
rissage. Elle demande tout de suite où sont les chevaux.
Le guide de la compagnie touristique, qui accompagne
le groupe, a beaucoup de mal à la calmer.

— Dans deux jours, madame. Seulement dans deux
jours.

Il a hâte de conduire tout son monde à l'hôtel.

— Vous n'allez pas m'abandonner comme ça, crie
Julien.

C'est un grand maigre, avec des lunettes et beaucoup
de cheveux.

— Je comptais vous emmener dîner quelque part.

Le guide explique qu'il est trop tard.

— Demain alors ?

Cécile et Gilbert acceptent d'enthousiasme. Le tourisme,
ils s'en moquent un peu. Visiter Budapest, ce n'est pas
dans leurs intentions. Autant déjeuner avec un ami.

— Déjeuner, entendu. Je connais un petit restaurant
très couleur locale.

— Comme il est gentil, notre Julien, dit Cécile à Gilles
Vaindrier en lui donnant le bras. Vous venez avec nous,
naturellement.

— Où ça ?

— Dans ce restaurant couleur locale. Julien vous invite.
Les amis de nos amis sont nos amis.

Elle rit. Elle danse autour de l'autocar, pendant qu'on
charge les valises. Ses bottes sont très belles, toutes
neuves. Gilles regarde autour de lui. Il se dit qu'il est
arrivé, et qu'il ne sait rien. Que va-t-il faire ? Une ville
repliée sur elle-même. Des gens qui passent, sans regarder
personne, parce que c'est une habitude, pour eux, d'être
ici, de vivre ici, qu'ils ne se posent pas de questions. Un
autocar, une vingtaine d'étrangers, oui, des étrangers,
Gilles ne s'y trompe pas. Il l'a compris en descendant
de l'avion. Tout de suite il a senti la distance. Il a pensé
à Ugo. Dans le palazzo de Venise, lorsqu'ils s'étaient parlés
pour la première fois, c'était déjà cette distance. L'autocar
va partir, s'éloigner de l'aéroport, conduire ce petit
groupe d'étrangers jusqu'à un hôtel, où ils s'enfermeront

pour la nuit, et la vie de Budapest continuera, immuable, le cœur battant à son rythme, comme si l'avion ne s'était pas posé.

Le restaurant est dans l'île de Buda, cernée par le Danube. Il y a un tzigane, avec des moustaches très noires, une veste dont il n'a passé qu'une manche et des brandebourgs jaunes. Il joue du violon, en tournant autour des tables. Cécile ferme les yeux. Elle rêve de ce cheval qu'elle ne connaît pas encore, et qui aura peut-être le regard farouche du musicien. Gilles regarde par la vitre. De l'autre côté du fleuve, il distingue de hautes maisons, avec des balcons et de larges portes. Ugo. Il en parlait à peine. Mais on savait que sa famille avait habité le long du fleuve. Comment savoir ? Interroger les portiers ? Sous quel prétexte ? Gilles mange à peine. Il comprend qu'il s'est trompé. Il avait cru être plus libre que monsieur Karrassos, protégé par son anonymat. Mais c'était une erreur. Si monsieur Karrassos avait fait la connaissance d'Elizabeth et de ses amis, s'il avait pu remonter la filière le plus loin possible, c'est que les journaux avaient annoncé son arrivée, c'est qu'on savait qu'il était le beau-père de Ugo Luckas.

— Vous ne mangez pas, monsieur Vaindrier ?

— Si, si.

— Vous n'aimez pas cette cuisine, peut-être. Julien dit que c'est la vraie cuisine du pays...

Avec Cécile, et Gilbert, et Julien, pendant ces quinze jours. A parler de chevaux. A suivre les étapes. A se retrouver le soir dans des auberges. Et lorsqu'il se retrouvera aux Quatre Vents, il écartera les bras lui aussi, comme monsieur Karrassos, il montrera ses mains vides.

— Vous ne parlez jamais plus que ça ?

— Cécile, voyons, laisse monsieur Vaindrier tranquille.

— Je vais finir par m'inquiéter. Un pareil mutisme...

— C'est le dépaysement, dit Gilles Vaindrier.

— Vous ne voyagez jamais ?

— Rarement. Je connais Venise. Je crois que c'est tout.

— Venise ...

Cécile a de nouveau son petit rire de gorge. Elle ferme
à moitié les yeux.

— J'espère que vous n'y étiez pas seul, parce qu'on
dit que c'est la ville des amoureux.

— J'étais avec ma femme.

— Ah ! tu vois, Gilbert...

Elle se tourne vers son mari.

— Je te l'avais bien dit que monsieur Vaindrier était
marié.

Le tzigane tourne toujours entre les tables du restaurant. Un soleil un peu pâle se regarde dans le Danube.

— Ce sont des gens de l'ambassade, très gentils, dit
Julien. Venez chez moi, ce soir. Des Français. Nous boirons
du champagne. J'en ai une bouteille de côté, depuis que
j'ai appris votre arrivée.

Gilles écoutait à peine. Il lui semble pourtant qu'il a
entendu un mot. Il se penche vers Julien.

— Vous avez dit : des gens de l'ambassade ?

— Oui. Pourquoi ? Vous connaissez quelqu'un ?

— Non. Mais...

Il ne sait pas expliquer. Cécile est alléchée.

— Vous allez nous dire, vous allez enfin nous dire
pourquoi vous êtes venu.

Gilles Vaindrier secoue la tête.

— Je me dis seulement que je suis un mauvais voyageur,
et que je serai plus à l'aise avec des Français.

Elle s'appelle Françoise. Elle a une voix très douce.
Elle est toujours un peu penchée, un peu repliée sur elle-
même. Dans chacun de ses gestes, dans sa façon de marcher, de s'asseoir, il y a quelque chose de rond, de
détendu. Elle est brune.

— Votre mari travaille à l'ambassade ?

— Oui. Au service des échanges culturels.

Elle est venue vers Gilles Vaindrier, très vite, parce
qu'elle a compris qu'il était seul, un peu mal à l'aise, qu'il
ne parlait pas de cheval comme les autres, ni de souvenirs
d'autres vacances passées en commun. Julien a un petit
appartement anonyme, avec peu de meubles. Un lieu
de passage, pour deux ou trois ans. Il a tout de suite

débouché sa bouteille de champagne. La mousse a jailli.
Cécile a poussé de petits cris, en y trempant un doigt
et en le posant très vite derrière son oreille.

— C'est du bonheur, disait-elle. Mon cheval sera amoureux de moi.

Françoise tient sa coupe à la main, comme distraitement.
Elle regarde Gilles. Elle sait très bien que ce n'est pas
facile d'être étranger. Il lui a fallu de longs mois pour
s'y habituer. Son mari, Simon, est en poste depuis dix ans
maintenant. Certains soirs, elle pense encore qu'elle est
arrivée la veille.

— Cela veut dire quoi : échanges culturels ?

— Beaucoup de choses. Simon fait venir ici des troupes
théâtrales, des peintres, des écrivains, il organise des
semaines de cinéma français, il envoie en échange à Paris
des artistes, des ballets, des orchestres.

— Des musiciens aussi ?

Ils sont assis dans un coin du salon de Julien, isolés.
Les autres sont devant la fenêtre, et parlent tous ensemble.

— Vous êtes musicien ?

— Pas moi, non.

— Qui ?

— Mon gendre.

Françoise sourit, boit une gorgée de champagne. Elle
a un beau regard, très vert.

— Vous voulez que Simon s'arrange pour lui préparer
une petite tournée, c'est ça ? Mais ce n'est pas ce soir
qu'il faut lui en parler. Demain, si vous le voulez, à son
bureau. Est-ce un bon musicien, au moins ?

— Assez bon, je crois. Un pianiste.

— Comment s'appelle-t-il ? Je le connais peut-être.

— Luckas.

Françoise prend sa coupe à deux mains, reste un long
moment immobile. Elle ne regarde pas Gilles Vaindrier.
Elle regarde devant elle, fixement. Elle secoue la tête.

— Ugo ? demande-t-elle à mi-voix.

— Oui.

Un brusque silence entre eux. Les autres parlent toujours. Mais ils ne les entendent plus. Ils ont l'impression
d'être seuls. Françoise se lève, pose son verre.

— Je reviens, dit-elle.

Sa démarche n'est plus la même. Elle rejoint son mari, lui dit quelques mots à l'oreille. Simon tourne la tête, regarde Gilles Vaindrier. Ils reviennent ensemble vers lui.

— Vous êtes le beau-père de Ugo ? demande Simon.

A son tour, il se sent isolé, n'entend plus les autres. Il regarde Gilles, qui s'est levé.

— Vous le connaissez ?

— Ugo ...

Ils ont répondu ensemble, Simon et Françoise, avec une même tendresse.

— Il venait chez nous très souvent. Sa famille, durant l'été, habitait au bord du lac Balaton, mais Ugo venait prendre ses leçons de piano à Budapest. Tous les deux jours. Il avait sa chambre.

— Il avait quinze ans, seize ans. C'était en 1961.

Ils regardent Gilles tous les deux. Ils n'ont pas l'air de croire que c'est vrai.

— Depuis qu'il a franchi le mur nous ne savons plus rien de lui. Par des journaux étrangers, de temps en temps.

— Il ne vous a jamais parlé de nous ? C'était le fils de la maison.

Françoise prend le bras de Simon, se serre contre lui. Brusquement, ils entendent les rires des autres, une voix qui appelle :

— Simon...

— Oui, j'arrive.

Il se penche vers Gilles Vaindrier.

— Il faut que vous nous parliez de lui. Ici, ce n'est pas possible. C'est une fête pour Julien, il ne comprendrait pas. Venez déjeuner chez nous, demain. Françoise, explique à monsieur Vaindrier où se trouve notre maison.

Gilles Vaindrier a tout raconté. Simon est grave. Il cherche à comprendre.

— Des amis suédois m'avaient parlé d'un concert annulé à Stockholm. Je ne pouvais pas penser...

Françoise ne pose aucune question. Elle va et vient sans bruit, apporte le plateau du café, offre des cigarettes.

Mais elle écoute chaque mot, avec une extrême attention.

— Jusqu'à quand restez-vous en Hongrie ? demande Simon.

— Jusqu'au dix-sept.

— Cela me donne dix jours pour essayer de trouver une amorce de vérité. Si c'est trop court, pouvez-vous rester plus longtemps ?

— Je suis venu avec un voyage organisé. Pour le visa, je crains...

— C'est vrai. Mais les randonnées à cheval, vous vous en passez facilement ? Vous pouvez donc rester à Budapest avec nous ?

— Bien sûr.

Simon se lève. Il est pressé. Déjà il pense à certains amis, dans les milieux diplomatiques, qu'il peut tenter d'interroger.

— Je vous laisse avec Françoise.

Il part très vite. Elle vient s'asseoir près de Gilles Vaindrier. Elle dit doucement :

— Simon est très frappé. Il aimait Ugo comme un fils.

Son regard est plus sombre que la veille, d'un vert presque noir.

— Vous savez que monsieur Luckas a été arrêté lorsque Ugo avait onze ans. Il était un peu comme un orphelin.

— Sa mère pourtant...

— Après l'arrestation de son mari, elle est devenue lointaine. Elle ne s'occupait plus de ses enfants, ou à peine. Elle a commencé à attendre. Comme aujourd'hui. Ce que vous nous avez raconté sur elle, l'image que vous en a rapportée monsieur Karrassos, rejoint ce qu'elle était déjà. Une femme, devant une fenêtre, qui attend.

Elle ferme les yeux, brièvement, comme pour chasser une image.

— Votre fille, dit-elle. Je pense à elle. Où trouve-t-elle son courage ?

Elle sait déjà qu'il va répondre : en son enfant. Elle finit de boire son café.

— En attendant le retour de Simon, voulez-vous que je vous montre la ville ? Jouer les touristes, c'est la seule façon de ne pas trop penser à Ugo. Mais demain ...

Elle s'est levée.

— Je vous ferai connaître quelqu'un qui sera très ému de vous voir. Il faut que je le prévienne d'avance, pour que l'émotion ne soit pas trop forte.

— Qui ?

— Celui qui a tout appris à Ugo. Son vieux professeur de piano.

Sur la porte, il y a une main de cuivre. Françoise la soulève, la laisse retomber.

— Chez moi, lorsque j'étais toute petite, il y avait la même.

La porte s'ouvre tout de suite.

— Je vous attendais, dit l'homme.

Il les fait entrer, referme derrière eux, regarde Gilles Vaindrier.

— Ugo marié, dit-il. Je ne parviens pas à y croire. C'était un enfant, Françoise, rappelez-vous. Un petit enfant. Quand j'ai appris que nous avions à Budapest le beau-père de Ugo ... Par ici, monsieur, entrez.

Il y a un couloir très étroit, une porte avec des vitres de couleur.

— Le piano, dit le professeur en ouvrant la porte. Toujours le même, celui sur lequel Ugo a travaillé.

Il est entré dans une petite pièce sombre, avec des tentures très lourdes le long des murs.

— Les voisins, dit-il. Des gammes toute la journée, ils ne le supportaient plus.

Il soulève le couvercle du piano, joue quelques notes, d'un doigt, au hasard.

— Il n'est même plus accordé. Je n'ai plus d'élèves maintenant. Je suis trop vieux. Et puis, après Ugo ...

C'est un homme très âgé, avec de petites mains rondes, un costume noir et, sur la tête, une sorte de chapeau en laine. Il parle très vite, par saccades. Sa voix est haute, un peu grinçante.

— Vous êtes allé voir madame Luckas, je pense ?

Il regarde Gilles Vaindrier fixement. Il n'a même pas songé à le faire asseoir. Ils sont tous les trois debout au milieu de la pièce.

— Non, dit Gilles.

— Pourquoi ?

— Je ne sais pas. Je ...

— Françoise, il faut emmener monsieur voir madame Luckas. Je crois qu'elle est chez son fils Yan, dans le sud. Ce n'est pas très loin avec une voiture. C'est curieux...

De nouveau, il regarde Gilles Vaindrier.

— Pourquoi moi, monsieur, avant la famille ? Si j'étais à votre place, c'est à la famille de Ugo que je m'intéresserais d'abord. Qu'êtes-vous venu chercher chez moi ?

Françoise touche le bras de Gilles Vaindrier.

— Partons.

Elle a l'air pressée.

— Simon nous attend.

Avant de venir, elle avait dit à Gilles Vaindrier qu'il ne fallait rien révéler de la vérité au professeur, que c'était un homme trop âgé, qu'il ne supporterait pas d'apprendre la disparition de Ugo. Il fallait ne lui parler que des choses heureuses : le mariage, les concerts, la naissance de l'enfant.

— Au revoir, professeur.

Le vieil homme regarde toujours Gilles Vaindrier.

— Il est mort, n'est-ce pas ?

D'une autre voix, très douce.

— Je ne sais pas, répond Gilles. Personne ne le sait.

— Venez, monsieur Vaindrier. Il le faut.

Mais Gilles a un mouvement d'impatience.

— Pourquoi ? Je ne comprends pas. Pourquoi refusez-vous que je dise la vérité au professeur, puisqu'il a compris ?

— Françoise a peur que mon vieux cœur ne résiste pas. Mais à mon âge, il n'y a plus de sentiment, plus de chagrin. Seulement une mécanique qui tourne et qui permet d'être vivant. Dites-moi. Je veux savoir.

Il pose sa main sur le bras de Gilles. Il ne serre pas, il n'appuie pas. Il impose sa volonté. Comme à ses élèves, autrefois, fermement, sans jamais hausser la voix. Gilles cède, malgré Françoise. Il raconte ce qu'il sait, en quelques mots. Le professeur écoute attentivement. Il ne pose aucune question. Lorsque Gilles a terminé, il secoue lentement la tête, le pousse vers la porte aux vitres de couleur.

— Ne restez pas en Hongrie, monsieur Vaindrier. Vous perdez votre temps. Vous êtes un étranger ici. Comme Simon, comme Françoise.

Le couloir, la porte d'entrée.

— Ce qui se cache derrière nos murs, aucun étranger ne le saura jamais.

Il ouvre la porte.

— Adieu, monsieur.

Pendant quatre jours, ils tournent autour de la maison du professeur. Françoise et Simon ne comprennent pas. A plusieurs reprises, ils frappent, mais la porte ne s'ouvre plus. Des voisins, interrogés, disent que le professeur est absent. On l'a vu partir un matin. Gilles Vaindrier ne sait que penser. Il a eu l'impression de parler à quelqu'un qui savait quelque chose et qui, pourtant, ne savait rien. Il ne peut pas expliquer mieux. Quelqu'un qui ignorait tout de Hugo, de Tomas, des passages de frontières, mais qui, à l'écoute du récit, en comprenait un autre. Un rayon de lumière qui se brise soudain, ricoche, et fait surgir de l'ombre un visage inattendu.

— Quelque chose a bougé.

Ils ont une fois encore soulevé la main de cuivre. Gilles Vaindrier regarde la fenêtre. Il est sûr qu'un rideau a bougé.

— Il est là.

Il frappe lui-même, à deux mains, contre la porte.

— Je sais que vous êtes là. Je vous ai vu. Ouvrez.

La porte s'ouvre.

— Tant de bruit, tant de bruit...

— Ah ! professeur...

Françoise entre, Gilles la suit, ferme la porte.

— Où étiez-vous, professeur ? Nous sommes venus tous les jours. Nous étions inquiets.

— Je n'ai pas bougé.

Le même costume noir, la même coiffure de laine, mais sur le visage une animation, une vivacité, les joues colorées, l'œil sans cesse en mouvement, le souffle plus rapide.

— Je n'ai pas bougé, répète-t-il.

Ils sont de nouveau dans la pièce aux tentures sombres, au piano fermé.

— Ce n'est pas vrai, dit Gilles Vaindrier.

Il l'obligera à parler. Il ne partira pas sans savoir. Tout ce voyage pour rien ? Etranger, c'est vrai, mais si cet homme sait ce qui se cache derrière les murs, il parlera.

— Vous savez très bien que vous n'étiez pas là. Vous avez été absent quatre jours. Vos voisins nous l'ont dit. Pourquoi refusez-vous de l'admettre ? Je ne suis pas un ennemi. J'aime Ugo. Autant que vous, plus que vous peut-être. Je veux savoir s'il est vivant. J'ai une fille. Elle attend son retour.

C'est lui cette fois qui donne les ordres. Il a saisi le bras du professeur, et parlé fort, penché vers lui.

— Qu'avez-vous appris depuis quatre jours ?

Françoise est immobile. Le professeur la regarde. Il y a comme une prière dans ses yeux. Ce n'est pas une protection qu'il cherche. Non. Elle comprend qu'il veut être seul. Elle gagne sans bruit le couloir.

— Votre fille, dit le professeur...

Il parle à mi-voix, et Gilles Vaindrier comprend qu'il arrive peut-être au bout de son voyage.

— Je voudrais la connaître. Avez-vous une photographie d'elle ?

Gilles ouvre son portefeuille, cherche une photographie. Le professeur se penche sur l'image, regarde longuement.

— Elle a ce qu'il faut de force et de courage. Dans le menton, dans les pommettes. Elle est belle.

Il regarde encore, rend l'image à Gilles.

— Monsieur Vaindrier ...

Il prend sa respiration. Il a comme un sourire.

— Acceptez-vous de me faire un serment ?

— Quel serment ?

— Celui de ne poser aucune question, de ne pas chercher à en savoir plus que je n'en dirai. Acceptez-vous ?

— Je ne comprends pas.

— Il n'y a pas à comprendre, monsieur Vaindrier. Je vous demande un serment. Le ferez-vous ?

— Qu'allez-vous me dire ?

— Le serment d'abord.

Le vieux professeur supplie presque, de la voix, du regard. Il voudrait que Gilles comprenne et accepte.

— Je n'ai pas le droit. Comment ne comprenez-vous pas ? Je n'ai pas le droit, et pourtant je le ferai. Pour votre fille. Vous ne poserez aucune question, vous quitterez la maison, vous ne reviendrez plus.

Gilles Vaindrier cesse d'hésiter. Il fait le serment demandé. Un long silence, une sorte d'allégement. La petite pièce n'est plus aussi sombre. Derrière les tentures, quelque chose filtre, comme une lumière.

— Monsieur Vaindrier, dites à votre fille...

A voix si basse, à peine un souffle, et pourtant comme un cri à travers la nuit, et l'ombre semble reculer.

— ... en la prévenant que vous ne savez rien de plus, que je n'ai rien pu vous dire, qu'elle va poser des questions et que vous n'y répondrez pas... Dites-lui : Ugo est vivant.

CHAPITRE X

MON AMOUR

Maintenant, elle n'a plus de patience. Sans cesse devant sa fenêtre, debout, à regarder la route. Non plus pour guetter, pour attendre. Pour s'en aller. Il faut qu'elle reprenne son voyage. Elle le dit à son fils. « Bientôt, tu sais... » Le terrier, c'était lorsqu'elle avait peur. C'était comme la maison de repos d'Athènes, pour avoir la force de mettre l'enfant au monde. Mais l'enfant est né. Il pousse droit. Alors, il faut sortir du terrier. Il faut aller au-devant de Ugo.

— Tu me comprends, maman ?

— Oui, mon chéri.

Nicole Vaindrier comprend. Depuis que Gilles est revenu de Budapest, depuis qu'il a transmis à Noële le message du professeur, elle sait qu'elle ne peut plus rien. Elle s'était trompée, elle le reconnaît. Ugo est vivant. Sans poser de question, sans chercher d'autre preuve. Elle le croit, comme l'a cru Noële, tout de suite. Une certitude aveugle. Et elle rentre dans l'ombre. Les mères ne sont pas celles qui décident et commandent toujours. Un moment vient où elles doivent s'effacer, leur mission achevée. Noële appartient à Ugo. Il ne faut pas chercher à revenir en arrière, à faire renaître ce qui n'est plus. Il y a les années d'enfance, et l'enfance un jour se défait. Nicole Vaindrier n'est pas triste. Elle se dit seulement que la maison sera vide, et que Gilles ne le supportera pas. C'est à lui qu'elle doit penser. C'est lui qui aura besoin d'elle.

— Je vais redescendre à la mairie. Avec la rentrée des classes, il y a sûrement des problèmes qui se posent.

Pour que la maison retrouve son rythme et sa respiration. Avant même que Noële ne soit partie.

— Et puis je vais aller jeter un œil à cette maison des Jeunes. Je n'y suis pas retournée depuis l'inauguration. Il paraît qu'elle a un succès énorme.

Elle parle tout haut de ce qu'elle va faire, sans cesse, avec obstination, comme on oblige un malade à se lever, à réapprendre les gestes de l'habitude.

— François Gallart est parti pour l'Espagne.

Pour elle-même, comme on poursuit une idée.

— Il a dû s'absenter pour longtemps, car il a confié ses affaires à un confrère de Paris. J'ai téléphoné cet après-midi à la secrétaire, qui me l'a appris. Ce qui m'étonne, c'est qu'il ne m'ait pas prévenue.

Il faut qu'elle continue de parler. A haute voix. Noële n'entend pas. Penchée vers ses fenêtres, elle est prisonnière d'une voix qui lui parle de très loin. Mais Gilles est là. Gilles ne fait pas attention à ce qu'elle dit. Pourtant les mots sont en lui. Un jour, il les découvrira et comprendra brusquement que le temps a passé.

— Je ne savais pas qu'il était marié. Il me l'a appris très vite, la veille de l'inauguration. J'ai vaguement compris que sa femme n'avait pas accepté l'humiliation du procès, qu'elle était partie avec leur fils...

Des chemins, des routes, des voix qui se cherchent. Jusqu'à la fin, il y aura ces détours alternés.

— Tu sais, le terrain...

C'est Gilles Vaindrier qui parle à son tour. Un soir, après le dîner, dans le salon des Quatre Vents. Il a allumé sa pipe, et marche avec une sorte d'impatience.

— Celui dont m'avait parlé monsieur Karrassos. J'ai été le revoir, cet après-midi.

On dirait qu'il ne pense plus à Ugo. En fait, c'est toujours la même attente.

— Il n'est pas question d'entreprendre quoi que ce soit avant le retour de Ugo. Mais puisque nous savons qu'il va revenir...

Il s'immobilise, va doucement jusqu'à la porte, l'entrouvre.

— Je croyais qu'il était réveillé.

Avec un sourire de tout le corps. Lorsqu'il parle de son petit-fils, c'est toujours ainsi, un plaisir profond et secret, qu'il ne sait pas dissimuler. Il écoute encore.

— Je me suis trompé.

Il referme la porte, reprend sa marche, ses explications. C'est un grand terrain, relativement bon marché, qui manque d'eau, mais ce n'est pas difficile de brancher des canalisations. Déjà il imagine sa laiterie modèle.

— Je vais y emmener Brémont, demain ou après-demain. J'ai besoin de savoir ce qu'il en pense.

Il ne dit pas : je vais y emmener mon petit-fils, mais c'est derrière chacun de ses mots. L'avenir, désormais, a un visage. Au moment de la naissance, il n'a pas eu l'air de voir l'enfant. Il ne regardait que Noële. Il pensait : si monsieur Karrassos revient les mains vides... Sans le dire à personne, il s'était déjà renseigné dans une agence. Il savait que c'était son devoir de père. Son devoir est maintenant accompli. Ce qui compte, ce sont les années à venir, l'enfant qui grandira, la maison vivante, avec Noële et Ugo. Il ne se demande pas si c'est possible, ni comment.

— Si François Gallart revient bientôt, je lui en parlerai. Je suis sûr qu'il sera très intéressé par un projet de cet ordre. Cette fois, il ne fera plus du neuf avec du vieux.

Nicole Vaindrier écoute et se rassure. Le terrain, le projet de laiterie modèle. Le moment venu, il faudra s'en souvenir, s'y accrocher, obliger Gilles à aller jusqu'au bout, même si Noële et l'enfant ne sont plus là.

Ils vivent ainsi tous les trois, unis en apparence, poursuivant chacun son chemin secret, dans une maison silencieuse, étonnée d'être déjà cernée par les pluies d'octobre et pourtant de garder ses volets ouverts, car Noële va et vient d'une fenêtre à l'autre, interrogeant la route, même la nuit.

— Je te préviens que je suis très susceptible avec mon moulin. Si tu as le malheur de ne pas le trouver à ton goût, je t'en voudrai énormément.

Marie-Hélène ouvre la porte, fait entrer Noële.

— Il y a trois pièces en bas, tu vois, et une seule, au premier qui est notre chambre.

Elles sont contentes d'être ensemble. Noële a voulu venir sans attendre parce qu'elle ne connaissait pas encore cette maison nouvelle.

— C'est clair.

— Tu trouves ?

— Les plafonds sont hauts. On respire bien.

Elle vient jusqu'à la fenêtre, regarde le fleuve.

— Tu t'habitues au bruit de la Loire ?

— Au début, j'avais les oreilles un peu bourdonnantes. Mais ça n'a duré que quelques jours.

Noële soulève le rideau. Le ciel est très bas, chargé de nuages.

— Dans l'île Saint-Louis, sous les fenêtres de l'appartement d'Héléna, il y a un fleuve aussi. Quand je pense à Tomas, je vois toujours la Seine derrière lui. Il était sur le quai, il s'éloignait lentement...

Marie-Hélène la rejoint.

— Viens voir ma chambre.

— A Budapest aussi, il y a un fleuve. Papa me l'a dit. Il a déjeuné un jour, dans un restaurant, au bord du Danube. Sur l'autre rive, il voyait des maisons. Il se demandait qu'elle était celle des Luckas.

Elle se retourne vers sa cousine.

— Va chercher Jean-François.

— Il va venir.

— J'ai besoin de vous voir ensemble, heureux ensemble. J'ai besoin d'emporter cette image avec moi. Je vais partir, et j'ai besoin d'emporter cette image.

Marie-Hélène ne pose pas de questions.

— Je vais partir, oui. Demain peut-être, je ne sais pas. J'attends un signe. Ce n'est pas possible qu'il n'y ait pas un signe, que quelque chose n'ait pas lieu maintenant.

Elle s'assied sur un fauteuil.

— Ecoute...

Elle ne peut pas rester assise. Elle s'est déjà relevée. Elle prend Marie-Hélène par le bras.

— Je te les confie. Papa et maman, oui. Ils vont être terriblement seuls, et malheureux. Papa surtout. Il ne sait pas encore que je vais partir. Il ne s'en doute pas. Je le vois bien. Il parle de nous, de notre avenir, comme si nous allions tous rester ici pour toujours. Tu me promets que tu iras les voir ?

— Je te le promets.

— Que tu t'occuperas d'eux, que tu les forceras à penser à autre chose ?

— Oui.

— Le projet de papa. Il en parlait l'autre jour. Un terrain qu'il veut acheter pour y construire quelque chose, une laiterie. Je n'ai pas très bien entendu. Il faut qu'il le fasse. Jean-François doit lui en parler tout le temps, jusqu'à ce qu'il le fasse, tu m'entends ?

Elle tourne en rond dans la pièce. Il n'y a aucun moyen de voir la route d'ici. Les fenêtres sont tournées vers d'autres espaces.

— Ugo...

Parce que c'est Marie-Hélène, elle n'a pas besoin de se contraindre. Elle parle pour elle-même.

— Il est vivant. Mais ce silence, cet interminable silence. Pourquoi, Marie-Hélène ? Explique-moi si tu sais. Je ne comprends rien, rien, rien...

Elle parle haut, très vite et très fort, comme on se plaint quand on a mal.

— Voilà, Jean-François.

La porte du moulin s'est ouverte. Jean-François arrive de l'usine en courant. C'est à peine à cinq cents mètres. De son bureau, il voit qui entre et qui sort. Noële va vers lui.

— Ce que tu m'as dit, Jean-François...

— Oui ?

Marie-Hélène se rapproche à son tour. Ils sont tous les trois debout, très près l'un de l'autre.

— C'était vrai, Jean-François ?

— C'était vrai.

— Tu peux le redire devant Marie-Hélène ?

— Oui.

— Tout ce mal que je t'ai fait l'an dernier, à Tokyo, pendant ces trois jours où nous avons marché comme des aveugles, et tous les jours suivants, les semaines, les mois, tu me l'as vraiment pardonné ?

— Je te l'ai vraiment pardonné.

Ils restent silencieux un long moment. Quelque chose contre les vitres. La pluie peut-être. Ils ne savent pas. Ils ne regardent qu'eux-mêmes. Le soir vient vite en octobre. Il y a un an. Ils s'en souviennent tous les trois. Juste un an. Et Jean-François était sur le bord du chemin, sans vie, le visage déjà couleur de la terre. Mais il s'était relevé. Comment ? Il n'en savait rien lui-même. Ce sont des sursauts. Peut-être simplement, dans son fauteuil, l'étrange maladie de madame Saulieu, peut-être simplement sa voix, qui de temps en temps, disait : *Marie-Hélène*. Et c'était trop sourd, trop faible, personne ne pouvait entendre, madame Saulieu moins que les autres. Elle disait ce prénom au hasard, parce qu'il était lié à l'appartement, celui qu'elle prononçait en rangeant ses placards, en défaisant ses malles. Jean-François ne l'entendait pas. Il s'était relevé pourtant. Il s'était remis en route. Et maintenant, ils sont là, tous les deux, et ce qui commence à exister entre eux, Jean-François lui-même l'a dit, et le visage de Marie-Hélène le confirme, ce n'est pas très loin du bonheur.

— Papa t'aime beaucoup, Jean-François. Tu le sais. S'il a besoin de toi...

Elle n'achève pas. Elle sait que Marie-Hélène a compris, qu'elle lui expliquera. Elle sait qu'ils sont déjà sur leur terre, les premiers à ne plus chercher leur chemin.

Son vieux solex marche encore. Elle l'essaie le lendemain matin, et découvre que le moteur tourne. Il fait toujours aussi gris, avec des nuages. Mais la pluie ne tombe pas. C'est jeudi. Elle prend la route d'Ouches.

Denis corrige les premières copies. La rentrée a eu lieu. Il entend le solex. Il se penche par la fenêtre. Il ne croyait pas que c'était possible.

— Ne bouge pas. Je te rejoins.

Noële monte l'escalier en courant.

— Où est-il ?

— Quoi ?

— Le disque ?

— Le voilà.

Denis prend le disque dans le grenier, le lui donne. Elle

n'est pas revenue, depuis que maître Forestier le lui a fait entendre pour la première fois. Denis l'a attendue chaque jour. Elle lui avait dit qu'elle reviendrait. Il a su, par les Saulieu. que Gilles Vaindrier était parti pour la Hongrie. Il n'a pas cherché à savoir s'il était revenu, ni ce qu'il avait découvert. Il a continué d'attendre. Et Noële est là. Elle regarde le disque. Son visage a changé. Elle a le sang aux joues, de la vivacité, de l'impatience.

— Tu as changé.

Il le dit.

— Tu ressembles à autrefois, à quelqu'un que j'ai connu autrefois, et qui était parti.

— Je voudrais écouter le disque, Denis.

Ils vont ensemble jusqu'au tourne-disque. Denis met l'appareil en marche. Un silence, et la musique les entoure. Noële regarde Denis. Elle a un sourire secret.

— Ugo est vivant, dit-elle à mi-voix.

Sur la musique. Très doucement. Denis écoute sans comprendre.

— Le miracle, Denis. Ce que j'attendais. Ugo est vivant, je le sais. Un homme là-bas, de Budapest, m'a fait parvenir ce message. Simplement ces trois mots : Ugo est vivant.

Elle penche un peu la tête vers les haut-parleurs, écoute une phrase du concerto, regarde toujours Denis.

— Je n'avais que cette vie mécanique, comme un mensonge. Ce Ugo mécanique. Qui se mettait à vivre chaque fois qu'on faisait tourner le disque, qui mourait quand on l'arrêtait. Je ne le supportais pas. C'est pour ça que je ne suis jamais revenue. Maintenant, oui. Maintenant, je peux l'écouter, et toi aussi, et tout le monde. Je vais partir, Denis. Je n'ai pas le temps. Fais-le pour moi. Ecris à monsieur Forestier. Il peut laisser sortir le disque.

Elle écoute encore un moment, puis doucement s'approche de l'appareil, soulève le bras, arrête le mouvement. Le grenier semble vide. Il y avait toutes ces voix ensemble, et maintenant Denis tout seul qui attend.

— Explique-moi.

— Ce que je t'ai dit, Denis. Rien de plus.

Elle précise très vite : le professeur, Françoise et Simon, le message.

— Monsieur Vaindrier l'a cru ?

— Oui.

— Et toi aussi ?

— Oui.

— Mais, Noële...

Elle se redresse.

— Non, Denis.

— Ecoute-moi.

— Je sais ce que tu vas me dire, mais je ne veux pas l'entendre. Cela ne sert à rien. Moi, je crois. Tu ne m'empêcheras pas de croire. Il n'y a que ces trois mots. Sans une explication, sans une preuve. Mais je crois. C'était une phrase en moi, qui tournait. J'étais seule à l'entendre. Quelqu'un que je ne connais pas, à de très longues distances, a prononcé la même phrase, tout haut. Alors c'est vrai.

Elle est violente, heureuse, tout le visage dans la lumière. C'est la vie qui est revenue. Denis secoue la tête. Il avait cru. Comme un fou, dans son grenier, la nuit. Il avait cru que c'était autrefois, de nouveau tout possible, Noële seule, la main tendue vers lui, appelant à l'aide. Il avait cru que l'enfance recommençait, que la vieille maison s'ouvrait encore pour leurs jeudis de longues histoires inventées, leurs yeux d'enfants perdus dans des rêves.

— Noële, il n'y a pas de miracle. Ecoute-moi·

— Non, Denis.

— Ecoute-moi. Juste un instant. Ce ne sont plus des livres ouverts. Si Ugo est vivant, ce n'est pas un miracle. Si Ugo est vivant, il faut savoir où et comment et pourquoi.

— Oui, Denis. Et je retourne en Grèce. Je me rapproche de lui. Ici, c'est trop loin. Il ne sait pas. La dernière fois que nous nous sommes parlés, c'était par téléphone. Entre Paris et Lefkas. S'il revient, s'il s'est mis en route, ce n'est pas pour me chercher aux Quatre Vents, mais là-bas, dans cette maison, qui finira bien par être notre maison.

Toute l'espérance autour d'elle.

— Aujourd'hui peut-être.

— Aujourd'hui ?

— Puisqu'il est vivant, un jour il va me rejoindre. Je l'entends approcher. Mon fils aussi.

— Ton fils ?

— Il entend avec moi. Parfois il tourne la tête, d'un mouvement brusque. Comme s'il y avait un bruit. Et son regard se fixe. Il entend mieux que moi. Je lui ai dit qui allait connaître son père, qu'il fallait qu'il soit patient comme je suis patiente, qu'un jour nous serions tous les trois ensemble.

Elle parle, dans sa ferveur et sa volonté de croire, et Denis écoute en lui quelqu'un qui raconte d'autres rêves, d'autres vies qu'il ne connaîtra jamais, quelqu'un qui sait déjà qu'il va déchirer toutes les pages d'un livre *avec des robes, des robes, des tabliers, des nattes,* parce que ce livre n'a plus de sens, qu'il l'écrivait comme une lettre d'amour désolée, et qu'il se trompait sur lui-même.

— Jusqu'ici... dit-il à mi-voix.

Noële écoute.

— Jusqu'ici j'ai vécu en regret. J'attendais que tu comprennes qu'il n'y avait pour toi d'autre amour que le mien.

— J'aime Ugo, Denis.

— Tu aimes Ugo.

Ils s'éloignent. Ils se perdent. Il y a tout un univers entre eux, apparu brusquement, comme des îles parfois, en une nuit, sur la mer.

— Je ne suis pas bien à Ouches. Je n'aime plus cette école. Viens.

Ils descendent ensemble, entrent dans la salle de classe. Elle est sombre. Elle sent la craie, le charbon et l'encre.

— Cette école est un mensonge pour moi. Je m'y suis enfermé, comme je me suis enfermé autrefois dans la vieille maison. Parce que je t'attendais. C'était une histoire trop belle, que je me racontais par lâcheté.

Noële s'est assise sur un banc. Elle cherche d'un doigt. Les deux initiales.

— Je vais demander mon changement, dit Denis. La lettre partira ce soir.

Il vient s'asseoir près de Noële.

— Il y a d'autres femmes. Peut-être un jour si la solitude est trop lourde, en chercherai-je une qui m'aidera à la supporter. Mais je ne lui mentirai pas. Je lui dirai que je t'aime. Non plus comme une blessure dont je me cache. Mais comme une force. Non plus comme un regret, mais comme une raison de vivre.

Ils sont l'un à côté de l'autre. Ils regardent le bois du pupitre. Noële a trouvé les deux initiales.

— Avec mon couteau, dit Denis. N.V. Noële Vaindrier.

— Ce n'était pas mon nom.

Il sourit dans l'ombre. Il ne souffre pas. Il pense à Ugo. Toutes ces frontières, sans cesse, franchies... A son tour, il va se mettre en route. Denis, oui, le petit Denis, attaché à sa terre l'instituteur enfermé dans ses bois. Déjà, il imagine des déserts, des ruines de temple, des petits chevaux à crinière.

— Le bois vit plus longtemps que nous, dit-il. Rien n'effacera ces deux lettres que j'ai gravées. N.V. Ton fils, lorsqu'il sera grand, s'il vient ici, s'il passe son dogit sur ces lettres, il dira : c'est le nom de ma mère.

— Il y a une lettre.

Elle rentre aux Quatre Vents. Son père et sa mère l'attendent à l'entrée de l'allée de tilleuls. Ils guettent depuis longtemps, depuis que le facteur est passé. Ils se demandent pourquoi elle ne revient pas, si le solex n'est pas tombé en panne.

— Une lettre de Simon.

Avant même qu'elle soit descendue de solex. Il fait nuit. Elle ne peut pas lire la lettre. Gilles Vaindrier l'entraîne vers la maison.

— Simon m'apprend que le professeur est revenu le voir. Qu'il lui a remis une enveloppe pour toi. Oui. Cette petite enveloppe.

Elle la prend. Tout de suite elle voit son nom écrit : *Noële.*

— L'écriture de Ugo !

Un cri. Un vrai cri étouffé, parce que c'est à la fois trop violent et trop attendu. Gilles Vaindrier explique toujours. Le professeur n'a rien dit de plus. C'est un homme qu'on n'oblige pas à parler. Dès que Simon saura autre chose... Noële ouvre l'enveloppe, en sort un papier déchiré. Deux

mots seulement. Mais c'est lui. C'est bien lui. De sa main.
Deux mots : *mon amour*.

Elle se met à trembler si fort, que Nicole Vaindrier la
prend dans ses bras. Une secousse, un bouleversement de
tout le corps, la peur, le froid, l'impatience, le plaisir, les
dents qui claquent. Sans une parole, sans une larme. Livrée
sans forces. Incapable de se maîtriser.

— Gilles, vite, aide-moi.

Ce n'est qu'un instant très bref. Elle se calme aussi
soudainement. La secousse cesse. Elle est debout, très
calme, quelqu'un qui sort d'un long sommeil, qui ouvre
les yeux.

— Mon amour.

Elle relit le papier, le retourne, le regarde à la lumière.
Aucun autre signe. Rien.

— Papa, dit-elle.

Maintenant, elle ne peut plus attendre. Il faut qu'elle
prenne la route.

— Monte dans ma chambre, avec moi, papa. Je vais
commencer mes valises. Dès ce soir, oui. Il le faut.

Gilles Vaindrier ne comprend pas ce qu'elle dit. Mais
Nicole lui fait signe qu'il n'y a plus à se défendre. Tout
de suite Noële explique ce qu'elle a déjà dit à Denis.
Qu'elle est trop loin, que Ugo ne viendra pas la chercher
ici, qu'il faut qu'elle aille au devant de lui, que c'est une
trop longue route, qu'elle doit en faire une partie de son
côté.

— Ne sois pas triste surtout. Je t'aime. Tu es mon père.
Tu es vraiment mon père. Et tu le sais. Il faut que tu me
comprennes, que tu me donnes raison.

Nicole Vaindrier les regarde monter l'escalier, entrer
dans la chambre de Noële. Elle va, sans bruit, jusqu'à la
porte de la cuisine. Madame Marie s'est endormie sur sa
chaise. Elle est très vieille. Elle ne le savait pas. Personne ne le savait. Quand elle a vu arriver le petit Yannis
— mais oui, c'est son prénom, il faut bien se décider à
l'appeler ainsi — elle a cru qu'elle pourrait s'en occuper
comme autrefois de Noële. Elle était pleine de volonté.
Mais elle n'a pas pu. Dès le premier jour, elle s'en est
aperçue. Trop vieille. Depuis, elle laisse faire. Elle est
assise sur sa chaise. Elle va de temps en temps jusqu'au

berceau, se penche, regarde un peu. Sans étonnement, sans plaisir. Elle ne sait pas pourquoi. Elle voudrait. Mais c'est un sommeil qui la prend, qui lui fait tomber le menton contre la poitrine. Nicole Vaindrier ne la réveille pas. Le dîner plus tard, lorsque Noële et son père se seront tout avoué. Elle entre dans le salon, n'allume pas la lampe, s'approche de la fenêtre. Les volets ne sont pas fermés. Elle regarde la nuit. Elle appuie ses deux mains sur la vitre, puis son visage, doucement. Elle se souvient. A la maison des Jeunes. François Gallart à côté d'elle. Du soleil. Deux ouvriers qui vissaient des serrures. Pourquoi cette image ? Il y avait cet homme à côté d'elle, qui parlait. D'une lettre reçue, d'une femme, d'un enfant, mais derrière ces mots Nicole Vaindrier croyait en entendre d'autres. La même voix, mais plus secrète, qui parlait d'elle. Qui lui disait que les jours ne se ressemblent pas tous, qu'il y a des ruptures, qu'un âge vient où tout peut encore être neuf, mais que c'est la limite, qu'octobre est bientôt là. Sur son visage, la vitre froide. Elle se souvient. C'était l'été. Le soleil très chaud sur la vitre. Le fleuve. Des reflets de lumière. Elle reste immobile un long moment. Quelque chose la frappe au visage. Elle sursaute. C'est la pluie, qui se décide enfin. Toute la journée suspendue. Elle ne se demande pas si elle est triste. Elle n'a pas assez de courage. Ce qui lui en reste, il faut le garder pour Gilles.

Dans la chambre du premier étage, elle entend le bruit des valises que Noële ouvre l'une après l'autre.

CHAPITRE XI

JE VOUS AI MENTI

Elle pense à son manteau. Elle se dit qu'il va faire froid sur le bateau, et qu'il faut emporter son manteau d'hiver. Elle ouvre son armoire. Elle passe la main sur les étoffes. A rien d'autre. Rien d'autre. Son manteau, les étoffes, le froid. Le vent depuis ce matin.

— Tu es prête ?

Elle répond d'un signe, prend le manteau le plus chaud. Elle ne parle pas. Muette. Si elle ouvre la bouche, si elle desserre les lèvres, elle dit : *Ugo*. Seulement : *Ugo*. Même à l'enfant, depuis deux jours, elle ne parle pas. Il s'étonne. Il avait pris l'habitude. Cette musique autour de lui, ce chant de voix, comme si c'était la nature du monde : une voix de femme toujours, d'un sommeil à l'autre. Mais ce silence de deux jours, il ne le comprend pas. Pour la première fois, il se plaint. Cet enfant si sage, dont personne ne veut croire qu'il ne pleure jamais, depuis deux jours, on l'entend qui gronde. Delpina se penche sur le berceau.

— Pourquoi ?

Elle n'a jamais su.

— Les dents, peut-être...

Elle compte les mois. N'est-ce pas trop tôt ?

Noële quitte sa chambre, descend l'escalier. Yannis Karrassos l'attend dans le hall.

— La voiture est là.

Elle serre son manteau autour d'elle. Elle pense : c'est une étoffe bien chaude.

— Avec un temps pareil, il nous faudra près de deux jours pour arriver à Trieste. Nous allons avoir une mer un peu agitée. Je croyais les tempêtes d'équinoxe passées...

Ils montent en voiture. Le chauffeur prend la direction du port. Noële regarde par la vitre. Athènes, des rues, des maisons, des gens pressés, qui savent où ils vont, qui marchent la tête un peu penchée. Elle pense : *Moi aussi...* Elle sait où elle va. Très exactement. Depuis des mois, elle était perdue, marchait au hasard. Maintenant, elle sait.

— Je ne parviens pas à y croire, dit Yannis Karrassos.

Il voudrait l'obliger à parler. Comme son petit-fils, à ne pas comprendre ce silence. Puisque toutes les bouches s'ouvrent soudain, puisque les bâillons se dénouent, puisque certains hommes avouent leurs mensonges, pourquoi Noële s'enferme-t-elle ainsi dans son mutisme ?

— Fabrizio...

Il se souvient de chaque phrase, de chaque mot prononcé dans la pénombre de la bergerie, avec la lune sur le champ qui semblait enneigé. Fabrizio avait parlé tout de suite, sans même que Yannis ait besoin de l'interroger. C'était le premier qui parlait aussi facilement, et Yannis n'en avait conçu aucune méfiance, au contraire. Des autres, il avait mis toutes les paroles en doute. De Fabrizio, il s'était dit : c'est la franchise, la droiture.

— Je ne parviens pas à y croire, répète-t-il.

La voiture approche du port. Le vent est violent, présage de tempêtes au large. Ils roulent un moment encore, arrivent devant l'embarcadaire. Noële monte sur le bateau, s'enferme dans sa cabine, s'allonge, ferme les yeux. Elle a toujours son manteau. Il fait chaud dans la cabine, le hublot fermé. Elle enfonce sa main dans la poche du manteau, touche le papier froissé.

— Ugo...

Chaque fois qu'elle desserre les lèvres.

Il y a des voix sur le quai, qui appellent, un cri bref de sirène. Le bateau lentement prend la mer. Noële regarde. Le vent, un ciel très bas, les bâtiments du port qui s'éloignent, les vagues de plus en plus fortes, la mer aussi grise que le ciel, et l'horizon qu'on ne distingue pas, sans ligne visible, deux profondeurs égales, animées d'une même irritation. Mais Noële est sans appréhension. Le bateau creusera sa route. Yannis Karrassos sait lire les cartes. Aucune force ne l'empêchera d'atteindre Trieste. Elle prend le papier, l'ouvre, déchiffre une fois encore les deux mots : *Mon amour*, sans les reconnaître, comme si c'était pour la première fois. La voix de Ugo, du fond de sa nuit, avait dit qu'il l'aimait, et tout s'était mis à bouger. Elle avait quitté les Quatre Vents. Comme un signal. Comme pour dire : *Je réponds. Je me mets en route.* Elle avait demandé à Gilles Vaindrier d'écrire à Simon, pour qu'il sache qu'elle partait pour Athènes, qu'il en avertisse le professeur, et que Ugo en soit informé. Elle avait trouvé Yannis Karrassos et Delpina, dans une maison qui reprenait ses couleurs. Elle leur avait donné l'enfant. Ils avaient ouvert pour lui des chambres inoccupées, le promenaient de l'une à l'autre, comme on fait visiter au prince son royaume, incrédules devant cette vie qui les réconciliait avec le passé. Delpina plus encore que Yannis. Elle avait oublié Ugo. Elle ne savait plus qu'il était absent. L'enfant l'absorbait, lui prenait toutes ses forces d'affection. Elle était désarmée, inquiète pour un rien, penchée vers lui, le dos tourné à tout ce qui n'était pas son visage. Noële, assise devant la fenêtre, n'avait pas défait ses valises. Elle attendait. C'étaient les derniers moments, elle en était certaine. Elle regardait ses manteaux, la main prête à saisir le premier. Une semaine. Une longue et courte semaine. Quelqu'un qui sonne, qui demande à parler à monsieur Karrassos. Un homme très grand, très maigre.

— Marco...

Le café de Trieste. Marco et sa voix de basse d'opéra. Il a sonné, un matin, sans chercher à se cacher. Il n'entre pas. Il est sur le perron du palais. Il dit simplement :

— Il faut que vous veniez à Trieste, signor Karrassos. Avec madame Luckas. Fabrizio vous attend.

Déjà il repart. Yannis Karrassos le retient, veut en savoir davantage. Mais Marco secoue la tête.

— Fabrizio vous dira, pas moi, signor Karrassos. Moi, je vous attends, au café, dans quatre jours.

Il lève une main, quatre doigts écartés, comme un salut.

— Je ne parviens pas à y croire, dit Yannis Karrassos, la porte fermée.

Il se méfie encore. Il y avait trop d'ombre, et maintenant trop de lumière. Toutes ces recherches, ces voyages, ces interrogatoires à mi-voix, aux aguets, redoutant que quelqu'un n'écoute, et, depuis que Ugo a écrit : *Mon amour*, c'est au grand jour, d'une voix sonore. Il hésite à faire le voyage. Il a envie d'envoyer un émissaire, chargé de comprendre ce qui se prépare. Mais Noële dit simplement :

— Prenons-nous un bateau ?

Depuis elle se tait. Si elle ouvre la bouche, c'est pour dire : *Ugo*.

Le voyage dure deux jours. La mer est violente. Des paquets de mer contre la coque, qui jaillissent, retombent sur le pont. Mais il continue sa route, le long des côtes, reprenant courage la nuit sur des phares, qui se le confient l'un à l'autre, comme un relais. Noële ne dort pas. Elle est assise sur sa couchette. Elle regarde par le hublot. De temps en temps, on frappe à sa porte. C'est un homme avec un plateau. Elle boit un peu de vin, mange un fruit, remercie d'un signe de tête. Yannis Karrassos vient à son tour, ne sait que dire, désemparé. Elle lui prend la main, y cache un moment son visage, pour qu'il sache qu'elle va bien, mais qu'il ne faut pas attendre d'elle autre chose que : *Ugo*. Trop de temps, trop de temps, et maintenant, elle découvre qu'il a tout dévoré en elle, qu'il n'y a plus que lui, comme un enfant qui a grandi démesurément, deux corps confondus, et c'est seulement lorsqu'il sera devant elle, lorsqu'elle sentira sa main sur la sienne, qu'elle pourra reprendre sa distance.

— Ta mère, dit Yannis Karrassos. Le bateau, toujours, un voyage qui n'en finit pas.

Noële secoue la tête. Elle refuse. Ce n'est pas le même voyage. Les histoires ne se retrouvent pas, toujours semblables, d'une femme à l'autre. Non. Ariana Karrassos fuyait pour sauver un enfant. Alexandra Karrassos part à la rencontre de son amour. Un moment vient où les mères et les filles se séparent. Dans le souvenir de Yannis

Karrassos, pourquoi les réunir sans cesse ? Que craint-il ?
Le jour de son mariage, il avait voulu que le passé
revienne sur lui-même. Elle avait accepté de porter la
robe de sa mère, la couronne de sa mère, pour que tout
soit plus simple et plus clair, et que leur bonheur prenne
la mesure de chacun. Mais maintenant, il faut se séparer
des enfances. Il faut ouvrir ses propres chemins. Sans
qu'elle sache encore ce qui a retenu Ugo si loin d'elle,
dans des silences qui ressemblaient à la mort, elle devine
déjà une démarche semblable.

Trieste, à la fin du jour. La tempête s'est apaisée.
Yannis Karrassos prend Noële par le bras, la conduit sans
un mot vers la rue qui monte à gauche du port. Les
premières lampes s'allument dans les maisons.

Le petit café est désert. La femme qui écossait des
haricots n'est pas là. Noële interroge son père du regard.

— Marco va venir, dit-il.

Il s'assied au fond, à la même table. Noële reste debout.
Si elle s'assied, elle ne se relèvera pas. Elle est à la limite
de ses forces, depuis qu'elle a quitté le bateau. Elle ne
veut pas que son père s'en aperçoive. Elle se répète
seulement : *Ugo... Ugo...*, comme si c'était le battement
de son cœur.

La porte s'ouvre derrière eux. Marco n'entre pas.

— Nous partons à dix heures. Venez.

Il leur fait traverser la cour où est rangée la camionnette de dépannage, ouvre la porte d'une cuisine longue
et basse. Devant le fourneau, la grosse femme fait cuire
des poivrons et des tomates.

— Nous avons le temps de dîner, dit Marco.

Le couvert est mis sur une table. Avec des assiettes
à grosses fleurs, et des fourchettes en étain. Noële refuse
d'un signe de tête. Ils mangent en silence. Noële est
debout près du fourneau. La grosse femme la regarde
avec tristesse. Elle finit par lui tendre un verre d'eau.
Noële boit, remercie d'un sourire bref. Cette femme, de
quoi s'attriste-t-elle ? Connaît-elle toute l'histoire de Ugo,
ou est-ce simplement pour le repas dont elle était si fière
et que Noële a refusé ?

Dix heures. Ils s'installent dans la camionnette, sortent
de la ville. Brusquement, elle n'en peut plus.

— Où allons-nous ?

Elle crie pour couvrir le bruit du moteur qui s'essouffle dans les montées.

— Dites-moi. Il faut que je sache. Ou je refuse, je descends, je ne vais pas avec vous.

Elle est assise entre Marco et Yannis Karrassos, serrée, elle a peur, elle se met à trembler, elle frappe du poing l'épaule de Marco, qui freine, essaie de comprendre.

— Mais, madame...

Yannis Karrassos la prend dans ses bras.

— Je te l'ai dit, ma petite fille. Tu le sais. Nous allons chez Fabrizio, dans cette bergerie au bord de la frontière.

— Mais pourquoi ? Pourquoi ? Pourquoi dans la nuit ? Pourquoi sans rien dire ? Vous savez. Vous savez tous quelque chose. Vous n'osez pas me le dire.

Elle se dresse, tente de se lever, retenue par son père, se débat, et Marco réussit à s'arrêter sur le bord de la route.

— C'est qu'il revient cette nuit, madame.

Il ne devait pas le dire. Mais puisque cette femme l'exige... Noële le regarde. La nuit est autour d'eux, fermée sur elle-même, très noire.

— Qui ? demande Noële à mi-voix.

— L'homme.

Le vent autour de la camionnette, qui tourne, s'éloigne. Noële regarde toujours Marco, son visage dans la pénombre, ses yeux qu'elle ne voit pas.

— Il y avait deux hommes, dit-elle enfin.

Elle se tourne vers Yannis Karrassos. Une longue, très longue seconde. A tout se dire. Que tout est faux. Jusqu'à l'écriture. Les deux mots : *Mon amour.* Tout. Que cet homme en elle est un mort. Le poids d'un mort. Et ce voyage absurde, cette camionnette, cette nuit, ces chemins détournés, cette comédie monstrueuse, pour découvrir, au fond d'un domaine désert, le visage de Tomas.

— Père, dit-elle...

Elle se serre contre lui, repliée sur elle-même, les yeux fermés pour ne pas voir, sourde, aveugle, les lèvres entrouvertes, répétant seulement : *Ugo... Ugo...*

Yannis fait signe à Marco. La camionnette repart.

— Entrez, dit Fabrizio.

Ils ont quitté la camionnette sous les arbres, sont arrivés à la bergerie, Noële, accrochée à Yannis Karrassos, ne sachant plus marcher, et il la porte presque en cherchant son chemin dans l'ombre.

— Il doit être là vers une heure, dit Fabrizio.

Debout au milieu de la bergerie, invisible. On n'entend que sa voix. Yannis Karrassos la reconnaît, sèche, presque haute, tous les mots à leur place.

— Il y a des bottes de paille, près de la fenêtre. Asseyez-vous, madame.

Noële n'entend pas. Elle est enfermée dans une rumeur confuse, qui l'isole et fait surgir par moments devant ses yeux un brusque éclat noir. Yannis Karrassos la soutient jusqu'à la fenêtre, s'installe à côté d'elle. Il sait qu'il est près de onze heures. Aura-t-elle la force d'attendre ?

— Je vous ai menti, monsieur Karrassos. Vous êtes en droit de me le reprocher. Mais je ne pouvais pas faire autrement. Je me suis efforcé de vous dire une vérité qui se rapprochait le plus possible de la vérité. C'est ma seule justification.

La nuit est très opaque, derrière les vitres, traversée de mouvements et d'appels de vent, au-delà des arbres, du côté de la frontière. Marco est resté dehors. A l'heure dite, il doit s'approcher de la rivière.

— Je vous ai dit qu'en entendant le premier coup de feu j'étais sorti de chez moi, que j'avais couru jusqu'à un petit bois qui entoure ma maison. C'est vrai. Le coup de feu avait été tiré très près. A deux cents mètres, à peine, vous vous souvenez ?

— Oui, dit Yannis à voix basse.

Noële est immobile, près de lui, respirant à peine. Elle semble ne rien entendre.

— C'est à ce moment-là, que j'ai menti, monsieur Karrassos. Je vous ai dit que j'avais attendu longtemps sans bouger. Non. J'ai rejoint les deux hommes. Tout de suite. Je n'ai pas eu de mal à les découvrir. L'un d'eux était blessé. Grièvement blessé. J'ai aidé le second à le porter jusque chez moi, à le cacher. Il fallait le cacher très bien, et très vite, car ceux qui avaient tiré n'étaient pas loin. Le blessé retenait mal une plainte sourde. J'avais peur qu'on ne l'entende. Alors, je suis ressorti, je me suis glissé le long de la rivière. Il fallait à tout prix éloigner le danger. Je connais bien ces terrains, je vous l'ai dit. Il m'a été facile de brouiller les pistes, d'entraîner les hommes. Très vite, ils m'ont pris en chasse. Les deux coups de feu, un quart d'heure plus tard, c'est sur moi qu'ils les ont tirés. Je n'y ai aucun mérite. Il y a dans ces poursuites de chasseur à gibier quelque chose qui m'a toujours passionné. Ce n'est pas du courage, c'est un métier.

Il a baissé la voix. Il semble hésiter à poursuivre.

— Lorsque je suis revenu chez moi, au petit jour, le blessé ne vivait plus.

Un mouvement de Noële, le premier. Elle se redresse. La paille plie avec elle. C'est comme un bruit de peur, quelqu'un qui se cache, un animal. Elle est debout, d'elle-même, sans que son père ait fait un geste. Elle vient vers cet homme, dans l'ombre, qui parle, qui sait, qui dit enfin la vérité. Elle s'arrête devant lui.

— Ugo ou Tomas ? demande-t-elle.

Fabrizio, très vite, sans hésiter, parce qu'il sait qui elle est, répond :

— Tomas.

Et il attend. Elle va peut-être faiblir. Prêt à l'aider.

Noële est devant lui. Elle respire longuement. Dehors, c'est une accalmie, le vent qui se tait brusquement. Dans le silence, très loin un chien prend peur.

— Tomas, répète Noële.

Haut, cette fois. Oubliant tout, la prudence, et le danger, sachant seulement qu'il faut que Ugo l'entende, qu'il n'est plus très loin maintenant, l'heure avance, derrière la rivière peut-être, à portée de voix.

— Il ne pouvait pas, dit-elle. Regarder Tomas, lui fermer les yeux, et tourner le dos, partir en courant une fois encore, des murs et des murs, parce que je l'attendais. Il ne pouvait pas, père, il ne pouvait plus. Cette femme, là-bas, devant sa fenêtre, qui perdait encore un fils, et c'était sa mère, et Ugo serait revenu vers moi, comme un mort lui aussi, avec le visage de Tomas toutes les

nuits dans son sommeil, et comment aurions-nous réussi
à vivre, lui et moi, et l'enfant entre nous ? Il fallait qu'il
poursuive, qu'il reparte, qu'il franchisse la dernière frontière, qu'il aille seul où Tomas l'emmenait. Vous l'avez
aidé, monsieur ? Dites-moi que vous l'avez aidé.

Sans colère, sans violence, d'une voix qui ne tremble
pas, très forte, très sûre d'elle-même, qui affirme. Elle
a pris le bras de Fabrizio, dans l'ombre, lui parle de
tout près.

— Vous avez refusé, mais Ugo ne pouvait pas repartir.
Il s'est terré ici, il a trouvé quelqu'un d'autre, cet homme
peut-être qui est dehors, Marco. Des jours à attendre,
des jours à essayer, jusqu'à ce moment où la nuit est
venue, où il a franchi la rivière, où les chiens n'ont pas
aboyé. Et moi, moi, pendant ce temps, sans comprendre, moi qui me plaignais, moi qui pleurais, moi qui
suppliais qu'il revienne. Devant Tomas, si Tomas m'entend,
je suis coupable.

Elle fait quelques pas au hasard, dans cette maison
de nuit, avec une sorte de plainte. Yannis Karrassos s'est
levé. Il comprend qu'elle ne sait même plus qu'il est là,
que c'est à Ugo qu'elle parle, de l'autre côté de ces
murs. Elle revient vers Fabrizio.

— Dites-moi...

Fabrizio n'est plus qu'une ombre dans l'ombre, effacée,
une présence immobile.

— Les mêmes mots, dit-il doucement.

Noële écoute.

— C'est comme si j'entendais Ugo. Les mêmes mots,
pendant des jours et des jours. Caché dans ma maison,
refusant ce que je proposais. Vous venez de dire ce qu'il
m'a dit, tout ce qu'il m'a dit. En parlant de vous aussi,
en ajoutant votre nom à toutes ses phrases. Pour sa mère,
pour Tomas, mais pour vous, pour vous d'abord, madame.
Je l'ai gardé dix jours caché, dix jours à essayer de lui
faire entendre raison, à lui dire qu'il fallait repartir,
rejoindre Trieste, prendre un bateau, rentrer en Grèce.
Dix jours pendant lesquels nous nous sommes battus. Mais
Ugo est plus fort que moi. Il a fini par me contraindre
à céder. J'ai cédé.

Noële écoute toujours.

— Il a fallu attendre que la surveillance se relâche. Dix jours encore. J'avais alerté le cordonnier de Sésana. Il était prêt. Ce passage que nous savions dangereux dans la nuit du 5 mai a eu lieu le 27. Sans incident. Ugo est parti d'ici, à l'heure prévue. Il n'y avait pas de patrouille. Il a marché droit devant lui. Il a traversé la rivière. Marco était avec lui. Il l'a accompagné jusqu'au relais suivant. C'était une nuit très claire. Avec beaucoup de lune. Mais tout semblait facile. Ils n'ont pas eu besoin de courir. Ils marchaient comme pour une promenade, entre les arbres du petit bois.

Fabrizio se tourne vers Yannis Karrassos.

— Le cordonnier aussi vous a menti, monsieur Karrassos. Mais c'était comme pour moi. Une nécessité.

Le vent reprend. Un volet claque, et, dans la bergerie, ils s'immobilisent tous les trois.

— Quelle heure est-il ? demande Noële.

Fabrizio regarde le cadran lumineux de sa montre.

— Bientôt minuit.

Ils écoutent. Marco, dehors, a dû fixer le volet.

— Dites encore, reprend Noële à mi-voix.

— Le reste j'en ignore tout, madame. Et cette fois, c'est vrai. De Sésana, Ugo a réussi à atteindre la Hongrie. Après, pour Marco et pour moi, c'est l'inconnu. Pour le cordonnier aussi. Nous ne savions qu'une chose, c'est qu'il reviendrait par les mêmes passages. Nous étions prêts. Et nous avons respecté la consigne de silence qu'il nous avait imposée.

Il dit, plus bas :

— Même pour vous, madame.

Noële, de nouveau, fait quelques pas dans l'obscurité.

— Il le fallait, dit-elle. Je le sais. Je le comprends. Il le fallait.

Avec obstination, comme pour s'en persuader, d'une voix appliquée, volontaire.

— Père... dit-elle.

Elle vient vers Yannis Karrassos, s'appuie contre lui. Une faiblesse soudaine. Il la retient, l'aide à reprendre force. Cette nuit, il sait qu'il n'est là que pour la soutenir.

— Une heure encore...

Elle se redresse, revient vers Fabrizio.

— Où est Tomas ?

Il fait un geste vers la fenêtre.

— Derrière ces arbres.

— Conduisez-moi.

Il ne songe pas à dire non. Il ouvre doucement la porte, écoute la nuit, ses rumeurs, dit quelques mots, très bas, à Marco, fait signe à Noële de le suivre. Ils sortent de la bergerie, s'éloignent à travers un champ déjà labouré. La terre est humide. Ils enfoncent un peu. Fabrizio a de grosses bottes. Noële a de la peine à marcher. Elle s'aide avec les mains, pliée en deux.

— Tomas, dit-elle à voix basse.

Ils sortent du champ, prennent un sentier étroit entre deux haies. Ils marchent plus facilement. Les arbres se devinent dans l'ombre, dépouillés, leurs branches dressées contre l'hiver proche.

— Ici, dit Fabrizio.

Entre les arbres. Invisible. Des feuilles déjà rongées, de la terre lourde. Noële tombe à genoux, se couche parmi les feuilles, la bouche contre la terre.

— Tomas, dit-elle encore.

Elle pense à son fils, très fort, pendant quelques secondes, pour que Tomas sache qu'il est né.

— Je vous ai regardé comme un ennemi, Tomas, dit-elle à voix basse. Cette nuit, je suis en paix avec vous.

Elle appuie la bouche davantage. Elle répète :

— En paix.

Elle se redresse, et, sans regarder Fabrizio, reprend avec lui le chemin de la bergerie.

Ils attendent, immobiles.

A minuit et demie, Marco frappe deux coups contre la vitre.

— Il va au-devant de lui, dit Fabrizio.

Il s'approche de la fenêtre, regarde. Il a des yeux de chasseur. Il sait reconnaître l'ombre qui se glisse vers la frontière.

Un quart d'heure encore. Puis Yannis Karrassos touche le bras de Fabrizio. Ils savent l'un et l'autre. Ils sortent sans bruit de la bergerie. Noële est seule. Le visage contre la vitre. La vitre se couvre de buée. Elle frotte avec la main, regarde. Elle ne voit rien. Elle frotte encore. Tout

se brouille. Elle est dans une brume qui s'arrondit autour
d'elle. Elle se frotte le visage. Elle cherche. Elle ouvre
les yeux démesurément. Elle est aveugle. Il y a des
rumeurs. Des courses rapides, elle pense : on va tirer.
C'est la chasse. Tous les fusils. Des lièvres qui fuient, la
terre, les haies, les arbres. Tout s'ouvre, se ferme. Des
pas encore. Ou des feuilles. Ou des branches qui cassent.
Les chasseurs. Elle porte les mains à ses oreilles. Elle ne
veut pas. Le coup de feu. Elle ne veut pas entendre.
Elle tourne sur elle-même. La porte. Ce carré de nuit
dans la nuit. La porte est ouverte. Quelqu'un. Debout.
Quelqu'un.

— Ugo !...

Elle se jette sur lui, les mains levées, s'accroche à ses
cheveux, serre, tombe.

Elle perd connaissance.

CHAPITRE XII

REGARDE BIEN DORMIR TON PERE

— Ugo ...

Elle ouvre les yeux. Découvre une main près de son visage. Embrasse cette main. Il bouge doucement la main, dessine les lèvres, remonte vers les tempes, dégage le front, la vie, la chaleur, caresse le front, les yeux, à peine, retrouve les lèvres, tout le visage maintenant vivant sous ses doigts.

— Ugo...

Le sang délivré qui reprend sa ronde, encore un peu de froid très loin, au bout d'elle-même, ses mains, ses doigts, le long de ses jambes, un fourmillement, des aiguilles, très vite, très pointues, elle est soulevée, portée, elle s'étire un peu, se relève, droite, comme tenue derrière la tête.

— Comment es-tu ?

C'est lui qui interroge.

— Tout à fait bien ?

C'est lui qui attend depuis des mois, elle qui a fait tout ce voyage, qui revient enfin vers lui.

— Nous pouvons partir ?

Une chambre, au plafond très bas. Elle regarde la fenêtre. Toujours la nuit.

— Trieste, dit-il. Le bateau est dans le port. Yannis nous attend. Je ne voulais pas te porter. Il faut marcher doucement, dans les rues, en nous tenant par le bras, descendre vers le port sans paraître trop impatients. Si je te portais, on croirait qu'il y a des difficultés.

Elle le regarde attentivement. C'est la nuit, mais elle
voit quand même, elle n'a pas besoin de lever la main,
de toucher les lèvres à son tour.

— Il te ressemble vraiment.

Elle rit tout bas. Elle les voit déjà l'un avec l'autre,
s'étudiant et se découvrant.

— Viens.

Ils sortent de la chambre, descendent sans bruit l'escalier, arrivent dans la cuisine. Près du fourneau, Marco
leur fait signe qu'ils peuvent sortir. Ils traversent la cour,
passent devant la camionnette de dépannage. Ugo pousse
un petit portail de fer. Ils sont dans la rue. Ils se donnent le bras. Ils marchent ensemble. La nuit est froide.
Noële ne le sait pas. Elle sait seulement que ce corps
contre le sien est vivant de nouveau. Elle rit toujours,
très bas. Elle voudrait se séparer de lui, courir d'un
platane à l'autre, le long du trottoir. Elle lève la tête,
respire longuement. C'est déjà la mer au-delà des maisons,
au fond de la rue, cette clarté sourde, cette voix obstinée.
Il y a des lampes allumées à certaines fenêtres. Un
homme passe, sur une bicyclette. Un chat traverse la
rue d'un bond. C'est la première fois qu'elle marche, la
première fois qu'elle respire, la première fois qu'elle
ouvre les yeux.

— Voici le port, dit Ugo.

Il ne demande pas où est le bateau. Il connaît le chemin.
C'est elle qui avait disparu, c'est elle qu'il est venu
chercher, qu'il reconduit chez elle. Il y a beaucoup de
navires, les uns à côté des autres, endormis, avec un petit
fanal rouge à l'avant, comme à Venise, le soir, le long
de la Giudecca. Elle dit : *mon amour*. Elle se serre contre
lui. Elle ne pense à rien. Elle ne veut rien comprendre,
rien savoir. Seulement qu'ils sont vivants, qu'ils sont
ensemble, qu'ils marchent. Elle touche l'étoffe de sa veste.
Elle ne reconnaît pas. Tout est nouveau chez lui, différent,
étranger. Depuis qu'elle a ouvert les yeux dans la chambre,
au-dessus du café, elle a deviné quelque chose. Elle
l'observe sans le savoir. Qui est-il ? Plus maigre, le regard
plus fixe et plus rapide en même temps, avec un poids
de nuit. Les gestes plus lents. Sa démarche même. Pas

seulement des longues fatigues, des veilles. Une façon
d'être sur la terre.

Yannis Karrassos les a vus venir. Il s'impatiente. Il
voudrait être en mer. Les visites, les formalités, il n'a pas
eu grand mal à les assouplir. On le connaît dans tous les
ports. Il préfère pourtant ne pas s'attarder. Ses moteurs
tournent déjà.

Ils montent sur le bateau. Derrière eux un marin hisse
la passerelle. Un ordre bref. Le bateau se détache du
quai.

— Ugo...

Dans la cabine, la faim, la soif, tout de suite, égaré,
furieux.

— Ugo...

Elle entend la mer, autour d'eux, et le bruit des vagues.
C'est toujours le même voyage, les mouvements du navire,
le grondement des moteurs. C'est comme les premiers
temps de leur amour, le monde découvert, d'étape en
étape, avec des relâches dans les ports inconnus, et le
soleil au-dessus d'eux.

— Ugo...

Elle ne sait rien dire d'autre. Ugo. Il naît d'elle et elle
naît de lui. Ils perdent conscience. Ils luttent. Ils s'apai-
sent. Le jour éclaire le hublot.

— Je t'aime.

Il le dit. A voix haute. Comme on s'arrache au silence.
Comme celui qui ne savait plus parler, et qui découvre
les mots. Et brusquement fébriles, au hasard, dans un
désordre incohérent, parce que tout est devant eux, ils
interrogent, avouent, se souviennent, ensemble, leurs voix
confondues.

— Dans une maison de repos, le médecin l'a voulu.
J'avais fermé tous les volets.

— Mon père, je te dirai. J'avais onze ans lorsqu'ils
sont venus le chercher.

— Lisette est arrivée. Elle m'a tirée de la nuit. Sans
elle, je ne sais pas...

— Quel jour ? Dis-moi. Je sais seulement que c'est un
garçon.

— Le 4. Dans la nuit. Le 4 août. Il te ressemble. C'est
toi, toi, tellement toi...

— Je t'en ai parlé plusieurs fois ; mais très vite. Les chevaux noirs, tu te souviens ?

— Ugo. Je criais : Ugo. Tu m'entendais ? Je perdais la raison.

— Ma mère.

— Ugo.

— C'est Yan, surtout. Il refusait de la laisser partir.

— J'ai parlé à Tomas.

— Tout est en ordre. Ils sont ensemble. Très vieux, et très las, mais ensemble.

— J'ai parlé à Tomas, en t'attendant cette nuit. Je lui ai dit que j'étais en paix avec lui.

— Je t'aime.

Des moments. Comme ce creux entre les vagues, à se regarder, à reprendre souffle. Le jour est là, gris, avec des nuages bas, et les côtes perdues dans la brume.

— Je pleurais en arrivant à Sésana.

Il raconte. Il essaie de mettre de l'ordre.

— Cet homme me voyait pleurer. Il n'osait rien dire. J'étais amer et injuste. Comme si c'était lui qui avait tiré. Je le regardais avec haine. Il m'avait caché dans sa cave. Lui aussi. Toujours dans des caves, comme dans des prisons, avec des barreaux devant le soupirail. J'appelais Tomas. Je n'acceptais pas qu'il soit mort. Quand nous étions enfants, je ne t'ai jamais raconté, j'aurais dû, si je t'avais parlé de mon enfance plus souvent, tu m'aurais aidé à comprendre ce qu'il fallait que je fasse. J'aimais Tomas, c'était mon frère. On n'aime pas toujours ses frères. Ils vous sont donnés, on ne les choisit pas. Yan, par exemple, ce n'est pas mon frère, sinon par le sang. Il est comme moi, c'est à nous confondre, exactement le même visage, la même voix, tu nous entendrais la nuit, tu ne saurais pas qui est lui et qui est moi. Mais Yan, c'est un étranger. Nous ne savons rien l'un de l'autre. Par contre Tomas... C'était lui, tu sais, dans l'île Saint-Louis, je t'ai dit que c'était un homme qui ressemblait à Tomas, mais je l'avais reconnu tout de suite. Je t'ai menti. Je t'ai beaucoup menti. Tu ne me le pardonneras pas. La nuit où je t'ai raconté Maria, la tempête et le navire qui a sombré, je te demandais : m'aimes-tu encore ?

Aujourd'hui, je ne te le demande pas. Tu ne m'aimes plus...

— Ugo...

— Non, le Ugo d'autrefois. Pas moi. Il faut tout recommencer maintenant. Tu vas comprendre. Il ne faut pas dire que tu m'aimes. Ecoute...

Il cherche ses mots. Il y a trop longtemps qu'il ne lui a pas parlé.

— Je te disais : quand nous étions enfants... Oui. Tomas déjà était un homme. J'avais onze ans, lorsqu'ils ont arrêté mon père. Yan en avait six, Maria quatre. Mais Tomas déjà dix-huit. C'était un homme. C'est lui, tout de suite, qui a pris la place de mon père. Il avait l'autorité, la force. Je voudrais que tu comprennes. Je t'en ai parlé très vite. Toujours très vite. Nous avions deux maisons. Une à Budapest, le long du Danube, qui servait l'hiver, à cause des écoles où nous allions. Mais notre vraie maison, c'était sur le bord du Balaton. Avec des immensités de prairies, de champs et de bois autour. Un peu comme au Brésil, chez madame Andrieux. Mais les paysages ne sont pas les mêmes. Ce ne sont pas des terres desséchées. C'est un pays avec des saisons très marquées, des hivers très froids, des étés très chauds, et la terre connaît tous les excès. Chaque année elle meurt vraiment. Elle ne respire plus. Et puis, le printemps, c'est une folie, c'est tous les ruisseaux qui dégèlent, les bourgeons qu'on entend s'ouvrir avec violence. Oh, si je te parle de mon pays...

Il sourit, avec tendresse, avec étonnement.

— Je n'ai plus rien à redouter de lui. Je suis en paix.

Il s'est relevé, il va vers le hublot. Il regarde Noële de loin, roulée en boule sur la couchette, comme une enfant entre deux trains, dans la salle d'attente d'une gare. Une fois encore il a le sentiment que c'est elle qui revient, après un long voyage, qu'il est venu l'attendre à la frontière, et qu'il va lui donner une maison.

— Les petits chevaux noirs...

Il revient vers elle, prend son visage dans ses mains. Il a envie de lui parler de son pays, de lui raconter son enfance, sa longue et merveilleuse enfance, avec toutes les odeurs de la terre dans les fenêtres ouvertes.

— Tu te souviens aux Quatre Vents ? J'étais jaloux de

toi. Oui. Tu me promenais dans tes forêts, dans tes prairies, comme si c'était ton royaume, et j'étais jaloux. Je me disais que j'avais un pays moi aussi, une enfance, moi aussi, des souvenirs gravés sur des arbres. Je te l'ai dit un jour : « Moi aussi, j'étais un enfant heureux... » Tu te souviens ?

Elle lui prend une main, l'embrasse doucement. Elle ne dira rien. Jusqu'à ce que tout soit apaisé.

— Si je n'avais pas été aux Quatre Vents, je n'aurais pas suivi Tomas. Lui-même ne l'a pas su. Il a cru que je le suivais pour embrasser ma mère. C'était ce qu'il voulait. Tous ces hommes l'un après l'autre qu'il envoyait vers moi, c'était pour que j'aille embrasser ma mère. Quand j'ai dit à Tomas, que j'acceptais de le suivre, il ne pouvait pas comprendre. Pendant tout ce voyage que nous avons fait en nous cachant jusqu'à la bergerie de Fabrizio, nous n'avons pas parlé, ou à peine. Je n'avais pas la force. Je ne pensais qu'à toi. Je ne pouvais rien dire d'autre que : Noële. Ce n'est pas pour ma mère que je suis retourné chez moi, c'est pour notre amour. C'est pour toi et moi.

Il voudrait lui caresser le visage, doucement, comme dans la chambre au dessus du café lorsqu'elle a repris connaissance. Mais il n'ose plus la toucher. Il a trop de respect pour elle.

— Quand je t'ai connue, quand je t'ai aimée...

Il est à genoux contre la couchette. Il cherche son regard, s'y accroche, parle sans la quitter des yeux.

— ...Je n'avais que toi. J'étais un exilé. Je t'ai tout demandé. D'être mon pays, mon enfance, mon père et ma mère. J'étais avide. J'étais affamé. J'avais besoin que tu remplaces tout ce que j'avais perdu. Ce n'était pas t'aimer. C'était tout attendre et ne rien offrir. C'était toi l'homme, c'était toi la sécurité, et la confiance. Je t'aimais comme il ne fallait pas t'aimer...

Il cache son visage contre la couverture, avec de brefs mouvements d'épaule. Elle pose sa main sur ses cheveux. Elle pense à l'enfant qui les attend, et qui va connaître son père. Jusqu'ici, elle pensait qu'elle avait deux enfants. Maintenant, ils seront comme un père et un fils.

— Aux Quatre Vents, pendant tous ces jours, je comprenais qu'il fallait que je sois ton égal. Que je me récon-

cilie avec ma terre, que j'y retrouve mes racines. Alors,
mais seulement alors, je pourrais revenir vers toi. Tomas
est venu. J'ai suivi Tomas.

Le bateau semble tourner sur lui-même. Les eaux sont
grises et noires. Une pluie tombe et brouille le ciel. Le
long du hublot il y a des lignes disjointes. Est-ce le jour,
la nuit ? De temps en temps, la sirène jette un cri sourd.
Sur le pont, les vagues vont d'un bord à l'autre.

— Je dormais.

Noële ouvre les yeux. Combien d'heures ont-ils dormi ?

— J'ai faim.

Ugo est allongé par terre, la tête dans ses bras repliés,
contre le bois de la couchette. Elle sort doucement. Quelqu'un, debout dans l'entrepont, vient vers elle.

— Père...

Elle voudrait lui dire merci, d'être là et de n'être pas là,
si patient, si effacé, immobile. Elle lui sourit.

— J'ai faim.

Il est devant elle, il attend, les mains ouvertes. Elle
passe ses bras autour de sa taille, appuie son visage
contre sa poitrine, ferme les yeux. Elle avait peur qu'il
cherche à tout savoir trop vite, qu'il interroge Ugo.
Elle ne sait pas lui dire, mais elle est heureuse qu'il ait
compris si bien, qu'il soit si parfaitement le guide et
le capitaine, attentif aux mouvements du navire, à la
route suivie, ayant accepté la charge de les conduire
jusqu'au port.

— Viens, dit-il.

Il l'accompagne dans la petite salle à manger de cuivre
et d'acajou.

— Juste une pomme.

Elle en prend une, mord dedans. Le jus de la pomme
dans la bouche, acide et sucré en même temps. Elle pense :
jamais encore. Tout, dans cette journée, lui paraît nouveau.

— Comment est-il ? demande Yannis Karrassos.

— Je l'aime.

Elle mord encore dans la pomme. Très ferme, très
blanche.

— C'est bon, dit-elle.

Elle est restée debout. Elle s'aperçoit qu'elle a toujours son manteau, le même depuis qu'ils ont quitté Athènes, un manteau de réfugiée, dans lequel elle a dormi. Elle sourit encore une fois à son père.

— Quand arriverons-nous ?

— Cette nuit, je pense, si la mer n'est pas plus forte.

Elle sort de la salle à manger, regagne sa cabine. Ugo est assis par terre, sous le hublot.

— Tu as vu ? demande-t-il.

Il tend sa main ouverte. Sa main droite. Une longue cicatrice à la base des doigts, en travers de la paume.

— Ugo, non...

Elle tombe à genoux, regarde, des larmes aux yeux.

— Je pourrai peut-être jouer encore. Je ne sais pas. Il faudra que je réapprenne.

Elle touche la cicatrice. Elle pleure. Toute sa vie à refaire. Comment pourra-t-il ?

— Tu sais...

Il rit un peu.

— Il y a des compositeurs qui ont écrit pour la main gauche seulement.

Il referme sa main.

— Ne pleure pas.

Elle s'assied à côté de lui.

— Pour ma mère, il faut que tu saches.

Ce qu'il va dire maintenant, c'est le plus difficile. Elle écoute, serrée contre lui, regardant devant elle.

— Ce n'est pas moi qu'elle attendait, ce n'est pas Maria, non plus. Je t'ai dit qu'elle était debout devant la fenêtre. C'est ainsi que Yannis l'a découverte le jour où il a été la voir. Il t'a parlé d'elle ?

— Oui.

— C'est le jour où mon père a été arrêté qu'elle a commencé d'attendre. Lorsque la voiture s'est éloignée, ma mère a cessé de vivre. Elle est partie avec mon père. Son corps est resté pour nous, dans la maison, son apparence. Mais le soir lorsqu'elle nous embrassait, elle avait des lèvres froides. C'était si beau, leur amour. Je ne sais pas si je peux t'expliquer. C'était comme les saisons chez nous, avec des emportements, des folies, et des brumes, et de longues nuits de neige. Mon enfance, si je m'en souviens, c'est leur amour dans la maison. Mon père était très grand, très mince, toujours à cheval, avec des cravaches, de hautes bottes. Il aimait ma mère comme on parcourt les plaines, au galop, avec des cris de gorge et des arrêts brusques, au bord des fossés. Elle était le contraire de lui, fragile, silencieuse, avec des lampes. Je ne sais pas pourquoi, mais quand je pense à elle, c'est toujours avec des lampes, des flammes dans des globes de verre, qu'elle tenait à la main. Dès que le soir venait, elle allait d'une fenêtre à l'autre, guettant le pas du cheval, et, du plus loin qu'elle l'entendait, elle levait les lampes très haut, comme un signe, pour que mon père sache qu'elle était là et qu'elle l'attendait.

Il penche la tête un instant, comme si la force lui manquait.

— La mort de Maria...

Il ferme les yeux.

— J'aurais du avoir le courage de tout te dire, sur la plage d'Ithaque. Tu te souviens, ma mère... Elle a gardé la petite fille contre elle, pendant deux jours, et les hommes sont venus pour l'emporter. Alors, elle a crié. Un cri... Et je me suis enfui. Ce cri...

Il cherche des mots. Il ne sait pas comment dire.

— Elle refusait, tu comprends. Elle n'acceptait pas la mort de Maria. C'était un chagrin de trop, un chagrin qui l'obligeait à ne plus penser à mon père, à souffrir d'une autre absence. Elle n'a pas accepté. Elle m'a chassé, pour que sa douleur disparaisse en même temps que moi, pour qu'il n'y ait plus rien, ni Maria, ni moi, qu'elle se retrouve dans son désert. Ce ne sont pas les hommes qui ont emporté le corps de la petite fille, c'est moi. En fuyant, c'est ce corps que j'emportais, et le cri de ma mère, et le peu de raison qui lui restait. Tout, avec moi. Et ma mère est devenue folle.

Il répète tout bas :

— Folle...

Comme s'il ne savait pas le sens de ce mot.

— Tu comprends, mon amour ? Tu comprends ? Elle était ma mère, je l'aimais, son visage au-dessus de mon lit le soir, et sa voix dans la maison, quand je rentrais

de classe. Je l'aimais. Elle était debout près du piano, elle
écoutait, les yeux un peu fermés, toute la musique sur les
lèvres. Et je suis revenu un soir à la maison, il y avait
eu une tempête sur le Balaton, et ma mère, à cause de
moi, est devenue folle.

Il reste un long moment silencieux. Le navire roule d'un
bord sur l'autre.

— Quand je me suis trouvé seul à Sesana, j'ai pensé à
toi, qui m'attendait, et à ma mère qui attendait. Je me
suis dit que tu étais plus forte qu'elle, parce que tu allais
avoir un enfant. Alors, c'est vers elle que je suis parti.
Il fallait que je n'entende plus son cri. Il fallait qu'elle me
regarde et qu'elle me reconnaisse, et que Maria dorme
près d'elle, en repos. Je pensais à toi, tout me tirait vers
toi, mon amour, mon impatience, ma faim de toi, l'enfant,
tout, ces jours qui n'en finissaient pas où je ne pouvais
plus te voir et te prendre dans mes bras, et t'entendre
parler. Mais je disais : non. Je ne peux pas revenir vers
mon amour, tant que ma mère est devant la porte et
qu'elle m'a chassé de chez moi. Tant que je suis un exilé.

Il la prend dans ses bras, brusquement. Il se serre contre
elle.

— Je t'aimerai. Tu verras. Je t'aimerai maintenant. J'ai
la force. J'apprendrai. Tu étais toujours en péril avec moi.
Je partais, je prenais des bateaux, je disparaissais. Parce
qu'il y avait ce cri de ma mère, sans cesse. Et toi tu
tremblais, tu avais peur, en ouvrant les yeux chaque matin,
de ne plus me trouver près de toi. Mais tu verras, c'est
fini. Ma maison, c'est toi. Je t'aimerai.

Il cherche sa main, y appuie ses lèvres, puis tout le
visage dans la paume ouverte, et c'est comme s'il plongeait
dans une source de montagne.

— A Sesana, je ne savais rien. Tomas était mort, et
je ne savais rien. J'interrogeais le cordonnier, mais il ne
savait rien non plus. Seulement le nom du passeur suivant,
celui qui devait me conduire en Hongrie. J'étais seul. Mon
frère aîné, celui qui me prenait sur ses épaules autrefois,
n'était plus là pour m'aider. Il y avait une nuit fermée
devant moi, une nuit sans lumière. Il fallait que j'entre
dans cette nuit, que j'y trouve seul mon chemin. J'ai eu
peur. Je le dis, je n'ai pas honte. J'ai eu peur, j'ai pensé

à toi, c'était si simple : retourner, ne plus me souvenir que Tomas m'avait conduit jusque-là, retourner vers toi. Et si j'ai pleuré, c'est à cause de cette force qui me tirait en arrière, aux épaules. Et je refusais d'y céder. J'étais dans une cave, dans le noir. Je me suis dit que mon père était dans une prison, lui aussi, depuis des années. Je me suis dit qu'il fallait que je sache où il était, que j'aille le chercher, que je me présente devant ma mère avec lui, puisque Tomas n'était plus là. Il fallait que mon père revienne.

Il ajoute, après un temps très long :

— Il est revenu.

Il s'allonge sur le sol. Il n'a plus de force. Il se plaint.

— Si long, si long... Trois mois si longs... Mais il est revenu.

Il s'endort, en une seconde, les yeux si lourds qu'il ne sait plus les ouvrir. Il dort de tout le poids de ces nuits qu'il raconte, au fond des caves, à regarder les barreaux devant le soupirail. Il pleut toujours. Le bateau avance par à-coups, entre les nuages, si bas sur la mer qu'il semble que ce soit déjà le rivage. Des îles, peut-être. Noële se lève et regarde. Mais il fait sombre. Elle ne voit rien.

— Mon amour.

Ugo est assis. Il se réveille aussi brusquement qu'il s'était endormi. Il regarde autour de lui. Il a cru, pendant une brève seconde, qu'il était de nouveau dans la cave de Sesana. Mais Noële est avec lui.

— Pourquoi ont-il arrêté ton père ?

Elle pensait qu'elle ne poserait aucune question. Mais elle voit qu'il est sans force, qu'il faut l'aider. Il la remercie du regard. Oui. Il faut que tout soit dit avant que le bateau n'atteigne le port. Il se redresse, vient s'asseoir sur le bord de la couchette, penché en avant.

— Tu as soif ?

Il fait signe que non. Il se met à parler un peu comme un élève qui a appris une leçon, et qui ne l'a pas vraiment comprise. La Hongrie d'autrefois, les grands propriétaires, son père, qui était un seigneur, avec beaucoup de fermes et des villages entiers qui dépendaient de lui. Il parle de 1939, de l'Allemagne. Il parle d'années qu'il n'a pas vécues, d'avant sa naissance. L'alliance de la Hongrie avec les Allemands, la guerre, la légion hongroise à Stalingrad, la défaite, l'arrivée des troupes russes.

— Quand je suis né, dit-il, toutes les femmes de mon pays étaient en noir. Elles portaient le deuil d'un mari, d'un frère, d'un fiancé. Toutes. Il y avait eu la guerre, il y avait eu les déportations. Les hommes, on n'en voyait jamais.

Son père était là, pourtant. Il aimait trop sa terre pour accepter les aventures où le gouvernement du régent Horty entraînait ses armées. Très vite, il s'était enfoncé dans les forêts. Les premiers mouvements de partisans s'organisaient. Ses domaines comportaient tant de bois, de marais, de maquis, qu'il y était en sécurité. A cette époque-là, Tomas seul était né. Il avait entraîné sa femme dans ses retraites. Elle s'était découvert une force et une volonté qui la surprenaient elle-même. C'est dans ces années-là que leur amour était devenu si beau. Jusque-là, et son père le reconnaissait plus tard avec un peu de honte, lorsqu'il en parlait à ses fils, ils étaient heureux avec trop de facilité, sans y attacher plus de prix qu'il ne fallait, donnant des fêtes, avec des jardins illuminés, des violons dans les taillis, des barques sur le lac, et la fierté naïve d'être jeunes, de s'habiller comme à la cour, et d'avoir des chiens. Ils ne s'aimaient qu'avec plaisir. Pendant quatre ans, ils avaient appris à s'aimer dans le silence des terriers, anxieux d'une heure à l'autre, toujours en danger, s'émerveillant de la patience du destin. C'est de ces années qu'était venue l'habitude des lampes, comme un souvenir des attentes où il était interdit de faire signe de loin, comme une revanche sur les ombres. En 1944, on avait offert à monsieur Luckas une place dans le nouveau gouvernement. Ses années de résistance le désignaient de droit. Il avait refusé. Il s'était battu pour sa terre. Il voulait y rester. Il avait obtenu qu'on la lui conserve, proposant lui-même des réformes nécessaires à ces temps nouveaux qu'il avait vu naître au milieu des partisans. Mais il se voulait hongrois. Il acceptait mal une tutelle où son pays était à l'étroit. Le même mouvement de cœur qui l'avait poussé dans ses forêts le conduisait peu à peu vers d'autres espérances. Il avait renoué les liens souter-

rains, avec une impatience trop vive, et qui l'avait perdu.
— Il a été arrêté en 1955.
Un an plus tard, c'était l'insurrection.
La nuit est venue brusquement. Par le hublot, on ne
voit plus rien. Ce qui frappe contre la vitre, c'est peut-être
la pluie, peut-être la mer.
— Ils s'aimaient, tu ne sais pas comme ils s'aimaient...
Ugo parle tout bas.
— C'est toi qui me l'a fait comprendre. Les enfants ne
savent pas. Pour eux l'amour c'est comme le jour ou la
nuit, aussi évident. C'est depuis que je t'aime, et que je
me suis trompé en t'aimant si mal, et que je n'aurai pas
assez de ma vie maintenant pour t'aimer, que j'ai compris.
Il vient vers elle, la prend dans ses bras, doucement,
cherche ses lèvres. Ce n'est pas l'impatience. C'est la
tendresse. C'est un long moment à respirer au même
souffle.
— Viens.
Il la porte jusqu'à la couchette, l'allonge, pose la couverture sur ses jambes. Le voyage n'est plus très long.
— Le cordonnier de Sésana m'a fait traverser la Yougoslavie dans sa voiture. Je ne regardais rien. J'avais les
yeux fermés. Je voyais le visage de Tomas, au moment
de mourir, qui s'apaisait, qui redevenait celui d'autrefois.
Je pensais aussi à Elizabeth. Une fois encore, il y aurait
une femme en noir dans les rues de mon pays. Le dernier
passage, c'était une maison, dans une clairière. L'homme
qui m'attendait m'a regardé longtemps. Il avait l'air de
tourner autour de quelque chose qui lui faisait peur.
C'était encore une fois la nuit, très chaude, avec des éclairs
dans le ciel, qui annonçaient un orage. Je me souviens de
ces éclairs, entre les arbres de la clairière. Nous devions
passer à deux heures du matin. J'étais assis sur une chaise
dans la cuisine. L'homme était vieux, avec des cheveux
très blancs, et des yeux très clairs, presque trop bleus.
Je savais que dans quelques heures je serais en Hongrie,
seul. L'homme s'est décidé à parler : « Je n'ai pas le droit,
me dit-il, jamais je n'interroge, mais Luckas, je voudrais
savoir, il y avait un homme de ce nom près du Balaton. »
J'ai répondu que c'était mon père. L'homme s'est mis à
trembler très fort. J'ai cru que c'était la peur d'un danger

que je ne comprenais pas. C'était une émotion trop forte.
« Vous lui ressemblez », m'a-t-il dit. Ses yeux étaient plus
vifs. Il m'a parlé de mon père. Il l'avait connu pendant
la résistance. Il était alors ouvrier agricole. Il gardait de
lui un souvenir émerveillé. « Ce n'était pas seulement un
seigneur, disait-il, c'était un monsieur. » Ma mère aussi,
et Tomas, qui avait cinq ans. Il a parlé longtemps, très
longtemps, et moi j'interrogeais, je découvrais ce que je
croyais savoir, ce que mon père nous avait souvent raconté,
mais c'étaient d'autres mots, d'autres histoires. Au petit
jour, nous parlions encore, le passage était compromis, mais
j'avais changé mes projets. J'avais décidé de rester chez
cet homme, jusqu'à ce qu'il m'ait aidé à retrouver mon
père. Par son mariage il était devenu frontalier. Il vivait
dans cette maison depuis tant d'années, qu'on ne l'inquié-
tait pas. Il était veuf. Il allait tous les jours travailler en
Hongrie. Je me suis caché chez lui. Et je l'ai envoyé à
Budapest, chez mon professeur de piano. Cet homme que
monsieur Vaindrier a été voir, celui qui t'a fait parvenir
la lettre.

— Mon amour...

Noële cherche dans la poche du manteau. Le papier est
là, plié. Elle le sort, le déplie. *Mon amour.*

Un coup contre la porte. Ugo ouvre.

— Nous serons à Athènes dans une heure, dit Yannis
Karrassos à mi-voix.

— Yannis...

Ugo le regarde, découvre brusquement qu'il est là. Il
n'y avait plus pour lui que Noële. Il a un mouvement de
joie inattendu.

— Yann...

Il lui prend le bras.

— Le vin, Yann, tu te souviens ? Le vin a dit vrai.
C'est un garçon. Comment est-il ? Tu es grand-père Yann,
et tu ne me parles pas de ton petit-fils.

Ils sont si perdus de fatigue, et d'anxiété, et de nuits
trop longues, qu'ils rient ensemble comme des enfants.

— Il ne te ressemble pas, dit Yannis en riant. C'est à
moi. A moi qu'il ressemble. Oui. Demande à sa mère. Il
est déjà grand, il a ma taille, il monte dans les hélicoptères
avec moi, il visite mes chantiers il donne des ordres. Ce

n'est pas ton fils, Ugo, mon petit Ugo, c'est mon fils à moi.

Ils sont entraînés par les mouvements du navire, d'une paroi à l'autre, secoués, pris de vertige, comme deux hommes ivres, et c'est la joie d'être là ensemble, à parler de l'enfant. Noële les entend rire. Elle regarde une fois encore le papier : *Mon amour*. Elle appelle :

— Père...

— Oui, ma petite fille ?

Il entre dans la cabine, se penche vers elle, allongée sous sa couverture. A son tour il pense que c'est elle la passagère clandestine, arrachée aux ombres et qui revient chez elle.

— Restez avec nous, père. Ce que Ugo raconte, il faut que vous l'entendiez.

Ugo referme la porte. Ils sont tous les trois maintenant.

— Je sais que tu es venu, Yann, mais je l'ai su trop tard. Pendant ce voyage que tu as fait, j'étais chez le frontalier, caché, à attendre. C'est plus tard, beaucoup plus tard, quand j'ai rejoint ma mère et mon frère que je l'ai appris. Tu es venu, Yann. Tu es venu me chercher.

— Et je suis reparti les mains vides.

Ugo reprend son récit. Maintenant il dit tout très vite, parce qu'il sent que le port est proche, qu'il faut que le récit s'achève avant que la terre n'apparaisse dans le hublot. Il dit le lien qui s'est créé tout de suite entre son vieux professeur et lui, par l'entremise du frontalier. Il dit l'acharnement avec lequel le vieil homme a fait ses enquêtes, découvrant patiemment la vérité sur monsieur Luckas. Des années de cellule, un vieillissement de tout l'être, un poison du sang dû à l'éloignement d'une femme qu'il ne supportait pas de ne pas retrouver chaque soir, un fantôme devant une fenêtre murée, guettant un signal, si parfaitement semblable à elle, dans son attitude de veille, que leur amour, sans qu'ils le sachent, leur dictait ensemble des mouvements parallèles. La maladie enfin, qui le fait sortir de cellule, le pousse vers une sorte d'asile, aux confins du pays, où la liberté semble moins lointaine, car à travers un volet soulevé, il découvre quelques mètres d'un jardin et un mur. Ugo reste chez le frontalier. Il sait que son professeur va tout mettre en œuvre pour obtenir

que cet homme et cette femme soient réunis. Il a des
appuis, il fait des démarches. C'est long, difficile. Il avance
pas à pas. Il ne parvient pas à faire ouvrir les portes de
l'asile. Il s'obstine. Il finit par convaincre. C'est madame
Luckas qui fera la route. La porte s'ouvrira pour elle.
Dans le silence de la chambre au volet soulevé, ils pourront enfin se rejoindre.

— C'est à ce moment-là, qu'est arrivé monsieur Vaindrier, c'est à ce moment-là que le hasard l'a conduit chez
mon professeur. Il n'a pas su s'il avait le droit de parler.
Il est venu me retrouver chez le frontalier. J'étais déchiré
pour toi. J'aurais voulu tout pouvoir te dire, mais il me
restait une chose à faire. Alors je t'ai simplement fait
dire que j'étais vivant.

Il tremble. Il a froid.

— Je me suis mis en route un matin. J'ai quitté la
maison du frontalier. J'ai été chez mon frère Yan. Je suis
arrivé vers la fin de l'après-midi. Il y avait encore un
peu de jour. J'ai frappé à la porte. Je tremblais. Je ne
voulais pas regarder aux fenêtres. Je ne voulais pas apercevoir, derrière le rideau, l'ombre de ma mère. J'ai frappé
encore une fois, parce que personne ne venait ouvrir. J'ai
attendu. Il n'y avait aucun bruit dans la maison. Le silence
des maisons vides. Pourtant, je savais que Yan était là,
et sa femme, et sa petite fille. Je les avais fait prévenir
par mon professeur. Comme on n'ouvrait toujours pas,
j'ai poussé la porte, et je me suis aperçu qu'elle n'était pas
fermée. Je suis entré. Il y a un couloir, et deux portes,
une de chaque côté du couloir. La première porte était
celle d'un salon. J'ai regardé, et...

Ugo cache sa tête dans ses mains.

— Yannis...

— Oui ?

— Tu l'as vue, toi aussi. De dos, c'est une jeune fille.
Elle a remis ses robes d'autrefois. Elle est belle, n'est-ce
pas ?

— Je l'ai vue, Ugo. Elle s'est retournée. Elle est venue
vers moi. C'est une jeune fille, Ugo. Très belle. Elle avait
seize ans.

— Non...

Il s'est dressé, il regarde devant lui, comme si sa mère

était là, debout, devant le hublot ouvert sur la nuit.

— Non, Yannis, non, pas seize ans. Je l'ai cru. Elle était debout. Je la voyais de dos. J'ai crié : « Mère !... », parce que c'était comme un miracle. Toutes les années effacées, et cette jeune fille si belle, comme l'aimait mon père, du temps de leurs fiançailles, avec les robes et les coiffures, et les peignes. J'ai crié : « Mère !... » et j'ai voulu me jeter à ses genoux, pour la remercier d'être aussi belle. Mais elle s'est retournée, Yannis. Elle m'a regardé. Elle...

Il tend une main, d'un geste de défense.

— Ce visage levé vers moi, cette morte, ce regard vide, et la vie, la vie, où était la vie qu'elle nous avait donnée ? Pas une vieille femme, pas même, non, une morte, une image de femme, avec l'habitude de tenir debout. C'était moi. C'était à cause de moi. C'était comme si je l'avais tuée. Sa mère. On aime le visage de sa mère. Le regard de sa mère. Et j'avais devant moi une morte, qui me dévisageait sans me voir, avec impatience. Je voulais l'embrasser, la serrer contre moi. Mais je n'ai pas pu. Je suis resté devant elle. J'ai retrouvé les mots d'autrefois, la langue que nous parlions dans la maison de famille. Depuis des années sans prononcer un mot de hongrois, et soudain tout me revenait. Je me suis mis à parler lentement, et très fort, en articulant, et son regard était posé sur mes lèvres. « Mère, tu m'as chassé de ta maison, mère... » Elle regardait mes lèvres. Elle n'entendait pas, mais elle essayait de lire les mots. « Tu m'as chassé, mère, et depuis je ne vis pas. Aide-moi, mère. Aide-moi à vivre. » Je sentais qu'elle s'éveillait lentement. Ses yeux n'étaient plus aussi vides. Il y venait une lueur, quelque chose de noir, qui bougeait. J'ai fait un pas vers elle. Et j'ai redit les mêmes mots, très fort, en articulant bien, pour qu'elle finisse par entendre. « Tu m'as chassé, mère... » Elle écoutait le mot : *chassé*. Je l'ai répété. Elle a levé une main. Si longue et si belle. Des bagues. Elle avait toutes ses bagues, l'une au-dessus de l'autre. La nuit, autrefois, les pierres qui brillaient dans sa chambre, et nous les regardions, fascinés. Elle a levé une main. J'ai vu ce qui était noir dans son regard, et qui devenait le souvenir d'un cri. Je suis tombé à genoux, j'ai serré ses jambes. Elle s'est

débattue. Mais j'avais les deux bras autour de ses jambes,
et j'ai dit : « Maria, Maria, Maria... », plusieurs fois. Et
j'ai su qu'elle entendait. J'ai senti sa main sur moi, sur
mes cheveux, ses doigts qui s'accrochaient à mes cheveux,
qui m'obligeaient à relever la tête. Elle était penchée vers
moi, le visage tiré par l'effort. Ce qui montait en elle,
cette chaleur qui venait de moi, de ses jambes, et qui
montait peu à peu, qui touchait le cœur, qui forçait les
lèvres à s'ouvrir, c'était mon nom. *Ugo*. Elle a dit : *Ugo*,
comme quelqu'un qui appelle au secours. *Ugo*...

Il recule, cherche la paroi, s'y adosse.

— Elle tenait mes cheveux. C'était pour ne pas tomber,
pour tenir droite encore, et en même temps, c'était une
caresse, la première, depuis tant d'années. La première
caresse, maladroite, violente. Je sentais ses bagues. C'étaient
des pierres. C'était quelqu'un qui creuse la terre, qui
écarte, qui fouille, et toutes les pierres roulent, et le
visage de la morte apparaît. Elle a dit, très doucement :
« Maria... ». Très doucement, comme un secret dont on
se délivre, comme l'amour. Et puis, ses lèvres ont tremblé
un peu. Elle n'a pas tenté de se défendre. Elle a fermé
les yeux. J'ai vu ses larmes. C'était toute la terre qui se
libérait de l'hiver et qui cherchait à refleurir. J'ai su que
j'étais pardonné. Je me suis relevé. Elle avait les yeux
toujours fermés. Elle pleurait sans bruit, sans hâte, avec
une sorte de plaisir. Je lui ai parlé. Je lui ai dit que
nous allions partir ensemble, que je l'emmenais jusqu'à
l'asile où mon père l'attendait, que tout était prévu, que
son attente était terminée. Elle m'écoutait. Elle comprenait
tout ce que je disais. Elle pleurait toujours. Elle avait les
deux bras le long du corps, abandonnée. Elle comprenait
que sa fille était morte, et en même temps qu'elle n'avait
plus longtemps à être seule. Alors, quelqu'un est arrivé.
Une voix derrière moi, a dit : non. C'était ma voix. Je
me suis retourné. Yan, mon frère, était sur le seuil. Il
m'a dit qu'il ne laisserait pas partir sa mère. Il m'a dit :
« J'ai accepté que tu viennes. Je me suis enfermé dans une
chambre au fond, pour que tu sois seul avec elle. Maintenant, va-t-en. Celui qui la soigne, c'est moi. Regarde-la.
Elle est calme, les autres jours. » J'ai expliqué à Yan
ce que j'avais déjà expliqué à ma mère, que j'avais retrouvé

notre père, qu'on lui avait accordé l'autorisation d'avoir
sa femme avec lui, que tout était arrangé. Yan s'est
obstiné. Alors, je me suis battu avec lui. Ma mère nous
regardait sans comprendre. Elle était de nouveau dans
sa nuit. Je lui avais dit que j'étais venu la chercher. Elle
attendait que je tienne ma promesse. Yan est fort. Il est
plus jeune que moi, mais il est fort. C'est un homme de
la terre. Nous nous battions, quand nous étions enfants,
par jeu. Souvent, il gagnait. Ce jour-là, nous nous sommes
encore battus. Il avait de la haine pour moi. Dans le fond
de la maison, je devinais sa femme et sa fille qui écoutaient, et qui avaient peur. J'avais peur moi aussi, parce
que Yan revenait de ses champs, et qu'il avait gardé ses
bottes de cheval, et ses éperons. J'ai gagné. J'ai fini par
gagner. Mais sur les éperons...

Il ouvre sa main, montre la cicatrice, la caresse du doigt
un moment.

— Il faisait nuit. J'ai pris ma mère par la main, et je
l'ai fait sortir de la maison de Yan. La voiture que j'avais
prise pour venir était toujours là. Je suis monté dedans,
avec ma mère. Nous sommes allés jusqu'à la gare, qui est
loin de la maison de Yan. Le train était pour le lendemain
matin. Nous sommes restés dans la salle d'attente, toute
la nuit. Ma mère dormait, assise, la tête bien droite. Il
n'y avait plus rien de tout ce masque qu'elle se faisait si
soigneusement chaque matin. Ses cheveux étaient vraiment
gris. Elle était mince et fragile. J'ai veillé sur elle. Je
voulais qu'elle soit bien. La porte fermait mal, un courant
d'air très froid en venait. J'ai passé un long moment à
boucher l'ouverture avec de vieux papiers. J'avais l'impression que c'était Maria, revenue de son pays fermé, et
que nous allions de nouveau être tous ensemble. Au petit
matin, le train est arrivé. J'y suis monté avec ma mère.
Nous sommes allés jusqu'à la porte de l'asile. Je ne suis
pas entré. Je n'avais pas le droit. J'ai tenu ma mère par
la main, je lui ai baisé la main longuement, parce que
c'était une jeune fille et que je ne pouvais pas la prendre
dans mes bras, le seul homme qui avait le droit de
l'embrasser était dans sa chambre, au premier étage, je
voyais le volet, et il attendait. Une femme a fait signe à
ma mère, la porte s'est refermée. J'ai attendu. J'ai crié son

nom, et je suis reparti en courant. La nuit, je suis allé
chez mon professeur. J'ai écrit deux mots sur un papier,
parce que je n'en pouvais plus d'être loin de toi, j'étais
comme mon père, je perdais ma vie, j'avais un poison dans
le sang qui était ton absence, j'ai écrit *mon amour*, avec
ton nom sur une enveloppe, je suis revenu chez le frontalier, et j'ai préparé mon retour vers toi par les mêmes
passages.

Il y a une lumière dans le hublot, qui tourne, une balise.
La cabine est dans la nuit, puis dans la lumière, et de
nouveau dans la nuit. Ugo se met à genoux, appuie son
front sur la main de Noële.

— Maintenant, dit-il, si tu veux bien de moi, je pourrai
apprendre à t'aimer.

Le faisceau de lumière encore. Yannis Karrassos regarde
par le hublot.

— Nous sommes arrivés.

Comme des morts. Marchant sans savoir. Le bateau. La
voiture. Sans un mot, le visage si lourd qu'il tombe en
avant. Les rues d'Athènes encore dans la nuit, les rues,
les places, la voiture qui monte, l'avenue, la grille.

Ils entrent. Ils vont jusqu'au perron. La porte s'ouvre.
Delpina, debout dans l'ombre, les regarde monter les
marches. Elle tient l'enfant dans ses bras. Ugo s'approche.
Ugo regarde. Il ne voit rien qu'une ombre très blanche,
très mousseuse d'étoffes et de laine, comme un fruit qui
ne serait pas encore dégagé des écorces. Noële prend
l'enfant. Ils montent tous les trois. Ils entrent dans la
chambre. Ugo tombe à la renverse sur le lit.

— Mon amour, dit-il.

Il s'endort.

Noële soulève l'enfant, le tient contre elle, comme au
temps où elle le portait, où il était en elle, contre son
ventre.

— Garçon, dit-elle avec tendresse, regarde bien dormir
ton père. Il ne dort plus comme toi. C'est le sommeil d'un
homme.

ACHEVÉ D'IMPRIMER
LE 30 NOVEMBRE 1967
SUR LES PRESSES DE
L'IMPRIMERIE HÉRISSEY
A ÉVREUX (EURE)
POUR ROBERT LAFFONT
ÉDITEUR A PARIS

Nº d'Éditeur : 2755 — Nº d'Imprimeur : 4151
Dépôt légal : 4e trimestre 1967